Ulla Lachauer

DIE BRÜCKE VON TILSIT

Begegnungen mit Preußens Osten und Rußlands Westen

Rowohlt Taschenbuch Verlag

26.–28. Tausend September 1999

Veröffentlicht im Rowohlt Taschenbuch Verlag GmbH,
Reinbek bei Hamburg, September 1995

Umschlaggestaltung: Walter Hellmann
(Abbildungen: Die Tilsiter Luisenbrücke vor dem Krieg
und Strand bei Polangen / Foto: Michael Welder)
Gesamtherstellung Clausen & Bosse, Leck
Printed in Germany
ISBN 3 499 19967 x

rororo

Zu diesem Buch

Mitten in Europa ein weißer Fleck. Wer heute die einst am besten bewachte Grenze der Sowjetunion hinter sich gelassen und den Weg über die Memel-Brücke ins frühere Tilsit genommen hat, muß sich fühlen wie auf einer Reise zu einem anderen Planeten. Denn die Geschichte der Ostpreußen, die 1944/45 von hier vertrieben wurden, ist unwirklich fern, fast schon vergessen. Von dem Schicksal der Sieger, die hier ein neues Leben begannen, ist nahezu nichts bekannt. Vorsichtig nähert sich Ulla Lachauer den so unterschiedlichen, untereinander doch verwandt gewordenen Lebenswelten: denen der Siedler von heute und damals. Ihr Buch, eine »Zeitreise», verknüpft geschichtliche Bestandsaufnahme mit eigenen Reiseerlebnissen, Begegnungen und Gesprächen, Positionsbestimmungen und zeitgeschichtlichen Analysen.

«... Was Ulla Lachauers Buch so spannend macht, ist die Ehrlichkeit und Offenheit, mit der sie ihre persönliche Haltung, ihren zögerlichen Prozeß der Begegnungen mit Tilsit und schließlich mit anderen Orten des nördlichen Ostpreußens beschreibt. Es gibt sicherlich kein Buch aus der jüngeren Generation, das so aufrichtig und schließlich auch so objektiv Geschichte und Gegenwart jenes Landstrichs erzählt ...» («Die Zeit»)

Die Autorin

Ulla Lachauer, geboren 1951 in Aalen/Westfalen, Studium der Geschichte, Philosophie und Politikwissenschaft in Gießen und Berlin. Arbeitet als freie Journalistin und Filmemacherin.

Von der Autorin sind im Rowohlt Verlag erschienen: «Paradiesstraße. Erinnerungen der ostpreußischen Bäuerin Lena Grigoleit» (rororo 22162, als Großdruckausgabe rororo 33143) und «Ostpreußische Lebensläufe» (1998).

rororo

Inhalt

Tilsit am Mississippi
Eine Annäherung aus der Ferne 7

Das exotische Deutschland · Die Brücke ·
Rhein und Memel · Heimatvertreibung ·
Der Sperrbezirk als poetischer Ort

Tilsit am Njemen 38

Die «Hohe» · 9. Mai

Niederung 57

Verwilderte Zivilisation · Genesis, preußisch ·
Genesis, sowjetisch

Zwischen Strom und Haff
Erinnerungsbrücken 97

Tilsiter Käse · Nach Gilge – Archipel Biographie

Groß-Legitten. Der einzige Zeuge 111

Zuflucht Litauen · Der Grenzgänger

Kalinins Stadt 123

Seljony Ostrow – Grüne Insel · Dom Sowjetow · Nishni Prud – ein Spaziergang vom Mittelalter ins All

Hotel «Kaliningrad» 157

Wiedersehen · Glücksritter · Jerusalem

Der «Kenig» am Bernsteinmeer 180

Kant, Immanuel · Prussisches Halsweh · Das Kind des Kreuzritters

Insterburger Perestroika 203

Die Kaserne «Zum nicht ausgelöschten Mond» · Rückkehr aus der «babylonischen Gefangenschaft · Überlebenstraum: «Tausendundeine Nacht»

Gussew oder Die Vergangenheit ist ein fremdes Land 236

Kreistag Gumbinnen, Hotel «Rossija» · Blaue Stunde, Uliza Pobjeda 12

Nemmersdorf, 21. Oktober 1944 273

Deutschlandfunk 1992 · Majakowskoje, Postskriptum

Nach Trakehnen 299

Das Paradies der Pferde · Musée sentimental · Der letzte Sommer des Sowchos · Das Pfingsten der Katharina Häfner

Wüste am Meer
Das Eigenleben der Kurischen Nehrung 331

Historische Reisebilder · Morskoje

Liebe und Gewalt. Aus der Familiengeschichte des 20. Jahrhunderts 346

Nachkriegsbrüder · Feindesliebe · Johanna Franzowna

Mitten in Europa 367

Nachbarschaften · Preußens Osten · Das Volk ist der Souverän

Nachwort 386

Zeittafel 388

Landkarten 393

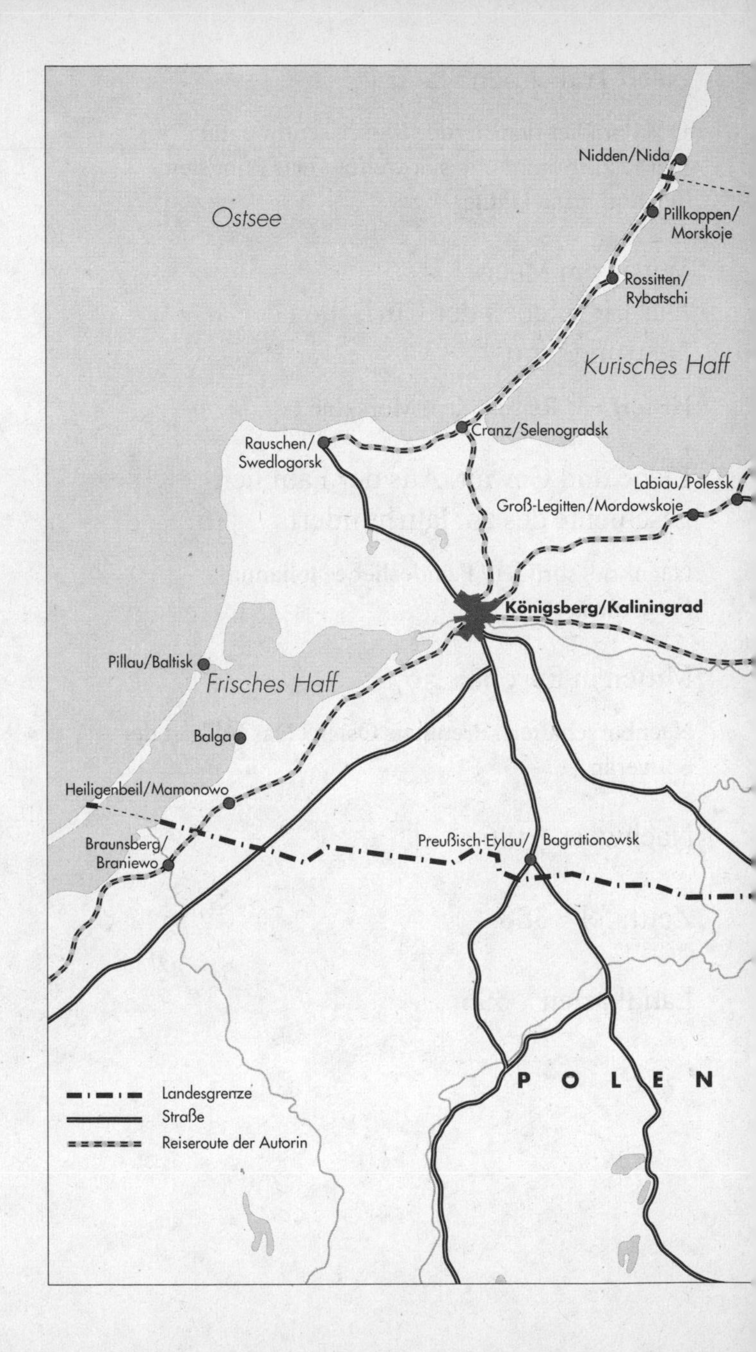

Ostsee
Nidden/Nida
Pillkoppen/
Morskoje
Rossitten/
Rybatschi
Kurisches Haff
Rauschen/
Swedlogorsk
Cranz/Selenogradsk
Labiau/Polessk
Groß-Legitten/Mordowskoje
Königsberg/Kaliningrad
Pillau/Baltisk
Frisches Haff
Balga
Heiligenbeil/Mamonowo
Braunsberg/
Braniewo
Preußisch-Eylau/
Bagrationowsk
P O L E N
Landesgrenze
Straße
Reiseroute der Autorin

Heydekrug/Šilutė
Ruß/Rūsnė
LITAUEN
Vilnius
Karkeln/
Myssowka
Tauragė
Jurbarkas
Tilsit/Sowjetsk
Neukirch/Timirjasewo
Memel/Njemen
Heinrichswalde/
Slawsk
Ragnit/
Neman
Gilge/Matrossowo
Pillkallen/Dobrowolsk
RUSSLAND
(Kaliningradskaja Oblast)
Insterburg/
Tschernjachowsk
Stallupönen/Nesterow
Gumbinnen/Gussew
Kibartai
Wehlau/Snamensk
Nemmersdorf/
Majakowskoje
Trakehnen/
Jasnaja Poljana
Goldap
km
0
10
20
30

Tilsit am Mississippi
Eine Annäherung aus der Ferne

Im Jahre 1989 informierte Jean François Carrez, der Direktor des nationalen französischen geographischen Instituts in Paris, die Weltöffentlichkeit, daß die Mitte Europas, also die gedachte mittlere Linie zwischen Atlantik und Ural, bei 25 Grad 19 Minuten östlicher Länge verlaufe, das heißt ungefähr auf der Höhe eines Flusses mit Namen Njemen, litauisch Nemunas, zu deutsch Memel. Dieses Jahr, in dem der Eiserne Vorhang fiel, war angefüllt mit solchen Entdeckungen. Berlin, zeigte sich, liegt nahe an der polnischen Grenze. Von München nach Prag ist es nur ein Katzensprung. In diesem Jahr, im September, saß ich zum erstenmal am Memelstrand, auf der zu Litauen gehörenden Seite. Der Befreiungskampf der baltischen Sowjetrepublik ging in die letzte heiße Phase, und die im Lande umherreisenden Ausländer hielten ob des ungestümen Vorpreschens den Atem an. Bis an das nördliche Memelufer war die neue Zeit gelangt. Über die Brücke durfte man nicht. Der «Kaliningradskaja Oblast», die Exklave der Russischen Sozialistischen Föderativen Sowjetrepublik, Moskaus westlichster Vorposten, war das einzige Gebiet in Mitteleuropa, das gesperrt blieb. Ich starrte über den Strom, der unerwartet schmal erschien und von trübem Braun, auf die Hochhäuser und Schlote und den Dunst der Stadt, die seit 1946 nicht mehr Tilsit heißt, sondern Sowjetsk.

Das Erlebnis war auf peinigende Weise banal. Vielleicht war es nur die Erschöpfung, der unendlich lange Umweg, der mir aufgezwungen worden war. Von Warschau durch die Ebenen des östlichen Polen, das Warten am Grenzübergang Brest, die

Regennacht auf den holprigen Straßen der weißrussischen Grenzbezirke über Grodno ins litauische Kaunas, die Ankunft bei Morgennebel im Hotel in Tauragė, der Wasserrohrbruch im Zimmer. Ohne Schlaf dann die letzten dreißig Kilometer bis zum Strom, wie in Trance. Ein Riesenanlauf – was um alles in der Welt wollte ich auf dieser Brücke? Ich verzichtete auf eine ausgedehnte Uferpromenade, Fotos, Gespräche mit Grenzern, alles professionell Übliche. Fast wie eine Flucht, dachte ich anderntags auf dem Weg nach Wilna. Ich war plötzlich und verwirrend froh, daß meine Fahrt vor der Brücke zu Ende war. Glücklich geradezu, schien mir nach einigem Nachdenken, weil ich eine Frist gewonnen hatte. Ich hatte die Bilder im Kopf noch einmal vor der Begegnung mit dem realen Raum gerettet.

Das exotische Deutschland

Als Mensch, der Anfang der fünfziger Jahre im Münsterland geboren wurde, wuchs ich damit auf. Mit dem Wissen, daß man an bestimmte Orte nicht gehen durfte. Sie lagen «im Osten», und es schien zur Natur dieser Himmelsrichtung zu gehören, daß hier der Horizont sich nicht weitete, sondern vertikal stand, wie eine Mauer. Der Kalte Krieg sollte daran schuld sein, aber der war nicht zu sehen. Wir Kinder spielten «Stadt, Land, Fluß», und die Orte hinter der Mauer kamen in unseren Listen nicht vor oder wenn, als Chimären. Namen bloß, von irgendwo aufgeschnappt. Paris an der Seine war real, schon lange bevor wir an französischen Ufern schlenderten. Die Memel? Ein weiches, melodisches Wort, bei dem kein Bild, keine Geschichte, kein Wunsch mitklang. «Von der Maas bis an die...» – das war bekannt und nichts weiter: Dieser Fluß mußte irgendwo im Osten liegen und gehörte zu den Gegenden, die die Erwachsenen als «verloren» bezeichneten. Ein Tilsiter? Die Markenbezeichnung eines Käses, den der Onkel liebte.

«Tilsit, Deutschlands nordöstlichste Stadt!» Hat es nun im Erdkundebuch der Schülerin gestanden oder nicht? «Die Gunst der Lage schuf die Eiszeit. Wo Diluvium und Alluvium einander berühren, wo die Grundmoränen des linken Memelufers zur fast spiegelebenen Fläche der Niederung abfallen, da ist der Übergang über den Strom vorgezeichnet. Den Namen bezieht die Stelle von einem Nebenfluß, der Tilsele. Erst spät erscheint er auf der Bühne der abendländischen Geschichte: in den Wegeberichten des Deutschen Ordens, der an der Mündung des Flüßchens an der Wende des 14. zum 15. Jahrhundert eine Lagerstelle und wenig später, kurz vor der Niederlage des Ordens bei Tannenberg 1410, eine feste Burg errichtet. ‹Tilsete›, im Kampf gegen die Heere der polnisch-litauischen Großfürsten geboren, wurde zur Bastion des Rückzugs. Im Schatten der Burg entstand ein friedlicher Marktflecken, und als der Ordensstaat sich auflöste, wurde er von Herzog Albrecht zur Stadt erhoben. ‹Tilse› hieß diese zunächst, später ‹Tilsit›. Sie war …»

Vermutlich stand so ein Text nicht in meinem Schulbuch, und wenn doch, ging er nicht hinein in den Kopf der Schülerin. Vielleicht weil ich die Beschäftigung mit der Eiszeit und ihren mittelalterlichen Ausläufern für Zeitvergeudung hielt. Und dazu und hauptsächlich, weil Namen wie «Tilsit» einen heftigen Widerwillen hervorriefen. Sie umgab der Geruch des Revanchismus, das Geschrei der Vertriebenenpolitiker, die nicht müde wurden, ohn' Unterlaß zu betonen, ihr Tilsit, ihr Königsberg und so weiter sei und bleibe «deutsch», auf ewig. Warum, dachte ich, randalieren die so laut? Diese Generation hatte den Krieg verloren, war für schuldig befunden an dem größten Verbrechen der Menschheitsgeschichte. Und nun wollte sie den Preis nicht zahlen und trat, mit provozierender Selbstverständlichkeit, für Ansprüche aus der fernen Vergangenheit ein. Zugleich lebten die Vertriebenen wie wir, waren von uns Einheimischen kaum zu unterscheiden. Was also fehlte ihnen im «Wirtschaftswunderland»? Das «Deutsche» – was bedeutete das noch nach dem Krieg? Und «Preußen» – das klang nach Pickelhaube und Schulmeisterstock. Wir Jungen waren Europäer mit allen Sinnen. Franko- und anglophil, philosemitisch, transatlantisch. Lebensgefühl, Rhythmus, Stil, tausend Selbstverständlichkeiten des Alltags, alles war «westlich», nicht deutsch. Deutschlands Osten? – kam in meinem Leben nicht vor. War vollkommen «out of time» und darüber hinaus neuer, eigener Erfahrung nicht zugänglich. Wir, die das Privileg genossen, Europa reisend zu begreifen, glaubten und mochten nur, was wir sahen. Eine Brücke, die unbegehbar war und deren Existenz nur von alten Autoritäten bezeugt wurde, war keine. Bewandert war ich nur in Topographie des Westens. Im Osten gab es auf weißer Fläche einige Inseln, die hießen Auschwitz und Babi Jar, Theresienstadt und Lidice. Tilsit – konnte von mir aus am Mississippi liegen oder auf dem Mars.

Unsere Bekanntschaft war im Grunde zufällig. Sie hatte zu tun mit einem großen Stein am Ufer des Rheins, in einer Stadt namens Mannheim, in die mich die Liebe verschlagen hatte. Auf diesem Findling steht der Name «Memel» geschrieben. Eine Entdeckung im Vorbeiradeln, Anfang der achtziger Jahre, die näheren Umstände sind belanglos. Bezeichnend ist eher, daß es auch die Donau hätte sein können, die mein Interesse hätte reizen können, oder die Weichsel. Wo die Liebe hinfällt, heißt es. Der Zusammenprall ist beliebig, aber wenn es zündet, muß ein Innerstes getroffen sein. Natürlich hatte die Memel eine geheime Beziehung zur Werse, dem Flüßchen in der westfälischen Kleinstadt, in der ich zu Hause war. Sie korrespondierte mit dem rinnsalartigen Wasser vor der elterlichen Haustür. Ein Gegen-Bild, auch zum gezähmten Mannheimer Rhein-Neckar-Eck. Meine Sympathie war so banal wie diffus, knüpfte sich vor allem an den Strom, an Landschaftliches oder damit verbundene Eigenheiten. Tilsit gefiel mir – *irgendwie*, vielleicht weil die Stadt sich nach Odessa träumte. Das heißt jahrhundertelang immer wieder über eine Wasserverbindung nachgedacht hat, die den Lauf der Memel mit dem Dnjepr und so mit dem Schwarzen Meer verbinden könnte.

Ich fing von Null an, anfangs war es fast wie buchstabieren lernen: Tilsit liegt im Achsenkreuz zweier Fernverkehrswege. Der Wasserweg von der Ostsee ins Weißrussische hinein schneidet den Landweg von Berlin auf Sankt Petersburg zu, die alte Bernsteinstraße, die angeblich schon von Griechen und Phöniziern benutzt wurde. Die Schiffe der Hanse tragen das Salz aus der Bucht von Biskaya, Heringe und Eisenerze aus Schweden stromauf, Tuche, Gewürze und Weine aus Flandern und Frankreich. Stromab schwimmen Felle, Hanf und Leinsaat, Wachs und Pottasche, Getreide auf riesigen Wittinen, Holz zu langen Flößen gebunden. Die Stadt lebt vom Transit, der Handel prägt das Weichbild wie die Zusammensetzung ihrer Einwohnerschaft. Tilsit – ist nicht Deutschland, sondern ein Platz in Mitteleuropa. Bunt gemischt, das Fremde ist Teil und Lebenselement. Besonders intensiv zu Zeiten des Jahrmarktes. «Ein rechtes Bild vom Leben und Treiben, von den Fäden, die sich zum Lande oder sich nach dem Auslande spinnen, gibt der Tilsiter Michaelismarkt ... Man sah die verschiedensten Typen und Trachten. Durch das Preußener Tor kamen die Ragniter, Pillkaller und Stallupöner Händler. Litauische Marktbesucher in langen weißen Röcken verhandelten ihre Erzeugnisse. Durch das Hohe Tor kamen auf der nach Königsberg führenden Straße die reichen Gutsbesitzer, auch die in den Wäldern um Labiau sich herumtreibenden Zigeuner. Durch das Deutsche Tor zogen die Marktbesucher aus der Niederung. Der größte Teil von Jahrmarktsbesuchern ergoß sich über die Memelbrücke nach der Stadt, ein Zeichen, wie eng schon in früheren Zeiten beide Memelufer verknüpft waren. An Markttagen strömten über die Memelbrücke ungefähr so viele Menschen in die Stadt hinein, wie durch sämtliche Tore zusammen. Von jenseits des Stroms sieht man die reichen Gutsbesitzer mit ihren stolzen und schönen Rossen hereinfahren. Von dort senden die wohlhabendsten Kirchdörfer ihre Anwohner. Von dort kommen die Anwohner des kurischen Haffs. Von dort kommen die Memeler Matrosen und die Frauen aus der Gegend von Memel. Von dort die russischen Juden mit ihren weiten Kaftans, ihren grauen Pelzen, mit ihren halbängstlichen, halbverschmitzten Gesichtern. Und die behenden, leichtfüßigen Szameiten ... Händler aus Nischni-Nowgorod waren auf dem Tilsit Jahrmarkt keine seltenen Gäste, Russen und Polen machten große Einkäufe.»

Es gibt zahllose Beschreibungen dieser Art. Die zitierte ist eine der letzten, geschrieben in den 1930er Jahren, als das Geschilderte längst Vergangenheit war. Verfasser ist der Tilsiter Studiendirektor und Lokalgeograph Herbert Kirrinnis, ein deutschnational denkender Mann und Anhänger Adolf Hitlers. Ganz selbstverständlich spricht er vom östlichen, slawischen Einschlag der Stadt! Verwunderung war es; die erste Phase meiner Annäherung an Tilsit war angefüllt mit gespanntem Erstaunen über die Exotik Deutschlands.

Nicht nur der Strom schwemmt die Fremden in die Stadt, auch die absichtsvolle Politik der Landesherren. Die preußischen Herzöge und Könige laden Menschen aus halb Europa ins Land, die in ihrer Heimat wegen ihrer Religionszugehörigkeit verfolgt werden oder in Armut leben. Der größte Zustrom von Siedlern kommt in der ersten Hälfte des 18. Jahrhunderts, nach der großen Pest, die Preußens Osten fast völlig entvölkert hat. Damals wird die Provinz zum Schmelztiegel. Ein Reisender und Bewunderer Preußens, P. Rosenwall (Pseudonym für Gottfried Peter Rauschnik), hat um 1817 Tilsits Bevölkerung beschrieben: «Die Einwohner sind in dieser Hinsicht auf ihre Abkunft sehr gemischt, daher ihre Lebensart, weil sie hier mehr, wie irgendwo, den Sitten ihrer Väter treu bleiben, sehr verschieden sind. Deutsche Preußen, Salzburger, Mennoniten, Lithauer und Juden wohnen hier zwar friedlich beisammen, doch scharf abgegrenzt in den Sitten voneinander, daß auch dem Fremden auf den ersten Blick ihre Absonderung auffällt. Die deutschen Preußen sind die ausschließlichen Besitzer des

Holz- und Kornhandels, die Juden handeln mit Kolonial- und Manufakturwaren, auch sie treiben hier wie überall Schacher und Wucher, die Salzburger, Mennoniten und Lithauer treiben den Detailhandel, vorzüglich das Branntweinbrennen – hier ein wichtiger Nahrungszweig – und alle übrigen Gewerbe. Die geringe Menschenklasse besteht beinahe nur aus Lithauern ... Eine ganz eigene Musik hört man hier auf dem Wochenmarkte. Die singende Aussprache der Lithauer, bei der jeder Selbstlauter unendlich gedehnt wird, der heulende Jargon der Salzburger, die platte, dem Holländischen nahekommende Sprache der Mennoniten und endlich das beliebte Jüdische – dies zusammen macht ein Konzert aus, das seinesgleichen sucht.»

Mein Vergnügen an solcher Lektüre war zum Teil ganz naiv. Sie erinnerte mich an die freudige Neugier, mit der ich die erste italienische Eisdiele betrat. Oder den jugoslawischen Grill in der Hellstraße, an meine eifersüchtige Bewunderung für die schöne Spanierin im Tanzkurs. An die Jahre, als mit den Fremden in unsere Kleinstadt ein wenig Spannung kam und sich atmosphärisch das Ende der Adenauerzeit ankündigte. Die historischen Texte über das exotische Deutschland führten mich in meine eigene Zeit. Im Prozeß der allmählichen Vergegenwärtigung Tilsits verwickelte ich mich immer tiefer in die Vergangenheit der Bundesrepublik. Immer wieder geriet der Stoff in den Sog eigener Wünsche und Konflikte. Was ist Projektion, was ist ihm historisch eigen? Das «Konzert» der Sprachen, das bei Rosenwall so pittoresk daherkommt, muß nicht harmonisch gewesen sein. Jede Gruppe mochte in ihrem eigenen Kosmos leben, und Grenzüberschreitungen konnten tragisch enden. Es hat lange gedauert, bis ich begriff, wie grundsätzlich anders und unvergleichlich mit der unsrigen die Lebenswelt mitteleuropäischer Gemengelage war. Am einfachsten erschien es mir, die Tilsiter Geschichte über die Memelbrücke zu betreten.

Die Brücke

Sie ist das Wahrzeichen der Stadt, von existentieller Bedeutung für ihre Zivilisation, weil sie den Nord-Süd-Weg fest installiert, und von hohem symbolischem Wert, denn sie bringt das Selbstverständnis der Stadt, das Völkerverbindende, in ein Bild. Um die Brücke herum ließe sich alles erzählen, von den Anfängen, den pruzzischen Jägern und Beuthnern, die an dieser Stelle den Strom überqueren, und den Heeren des Ritterordens, der von hier aus in die Szameitia vordringt, bis zu ihrem Ende, das auch die Geschichte Tilsits abschließt. Dann das typische Kuriosum, daß der Brückenbau einer russischen Initiative zu verdanken ist. Zarin Elisabeth ist die Mutter der ersten Brücke, ihr Vater ist der Krieg, der sogenannte Siebenjährige. Gleich in seinem ersten Jahr läßt der russische General Fermor eine Floßbrücke über den Strom schlagen. Nachdem die Tilsiter diese Wohltat in der Besatzungszeit schätzen gelernt haben, klagen sie, nach dem Frieden von Hubertusburg, den Fortschritt bei Friedrich dem Großen ein. Obwohl der nicht gut zu sprechen ist auf seine Provinz, die so umstandslos der Zarin gehuldigt und soeben noch mit dem Feind Geschäfte getrieben hat, gibt er dem Drängen nach. Mit königlicher Hilfe entsteht 1767 eine auf 36 Prähmen schwimmende Schiffsbrücke. Eine Angelegenheit natürlich nur für den Sommer. Im Winter, bei Hochwasser und Eisgang, muß sie abgeschwenkt werden. Knapp anderthalb Jahrhunderte später erst, 1907, erhält Tilsit eine feste Brücke. «In drei eleganten Bögen springt sie über den Strom», rühmen ihre Breslauer Baumeister. 416 Meter, leicht und harmonisch gegliedert, eingefaßt von zwei barocken Sandsteinportalen, eine fabelhafte Ingenieurleistung, die den Schwemmlanduntergrund an den Rändern und die kräftige Strömung einwandfrei bewältigt. Sieben Jahre nach ihrer Einweihung, im August 1914, befiehlt das deutsche Generalkommando ihre Sprengung. Das Verhandlungsgeschick des Tilsiter Bürgermeisters rettet sie. Dreißig Jahre bleiben ihr noch, dann liegt sie zerbrochen in der Memel. Auf einer Luftaufnahme, vermutlich von Anfang November 1944, sind auf einer der Bruchstellen zwei aufgerissene Pferdeleiber zu sehen. Zu diesem Zeitpunkt sind die meisten Tilsiter auf der Flucht.

In dieser Darstellung fehlen ganze Stücke. Das Eigentümliche am Nachdenken und den Versuchen, darüber zu erzählen, war, daß die Ereignisse sich schwer in eine ordentliche Chronologie bringen ließen. Kaum hatte ich irgendwo begonnen, strebten sie wie von selbst dem Ende zu. Bilder der Zerstörung schoben sich in die ruhigen, heiteren Zeiten. Die Sprengung der Brücke verdunkelte die Jahrhunderte des verbindenden Verkehrs, von Handel und Wandel. Ich geriet immer wieder in den Bann der Katastrophe beziehungsweise des gesellschaftlichen Sprechens über sie. Die Bundesrepublik starrte auf dieses Jahr 1944/45, fixierte diesen Ausschnitt der Geschichte, der die Existenz Deutschlands so grundlegend umgestürzt hatte. Zuerst, in den Zeiten des Kalten Krieges, hatte dies die Form der Klage und oft auch der Anklage. Das haben die Bolschewiken getan! hieß es, der Antikommunismus überwucherte den Kontext des Geschehens und schließlich auch das Gesicht der Städte und Landschaften, um die es ging. Mit der neuen Ostpolitik wurde dann über ebendiesen Punkt ein Tabu verhängt. Das Schuldbekenntnis, Voraussetzung der Aussöhnung mit den östlichen Nachbarn, schloß ein Junktim ein: Das Volk der Täter hat über seine eigenen Wunden zu schweigen. Dieses Verbot löste die Fixierung auf diesen einen Punkt nicht auf, verschärfte sie im Gegenteil eher.

Das blieb so, das historische Thema war umstellt von strengen Regeln der Gegenwart und künftigen Glücks. Jede Beschäftigung mit ihm mußte da hindurch. Ich selbst war geprägt von Willy Brandts Politik. Sein Kniefall in Warschau hatte mir zum erstenmal das Gefühl gegeben, daß es eine Bundesrepublik gibt, mit der ich mich identifizieren konnte. Dennoch – als ich in den achtziger Jahren anfing, mich mit dem Osten zu beschäftigen, kamen mir Zweifel an der Radikalität meiner Überzeugung. Mußte dieser historisch notwendige Schritt wirklich so weitreichende Sprechverbote nach sich ziehen? Es erschien mir ungerecht, ausgerechnet die Gegenden auszublenden, die untergegangen sind, sie noch ein zweites Mal auszulöschen – selbst in den Zuständen, die «normal» waren. Warum durften sie nicht einfach beschrieben werden, die früheren Generationen sich darin bewegen, von der Wiege bis zum Grabe, in aller Unschuld beziehungsweise nur mit der Schuld, die sie selbst auf sich geladen haben? Ankämpfend gegen den Sog des Schreckens, entwickelte ich eine immer größere Lust, Anfänge zu finden. Zu probieren, wie sich die Geschichte von vorne erzählt. Ich entdeckte plötzlich einen Grundsatz des Historismus neu: «Jede Epoche ist direkt zu Gott!» Diese altertümliche Position, die die Zusammenhänge der Zeiten leugnet, ließ sich ketzerisch wenden – gegen das Übermaß an Befangenheiten, die sich vom Heute über die fernsten Vergangenheiten stülpten.

Wo liegt Tilsit? Von welchem Punkt aus führte ein Weg in die Stadt? Zurück zur Brücke, sagen wir zur Einweihungsfeier 1907. Bemerkenswert an ihr ist nicht so sehr der Stolz der Tilsiter und des anwesenden Kronprinzen auf die moderne, ästhetisch gelungene Konstruktion, sondern der durch und durch nostalgische Tenor der Veranstaltung. Mit Pathos und einer gewissen Zärtlichkeit beschwören die Festredner ein hundert Jahre zurückliegendes Ereignis und taufen den Bau auf den Namen der Hauptheldin, der «Königin Luise». Jeder damals weiß, worum es geht. Es steht in allen Reiseführern und Schulbüchern. «Tilsit ist eine bedeutsame Stätte wegen des unheilvollen Friedensschlusses von 1807.» Oder: «Merkwürdigkeiten enthält diese Stadt nicht, wohl aber wird der hier geschlossene Friede und die Zusammenkunft der zwei erhabenen Monarchen mit dem Weltverwüster denkwürdig bleiben.» Diese Begebenheit ist unzählige Male berichtet und gestaltet worden, ein Klassiker preußischer Geschichtsschreibung, deutscher Dichtung, Malerei und Kolportageliteratur. Kurz und trivial gefaßt, wie sie in Millionen Köpfe eingegangen ist: Vor Napoleon, der soeben den Gipfel seines Ruhms erreicht hat, steht unerschrocken und anmutig Königin Luise, gewandet im Stil des herrschenden Empire, und bittet für ihr Volk um Gnade. Voraus geht ein Zweikaisertreffen, des siegreichen Franzosen mit dem Zaren Alexander I., auf zwei im Memelstrom schwimmenden Pavillons. Eine – sehr kurze – Männerfreundschaft bahnt sich an. Der Russe legt ein gutes Wort ein für Preußen. Friedrich Wilhelm III. bleibt Statist, seine Frau Luise tritt ab mit Grandezza und den Worten: «Sire, Sie haben mich grausam enttäuscht.» Preußen verliert damals die Hälfte seines Staatsgebietes, bekommt eine Besatzungsarmee aufgedrückt und hohe Kontributionen.

Das Melodrama an der Memel wird zur Schlüsselgeschichte für Preußens Zukunft und das kommende Deutsche Reich – und für die Identität Tilsits. Das verquickt sich, doch erweisen sich bei genauerem Hinsehen die Versionen und die sie treibenden Motive partiell verschieden. In der «großen» wird Luise zur Symbolfigur der erwachenden Nation, zur Mutter der Kriege, die sie hervorbringt, und zum Inbild der deutschen Frau. In der «kleinen», der lokalen Fassung dagegen, wird das Außergewöhnliche des gesamten Treffens betont und die besondere Eignung des Platzes dafür. «Tilsit hat seine Bedeutung in der Weltgeschichte durch die Begegnung zwischen Ost und West im Jahre 1807. Dieses Ereignis ist nicht zufällig mit der Memelstadt verknüpft. Denn hier wurde weithin sichtbar, was seit ihrer Gründung das Leben und die Stellung dieser Siedlung am Strom bestimmt hat.» Diese Ausführungen des ostpreußischen Historikers Walter Hubatsch, der in Tilsit zur Schule ging, geben den Eigensinn treffend wieder. *Ein*mal hat das Schicksal die Stadt «erkannt», einmal hat sie der Welt gezeigt, wofür sie prädestiniert ist. Preußens Madonna beschirmt eine Ost-West-Konferenz! Nach Luise werden übrigens im Laufe der Jahre ein Lyzeum benannt, eine Allee, eine Apotheke, ein Kino, ein Café, Vereine, höhere und einfache Töchter über mindestens drei, wenn nicht vier Generationen. Doch ist die Verehrung hier weniger weihevoll als anderswo, eher familiär, mit einem kleinen subversiven Beigeschmack. In der lokalen Zeitung wie im Klatsch kursieren viele von der großen Version ausgeschiedene Anekdoten: über Luisens Schwäche für den Zaren, Napoleons Komplimente für Tilsits Deutsche Kirche, des Korsen Seufzer in der Verbannung von Sankt Helena, in Tilsit vielleicht sei er am glücklichsten gewesen. Und am wichtigsten von allem der Umstand, daß Tilsit für die Dauer der Verhandlungen eine neutrale Stadt ist.

Das schwierigste für mich war, lokale und regionale Bezüge zu finden. Sich an einen Punkt der Welt zu versetzen, dessen historische Eigenheit fast unkenntlich geworden war. Was über Strom, Brücke, Stadt in unserem Jahrhundert geschrieben wurde, ist von nationalem und chauvinistischem Gedankengut überschwemmt. Schließlich, 1945, blieb die Geschichtsschreibung stehen. Einige Gestrige, die noch nicht im Rentenalter waren, führten sie noch ein Stückchen fort. Doch wertvolle Quellen waren im Krieg verlorengegangen, der Ort als Quelle der Inspiration und Erneuerung von Sehweisen fehlte. Ohne Bodenhaftung, aber auch ohne den frischen Wind der modernen Sozialwissenschaft an sich heranzulassen, entstanden noch ein paar einsame Abgesänge. Sie zu lesen bedeutete eine Qual, selbst dann noch, als ich um des Themas willen alles verschlang, was zu haben war. Ich lernte daraus vor allem, wie groß die Distanz zwischen den Standpunkten ist, und den eigenen vergleichend zu beschreiben. Meine Generation lebte völlig fraglos in der Nachkriegsordnung von Jalta. Die Teilung der Welt war so «normal» wie das wachsende Bruttosozialprodukt. Auch an ihrem neuralgischsten Punkt, in der eingemauerten Exklave Westberlins, wo ich in den siebziger Jahren Geschichte studierte und das mir nicht trotz, sondern wegen seiner Insellage gut gefiel. Diese Stadt hatte etwas überschaubar Gemütliches und war im Abseits zugleich zentral, ein inspirierender, prickelnder Platz für die Ideen der intellektuellen «Avantgarde». Von hier aus ließ sich prächtig der Wettbewerb der beiden Systeme verfolgen, wobei das sozialistische mich damals mehr überzeugte als das kapitalistische.

Hätte mich damals jemand nach «Tilsit» gefragt, ich hätte nicht gewußt, wo genau es liegt, aber mit Sicherheit einen klare politische Haltung eingenommen: daß nämlich dieser Ort infolge selbstverschuldeter Umstände heute im politischen Großraum Moskau angesiedelt ist und im Zuständigkeitsbereich der KPdSU. Aber auch als sowjetischer Platz wäre er nicht von besonderem Interesse gewesen, denn dieses richtete sich nicht so sehr auf die Supermächte selbst als auf ihre Auseinandersetzungen in der Dritten Welt. Vietnam und Chile, Kuba, Angola und das Westjordanland waren die Brennpunkte, und das Wunderbare war, man konnte zu diesen Ländern unmittelbar Kontakt aufnehmen. Über die internationale Solidarität stellte sich über Tausende von Kilometern eine Nähe her, die größer war als die zur Mark Brandenburg rings um Berlin oder zur eigenen Herkunftsregion, zeitweise sogar inniger als die gelebte westeuropäische Identifikation. Nachbarschaft definierte sich im globalen Brückenschlag, nach den Verbindungen, die Menschen eingingen zum Zwecke der Befreiung und des Fortschritts. «Brüder, in eins nun die Hände», diese Geste und Utopie der Arbeiterbewegung vernetzte optimistisch den ganzen Planeten. Auch dies bestimmte meinen Weg auf die Tilsiter Brücke – der Fall aus den Höhen eines Menschheitstraums auf den Boden der realen Beziehungen. Ebenso der Abschied vom Roten Platz und einem fiktiven Moskau; Sowjetsk betrat ich – biographisch gesehen – von Osten her.

Rhein und Memel

Wieder zurück zur Memel, zu dem welthistorischen Ereignis von 1807. Könnte es nicht sein, daß dieses auch ein schicksalhafter Wendepunkt der Tilsiter Lokalhistorie ist? In dem Sinne, daß nun bald und infolgedessen die große und die Tilsiter Geschichte auseinanderstreben? Für ein paar Jahre gehen sie noch in eins, noch einmal schöpft Preußen Kraft aus seinem Osten. Von der Memel geht das Signal zu den Befreiungskriegen aus. Am 1. Januar 1813 zieht General Yorck, der Held von Tauroggen, in Tilsit ein. Die glühenden Gesänge des Tilsiters Max von Schenkendorf rufen Deutschlands Jugend zu den Fahnen. Doch die Dynamik des angebrochenen Jahrhunderts wendet sich gegen Tilsit. Die neue Städteordnung des Freiherrn vom Stein stärkt zwar das Selbstbewußtsein, den Ton aber geben in Preußen künftig die Städte der neuen Rheinprovinz an. Das erste Dampfschiff auf der Memel, am 13. November 1840 jubelnd begrüßt als Vorbote einer Beschleunigung des Handels, kündigt in Wahrheit die globale Verlagerung des Schiffsverkehrs von den Ostsee- auf die Nordseehäfen an. Die Eisenbahn entwertet die Bedeutung des Stroms. Überdies wird die Hauptstrecke Berlin–Königsberg–Moskau 1860 über Eydtkuhnen, an Tilsit vorbei, geführt. Gemessen an der stürmischen Entwicklung im preußischen Westen, geht die Industrialisierung hier gemächlich voran, verbleibt im Traditionellen und Bodenständigen, im Bereich der Holzverarbeitung und Verwertung landwirtschaftlicher Produkte.

Parallel dazu bewegt sich plötzlich der unterentwickelte Osten. Die Zaren fördern den Ausbau der Häfen in den neugewonnenen baltischen Provinzen und lenken den Holzexport und Teile des westlichen Imports über Libau und Riga, weg vom Memelstrom. Einmal noch, während des Krimkrieges (1853–56), erlebt Tilsit goldene Zeiten. Als England die russischen Ostseehäfen blockiert, da blüht die Memelschiffahrt, und mancher Tilsiter Kaufmann bringt es zu einem märchenhaften Vermögen. Ein Ausnahmezustand, der den großen Trend nur bestätigt: Die Memelstadt ist in einen toten Winkel geraten. Wer weiß noch in den «Gründerjahren», daß die Wiege Preußens im Osten stand? Daß Preußens Monarchie 1701 unweit von Tilsit, in Königsberg, aus der Taufe gehoben wurde? 1871 wird Wilhelm I. von Preußen zum deutschen Kaiser gekrönt – in Versailles. Das Reiterstandbild, das der siegreich heimkehrende Hohenzoller im selben Jahr im Berliner Lustgarten aufstellen läßt zu Ehren Friedrich Wilhelms III. und der Befreiungskriege, zeigt Vater Rhein und Fräulein Memel einträchtig und gleichberechtigt nebeneinander. Reichsideologie! – faktisch ist das Reich ein westlicher Staat, der Rhein sein Rückgrat.

Seit mich die Memel beschäftigte, fuhr ich anders am Rhein entlang. Ich begann, erstaunlich zu finden, wie dicht das Netz der Assoziationen und Gefühle ist, die diesen Strom umgeben. Namen der römischen Castra, Rolandseck und Drachenfels, der Salierdom zu Speyer... Karl der Große im wallenden Hemd und Otterwams, Otto des Löwen blonde Locken, St. Ursulas Martyrium... literarische Rheinreisen Viktor Hugos oder Mark Twains ... Karneval, Kölnisch Wasser, ein halbes Dutzend Weinlagen... die Oppenheims und der Rabbi von Bacharach... Heinrich Heines Spott. Nicht er, nicht einer der geschätzten Dichter ist je an der Memel gewesen. Jedes Kind kennt die Loreley, die Ritterburgen Katz und Maus, Rüdesheim. Wer kennt den litauischen Götterberg Rombinus, die Ordensfesten von Tilsit und Ragnit oder die Stromstadt Ruß? Wilhelm Storost-Vydunas, Johanna Wolff oder Hermann Sudermann, die memelländischen Dichter? Sudermanns «Reise nach Tilsit» ist immerhin ein Klassiker der Weltliteratur. Das Liebesdrama des Fischerpaares vom Kurischen Haff spielt in den Jahren nach der Reichsgründung: Ansas will, weil er eine andere liebt, seine Frau Indre umbringen. Sie soll ertrinken am Ende einer Vergnügungsreise nach Tilsit. Dort angelangt, nach Rosenlikör und etlichen Torten, Einkäufen vom Feinsten auf der Hohen Straße und einem Platzkonzert des Litauischen Dragonerregiments, verflüchtigt sich der Mordgedanke. Sie erliegen dem Zauber der Stadt, beschwipst und selig vom rasenden Tempo des Karussells singen beide: «Tilschen, mein Tilschen, wie schön bist Du doch! Ich liebe Dich heute wie einst! Die Sonne wär nichts wie ein finsteres Loch, wenn Du sie nicht manchmal bescheinst.» Tilsit als Mittelpunkt des Universums, das gibt es – einmal, in dieser vergessenen Provinzgeschichte.

Die Diskrepanz zum Rhein ist schlagend, und sie ist kein Phänomen der Nachkriegszeit. Die Suche nach der verschwundenen Region wurde nach und nach zu einer Suche nach einer Region, die ganz allmählich verschwindet. Lange vor 1945, in den letzten hundert Jahren davor, tritt sie immer mehr zurück, fühlt sich auch subjektiv entwertet. Die regionale Literatur verzeichnet Litaneien über die Unwissenheit und Arroganz des Westens, der das Land «von in Pelze gehüllten Kassuben, strafversetzten Beamten und Wölfen bewohnt sieht». Über die Rheinländer, die Briefe adressieren mit der Aufschrift «Tilsit in Litauen» oder «Tilsit in Polen» und die mit Grusel und Verachtung von «Preußisch-Sibirien» sprechen. Man wehrt sich an der Memel und ist zugleich geblendet vom Glanz der westlichen Überlegenheit. «In den Kinder- und Jugendbüchern», schreibt der memelländische Journalist Eugen Kalkschmidt in seinen Memoiren, «in Märchen, Sagen und Erzählungen spiegelten sich die ehrwürdigen Stätten der nationalen Geschichte, umwoben vom Zauber der Romantik, und alle lenkten sie die Phantasie nach Westen und Süden ... Was hatte unsere ostpreußische Heimat dagegen zu bieten?» In die Reihe der vom Westen erfahrenen Kränkungen gehört auch das Deutschlandlied des Hoffmann von Fallersleben, der offenbar nicht weiß oder nicht wichtig findet, daß Preußens Osten nicht «bis an die Memel» reicht, sondern ein ganzes Stück weiter. Er macht Tilsit zur Grenzstadt, lange bevor sie tatsächlich eine wird. «Tilsit, die Stadt ohnegleichen», kontert 1860 die Stadtverwaltung. Diese Losung begleitet als cantus firmus die kommenden Jahrzehnte und ist Ausdruck einer Identitätskrise. Diese verläßt die Stadt nicht mehr.

Selbst die Memel, scheint es, bleibt davon nicht verschont. «Es ist tragisch für den Strom», beklagt der Heimatforscher Heinrich A. Kurschat, «daß er nur auf einem kurzen Teilstück seines 879 km langen Laufes wirklich Memel heißt. Njemen nennen ihn die Russen, Nemunas die Litauer. Und wenn er bei Schmalleningken endlich den Namen Memel bekommt, währt dieses Glück nur bis Schanzenkrug, wo die Gilge abzweigt und sich die Memel in den Rußstrom verwandelt.» Das Zitat deutet an, worin die Krise besteht. Die Memel ist nicht deutsch genug. Sie «leidet» unter der Vielfalt der Namen. Ihr wird als Unglück angedichtet, was einmal ihre Stärke war.

Genau dies ist das Thema nach der Reichsgründung. Die Region steht unter verschärftem Anpassungsdruck. Damals zerbröselt nicht nur das Netz der auswärtigen Handelsbeziehungen, sondern auch die Eigenart des memelländischen Nahraumes, den man «Preußisch-Litauen» nennt. Gemeint ist der bäuerliche Landstrich jenseits und diesseits des Stroms, im Südwesten etwa bis zur Deime reichend, dessen Gesicht ganz entscheidend von Litauern mitgeprägt worden ist. Er verliert seine litauische Farbe, teils durch die staatliche Germanisierungspolitik, größerenteils durch den Sog der Industrialisierung. Früher sind die deutsche Sprache und Kultur nur für den Aufstieg in eine höhere Schicht erforderlich gewesen oder, vorübergehend, für den Dienst beim Militär. Nun aber, da Bauernkinder scharenweise an die Ruhr und den Rhein ziehen, sind sie überlebensnotwendig. 1910 zählen die Statistiker nur noch gut 100000 Menschen litauischer Zunge. «Die litauische Sprache wird in absehbarer Zeit zu den toten gerechnet», heißt es lakonisch in der Verwaltung. Die Betroffenen fügen sich mehr oder weniger – wie ins Unvermeidliche. Zwar protestieren einige Male Eltern gegen die Verbannung des Litauischen aus den Schulen, doch der Unmut wird in höchst ehrerbietige Petitionen gefaßt. Darin wird der «allerdurchlauchtigste, allergnädigste Kaiser» gebeten, wenigstens im Religionsunterricht den Kindern die Muttersprache zu lassen.

Der Abschied von der Tradition geht still vor sich, ein Aufhebens davon macht nur Tilsit. Es macht seinem Namen, das «Herz Preußisch-Litauens» zu sein, Ehre und läßt, gegen den Trend der Zeit, die Verlierer noch einmal zu Wort kommen. 1879 wird eine «Litauische Litterarische Gesellschaft» ins Leben gerufen. Ihre Mitglieder sind Professoren, Lehrer und Pfarrer, preußische Beamte die meisten und nicht aus der Gegend gebürtig. Ein Sprachforscher namens Alexander Kurschat, der Lehrer Eduard Gisevius, Geheimrat Bezzenberger und andere stellen sich in den Dienst der aussterbenden Volkskultur. Sie errichten ein Museum im Volkspark «Jakobsruh» und widmen sich ansonsten der Forschung. Dialekte und vorgeschichtliche Trachten und Bräuche sind ihre Themen, Formen von Häusern und Grabkreuzen etc. Es geht um ethnographische, um museale Aufgaben, «festzuhalten, was gegenwärtig sichtbar im Verschwinden begriffen ist», nicht um Politik. Eine gewisse Politisierung allerdings findet statt, von außen. Tilsit ist in diesen Jahrzehnten eine Art Patenstadt für die nationale Bewegung in Russisch-Litauen. Seit dem Druckverbot für litauische Schriften werden von Tilsit aus Zehntausende von Bibeln, Sprachbüchern und Erbauungsliteratur über die Grenze geschmuggelt. In Tilsit findet der litauische Flüchtling Jonas Basnavičius Asyl, Verbündete und eine Drukkerei für seine Zeitschrift Aušra («Morgenröte»). Obwohl auch sie sich eher volkskundlich als politisch gibt, wird sie für das russische Litauen zu einem «Weckruf». Von den Herren der «Litauischen Litterarischen Gesellschaft» wird das Unternehmen mit Wohlwollen und vor allem mit fachlicher Neugier begrüßt. Man erhofft sich interessantes Material von drüben, aus dem angrenzenden Szameiten, wo die «Eingeborenen Sprache und Kultur viel reiner bewahrt haben».

Politischer Zündstoff ergibt sich aus der Verbindung über

die Grenze nicht. Zwar giftet die nationale Presse in Königsberg und Berlin ab und zu gegen «panslawistische Tendenzen in der Tilsiter Ecke». Aber die Behörden wissen im Grunde, daß die litauische nationale Bewegung nicht slawisch, sondern antislawisch (antirussisch wie antipolnisch) ist und keinesfalls antideutsch. Und daß sie nur in Rußland die Chance hat, die Massen zu ergreifen. In Preußisch-Litauen bleibt sie ohne Widerhall. Anders als in der deutsch-polnischen Ecke existiert hier keine nationale Frage. Die jahrhundertealte Nordostgrenze ist eine klare Trennungslinie. Die Litauer jenseits sind katholisch, ökonomisch sehr viel schlechter dran, in Sprache, Sitte, Mentalität durchaus verschieden. Diesseits ist man evangelisch, treu preußisch in allem. Dennoch zeigen sich in diesen Jahrzehnten vor dem Ersten Weltkrieg noch einmal die Berührungen zwischen den Völkern. Es ist ein Zwischenland, die Grenze ist relativ durchlässig, und zum Selbstverständnis diesseits und jenseits gehört das jeweils andere wesentlich dazu. Noch hat der deutsche Vater Rhein das Fräulein Memel nicht an beiden Zöpfen.

In diese Zeit des Wandels fällt der Bau der Luisenbrücke. Daher erklärt sich vielleicht, warum die Einweihungsfeier 1907 so sehr auf Nostalgie gestimmt ist, ein Fest des Abschieds eher denn des Beginns. Eine Tilsiter Zeitung kommentiert: «Die Schiffsbrücke mußte weichen. Der große Verkehr forderte eine Brücke, die unentwegt, wie ein Automat ihren Dienst tut. Mit Trauer und Wehmut sahen wir Tilsiter dem letzten Abschwenken der Schiffsbrücke zu. Ein Stück Romantik ging mit ihr für immer fort. Sie lag tief auf dem Wasser, wir waren auf ihr dem Strom so nahe. Sie war der beliebteste Abendspaziergang. Der Sonnenuntergang begleitete sie und spiegelte sich weithin im Strom, fast märchenhaft. Die neue Brücke spannt sich hoch über den Strom, der umso mächtiger sich vor uns breitet und sie wie einen Schmuck, ein Geschmeide auf seinem Nacken trägt.» Die Ingenieurskunst hat den Tilsiter vom Strom entfernt. Der Homo faber geht nun sicher, ohne zu schwanken, selbst bei Eisgang, doch er spürt das natürliche Lebenselement nicht mehr. Fühlt er das Paradox? Der feste, verkehrsbeschleunigende Übergang über den Strom entsteht ausgerechnet zu dem Zeitpunkt, als die Außenbeziehungen der Stadt ins Stocken geraten. Die wilhelminische Moderne, ihre Dynamik blockiert die fließenden Identitäten des Stromlandes, den Austausch der Völker an den Ufern.

Heimatvertreibung

Was ist «Heimat»? Was mit Tilsit und den Tilsitern geschehen ist, war für mich auch deswegen so schwer einzuschätzen, weil ich von Heimat wenig wußte. Die Stadt, in der meine Vorfahren Hunderte von Jahren als Kaufleute lebten, ebenso groß übrigens wie seinerzeit Tilsit, war ein Geburts- und Wohnort. Meine heimatlichste Erinnerung an sie war der Sessel, in dem ich las und mich hinauswünschte in das New York des Dos Passos oder Ingeborg Bachmanns Rom. «We gotta get out of this place, if this is the last thing we ever do ...» Der Song der «Animals» drückte aus, was eine ganze Generation mehr oder weniger empfand. «Etwas Besseres als den Tod findest du überall» würde man zu deutsch sagen. Es war ein wütendes und auch ein glückliches Gefühl. Der Fortgang erschien fast «natürlich». Nach dem, was im Faschismus geschehen war, lag es nahe, auf die ursprünglichste Form der Bindung, auf Väter und Ahnen, überhaupt zu verzichten. Die Erziehung schmeckte nach Tyrannei, ihre Werte waren nicht nur kompromittiert, sondern angesichts des raschen Wandels anachronistisch. So sprangen wir auf den Zug, der bereits ohne unser Zutun und Verdienst in die Ferne fuhr, das heißt nutzten die sich ausweitenden Bildungs- und Aufstiegsmöglichkeiten für den Ausbruch und die Eroberung eigener Sicherheit. Vor diesem Hintergrund, der freiwilligen Flucht meiner Generation, ließ sich nur schwer Verständnis für die Vertreibung aus dem Osten entwickeln. Daß das eine mit dem anderen zusammenhing, der durch Verträge und Gewehrläufe erzwungene Exodus zur Vorgeschichte meiner eigenen Heimatlosigkeit gehörte, war eine ziemlich späte Erkenntnis. Über das Memelland erst und seine ehemaligen Bewohner wurde mir die «Entheimatung» als Gesamtprozeß bewußt – seine Stadien und Varianten, die Brüche und langsameren Trends der Entfremdungen in diesem Jahrhundert.

Wann geht Tilsit unter? 1944/45, als es seine Bewohner verliert? 1933, als die Verfolgung der «Undeutschen» und «Gemeinschaftsfremden» einsetzt? 1919, als es zur Grenzstadt wird? Oder schon um das Jahr 1907 herum, um das Fin de siècle, als der Verlust seiner Eigenart sich beschleunigt und ins Bewußtsein tritt? In diesen Jahren reagiert Tilsit auf die Konflikte der Welt wie ein Seismograph. Die Marokko-Krise, das Beben im Vielvölkerstaat Österreich-Ungarn, die bürgerliche Revolution in Rußland und in seinen Ostseeprovinzen, wie weit werden sie Wellen schlagen? Der kommende Krieg trifft Tilsit in seiner Existenz. Seine neue Brücke erlangt nur noch als militärische eine weitreichende Bedeutung. 1914 marschieren auf ihr die zaristischen Armeen westwärts, 1915 die kaiserlichen ostwärts. Noch einmal spekuliert Tilsit auf einen großen Wirtschaftsraum im Baltikum, seine Kaufleute folgen der siegreichen deutschen Armee. Noch einmal bewegt der uralte Traum von einer Wasserverbindung nach Odessa die Gemüter. 1919, mit dem Vertrag von Versailles, ist dann die Memel Grenze, Ostpreußen durch einen Korridor von Deutschland getrennt. Auf der Brücke ziehen im Auftrag der Alliierten die Franzosen auf als Schutzmacht des «Memelgebiets», 1923 annektiert der junge litauische Nationalstaat den schmalen Streifen jenseits des Flusses. Wegen der fortdauernden Spannungen mit Litauen sperrt Polen den mittleren Lauf der Memel für den Güterverkehr. Damit ist Tilsit vollends abgeschnitten. Die Handelsstadt lebt fortan im 15-Kilometer-Radius des kleinen

Grenzverkehrs. Einkäufe und Schmuggel für den Eigenbedarf, Zollschranken und Trichinenschau, Warteschlangen auf der Luisenbrücke, das ist der Alltag zwischen den Kriegen. Dafür hat sie von Berlin neue, vornehme Aufgaben bekommen – als «Bollwerk gegen die anbrandende slawische Flut», Grenzwacht und Ausfalltor für den Tag der Revanche. Die Stadtverwaltung schmückt ihren Briefkopf mit der Überschrift «Tilsit, die Brücke nach dem Osten».

Doch was in alter kaufmännischer Tradition gemeint sein mag, fügt sich schließlich nahtlos in Hitlers Eroberungspläne. Im März 1939 rollen die Panzer der Wehrmacht auf der Luisenbrücke in Richtung Memel, im Juni 1941 auf Tauroggen, Kaunas und Wilna zu. Mit den Einsatzgruppen der SS ziehen auch Mitglieder der Gestapo und des Sicherheitsdienstes Tilsit in die Massaker des Sommers. Aus der Gegenrichtung kommen die Zivilisten. 1940/41 Litauendeutsche, die nach Hitlers und Stalins Willen «heim ins Reich» müssen, und Balten, die vor der Roten Armee fliehen, ab 1944 der große Strom der Flüchtlinge aller baltischen Landschaften. Lange bevor der Exodus ein Ende findet, am 22. Oktober 1944, schneidet Hitlers Armee den rettenden Weg ab und sprengt bei ihrem Rückzug die Brücke. Nach Kriegsende errichten die Sieger zunächst eine provisorische Holzkonstruktion. Sie wird 1948, Angaben von Kriegsgefangenen zufolge, vom Hochwasser weggeschwemmt. Die nachfolgenden Bauten werden mehrfach von litauischen Partisanen in die Luft gejagt, laut Berichten westlicher Geheimdienste das letzte Mal am 17. Juni 1953. Eine zufällige Koinzidenz der Ereignisse, oder ist das geteilte Deutschland auf geheimen Wegen immer noch verbunden? Zwischen Ostberlin und Sowjetsk liegen zwei hermetisch abgeriegelte Grenzen. Ostpreußen ist zerschnitten in ein polnisches, ein russisches und ein litauisches Stück.

Eines der letzten Bilder von der Königin-Luise-Brücke ist eine Filmaufnahme. 1939 dreht der Regisseur Veit Harlan nach der Vorlage von Hermann Sudermann «Die Reise nach Tilsit».

Die Kamera zeigt den Kurenkahn der Eheleute Ansas und Indre. Dem Verlauf der Handlung entsprechend müßte er von Westen, vom Haff kommen, doch er segelt von Osten her unter der Brücke durch. Harlan will offenbar die Gunst der Strömung mit der Schönheit des Panoramas verbinden, was nur aus östlicher Perspektive möglich ist. Wer unter den Zuschauern im Reich wird den Fehler schon bemerken? Zumal ein Teil der dörflichen Vorgeschichte des Paares ohnehin aus Kostengründen in Ungarn gedreht worden ist. Die Tilsiter aber lachen sich bei der Uraufführung halb krank über die «verkehrte Welt».

Ihr Gelächter kann man bis heute hören. Viele Tilsiter haben mir diese Anekdote erzählt. Eine Schlüsselgeschichte offenbar im kollektiven Gedächtnis der aus der Stadt Vertriebenen, mit vielen Motiven: Tilsit kam zu Ehren und wurde verkannt. Ein fremder Regisseur veränderte, nicht nur in diesem Detail, die heimische literarische Vorlage. Er und seine Akteure wagten es nicht, gegen den raschen, starken Strom zu schwimmen. Vielsagend auch die Auslassungen: Die Erzählenden vermieden meist, sich über die Identität des Regisseurs und seiner Ehefrau und Hauptdarstellerin Kristina Söderbaum auszulassen. Diese steckten, als der Liebesfilm uraufgeführt wurde, bereits in den Vorbereitungen zu einem Jahrhundertwerk mit dem Titel «Jud Süß».

Die Tilsiter im Westen – viele Stadtspaziergänge habe ich mit ihnen gemacht, in Gedanken, durch fast alle Bezirke. Jeder hatte sein eigenes Tilsit, doch aller Erinnerungen kreuzten sich an der Brücke, am Strom. Die Memel und ihre Jahreszeiten haben sich eingegraben wie sonst kein anderes Bild, vor allem ihre Ausnahmezustände: wie die Kinder rennen, wenn der Strom über die Ufer tritt, mit dem Boot in die überschwemmte Deutsche Straße schippern, der Blick auf das gegenüberliegende Übermemel, wo der Fluß sich ausdehnt zum See, das grandiose Schauspiel des Eisgangs, vom Ufer aus verfolgt oder vom Logenplatz auf der Brücke. Im April meist, wenn es in den fernen Urwäldern Rußlands und Polens zu tauen anfängt, wenn die Zuflüsse der Wilija, Jura und Szeszuppe ihre Wassermassen an die Memel weitergeben, sich der Eispanzer hebt und birst mit donnerartigem Krachen, die Schollen hochschnellen, sich übereinanderschieben, splittern, sich stauen und knackend wieder lösen, schließlich an die steinernen Brückenpfeiler knallen, dann steht groß und klein eingemummelt und staunend. Und wenn die Eismassen sich im Wasser vereinzeln, begibt sich mancher «Lorbaß» in Lebensgefahr und «fährt Schollche», verdient sich Prügel damit oder den ersten Kuß von einem der zuschauenden «Marjellchen».

Der Strom ist *das* Thema der Erinnerung. Darin verschlingen sich die verschiedensten Gefühle und Bedürfnisse, vergangene wie gegenwärtige. Stolz und Lokalpatriotismus, denn die Gewalt der Memel war einzigartig in Deutschland, als Naturereignis ohne westliche Konkurrenz. Von ihr kann man sprechen in aller Unschuld, mit allen Landsleuten, unabhängig von ihrer politischen Verstrickung und Schichtzugehörigkeit, ein idealer Erzählstoff auch für ansonsten uninteressierte Enkel. In den Gefahren des Wassers ist der Tod präsent, unausgesprochen auch der Winter 1944/45. In seiner Wildheit ist der Strom ein Gegenbild zum Heute, zur gesicherten, eingefahrenen Gegenwartswelt. Der Gedanke an ihn tröstet, weil er das einzige Heimatliche ist, das als unzerstörbar gilt. Würden die Tilsiter eine Liste der Kriegsverluste aufstellen, stünde er, nach den Toten, vermutlich an zweiter Stelle, vor Häusern, Äckern und Kirchen.

Ich habe mich, nach dem Einlesen, mit Hilfe der ehemaligen Tilsiter «eingehört» in die fremde Stadt. Deutlicher aber als sie wurde mir der Ort des Erzählens selbst, das Wohnzimmer im westlichen Deutschland, in dem sie als Ansicht über dem Kanapee hängt. Einer der Gründermythen unserer Republik besagt, die Integration von 16 Millionen Vertriebenen sei wunderbar «geglückt», das nach dem Krieg so heillos und unlösbar erscheinende Problem «restlos» bewältigt. Daran ist, im Prinzip, nicht zu zweifeln. Verglichen mit anderen Flüchtlingstragödien in der Welt, ist diese Leistung einzigartig. Doch die sozialen Erfolge haben ihre Kehrseite. Sie offenbarte sich im Erzählen, und dieses führte mich auf die Spuren eines Traumas. Was geschieht mit Leuten, die in alle Winde verstreut werden und deren Geschichten auf westlichem Boden kein Echo finden? Deren Sitten und Gebräuche in der neuen Umgebung nur noch Folklore sind? Deren Interessenvertretungen gesellschaftlich abgedrängt werden in die Sektiererei? Selbst wenn die Bilder der Heimat verblassen, stellte sich heraus, muß ihre Macht nicht schwinden, sie kann sich, gerade weil eine neuerliche Begegnung und Rückgewinnung völlig unmöglich ist, sogar potenzieren. Zwischen Tilsit und Sowjetsk liegen – unabänderlich – Welten, und doch erst weniger als 50 Jahre. Die letzte Generation, die als Halbwüchsige über die Hohe Straße spaziert ist, tritt gerade erst ins Pensionsalter. Aus der Höhe ihrer Renten, aus den auf Mallorca verbrachten Wintern kann man nicht ohne weiteres schließen, daß sie das Überleben und die Entwurzelung heil überstanden hat.

Der Sperrbezirk als poetischer Ort

Inzwischen weiß ich, was mich an der Gegend am meisten anzog. Es war das Irreale ihrer Existenz. Das einerseits mein Verhältnis zu den Tilsitern bestimmte und überhaupt möglich machte, denn wir sprachen über etwas, das kein Gegenstand von Streit mehr sein konnte. Die Gewalt der Tatsachen hat jedem Revanchismus den Boden entzogen. Die Memelbrücke war reinste Vergangenheit, gewissermaßen ein «Treffpunkt im Unendlichen». Andererseits waren sie und das Gelände um sie herum ein magischer Ort – im Gegenwärtigen.

Die Faszination hatte mit den achtziger Jahren zu tun, entstand aus dem wachsenden Unbehagen an ihnen. Damals ging ein Zeitalter zu Ende. Glitzernd und reich führte es die Herrschaft der Technik und des Konsums auf den Höhepunkt und ad absurdum. Während die Gefahren der Selbstvernichtung immer deutlicher vor Augen traten, erschien zugleich der Spielraum für Veränderung immer enger. Die großen Gesellschaftsentwürfe und Utopien der Vergangenheit taugten nicht mehr für die kommenden Herausforderungen. Aber aus der Kritik am Gegenwärtigen folgte kein neuer Sinn oder eine Moral, die praktisch einlösbar gewesen wäre. Zum erstenmal in der Geschichte des Fortschritts schien seine Dialektik stillzustehen, in Ausweglosigkeit zu erstarren. Die Gesellschaft der Bundesrepublik befaßte sich hauptsächlich mit Wahrung ihres Besitzstandes, die Zukunft überantwortete man dem verwaltenden Denken. In den achtziger Jahren begann ich, Dokumentarfilme für das Fernsehen zu drehen. Diese neue Arbeit strudelte mich hinein in ein Massenmedium, das damals immer unverschämter in die letzten Winkel der Erde eindrang und den Bildern lautstark Gewalt über die Wirklichkeit verschaffte und zur Entmündigung des Menschen maßgeblich beitrug. Mein Interesse am Memelland war, zunächst unbewußt, eine Art Flucht. Ich schuf mir dort ein Refugium: ein Reich der Phantasie, ungestörter Subjektivität. Ich war allein darin, es war still. Kein Kollege kreuzte meine Wege, der schneller sein wollte als ich. Das Thema war als Ware absolut unverkäuflich. Selbst Freunde mochten meinen Berichten davon kaum folgen. Niemals real dorthin zu gelangen, das war der größte Kitzel, den die Welt noch bieten konnte. Hineinzutauchen in ein Niemandsland, Science-fiction rückwärtsgewandt. Eine Reise bloß der Vorstellungskraft, des inneren Auges. Das elektronische durfte sich nur vom Weltraum nähern. Doch die Satellitenbilder eines «Voyager» waren zu allgemein, um meinen Strom zu entzaubern. Aus dem Spazieren auf alten Meßtischblättern, den aus verstaubten Büchern zusammengesetzten Fragmenten stellte sich eine Dichtigkeit her, wie sie kein Bild, kein Film erreichen konnte.

Mein Abenteuer hatte zugegebenermaßen auch etwas Gespenstisches. An dem realen Ort, das mußte man aus dem wenigen, was durchsickerte, schließen, hat nach dem Zweiten Weltkrieg eine neue Tragödie stattgefunden. Nordostpreußen war das letzte große Experiment der Sowjetmacht. Entwurzelte aus allen Teilen der UdSSR sind gekommen, um im ehemaligen «Junkerland» die kommunistische Gesellschaft zu bauen. Dieses «Neuland»-Projekt ist gescheitert. Die Bilder aus dem All zeigten riesige Wüstungen – von Panzern zerpflügte Mondlandschaften, um den Strom herum Wildnis. Bis Gorbatschow kam, konnte ich dies mangels genauerer Informationen ignorieren. Seine Perestroika vertrieb mich aus dem Reich der Phantasie – zurück ins verminte Gelände der Geschichte.

Es dauerte noch eine Weile, dann plötzlich ging es schnell. Zwei Monate nach meiner Reise auf die litauische Seite des Memelstroms fiel die Mauer, von da ab überstürzten sich die Ereignisse. Nach der ersten Euphorie breitete sich im Westen die Einsicht aus, daß auch die hiesigen Selbstverständlichkeiten ins Bodenlose fallen und nichts mehr beim alten ist. Vielleicht haben es die Vertriebenen zuerst bemerkt, daß die Menschen, die zunächst noch vereinzelt mit einem Bündelchen von Osten kamen, Gestalten einer Zeitenwende sind. Auch das Projekt Memelland und die mit ihm verwobenen persönlichen Einlassungen wurden mit einem Schlag Vergangenheit. Die Öffnung der Brücke und der Stadt Tilsit würde eine Frage der Zeit sein. Ich wartete darauf, voller Ungeduld und nicht ohne Angst, alles Vorgestellte würde nun zu Staub zerfallen. Nur ein Putsch konnte dies noch verhindern. Anfang 1990 ging ich zum erstenmal durchs Brandenburger Tor und fuhr nach Friedrichshagen, in einen der östlichen Bezirke von Ostberlin, um die Witwe des Dichters Johannes Bobrowski zu besuchen. «Er würde heute nicht nach Tilsit fahren», sagte sie bestimmt, und sie, Johanna, die memelländische Bauerntochter, denke auch nicht daran, es zu tun.

Johannes Bobrowski hatte meine Gedankenreisen begleitet.

Der Tilsiter, geboren 1917, ist einer der großen deutschen Dichter und, weil nie zeitgemäß, kaum bekannt. Er lebt nach dem Krieg in dem Teil Deutschlands, in dem die Vertreibung als «Umsiedlung» bezeichnet wird und der Name «Sowjetsk» den Namen «Tilsit» völlig verdrängt hat. Er ist der einzige überhaupt in Deutschland, der sich dem Thema stellt: «Zu schreiben habe ich begonnen am Ilmensee 1941, über russische Landschaft, aber als Fremder, als Deutscher. Daraus ist ein Thema geworden, ungefähr: die Deutschen und der europäische Osten. Weil ich um die Memel herum aufgewachsen bin, wo Polen, Litauer, Russen, Deutsche miteinander lebten, unter ihnen all die Judenheit. Eine lange Geschichte aus Unglück und Verschuldung, seit den Tagen des Deutschen Ordens, die meinem Volk zu Buch steht. Wohl nicht zu tilgen und zu sühnen, aber eine Hoffnung wert und einen redlichen Versuch in deutschen Gedichten.» Johannes Bobrowski entdeckt seine Heimat im Krieg. Von Rußland aus, in den Pausen der Schlachten und später in der bis 1948 währenden Kriegsgefangenschaft wendet er sich der Memel und seiner Vaterstadt zu und sieht sie in neuem Lichte, in ihrer Verwandtschaft und Verwicklung mit dem östlichen Raum. Er begreift im Augenblick des Untergangs, was da verlorengeht. Nicht nur seine Heimat; Mitteleuropa, jahrhundertealte Nachbarschaften und Heimat überhaupt. Für ihn ist das Geschehen der radikalste Einschnitt der bisherigen Gattungsgeschichte: «Die im Neolithikum begonnene Seßhaftwerdung ... geht zuende.» Johannes Bobrowski läßt das Vergangene los. Ins Unwiderrufliche sich fügend, schafft er der Heimat «eine Statt in den Lüften». In zarter, formstrenger Lyrik:

Verlassene Ortschaft

Über den Markt,
der leer ist, mit Hühnerflügeln

der Wind
zieht eine Spur in den Staub.

Zäune. Schräggesunken
Kreuze. Die Dohlenstimme.
Wer kommt, ein Brett auf der Schulter,
wer will das neue Sims
für die Fenster schneiden, wer
kam, einen grünen Topf
unter dem Schultertuch?

Hier geht niemand. Der Himmel
findet ein Band und hebt es auf,
die Hauswand bewächst
Moos, Nebel umfliegt
einen weißen Turm, und woher
bist du gekommen?

Über klirrende Drähte
der Weidegärten, über
die Wiese am Moorloch, Wasser
folgt dir, es füllt deine Spuren schwarz.

Geschrieben 1961. Johannes Bobrowski, der sich in Berlin niemals zu Hause fühlt, stirbt jung, 1965, bevor der Kalte Krieg zu Ende ist. Ohne seine Poesie als geistige und moralische Brücke wäre ich nie an den Strom, nach Tilsit gelangt.

Tilsit am Njemen

Wie nähert man sich einer Stadt, die mehr als vierzig Jahre kein westlicher Mensch betreten durfte? Meine zweite Reise an die Memel, den Nemunas, den Njemen, führt über die Brücke. Im November 1990 fahre ich endlich hinüber, im Taxi eines litauischen Schwarzhändlers und in Begleitung eines polnischen Kollegen. Litauen hat im März seine Unabhängigkeit erklärt; da aber Moskau den abtrünnigen Staat immer noch als Sowjetrepublik ansieht, ist der Fluß noch keine Grenze, also ohne ständige Kontrolle. Wir sind verkleidet, «östlich eingemummelt», um nicht als Ausländer erkannt zu werden. Solche heimlichen Besuche haben in den letzten zehn, zwanzig Jahren schon einige Male stattgefunden. Heimwehkranke Ostpreußen haben sich hineingewagt, auch Abenteurer, haben Fotos aus dem fahrenden Wagen geschossen. Manche wurden entdeckt und verbrachten eine Nacht im Gefängnis. Im Heimatblatt der vertriebenen Tilsiter schrieben sie dann, daß die Stadt mehr oder weniger tot sei, verrottet und von den Kommunisten bis zur Unkenntlichkeit entstellt. Wir vollziehen an diesem Novembertag nach, was unsere Vorgänger gesehen haben: häßliche Betonbauten und verfallendes historisches Gemäuer verwischen sich im Herbstregen und in der Bewegung des Fahrens zu einem einzigen deprimierenden Grau. Ein Anhalten ist zu gefährlich, Kontakte zur Bevölkerung erst recht, und so fühlen wir uns in der Abgeschlossenheit des Moskwitsch weniger in Tilsit als in einem alten Spionageroman. Marek gibt auf englisch zu Protokoll, dieses sei «die andere Seite des Mondes». Er muß es wissen, denn er ist in Olsztyn, im polnischen Ostpreußen, geboren, nur 200 Kilometer entfernt von hier. Es ist eine Zeitreise, zurück in den Kalten Krieg, hinter einen Eisernen Vorhang, der überall sonst gefallen ist. Nach drei Stunden sind wir zurück im litauischen Tauragė, in einer anderen Zeitzone, östlicher, doch in den politischen Längengraden Warschaus und Berlins.

Die Geschwindigkeit des Epochenwechsels und seine Ungleichzeitigkeit verlangen chronistische Sorgfalt. Damals ist November 1990. Zwei Monate später, im Januar 1991, kurz vor Beginn des Golfkrieges, richtet die Rote Armee in der litauischen Hauptstadt Vilnius ein Blutbad an. Ein Rollback scheint eingeleitet und dann noch einmal abgewendet. Die Desintegration des sowjetischen Imperiums geht weiter, beschleunigt sich. Und bringt mich wie durch ein Wunder im Mai desselben Jahres wieder auf die Memelbrücke. Litauische Zöllner haben dort Posten bezogen und üben, obwohl weder Moskau noch die Welt die junge Republik anerkannt haben, Hoheitsrechte aus. Ich trage ein offizielles Visum in der Tasche für den gesamten Kaliningrader Bezirk («Kaliningradskaja Oblast»), militärische Areale ausgenommen. Die Sondergenehmigung ist erteilt worden aus unerfindlichen Gründen, ausgerechnet als das Sperrgebiet zur potentiellen Krisenzone wird. Von dort aus wird im Falle eines Falles die Freiheit im Baltikum niedergewalzt werden. Von dieser westlichen Militärbastion könnte Moskaus alte Garde massive Schützenhilfe erwarten. Drei Monate sind es noch – bis zum Putsch im August.

Im dritten Anlauf spaziere ich als freier Mensch über die Brücke, zu Fuß. Und denke an Marek und den Mond und die Luftsprünge des Astronauten Armstrong. Im Gepäck schleppe ich Bücher aus der Vergangenheit: «Tilsit in seiner geschichtlichen Entwicklung» von Alexander Kurschat (1911), Waldemar Thalmanns «Führer durch Tilsit und Umgebung» (1928), das «Sonderheft Tilsit» der Ostdeutschen Monatshefte von 1932, dazu einen Stadtplan aus dem Jahre 1935 und Kopien alter Fotos. Was gestern noch Konterbande war, ist heute nur noch schwer. Die Fahrbahn steigt leicht an. Früher hat die dreibogig schwingende Eisenkonstruktion den Blick der Ankommenden zerteilt, jetzt ist er frei. Das neue Geländer ist schlicht und gerade. Lastwagen drängeln, ein Fuhrwerk, mit Runkeln beladen, hält sie auf. In ihr Hupen schrillt eine Schiffssirene. Stromab braust ein Schnellboot, schießt unter der Brücke durch, «Raketa» steht auf beiden Seiten. Sonst ist auf dem Wasserweg weit und breit kein Schiff zu sehen. Von diesem Punkt aus, auf der Höhe der Brücke, haben die Fotografen gewöhnlich Tilsits Altstadt aufgenommen. Eines der besten Fotos, aus den Dreißigern, zeigt unter dem mächtigen Leib des Luftschiffes «Hindenburg», das gerade auf einer Propagandatour durchs Grenzland fliegt, eine vieltürmige, filigrane Silhouette: den Turm der Deutschen Kirche, der Litauischen Landkirche und des Rathauses, im Anschnitt links, das barocke Motiv wiederholend, das Eingangsportal der Luisenbrücke und am rechten Rand qualmend die Schornsteine der Zellulosefabrik.

Welches Bild hatte Johannes Bobrowski im Sinn, als er nach dem Krieg die Deutsche Kirche noch einmal beschwor – unter dem Titel «Ordenskirche»?

> «Der altersgraue Bau am breiten Fluß
> weiß gut, wie man dem Herren dienen muß
> in Ruh und Sicherheit und treuem Sinn
> und tat's schon lang und tut's noch fürderhin.
>
> Ein braves Uhrgesicht am starken Schaft
> des Turms. Der trägt ein grünes Kuppeldach,
> darauf erhebt sich luftig eine Laube,
> die auf acht Kuppeln sorgsam hält die Haube,
> aus deren sanftem Schwung acht Säulchen sich
> erheben (und sie rufen dich und mich
> emporzusteigen), und darüber schwingt
> das Dach zur Spitz aus, wo die Fahne winkt.»

Die liebevolle Hommage mit ketzerischem Unterton, ähnlich dem Heineschen «Wintermärchen», verfaßt aus der Erinnerung: hier und jetzt ist sie ohne Bedeutung und Klang.

Die Außenansicht der Stadt ist heute fast ohne Spitzen. Nichts Luftiges, kein sanfter Schwung berührt den Himmel. Nur die Zellstoffabrik existiert immer noch, doch die Kamine sind anders plaziert, das heißt neu; und das Brückenportal. Es wirkt klein, gedrückt durch die veränderte Umgebung – überragt von drei Hochhäusern, und auf einem von ihnen, genau in der Achse der Brücken- und Tormitte, thront ein gigantischer Leninkopf. Kurz bevor das Portal mich überwölbt, verschwindet er aus dem Blick. Der geht nun abwärts mit dem Lauf der Straße und fällt auf zwei winzige Häuschen, die beiden deutschen Zollstationen. Sie sind verrammelt. Dahinter öffnet sich der Fletcherplatz, der alte Getreidemarkt der Stadt. Er ist oder erscheint zumindest größer als früher. Umstellt von modernen Gebäuden, eine grüne Insel in der Mitte, um die der Verkehr kreist. Eine Wendung nach rechts erklärt die überraschende Weite des Raumes. Die Deutsche Kirche, die den Platz begrenzte, ist durch einen Brunnen ersetzt, und weiter, memelwärts, fehlt die eine Hälfte der Deutschen Straße. Sie war durch britische Bombenangriffe im Juli und August 1944 weitgehend zerstört worden, und die fehlende Zeile ist unbebaut geblieben. Damals und auch nach Kriegsende sollen noch viele Gebäude auf dem Fletcherplatz gestanden haben. Wie lange? Von der Deutschen Kirche weiß man, daß ihre Ruine als zentrale Schrottsammelstelle, dann als Sägewerk benutzt wurde. Kriegsgefangene haben dies bei ihrer späten Heimkehr berichtet. Das nächste Bild, das in den Westen gelangte, stammt aus den siebziger Jahren. Per Zufall hatte jemand in Moskau, Ostberlin oder Budapest einen neuen sowjetischen Film über den «Großen Vaterländischen Krieg» gesehen, und darin tauchte die Ruine als Kulisse auf – in Brand gesetzt von einem Pyrotechniker, anschließend posierten vor ihr als Rotarmisten verkleidete Schauspieler. Die letzte Nachricht ist kürzlich aus

Polen gekommen. Dort hat man in desolatem Zustand den Altar jener Deutschen Kirche gefunden.

Um 1970 etwa, könnte man nach dem Alter der Neubauten schätzen, hat der Platz seine jetzige Gestalt angenommen. Als einziger Zeuge aus deutscher Zeit ist das Portal der Luisenbrücke geblieben. Es steht da ohne Kontext und zieht, weil es im Heutigen fremd wirkt, die Blicke auf sich. Offenbar wurde es für schön und wert befunden, als Eingang für eine sowjetische Stadt weiterzudienen. Aus der Nähe zeigt sich, die zum Platz weisende Seite ist verändert. Im Oval in der Mitte, wo das Bildnis der Königin Luise saß, flankiert von zwei Amoretten, prangen Hammer und Sichel im Ährenkranz, goldbemalter Stuck in soliden bronzenen klassizistischen Ranken. Die beiden Sandsteinreliefs über den Fußgängertoren, Allegorien des Handels und der Landwirtschaft, haben vor den Augen der neuen Herren standgehalten. Aber das Baujahr der Brücke, welches eine Tatsache ist, nicht. Die Ziffer Null ist in eine Vier verwandelt, 1947 heißt es nun. Man hat sich das Bauwerk angeeignet. Die Farbe des Sandsteins ist nachgedunkelt, aber da alle alten Fotos von der Brücke schwarzweiß sind, ist dies mit letzter Sicherheit nicht festzustellen. Ich mache ein Schwarzweißfoto, um später noch einmal vergleichen zu können, im Detail und mit Hilfe kundiger Tilsiter. Noch ein Foto in Farbe mit der zweiten Kamera; dabei löst sich ein Gedanke, der bisher so klar nicht war. Die Stadt heißt Sowjetsk, und ich bin auf der Suche nach Tilsit. Nach Plätzen, Giebeln, Atmosphärischem, die so intensiv sind im Kopf, daß ich sie leibhaftig vor mir sehe. Meine Wahrnehmung ist bestimmt, gefangen durch den Vergleich. Vorher und nachher, so war es, so ist es heute. Und in diesem Raster hat das Heutige kaum eine Chance, weil zu seinem Verständnis fast alles fehlt.

In dem mitgeführten Exzerpt eines Aufsatzes aus dem Marburger Herder-Institut finden sich gerade vier gesicherte Daten:

7. April 1945: Erlaß des Präsidiums des Obersten Sowjets

der UdSSR, daß auf dem Territorium des ehemaligen Ostpreußen das «Königsberger Gebiet» gebildet und der RFSSR einverleibt wird.

4. Juli 1946: Umbenennung des Gebiets in «Kaliningradskaja Oblast».

7. September 1946: Umbenennung der Stadt Tilsit in «Sowjetsk» (Anmerkung: Diesen Namen tragen damals bereits sechs Städte der Union).

7. Juni 1947: Erste Sitzung des Exekutivkomitees von Sowjetsk.

Keine andere Stadt würde ich so anschauen. Das alte Rom, die abgewrackte Industrieprovinz von Manchester, Sankt Petersburg in Leningrad, auch dort scheidet der Blick das Vergangene vom Gegenwärtigen, aber nicht so krampfhaft, pedantisch und parteilich für das Abgelebte. Dort schweift er, findet sein Vergnügen in der Offenheit, im endlosen und komplexen Umkreisen der vielen historischen Schichten. Verstand und Sinne gemeinsam, unterstützt von Reiseführern und Romanen, begreifen auch ein Stück der Zeitgeschichte. Hier dagegen bleibt nur, sich an das Sichtbare zu halten. An das, was die Netzhaut des Auges übermittelt, ohne ein Assoziationsfeld von Wissen – abgesehen von einigen Kenntnissen und Vorurteilen über die allgemeine sowjetische Geschichte und einer geringen Erfahrung mit anderen russischen Städten. Das Ohr trägt nur Laute zu, von der Sprache kenne ich das Alphabet und ein paar Brocken.

Wie komme ich nach Sowjetsk? Immer der Nase nach, würde ich normalerweise sagen. Mit Neugier ins Unausweichliche, leichten Fußes ins Geratewohl. Nichts ist normal, in einem Taxi kurz vor Kairo wäre mir wohler. Anders als alle bisherigen Reisen hat diese hier einen ernsten Zweck, aber vorerst nichts Verlockendes.

Die «Hohe»

Über den Fletcherplatz fegt ein starker Wind. Sand wirbelt vom Memelstrand herüber, beißt in den Augen. Er trübt die Sicht und ruft Gelesenes in Erinnerung: die Böden der Gegend sind leicht und hell. Ich zähle die Stockwerke der Wohntürme, wie wenn dies etwas aussagen würde. Es sind zwölf, und ich suche nach einem Schild, das den heutigen Namen des Platzes anzeigt. Er hat anscheinend keinen. An der Ecke beginnt die «Uliza Pobjeda», die «Straße des Sieges». Tilsits ehemalige Hauptstraße, die «Hohe Straße» oder kurzgenannt «Hohe». Hoch, gemessen am Niveau des Flusses. Im 17. Jahrhundert hat man sie aufgeschüttet. Diese Kulturtat kostete sie ihren volkstümlichen Namen «Littische Gasse». Die «Hohe» steigt an, tatsächlich, kaum merklich, so wie eben Bewohner des flachen Landes den lächerlichsten Buckel als Berg ansehen. Wenigstens auf die Topographie ist noch Verlaß.

Nach einer Zeile moderner Wohnhäuser taucht der erste Altbau auf, laut Stadtplan das Pfarrhaus der Litauischen Landkirche. Am Ort der Kirche selbst befindet sich eine Blumenrabatte. Sie ist Teil einer Grünanlage, die in das Rechteck des Schenkendorfplatzes übergeht. Das Denkmal des Dichters und das Rathaus sind spurlos verschwunden. Tilsits Herz ist nicht mehr wiederzuerkennen. Ein ganz banaler Ort, der trotz des Rasens nicht zum Verweilen einlädt, es sei denn, es überkommt einen plötzliche Not: der einzige Bau auf dem heutigen Platz ist eine öffentliche Bedürfnisanstalt.

Die Straße geht fort als Fußgängerzone, eine «Geschäftswohnstraße», wie es die Stadtgeographie bezeichnet, noch immer. Tilsits Flaniermeile, sie existiert! «Gehen wir Hohe laufen», sagten die Tilsiter, wenn sie am Samstag etwas erleben wollten. An Markttagen, wenn Butter und Gänse verkauft waren, drückten sich die Landfrauen der Umgebung die Nasen an den Schaufenstern der Hohen platt. Man kann die Strahlkraft noch ahnen. Gutbürgerliche Häuser rechts und links, nicht vollzählig und mehr oder weniger heruntergekommen, aber doch. Von den Simsen grüßen angeschlagene Putten und Medusenhäupter, Löwenköpfe und Fische mit aufgerissenen Mäulern. Karyatiden stützen baufällige Balkone, an deren schmiedeeisernen Gittern Fische zum Trocknen aufgehängt sind. Ein Türknauf aus Messing, der nicht mehr poliert wird, ein reichgeschnitzter Eingang mit grünlicher Ölfarbe überstrichen, den Sowjetstern auf dem Dachfirst umschlingt freundlich ein Jugendstilornament.

Die Fassaden erzählen von Tatkraft und Phantasie, Geheimen Räten und Handwerkern, den Annehmlichkeiten und Repräsentationswünschen früherer Generationen. Von der ersten und vor allem der zweiten Hälfte des 19. Jahrhunderts, von der «Krimkriegskonjunktur», der letzten wirtschaftlichen Blüte der Stadt, die ihr einen bescheidenen Luxus erlaubte. Noch im Verfall erscheint sie staunenswert urban, weit über dem Niveau einer Provinzstadt im ländlichen Umfeld. Und wenig «ostpreußisch»: kein Ziegelrot, kaum protestantisch Strenges, unerwartet anmutig, fast «katholisch». Diese «Hohe» könnte sich in Wilna befinden. Ihr Gesicht ist verwandt mit Städtebildern in Polen und Litauen und spiegelt die Inspirationen der großen europäischen Baustile. «Italienische Renaissance» zum Beispiel bestellte 1896 ein Otto von Mauderode bei einem Architekten in Berlin, mit finanzieller Unterstützung seines Bruders, der Kaufmann in Riga war. Der Bauherr, eine der prägenden Persönlichkeiten der Stadt, Druckereibesitzer und Gründer der «Tilsiter Allgemeinen Zeitung», unter deren Dach auch litauische Bibeln und die «Nauja Lietuwisska Ceitunga» hergestellt wurden, erfüllte sich damit einen Traum, den er von den Wanderjahren mitgebracht hatte, aus Berlin und Mannheim, Wien, Venedig und Paris. Davon ist ein Eck erhalten, ein prachtvolles turmgekröntes Fragment. Die verlotterte unterste Etage beherbergt heute ein Fischgeschäft.

Die Individualität und – verhaltene – Dynamik der historischen Stadt, die sich in den Bauwerken spiegeln, fallen besonders ins Auge durch den Kontrast: zur Uniformität des sowjetischen Alltags und der Andersartigkeit seiner Gangart. Unterwegs sein in Geschäften oder flanieren macht heutzutage keinen Sinn. Die Menschen hasten oder stehen in Schlangen, müde und ungeduldig, wie in Leningrad oder Kiew. Die «Hohe» ist Kulisse, attraktiv nur für mich. Ich bemühe mich, mein Interesse zu verbergen. Um nicht allzusehr aufzufallen, meinen Schritt dem Tempo der Passanten anzugleichen. Die Blicke gleiten, haken sich fest für Augenblicke nur, im Weitergehen. Der Status des Illegalen, die Vermutung des Observiertwerdens ist trotz des Visums nicht so leicht abzustreifen. Sie setzt sich fort in der Selbstbeobachtung.

Ein Ritter! Von der dritten oder vierten Etage eines Wohnhauses blickt von einem Podest ein überlebensgroßer Ritter. Ein «Feind», den die Sieger, denen die charmante Luise schon zu preußisch war, ungeschoren ließen. Er zitiert den Ostlandritt des Ordens in der nationalen Welle vor dem Ersten Weltkrieg, als es wieder ostwärts gehen sollte gegen slawisches Land. Wußten, wissen die neuen Bewohner nicht, was der trutzige junge Mann bedeutet? Vielleicht waren es praktische Gründe, die feste Verankerung und monströse Größe, daß der Abriß zunächst vertagt und dann vergessen wurde? Und als die Probleme des Alltags den Haß überlagerten, galt er schließlich als harmlos, ein kurioses Beutestück oder auch ein Symbol der Machtlosigkeit, ein Gefangener gewissermaßen, der mit ansehen mußte, wie aus seiner Stadt «Sowjetsk» wurde? Die Bewahrung muß, ebenso wie die Zerstörung, nicht unbedingt einen Sinn machen. Ob es so gewesen ist oder anders, jedenfalls hat der Untergang seiner Welt dem Ritter alles Martialische genommen. Fast wirkt er rührend, die Rüstung albern, das Gesicht jung und unschuldig.

Linden, hübsch regelmäßig zu Köpfen geschoren, säumen die Straße des Sieges. Eine Errungenschaft der Nachkriegszeit; die «Hohe» hatte kaum Bäume, die Straßenbahn ließ es nicht zu. Die Allee unterstreicht das Ländliche, das auch dem historischen Tilsit eigen war. Im mittleren Abschnitt bricht sie ab. Eine Baulücke, wahrscheinlich von Bomben gerissen, wurde genutzt, um ein neues Zentrum zu kreieren: einen wirklichen, öffentlichen Platz. Von Rosen und Bänken umgeben, steht auf dem Rasen ein mächtiger Soldat mit einem Kind im Arm. Ich kenne ihn in größerer Ausführung aus dem Volkspark Treptow. Dort, im Osten Deutschlands, wo er das Schlachtfeld vor Berlin bewacht, fand ich ihn fremd und tragisch. In Sowjetsk erscheint er wie ein Hiesiger, freundlich und sanft-väterlich wie der heilige Christophorus. Um ihn herum sitzt sie, die Kriegsgeneration, Grüppchen von Veteranen, ihre Orden auf der Brust, Großmütter, die ihre Enkel hüten. Gegenüber auf der anderen Seite hat man ein Kaufhaus errichtet. Die weißen Ziegel sind fast schwarz geworden vom Ruß zweier oder dreier Jahrzehnte. Es heißt «Sadko», und auf seiner Stirnwand berichtet ein buntes Mosaik von einem Mann dieses Namens. Sadko ist der Held einer alten russischen Legende, ein Kaufmann und dazu ein Sänger aus Nowgorod. Seine Schiffe sollen die Ströme und Meere der halben Welt durchkreuzt haben. In vielen Städten, wird behauptet, hatte er ein Kontor. Vielleicht auch in Tilsit am Njemenfluß? Das Motiv aus dem hohen Mittelalter könnte der Versuch einer russischen Gründungslegende sein, Widerpart und Gegenthese zum deutschen Ritter. Ein Körnchen Wahrheit wäre darin, denn Tilsit hatte russische Kaufleute in seinen Mauern, als Gäste in Geschäften, und auch Residenten, jahrhundertelang. Aber vielleicht ist der Zusammenhang auch rein zufällig und die Absicht, ihn zur Legitimation der Herrschaft über Sowjetsk einzusetzen, von mir unterschoben. Sadko ist populär überall, als Name und Geschichte, als Oper von Rimski-Korsakow und als serieller Kaufhausschmuck.

Noch eine merkwürdige Koinzidenz, der alte Stadtplan trägt sie mir vor. Die rechte, mosaikbestückte Seite des Kaufhauses befindet sich an der Stelle der ehemaligen Hausnummer 57.

Dort stand früher das «Hotel de Russie», der Stadt erste und feinste Herberge. Eine Tilsiter Chronik berichtet von einem Gerangel um seinen Namen. Im Sommer 1914, als die Zarenarmeen für drei Wochen die Stadt besetzten, benannte der Besitzer ihn um in «Königlichen Hof». Der russische Kommandant sah dies als einen unfreundlichen Akt an und zwang dem Gasthaus seinen traditionellen Namen wieder auf. Die frische Inschrift wurde also wieder übermalt und schließlich, nach dem Abzug der Russen, noch einmal, und es blieb dann beim «Königlichen», bis 1945. Eine Anekdote über das sich wandelnde Selbstbildnis einer Stadt, die im Kriege ihre gewachsenen historischen Verbindungen kappt und sich in andere Horizonte bettet.

Das wird niemand hier wissen oder auch interessieren. Oder doch? Ich weiß nichts über die Menschen, die heute hier leben, nur daß sie aus aller Herren Länder zusammengekommen sind. Und ich vermeide jeden Kontakt mit ihnen, weil ich mir eine Begegnung nicht vorstellen kann. Viele Jahrzehnte hat man hier keinen Deutschen gesehen. Wie würde man meinen Blick erwidern? Einer Frau, die der Nation der vormaligen Besitzer des Landes angehört, das sich gerade wieder zu einem großen Deutschland vereinigt? Deren Kleidung, Kamera, Rucksack den ökonomischen Sieg des faschistischen Feindes demonstriert? Erfahrungen im schon länger zugänglichen polnischen und litauischen Ostpreußen besagen, daß Kontakte sehr leicht und auch sehr beladen sein können. Dort, im Ermland und in Masuren und im «Memelgebiet», ist die Lage anders. Denn die neuen Herren können mit einigen historischen Gründen argumentieren, eine jahrhundertealte Beziehung zu dem Gcbiet zu haben, also legitime Erben zu sein. Und sie haben den Anspruch durch ihre Sorge für die baulichen Relikte unterstrichen. Das russische Ostpreußen dagegen war Beute, weiter nichts. Ich kann mir die Haltung derer, die als gänzlich Fremde kamen und von deren Schicksal davor ich nichts weiß, zu dieser Stadt nicht vorstellen. Unter solchen Umständen erscheint das Normalste von der Welt, Menschen ins Gesicht zu blicken, schwierig.

Unsicher und aus unaufdringlicher Entfernung beobachte ich die Szene auf der jeweils anderen Straßenseite und suche nach Anzeichen der «Perestroika», wie ich sie von andernorts aus Rußland kenne. Valutahändler, Verkaufsstände mit Jeans und Pornos, erregte Diskutanten im Streit um Gorbatschow, freche Buben in Ramboposen, Halbwüchsige in betonter Lässigkeit – nichts von alledem. Kein senfgelber Minirock, kein Straßensänger, der nach Art des großen Wyssotzki Verzweiflung und Wut herausschreit. Die Zeit scheint stehengeblieben im Ancien régime. Die Auslagen der Geschäfte zeigen, es ist ein Status quo minus. Hinter verschmierten Scheiben liegen Konserven, getrockneter Fisch, Brot und wenig mehr. Auf den Preistafeln sind Fleisch und Gemüse, Schuhe, Fernseher und vieles andere durchgestrichen. Von irgendwoher spielt ein Radio die alte, herrliche Schnulze der Zigeuner «Ljubow prekrasnaja», «Die Liebe ist schön». In zwei Schaufenstern entdecke ich Bemerkenswertes, das nicht ins Bild zu passen scheint. Ein Fotogeschäft präsentiert seine Kunden vor dem Portal der Luisenbrücke. Ein Laden für Anglerbedarf schmückt sich mit einem Elchkopf, der schon zu ostpreußischen Zeiten ausgestopft worden sein dürfte.

Am Ende der Uliza Pobjeda reckt sich ein Lenin, gespannt wie zu einer Rede, die Hand am Revers, umringt von den Fahnen der fünfzehn Sowjetrepubliken. Unter seinen Füßen der Sockel, auf dem früher der Dichter Max von Schenkendorf stand, hinter seinem Rücken erstreckt sich das Gebäude der ehemaligen Reichsbank – das Hotel, das ich gebucht habe, mit Namen «Rossija». Über seiner Eingangstür flattert ein rotes Spruchband. «S prasdnikom, dorogije towarischtschi!», «Gratuliere zum Fest, liebe Genossen!» Es ist der Vorabend des 9. Mai, des Tages der Befreiung vom Faschismus.

Eine alte Frau lacht mich an. Ich soll ihre Blumen kaufen, rote Nelken oder Maiglöckchen. Erfreut zücke ich mein Portemonnaie und begegne ihrem Redeschwall mit einem höflichen «Ja nje ponimaju», «Ich verstehe nicht». «Deutsch?» fragt sie, und auf mein Nicken fährt sie in Deutsch fort, gebrochen, aber ziemlich flüssig. Ich versuche, ihr zu erklären, was mich in die Stadt Sowjetsk führt. Aber sie will es nicht wissen. Sie redet und redet, wie wenn sie mich erwartet hätte, von sich. Aus Smolensk sei sie und dort habe sie auch ihr Deutsch gelernt, während des Krieges in einem Militärhospital, so schnell und gut, daß sie zwischen den deutschen Ärzten und Verwundeten und dem russischen Personal dolmetschen konnte. 1946 habe sie in der Zeitung einen Aufruf gelesen, etwa so: «Kommt in die uralte russische Stadt am Njemen. Es gibt schöne Häuser dort, und Arbeiter werden gebraucht.» Dem sei sie gefolgt, 19jährig, weil sie ohne Eltern war und ohne ein Dach über dem Kopf. Und als sie entdeckte, daß diese Stadt deutsch gewesen sein mußte, war sie froh darüber. Damals seien noch viele Deutsche dagewesen, Zivilmenschen im «Ghetto» in der Ragniter Straße und einige tausend Kriegsgefangene. Mit ihnen zusammen habe sie die Trümmer weggeräumt, hier auf dem Leninplatz, und in der Zellstoffabrik gearbeitet. Manche der Soldaten hätten noch ihr Armeekoppel getragen über dem «traurigen Hemd», mit der Inschrift «Gott mit uns», woraus sie schloß, daß es fromme Leute waren. Ich unterbreche sie, so viel Freundliches kann ich nicht ertragen, und gebe zu bedenken, daß auch Hitler mit ihnen war. «Hitler kaputt, Stalin kaputt», entgegnet sie. Und sie fängt an zu singen: «Vor der Kaserne, vor dem großen Tor, stand eine Laterne und steht sie noch davor … und wenn wir uns dann wiedersehen … wie einst Lili Marleen.» Ich will das Lied nicht kennen und schweige. Zum Abschied küßt sie mich auf die Wange, in mein verwirrtes, verlegenes Gesicht. Die Maiglöckchen darf ich nicht bezahlen.

Um die Ecke, auf dem «Anger» hinter dem Theater, werden Lautsprecher installiert für den morgigen Tag. Das Ehrenmal, ein Panzer mit aufgerichteter Kanone, wird bekränzt, die ewige Flamme gesäubert. Der 9. Mai, neben dem Jahrestag der Oktoberrevolution der höchste Feiertag in der Sowjetunion, muß hier von besonderer Bedeutung sein. Denn er ist nicht nur der Tag des Sieges, sondern zugleich eine Art Geburtstag. Er begründet das Heimatrecht der Menschen im Kaliningradskaja Oblast.

9. Mai

Anderntags im Hotel «Rossija» wecken mich Lieder vom «Großen Vaterländischen Krieg». Vom Fenster aus kann ich die Veteranen sehen, die in Richtung Ehrenmal unterwegs sind. Ich folge ihnen nicht. Obwohl auch für mich dieser Tag «Befreiung» bedeutet, fühle ich mich wie unter dem Fraternisierungsverbot des Krieges. Von Ferne kann ich erkennen, es ist ein kleines Häuflein nur, das sich zur alljährlichen Kundgebung zusammenfindet, fast ausschließlich alte Leute.

Wie überall in der Sowjetunion ist der 9. Mai ein Tag der Familie, unerledigter Arbeiten, der Besuche und Vergnügungen. Bei meinem Rundgang durch die weitere Stadt begleitet mich der Feiertag auf Schritt und Tritt. In einem Hinterhof wird eine frischgeschlachtete Sau abgeflämmt. Autos werden repariert und Fensterrahmen gestrichen. In den Schrebergärten wird gewerkelt und gepflanzt, es ist in diesen kühlen Breiten noch Kartoffelsetzzeit. Um den Schloßmühlenteich wanken um elf die ersten Betrunkenen, kleine Jungen angeln oder tun so als ob. Im alten «Volkspark Jakobsruh» lustwandeln die Liebespaare. Grüppchen von Soldaten schauen nach unbegleiteten Mädchen. Das Karussell ist in Betrieb wie zu Sudermanns Zeiten, Kinder quengeln nach Eis. Die Kleinsten lassen sich in einem Wägelchen von einem Bernhardinerhund kutschieren.

So sehr verändert hat sich Tilsit nicht. Planquadrat für Planquadrat gehe ich es ab, nach einer Karte, die 1935 das Städtische Verkehrsamt herausgab. Zwei Drittel des Ortes, wenn nicht mehr, existieren noch. Die Einwohnerzahl dürfte, auch wenn man eine dichtere Belegung in Rechnung stellt, so sein wie damals, vielleicht etwas geringer, also um die 60000. Der Zustand der meisten Bauten ist schlecht bis erbarmungswürdig. An einigen Ecken sieht es so aus, als wäre der Krieg gerade erst zu Ende. Noch immer spielen Kinder auf Trümmergrundstücken. Die gravierendste Veränderung: es fehlen die Kirchen. Nicht nur die Deutsche, die sogenannte «Ordenskirche», und die Litauische, die sogenannte «Landkirche», auch die reformierte, die katholische und die Synagoge. Nur zwei kleinere haben überlebt. Der Rumpf der Baptistenkirche, der heute als Werkstatt dient, und die kleine Synagoge in der ehemaligen Flottwellstraße. Sie wird gerade restauriert und von den Orthodoxen für ihren Gottesdienst umgestaltet. So weit ist die «Perestroika» in Sowjetsk doch gediehen, die Religion ist wieder zugelassen. Die meisten Schulen und Amtsgebäude Tilsits, ein Krankenhaus, die Taubstummenanstalt und das Altersheim werden in denselben oder anderen Funktionen genutzt. Die preußischen Zweckbauten des 20. Jahrhunderts scheinen einiges auszuhalten. Die Freiheiter Schule zum Beispiel, oder ist sie es nicht? Dort soll nach dem Krieg ein Hospital für die verbliebenen Deutschen gewesen sein oder besser: ein Sterbelager, und sein Chef, ein Dr. K., soll die junge Ärztin, ein Fräulein B., geliebt haben.

Die Hefefabrik arbeitet und eine der beiden Brauereien, und die Zellstoffabrik ist nach wie vor der größte Betrieb der Stadt. Schon von außen und von den Gerüchen kann man vermuten, wie veraltet die Produktion im Innern sein muß. Die dunklen, stinkenden Abwässer, die aus der Zellulose quellen, gehen in ein Becken, das nur durch einen schmalen Damm von der Memel getrennt ist. Das Holz, zeigen die Schienen der Laderampe, wird heute per Bahn angeliefert. Der kleine Hafen stromauf, an der Mündung der Tilszele, die heute ganz ähnlich heißt, nämlich «Tilsitka», ist fast tot. Der Bahnhof, seine Gleise und Fahrpläne zeugen nicht gerade von regem Verkehr.

Vollständig intakt sind die Kasernen im Stolbecker Bezirk, ergänzt durch Neubauten, Wachtposten, abgesperrte Fahrzeug- und Lagerareale an anderen Stellen. Die alte Garnisonsstadt ist offenbar zu einem Heerlager geworden. Rein äußerlich, im Grundriß und in vielen Funktionen ist Sowjetsk Tilsit geblieben, mehr oder weniger, jedenfalls mehr, als jede Stadt im Westen Deutschlands dies von sich behaupten könnte. Und gerade das ist das Traurige an ihr: daß nicht stattgefunden hat, was man gemeinhin «Entwicklung» nennt. Die Stagnation der zwanziger und dreißiger Jahre hat sich fortgesetzt, der Zahn der Zeit tut sein Werk, nur notdürftig aufgehalten durch Bemühungen der Bewohner. Das freilich läßt sich nur im Ergebnis sagen. Wie es war im Verlauf, welche Möglichkeiten der einzelne hatte und welche der Stadtsowjet und wie sie sich zu ihrem neuen Wohnort in Beziehung setzten, ist noch unklar. Ganz banale Dinge zum Beispiel; warum habe ich die Maiglöckchenfrau aus Smolensk nicht wenigstens gefragt, wie ihr das Klima hier bekommt?

«Tilsit death» hat ein Unbekannter auf die Außenwand des Wasserturms an der Memel geschrieben. Die Parole eines kämpfenden Rotarmisten, der der Stadt – in der Sprache der westlichen Verbündeten – den Tod wünschte? Der Verzweiflungsschrei von einem der letzten Deutschen, der Ende der vierziger Jahre die Stadt verließ und der internationalen Öffentlichkeit ein Zeichen geben wollte? Die frivole Englischübung eines Sowjetsker Jugendlichen, dem der alte Name der Stadt zu Ohren gekommen war? Eine Bilanz anläßlich des 30. oder 40. Jahrestages der Befreiung? Oder der Protest eines zornigen illegalen Besuchers aus dem westlichen Deutschland? Wann ist eine Stadt wirklich tot? Reicht es, unter Berufung auf gravierende Fakten, sie totzu*sagen*? Wenn alle, Freund und Feind und die ganze Welt, es urkundlich und rituell beglaubigen würden, analog zu einem Stadtgründungsakt, wäre es dann so? Oder haben die Mauern, unabhängig davon, ein Eigenleben, das abfärbt und sich einmischt ins Dasein der Zeitgenossen, ob sie wollen oder nicht?

Die Sowjetsker haben sich an den Gräbern der Tilsiter vergangen. Aus Wut oder aus Achtlosigkeit, weil sie mit so vielen eigenen Toten zu tun hatten. Womöglich fürchtete man auch, die Verstorbenen könnten die Lebenden noch einmal behelligen. Alle Friedhöfe der Stadt sind zerstört, eingeebnet zu Wiesen oder überbaut. Einzig der außerhalb der Stadt liegende Waldfriedhof ist erhalten, das heißt aufgelassen zur freien Verfügung, für Spaziergänger, Liebespaare und Grabschänder, ein verwildertes Stück Natur mit noch einigen zerbrochenen Grabsteinen und einem deutsch-russischen Soldatenfriedhof von 1914-18. Der evangelische Friedhof in der ehemaligen Hardenbergstraße ist heute noch Begräbnisstätte. Die sterblichen Überreste der Sowjetsker Toten sind beigesetzt auf denen der Tilsiter, manchmal in denselben Gruben und steinernen Umfriedungen. Deutsche Marmorplatten wurden gewendet und mit kyrillischen Buchstaben neu beschrieben. Ein fremder Friedhof wurde als Steinbruch benutzt, so etwas hat es in der Geschichte häufig gegeben. Ein Archäologe würde jubilieren, wenn sich ein Relikt durch Weiterverwendung, als Spolium, bewahrt fände, und er würde im Beieinander der Knochen nichts Schlimmes finden. Vielleicht kommt das Erschrecken nur aus dem Mangel an Abstand zu den Ereignissen?

Unter den Volkssagen Ostpreußens erinnere ich mich an eine mit dem Titel «Der Leichenbesuch». Die Begebenheit soll sich nicht weit von hier, in der Stadt Ragnit, zugetragen haben. Dort gab es wie vielerorten zwei Kirchhöfe, einen deutschen und an anderer Stelle einen litauischen. Aber die Toten, wenn sie sich im Leben gut gekannt hatten, kamen des Nachts oft zusammen, besonders bei stürmischem Wetter. Zu Hunderten flogen sie hinüber und herüber auf Besuch. Nicht jeder konnte sie sehen, nur solche Leute, die in der Mitternachtsstunde eines Sonntags geboren waren. Als einmal ein Fremder nach

Ragnit zog und direkt in der Flugschneise zwischen den Friedhöfen ein Haus baute, stürzte es ein beim nächsten Sturm. Er versuchte es noch mal, dasselbe geschah, und noch einmal. Bis ein alter Mann, der an einem Sonntag um Mitternacht geboren war, ihn aufklärte über den Weg der Geister. Die Geschichte hat mit dem Sowjetsker Friedhof nichts zu tun und mit dem Tilsiter davor auch nur wenig. Sie beleuchtet sie nur ganz von ferne, aus einer Dimension, die längst abhanden kam: der Metaphysik. Die Metaphysik gehörte einmal zum Alltag, hatte im Glauben des Volkes selbst einen Alltag, und sie spielte zum Beispiel in der Zuwanderung von Fremden eine Rolle. Man konnte sich einen Ort nicht wirklich aneignen, ohne auch etwas über die «andere» Welt zu wissen.

Die Sowjetsker Begräbnisstätte spricht unzweifelhaft von einem Verständnis für letzte Dinge. Die eigenen Toten werden liebevoll umsorgt. Ihr Reich ist der gepflegteste Ort der ganzen Stadt. Auf manchen der Bänkchen sitzen an diesem Feiertag Angehörige, essen, trinken und weinen, wie es bei den Orthodoxen Sitte ist.

Vom Haupteingang nähert sich eine Gruppe von Veteranen. Sie bringen zum 9. Mai Blumengebinde in einen Heldenhain. Als sie fort sind, studiere ich die Inschriften auf dem Obelisken, die Namen und Todesdaten auf den Grabplatten. Etwa sechzig Rotarmisten waren es, alle sehr jung, und sie sind gestorben zwischen Dezember 1945 und Januar 1946, in einem Zeitraum von gut sechs Wochen. Was mag geschehen sein, mehr als ein halbes Jahr nach dem Mai des Sieges? Vielleicht sind sie Opfer von Gefechten mit litauischen Partisanen auf der anderen Memelseite. Mitglieder eines Bombenräumkommandos könnten sie gewesen sein. Oder erlegen einer Epidemie, aber dann machte die offiziöse soldatische Inszenierung keinen Sinn. Eine alte Frau, die mich ratlos stehen sieht, bedeutet mir etwas mit einer Geste. Sie fährt mit dem Zeigefinger am Hals vorbei, unter dem Kinn in Richtung Ohr. In russischen Landen bedeutet dies für gewöhnlich «volltrunken sein».

Bei meinem nächsten Besuch in Sowjetsk, ein Jahr später, werde ich von einem Augenzeugen den Hergang erfahren. *Es war* Alkohol, ein nächtlicher Exzeß aus nichtigem Anlaß. Die jungen Männer vergifteten sich und starben qualvoll, unrettbar in diesen Zeiten, an selbstgebranntem Fusel. Die Veteranen haben mit ihrer Geste zum 9. Mai behauptet, die Rotarmisten seien am Krieg gestorben. Womöglich haben sie recht.

Niederung

«Und Gott sprach: Es sammle sich das Wasser unter dem Himmel an besonderem Orte, daß man das Trockene sehe. Und es geschah so. Und Gott nannte das Trockene Erde, und die Sammlung der Wasser nannte er Meer. Und Gott sah, daß es gut war ... Da ward aus Abend und Morgen der dritte Tag.»

Genesis, Erstes Buch Mose

Hohe Himmel, eine Ebene, die mehr Wasser zu haben scheint als Land, helles und dunkles – der letzte, der ein Bild von der Memelniederung festgehalten hat, war Walter Engelhardt. In den dreißiger Jahren durchstreifte er mit der Kamera die Gegend zwischen Tilsit und dem Kurischen Haff, stromauf, stromab, allein oder mit einer Gruppe von Schulkindern. Er war Zeichenlehrer an der Tilsiter Herzog-Albrecht-Schule, aber kein Hiesiger, sondern er hatte sich aus dem thüringischen Saalfeld hierher beworben. Wie viele seiner Generation war er gepackt von der «Ostpreußensehnsucht». Das war eine Variante der Zeitkrankheit, die als Antwort auf die rasante Verstädterung überall grassierte. Die Niederung galt als besonderer Geheimtip, als Gegenbild schlechthin zur versteinerten, erstickenden Wirklichkeit der Stadt. Eine Traumlandschaft, deren größter Reiz darin bestand, daß sie immer noch im Werden war. Im Alluvium erst, dem jüngsten Stadium der Erdgeschichte, hatte sich ihr Gesicht in groben Zügen geformt. Dann versank sie noch einmal im Wasser, hob sich danach wieder, schließlich und über die Jahrhunderte schwemmte die Memel Schlick und Sand an, und aus Inselchen und Zungen wuchs Festland. Sehr spät, vor gut dreihundert Jahren erst, hat der Mensch in den Prozeß eingegriffen. In zähem Kampf die

Wasser des Mündungsgebiets gebändigt und die geschützten Stellen allmählich besiedelt. Die Kolonisation ging bis ins 20. Jahrhundert fort und noch voran, als Walter Engelhardt fotografierte.

Damals wurde gerade das «große Moosbruch», ein Hochmoor, in Besitz genommen. Von der Regierung geworbene Habenichtse, die Bauern werden wollten, zogen Drainagegräben in den weichen, dunklen, schwankenden Boden. Die Niederung war eine Kulturlandschaft geworden, eine der jüngsten Europas, doch sie hatte immer noch Areale von Wildnis, wo die Natur, unkontrolliert vom Menschen, in ihrer eigenen Logik existierte. Und wenn im Frühjahr das Hochwasser Wiesen und Äcker überflutete und manches Mal die Strömung Bäume, Masten und Häuser davontrug, dann sah es aus wie am dritten Schöpfungstag, bevor «das Trockene» zum eigenen Element sich formte: nur Wasser und Himmel.

Eine gewissermaßen «metaphysische Landschaft», wo Schöpfungsgeschichte und Menschenwerk einander durchdrangen, noch im Widerspiel sich befanden und das Geschäft der Zivilisation, anderswo schon allzu selbstverständlich, noch sichtbar war als kühnes und trauriges Projekt und den Betrachter herausforderte zu philosophischen Gedanken. Engelhardts Kamera zeigte beides, den pflügenden Bauern auf moorigem Grund wie den Urzustand ein paar Kilometer weiter. Seine Neigung aber gehörte eher dem letzteren. Er liebte es, sich auf dem Floß oder Kahn zu bewegen, im Rhythmus des Stromes und der Nebenflüsse, sich in Kontemplation wiegen zu lassen oder die eigentümliche Flora und Fauna des Deltas zu studieren – Sumpfschildkröten, seltene Schmetterlinge, den Uhu, verschiedenste Adler, den Elch. Der Fotograf war ein ernster, rückwärtsgewandter Mensch, ein Konservativer in dem radikalen und irrationalen Sinne, der den Nachgeborenen lange Jahre als nur reaktionär erschien. Wie andere seiner Geisteshaltung ließ sich der eigentlich Unpolitische von der zeitgenössischen Propaganda vereinnahmen. Ein Teil seiner

Fotos erschien 1936 unter dem Titel «Ein Memelbilderbuch» im Verlag «Grenze und Ausland» im Rahmen einer Reihe, die «Blut und Boden» für das Deutschtum und Hitlers Expansionspolitik ins Feld führte.

Nach dem Ende der Barbarei waren die Fotos und die Landschaft verschwunden. Mitte der achtziger Jahre tauchten in Westberlin Negative eines Unbekannten namens Walter Engelhardt auf. Die Fotos kamen aus der DDR, gelockt von Devisen und getrieben von der Hoffnung eines Nachkommen auf die späte Anerkennung des Künstlers. Engelhardts Frau hatte sie aus Tilsit gerettet, im Fluchtgepäck mit nach Saalfeld genommen. Dort lagen sie auf Jahrzehnte im Versteck, in einer verschwiegenen Ecke des Ateliers. Der Künstler befürchtete, sein Interesse an dieser Landschaft des Ostens könnte ihn kompromittieren und als Revanchisten in Mißkredit bringen. Das war so abwegig nicht, zumal der Kunsterzieher sich störrisch den politischen Zumutungen des Regimes verweigerte und ohnehin am Rande der Gefahr lebte. Bis zu seinem Tode (im Jahre 1970) hat er die Fotos offenbar niemandem gezeigt.

Verwilderte Zivilisation

Gummistiefel hatten die alten Ostpreußen empfohlen, Wollenes und etwas zum Schutz gegen den Wind, der vom Haff und von der See bläst. Immerhin liegt die Gegend ungefähr auf dem Breitengrad von Nowosibirsk, des nördlichen Baikal und des Südzipfels von Kamtschatka. Mitte Mai hat die eigentliche Vegetationsperiode noch nicht begonnen, für die Bestellung des Bodens ist es noch zu früh. Das Wasser ist noch nicht abgezogen, von oben kommt ständig neues nach. Zäh klebt der Dreck an den Füßen. So hat es Napoleon seinerzeit schon beklagt – Ostpreußens grundlose Wege, die «fünfte Großmacht», die sich ihm entgegenstellte. Es geht kaum voran, man stapft, glitscht und steht und schaut in das weite Tiefland, einladend und deprimierend endlos, rundherum.

Die große Horizontale beherrscht das Bild. Dagegen setzen sich mittlere und kleinere Vertikale, die der Mensch geschaffen hat, geradlinige Wassergräben, die sich im rechten Winkel kreuzen, Deiche, die Flußläufe und Kanäle begleiten. In ihrer Geometrie ist die Landschaft unverändert. Der Faulbaum blüht, auch der Flieder. In der Kälte ist von ihrer fauligen Süße nur wenig zu spüren. Der Kuckuck ruft, die Nachtigall, der «Sprosser», wie die Ostpreußen sagen, «Solowej» die Russen, schlägt schon am Mittag. Auf dem Deich nähert sich ein Reiter, reißt im Galopp einen Zweig vom Holunder ab. Die Niederung, scheint es, ist, wie sie war. Am späten Nachmittag dringt die Sonne durch, streut glitzernde Reflexe in die Gewässer, und aus der verdunstenden Feuchtigkeit bildet sich ein feiner Schleier. Auf dem Baumstumpf kann man, wenn man eine Plastiktüte unterlegt, schon sitzen. «Angesichts dieser bezaubernden Natur, angesichts des bodenlosen Himmels wäre es gut, einzuschlafen, Erinnerung zu werden.» Anton Tschechow hat dies geschrieben, vor hundert Jahren, wahrscheinlich über russische Landschaft. Die Zeit steht still, die Vergangenheit verschluckt das Jetzt, der Mensch ist ein winziger Punkt in der Erdgeschichte. So liegt die Memelniederung da, an diesem Tag, 1991. Ihr Anblick läßt sich – vermutlich und warum nicht – auch mit russischem Lebensgefühl verbinden.

Alleen – die gibt es in Rußland nicht. Eichen, Ahorn, Linden, Birken, Eschen, Kopfweiden. Alleen ersten Grades, zweiten Grades, dritten Grades, fast ununterbrochen, mit nur kleinen Lücken, die der Blitz riß oder ein natürlicher Tod durch Altersschwäche. An der nächsten Kreuzung öffnet sich eine weitere, am Horizont erscheint, wie ein Paravent, die nächste. Mit der Zeit kann man süchtig werden davon. Ein Panjewagen überholt die Fußgänger. Für ein paar Minuten sind die Hufe zu hören, die Räder, die schnalzenden Kommandos des Kutschers. Die Töne stehen frei, fast ohne Nebengeräusche. An einem Baum, auf einem wackligen Podest warten drei Milchkannen auf Abholung. Ein Halbwüchsiger zieht mit seiner kleinen Schwester eine störrische junge Kuh nach Hause. Der nostalgiebesessene Fremde sucht und fixiert solche Szenen. Nicht unbedingt weil sie romantisch sind, sondern weil sie ihn auf die Unzulänglichkeit seiner Wahrnehmung stoßen, auf seine verkümmerten Sinne, Gehör und Geruch. Er weiß natürlich, daß all dies Teil einer ziemlich unbequemen Gegenwart ist.

Der zweite Blick nimmt schon anderes wahr. Die großen Alleen, registriert er, sind asphaltiert. Alle paar Kilometer findet sich ein Bushäuschen, eine einfache Betonschachtel, bunt bemalt in Blau oder Rosa, mit folkloristischen Ornamenten, tanzenden Matrioschkas. Manche sind ohne Schablone aus der freien Hand gezeichnet, ein Pudelhund links, ein Delphin rechts. Die Alleen zweiten Grades tragen Kopfsteinpflaster, auf dem kann man noch lesen. Schrammen und Eindrücke, Risse und Mulden von Pferden, LKWs, Panzern; sechzig, siebzig Jahre und mehr führen die Spuren zurück. Preußische Chausseen sind haltbar, Katzenköpfe haben eine langes Gedächtnis, und manchmal verrät die Weise, wie sie verlegt sind, etwas von der besonderen Kunst eines Handwerkers. Die Alleen dritten Grades sind zugewachsen. Wer ihnen folgt durch hohes Gras, über umgestürzte Baumriesen, läuft ins Leere. Es waren die Zufahrtswege zu Gütern und größeren bäuerlichen Anwesen. Sie sind verschwunden.

Die Baumbestände verkörpern ein historisches Kontinuum, doch irgendwann, früher oder später, taucht der Einschnitt auf. Fällt den schwelgenden Spaziergänger der Schrecken an: Die Ränder all dieser Alleen sind Massengräber. Dort legten im Winter 1944/45 die Flüchtenden ihre Toten ab, ein paar Meter nur entfernt vom Weg der Trecks, auf die hartgefrorene Erde. Sie verwesten im kommenden Frühjahr, Sommer und Herbst, oft unbegraben, vergifteten die Gräben und düngten die Bäume.

Die Niederung ist eine andere geworden seitdem. Wenn man ein Meßtischblatt aus den dreißiger Jahre zu Rate zieht, spätestens dann wird man es gewahr. Im Maßstab 1:25000 haben die deutschen Geometer jede Siedlung, jedes Gehöft verzeichnet, Kleinbahnlinien, Flur- und Waldgrenzen, trigonometrische Punkte und Meilensteine, Friedhöfe, künstliche und natürliche Wasserläufe, und ihre Karten haben im weiten Raum eine eher kleinteilige Landschaft festgehalten. Mit ihnen als Wegweiser, im systematischen Suchen und Abschreiten, wird klar, was und wie vieles fehlt. Der Bauernhof, der heute allein auf weiter Flur steht, hatte fünf Nachbarn und eine Ziegelei in Sichtweite. Immer wiederkehrende Fragmente – das Trafohäuschen, der Schornstein, ein Stückchen Schienenstrang – lassen die Dichtigkeit der früheren Zivilisation erkennen. Nach einigen Tagen der Schulung kann das Auge auch die versteckteren Zeichen lesen. Eine Eiche auf freiem Feld zeigt meistens die Position eines abgerissenen Hofes an. Ein rundes Büschchen von Linden, zumal wenn Flieder dabei ist, einen verwilderten Friedhof. Brennesseln lieben anscheinend Trümmer, unter größeren, besonders vitalen Ansammlungen tasten die Füße zerbröselnde Ziegel. Auf Anhöhen kann man auf dieselbe Weise Fundamente von Windmühlen entdecken. Bänder von Iris und Schafgarbe markieren den Verlauf schmaler, fast eingeebneter Drainagen. Teiche richtig zu identifizieren ist schwieriger. Es könnte ein ehemaliger Karpfenteich sein oder ein Reservoir zum Feuerlöschen, eine Blänke, also eine verlandende Senke, ein abgeschnittenes Altwasser oder ein Torfstich, der sich mit Wasser gefüllt hat, vielleicht auch ein Bombentrichter. Die Vertikalen haben bei näherem Hinsehen an Klarheit verloren. Begradigte Flußarme und Kanäle mäandern, unterstützt von zahlreichen Bibern, die nach ihren Wünschen stauen und umleiten. Die Wälder flachen am Saum merkwürdig ab, ein Zeichen, daß sie sich aussäen. Wenn es charakteristische Markierungspunkte an den alten Forstgrenzen gibt, kann man in etwa schätzen, wie viele Kilometer sie schon gewandert sind. In den unbewirtschafteten Büschen wächst die Natur, wie sie will. Vorneweg breiten sich Birken, Weiden, Kiefern und Zitterpappeln aus, deren Samen der Wind trägt. Eichen und Buchen mit den schweren Früchten kommen nur langsam und vereinzelt voran, mit Hilfe von Vögeln oder Eichhörnchen. An sumpfigen Stellen setzt sich die Erle kräftig durch, an besonders mineralstoffreichen siegen Linden und Ulmen. Manchmal findet man mitten im Dickicht verkrüppelte Apfelbäume und spillerige Rosenstöcke, die Reste von Gärten.

Verlieren und verirren kann sich ein Fremder kaum, die Spuren der alten Zeit reichen zur Orientierung. Aber er bleibt alle naselang stecken. Denn die meisten der Brücken im Wasserland sind abgebrochen. Nordsüdlich über die Arme des Deltas ist kein Durchkommen, ostwestlich über die Kanäle ebensowenig. Stundenlang läuft man am Großen Friedrichsgraben längs, auf den Brückenstümpfen hocken Angler, am Ufer vermodern die Fähren, und wenn nicht hier und da ein Kind mit einem Kahn wäre, holte einen niemand über. Auf dem Rückweg ist kein Jemand mehr da. Es bleibt nur, das nächstbeste Boot am Ufer zu entführen und einen Rubelschein in eine Ritze zu klemmen.

Von der Kulturlandschaft ist nicht viel mehr übrig als ihr wäßriges Gerippe. Aus der Luft vermutlich wäre sie als Ensemble noch zu erkennen. Experten könnten mit Hilfe moderner Fototechnik und EDV-gestützten Klassifizierungsverfahren Details unter der Oberfläche ausmachen und Verbindungen, die dem Wanderer verborgen bleiben. Würden auf Anhieb wissen, ob der Erdwall von 1944 ist, also vom Volkssturm aufgehäufelt, oder zu einer prussischen Fliehburg gehört, ob das Gräberfeld prähistorisch ist oder zeitgenössisch. Von unten, mit dem bloßen Auge, erscheint das eine wie das andere mehr oder weniger gleich alt. Der Mensch des 20. Jahrhunderts betritt die unmittelbare Vergangenheit wie eine archäologische Zone.

Die sowjetische Landkarte neuesten Datums zeigt den Abstand der Welten. Ein paar Orte, einige Hauptstraßen, teils aus der Hand gezeichnet, teils am Lineal entlang, großzügig geschätzte Entfernungen, wie es üblich war in einem Staat, der in Tausendkilometerdistanzen dachte und wo selbst aus der Geographie ein Geheimnis gemacht wurde. Doch in diesem Fall ist das vergröberte Kartenbild weniger als anderswo ideologischer Natur, sondern annäherungsweise real. Es spiegelt das Ergebnis einer gigantischen Flurbereinigung. Das Nebeneinander der Karten, der heutigen und des historischen Meßtischblattes, bringt Realitäten auf den Begriff. Sie verhalten sich zueinander wie eine Umrißskizze zu einem altmeisterlichen Stich. In den USA soll übrigens die «Defense Mapping Agency» mehrere Karten im Maßstab von 1:50000 herausgegeben haben, auf der Grundlage von Satellitenaufnahmen und Agentenberichten, die den gegenwärtigen Stand und die Reste der Vergangenheit integrieren. Sie dienen militärischen Zwecken und sind bis heute in den Archiven des Pentagon verschlossen.

Auch die Agrikultur ist verwandelt. Die Viehzucht, früher in eingezäunten Wiesen und Weiden («Roßgärten», sagte der Ostpreuße) auf kleinem Raum, wird nun extensiv betrieben. Berittene Hirten treiben weiträumig schwarzbunte Kühe über Land. Das Gras ist mager und sauer, weil die Drainagen nicht funktionieren und der Wasserstand zu hoch ist. Da braucht das Vieh sehr viel größere Areale, um satt zu werden. Dieses ist das fremdeste Bild von allen: der Cowboy in der Prärie. Ist er der Prototyp des Landmenschen in der neuen Gesellschaft? Der sowjetische Gegenentwurf zum ostpreußischen Bauern? Entstanden aus einer Kreuzung von Kolchosökonomie und der Tradition der Reitervölker im Gebiet der UdSSR? Eine Metapher für den noch halbnomadischen Zustand des erst vor wenigen Jahrzehnten besiedelten Oblast? Das Bild verfolgt mich. Für Spekulationen über seine Bedeutung ist es zu früh. Der Cowboy ist eine Erscheinung, und Tatsache ist, meine Phantasien über ihn sind vom amerikanischen Western geprägt.

Der Hirte hat ein Büdchen für die ruhigen Stunden der Nachtwache, aber er wohnt in einem Dorf oder in der Kleinstadt, deren Kirchturm man von ferne sieht. Zum Beispiel in Timirjasewo, das früher Neukirch hieß und einer der Marktflecken der mittleren Niederung war. Behäbig wie eine Glucke hockt die Kirche in der Mitte des Ortes. Unter dem bröckelnden Putz wird Feldstein sichtbar, was auf ein hohes Alter schließen läßt. Das heißt in dieser Gegend ein Baujahr in der ersten Hälfte des 18. Jahrhunderts. Vom dicken Turm fallen Ziegel, während das Schiff ein Wellblech schützt. Es wird benutzt – als Lagerhalle – und ist in diesem Sinne für Unbefugte nicht zu betreten. Von den Ecken der Kirche verteilen sich Stromleitungen ins Dorf, laufen wie Fäden eines Spinnennetzes auf baufällige Holzhäuser zu. Freundliche, mit geschnitzten Giebeln und blauumrandeten Fenstern; sie sind aus deutscher Zeit, und der litauische Einschlag in der Bauweise ist unverkennbar. Um sie herum sind Schuppen und Garagen gewachsen. Über einen Bretterzaun, der einen Schuttplatz umfriedet, guckt ein steinernes Tor im Stil der Renaissance. Auf der Stirnseite ist in gotischen Lettern ein Fetzen von einer Inschrift zu lesen: «Toten», dann noch ein nächstes Wort, das mit «d» beginnt – der Eingang des nicht mehr vorhandenen Neukircher Friedhofs. Einen Steinwurf weit davon, auf einem künstlichen Hügel, erinnert eine gipserne silber-gold-rot gestrichene Flamme an die hier gefallenen Rotarmisten. «Ewiger Ruhm den Helden», dann folgen die Namen, dann ein roter Stern und zwei Tulpen. Timirjasewos zentraler Platz ist unverhältnismäßig groß. Ein Lautsprecher beschallt ihn mit einer Fortsetzungsgeschichte aus dem Radio über eine Liebe in Armenien. Niemand ist da, der zuhören will. Sechs oder sieben Frauen warten an der öffentlichen Pumpe auf Wasser. Sie schwatzen oder gucken in die Luft.

Auf dem Weg in Richtung Groß-Lappienen wehen uns die zerfetzten Töne aus dem Lautsprecher lange hinterher. Die Niederunger sagen, die Akustik in der Ebene sei so gut gewesen, daß die Glocken des jeweiligen Gotteshauses fast das ganze Kirchspiel erreichten. Ihr Klang und Rhythmus war unverwechselbar. Um sie noch besser zu unterscheiden, legte man ihnen Worte unter. So hörten die Großbauern in der Neukircher Gegend die Glocken ihre kostbare Kleidung bewundern: «Samt un Siede! Samt un Siede!» Die Heinrichswalder dachten an ihre Ausflüge in den nahen Forst: «Pilzke ungesolte! Pilzke ungesolte!» In Kalleningken wurde das Vesperessen angekündigt: «Schmand und Schinken! Schmand und Schinken!» In Groß-Skaisgirren wurde immer Hochzeit geläutet: «Kling, klang, Glockenstrang, Brut schleit ihrem Briedegam!» Zur heimatlichen Geographie gehörte auch der Ton. Ein Groß-Lappiener zum Beispiel könnte ausmachen, wann wir in die Zone seiner Glocken einträten. «Schilp un Douwack! Schilp un Douwack!» jammerten sie. Douwack nannte man den Schachtelhalm, der zusammen mit dem Schilf auf den tiefliegenden Wiesen wuchs und den Wert des Grases minderte. Diese Kirche mit den jammernden Glocken war die bemerkenswerteste hier. Ein Philipp von Chieze aus Piemont hatte sie entwerfen lassen im byzantinischen Stil, als verkleinerte Nachbildung eines Gotteshauses in Ravenna. 1703 war sie, nach 28 Jahren Bauzeit, vollendet. Das erste Kulturdenkmal der frühen örtlichen Siedlungsgeschichte. Das letzte war die Errichtung einer Brücke über die Gilge, 1941. Auch sie sollte der Ostkolonisation dienen – den Panzern und Truppen der «Operation Barbarossa».

Kann sich die Akustik einer Region verändern, oder ist eine Landschaft als Resonanzraum ewig? – Die wenigen Städtchen und Kirchorte sind alle noch da und in einem ähnlichen Zustand wie Neukirch. Sie sind Mittelpunkte von Kolchosen und Sowchosen, bilden die Wohntrakte der Agrarfabriken. Oft schließen sich moderne Ställe, Scheunen und Silos an, Reihenhäuser aus Fertigbauteilen, ein Verwaltungsgebäude, ein Kulturhaus, ein Dampfbad. Diese sind in die Bezüge der Vergangenheit nur selten integriert, weder in der Plazierung noch in der Architektur. Die preußischen und sowjetischen Bauten stehen nebeneinander, einer zum anderen fremd.

Instinktiv steuert der verstörte Reisende die Wildnis an, Orte, wo die Natur wieder die Oberhand gewonnen hat. Etwa in den Dörfern des Großen Moosbruchs; das zuletzt kolonisierte Land, das erst in diesem Jahrhundert unter den Pflug genommen wurde, ist als erstes wieder preisgegeben worden. Für einen Kolchos ist es verständlicherweise ungeeignet. Der weiche Grund trägt keine Maschinen, und er ernährt keinen Lohnarbeiter. Er braucht einen engagierten Einzelbauern, der sich krummlegt für eigenen Besitz, mit der ganzen Familie. Die besonders aufwendige Drainierung steht in keinem Verhältnis zu einem gesellschaftlichen Nutzen. Das Projekt war schon damals anachronistisch, eine symbolische Geste des Staates, der die Probleme der Landarmut nicht zu lösen vermochte. Auch kapitalistischen Rentabilitätskriterien hätte es auf Dauer nicht standgehalten. Gerade eine Generation hat die Anwesenheit des Menschen in diesem Moor gedauert. Heute führt nicht einmal eine Straße dorthin. Zu Fuß ist es nur in trockenen Sommern zu erreichen und im Winter bei festem Eis. Die Drosera rotundifolia wächst dort, der Rundblättrige Sonnentau. Ungestört brütet der Aquila pomariana, der schon vor fünfzig Jahren höchst seltene Schreiadler. In der wasserreichen Stille haben sich der Eisvogel und die Blauracke vermehrt, der Kranich ist wieder zugezogen. Luchse bevölkern den Bruchwald, sind vorgedrungen aus dem ferneren Osten. Oder sind es die Nachkommen der seinerzeit von Hermann Göring ausgesetzten Paare?

In der Umgebung warnen Schilder vor Wölfen und versprechen Prämien für jeden Abschuß. Auf dem letzten europäischen Wolfskongreß hatten die Polen schon darüber berichtet, daß aus dem russischen Ostpreußen Wölfe in ihr Land übergesiedelt seien. Und die deutschen Experten bestätigten aufgeregt Besuche aus dem Polnischen in Mecklenburg-Vorpommern und sogar in der Lüneburger Heide. Am Ende des zweiten Jahrtausends kehrt der Wolf zurück, wandert westwärts auf uralten Pfaden, die er seit Generationen nicht mehr benutzt hat. Er hatte, das war in unseren Breiten fast schon vergessen, die Geschichte der Zivilisation begleitet. Das einst am weitesten verbreitete Säugetier galt als ihr Widerpart, als Verkörperung – in der Mythologie der Völker – von Wildheit, Gewalt und Leid. Anfang des Mittelalters hatte in Europa der Feldzug gegen den Wolf begonnen. Er dauerte viele Jahrhunderte, mancherorts ein Jahrtausend, in Ostpreußen am längsten. Um 1900 erst war er ausgerottet, tauchte nur noch gelegentlich auf, in strengen Wintern, als Wechselwild. 1944/45, mit der Front, kam er wieder und blieb offensichtlich bis heute.

Es gibt Tage und Wetter hier, da scheint die Zeit um Jahrhunderte oder Jahrmillionen zurückgestellt, bei Nebel oder in den langen Dämmerungen des Sommers. Besonders intensiv im Juni, außergewöhnlich 1992: Nach zweimonatiger Trockenheit, der größten Dürre angeblich seit Menschengedenken, werden die Wiesen mit jeder Woche blasser, ihr Grün geht auf im Weiß der Schafgarben, Pusteblumen und Taubenkröpfe. Auch das Blau des Himmels hellt sich auf, bis es eines Abends das Weiß der Schleierwolken verschluckt und die Grenze zwischen Himmel und Erde verschwimmt und sich auflöst in der Juninacht, die in diesen Breiten nie ganz dunkel wird und gleich in den nächsten Morgen übergeht – der erste Schöpfungstag.

Genesis, preußisch

Preußens Schulbücher und seine populäre Geschichtsschreibung haben die Entstehung dieser Kulturlandschaft wie einen Schöpfungsakt beschrieben. Ein Herrscher sprach mit großer Geste «Es werde!» und zauberte aus dem Nichts nach einem gewaltigen Plan einen Garten Eden. Gemeint ist Friedrich Wilhelm I. und im weiteren Sinne einige seiner herzoglichen Vorgänger und königlichen Nachfolger. Ihre Tatkraft und Persönlichkeit haben tatsächlich eine bedeutende Rolle gespielt, und die Weise des Erzählens darüber, die ihrem nüchternen Tun Glanz verlieh, hat zum Erfolg beigetragen. Von Nachteil ist nur, daß dieses bis heute so dasteht und eine andere, eine sozialgeschichtliche Version, noch nicht geschrieben wurde. Hier liegt ein Stoff brach, der so spannend ist wie die vieldiskutierte «hydraulische Gesellschaft» am Nil. Wie dort oder am Po, am Ganges oder im Amazonastiefland ist das Thema die Herrschaft über das Wasser und wie, durch sie vermittelt, über die Jahrhunderte ein besonderes Zusammenleben der Menschen entsteht.

Angefangen hat das hiesige Projekt mit der Schiffahrt. Kaufleute waren die ersten und treibenden Akteure. Immer wieder verloren sie ihre Fracht und oft ihren ganzen Besitz in den Stürmen des Haffs, und sie drängten darauf, endlich den Plan zu verwirklichen, den schon die Kreuzritter ins Auge gefaßt hatten, nämlich das Haff zu umgehen und eine direkte Verbindung vom Memeldelta zur Deime zu schaffen. Als 1612 in nur einem Jahr vierzig Kähne Schiffbruch erlitten, begann man mit dem Bau eines elf Kilometer langen Kanals. Diese sogenannte «neue Gilge» hatte ihre Mängel. Sie versandete bald wieder und war im Grunde eine Vorstudie, die in die Schwierigkeiten des gigantischen Stromsystems einführte.

Unter dem Großen Kurfürsten wurde es dann Ernst. Er erschien höchstselbst vor Ort und setzte einen geschickten, erfahrenen Baumeister ein, den aus Piemont gebürtigen Oberst und Generalquartiermeister Philipp von Chieze. Ein Abkommen wurde geschlossen in der damals üblichen Weise. Der Lehnsherr verlieh 200 Hufen Land (eine Hufe sind rund 170 000 qm oder 17 Hektar), später noch einmal 200, gegen das Versprechen, es zu entwässern und einen Kanal von Labiau bis zur Gilge zu ziehen, in eigener Regie und mit eigenen Mitteln.

Das Verdienst der Durchführung gebührt einer Frau, Chiezes Witwe Luise Katharina, geborene von Rautter, wiederverheiratete Truchseß-Waldburg, die nach erneuter Witwenschaft das Heft in die Hand nahm. «Diese seltene Frau», so steht es in den Heimatkunden, «brachte in nur acht Jahren zustande, was im Laufe der Jahrhunderte viele kluge Männer nicht auszuführen vermochten.» 1697, am Geburtstag des Kurfürsten Friedrich III., wurden zwei Kanäle eröffnet, einer von Labiau bis zum Nemonien, der andere von Petricken bis Seckenburg, unter dem Namen der «Große» und der «Kleine Friedrichsgraben». Die mit ihnen verbundene Herrschaft Rautenburg nahm auch weiterhin an der Entwicklung des Landes teil und wurde 1787 von Friedrich Wilhelm II. zu einem Fideikommiß (treuhänderischen Besitz) der Familie von Keyserlingk erhoben. In den Zeiten des Anfangs war der Adel sicherlich der wichtigste Akteur. Doch als die eigentliche Kultivierung begann, trat er zurück hinter dem Landmann, der siedelte und zwischen den Wassern saß. Die Niederung entstand als Bauernland. Die feudalen Abhängigkeiten waren vergleichsweise locker. Man mußte Anreize schaffen für die Kolonisten. Einen maximalen Überschuß abzupressen machte wenig Sinn, wo zuerst der Kampf mit der Natur bestimmte, was zu tun war. Jeder hatte selbst zu Werke zu gehen, das ihm zugewiesene Land mit Damm und Deich und Drainagen zu versehen. Das geschah Stück für Stück und zunächst weitgehend ohne System. Wenn ein Flußarm an einer Seite eingefaßt war, traten die Wasser gegenüber um so stärker über die Ufer, also setzten die nächsten Siedler die Arbeit dort fort. Viele Maßnahmen brachten die Gepflogenheiten des Stroms völlig durcheinander. Ein stillgelegter Arm ließ anderswo neue reißende Strömung entstehen. Ein Damm oder ein regulierter Abfluß hatte gefährliche Auswirkungen auf den Rückstau des Haffs. Je mehr man die Bauten miteinander vernetzte, desto risikoreicher wurde der Eingriff und verlangte nach Planung und Expertise.

Mit Friedrich Wilhelm I. trat das Projekt in ein neues Stadium. Der «Schöpfungsakt», genannt das «Große Retablissement», veränderte die Provinz von Grund auf. Vorausgegangen war 1709/10 eine Pest. Das Land war entvölkert, verödete und fiel strichweise in den Urzustand zurück. Zur «Repeuplierung» rief der König Menschen aus verschiedenen Teilen Europas – Salzburger Protestanten, Mennoniten aus Holland, französische Schweizer, Pfälzer, Nassauer, Litauer. Manche kamen, weil man ihnen Zuflucht vor religiöser Verfolgung bot, andere liefen vor wirtschaftlicher Not davon, darunter viele Litauer, die einfach über die Grenze einsickerten. Die Niederung profitierte besonders davon, denn unter den Zuwanderern waren wasserbauerfahrene Gruppen aus der Weichselniederung und aus Holland. Förderlich war auch die mit dem Retablissement verbundene Straffung und weitere Verstaatlichung der Verwaltung. Leitung und Beaufsichtigung der Strombauten wurden der Provinzialregierung übertragen, die Dienste und Verantwortungsbereiche aller Beteiligten klar geregelt. Im Laufe des 18. Jahrhunderts wurde über Erweiterungsbauten, zusätzliche Kanäle und Häfen die Schiffahrtsstraße vollendet. Nun konnte man von der Memel bis Berlin gelangen: vom Nemonien durch den Großen Friedrichsgraben, die Deime, den Pregel bis nach Königsberg, von dort übers Frische Haff, die Nogat, die Weichsel, den Bromberger Kanal, die Netze, die Warthe, die Oder, den Oder-Spree-Kanal, die Spree. Das hatte Rückwirkungen auf die entlegene Region, band sie stärker ein ins Königreich, machte sie attraktiv für strombegleitende Gewerbe und Schmuggel, begünstigte den regionalen Transport und die Entstehung von Märkten.

Nach der Bauernbefreiung ging die Kolonisierung beschleunigt weiter, und mit den persönlichen Freiheiten die Selbstorganisation der Niederunger. Sie gründeten Deich- und Entwässerungsverbände, die die gemeinsamen Belange wahrnahmen; nicht ohne staatliche Unterstützung, doch hauptsächlich finanziert aus den Beiträgen der Deichgenossen. Die wilde Landschaft wurde immer geometrischer, differenzierte sich zusehends. Schleusen und Schöpfwerke kamen hinzu, ein ganzes Netzwerk von Zuständigkeiten für Bau, Wartung, Bewachung und den Einsatz im Katastrophenfall, schließlich eigene Mannschaften und Beamte. Die Melioration (Bodenverbesserung) ermöglichte Fortschritte in der Tier- und Pflanzenzucht. Das kleine braune «polnische Rind» wurde abgelöst durch schwarzbunte, aus England, Holland und der Schweiz eingeführte Rassen. Die gewohnte Wiesenwirtschaft wurde eingeschränkt zugunsten von Äckern; von Hafer, Gerste und Roggen, ganz selten auch Weizen.

Otto Glagau, ein Journalist aus Berlin, hat um 1860 den Stand der Dinge geschildert. Seine Reportage war das Ergebnis einer längeren «Expeditionsreise». Er schrieb für den ahnungslosen Zeitgenossen im Westen, der damals, kurz vor der kleindeutschen Reichseinigung, ein lebhafteres Interesse an der unbekannten Peripherie entwickelte. «Schon ein Blick auf die Landkarte zeigt ein Strom-Geäder, so verworren, daß es geradezu unentwirrbar erscheint; und wirklich haben selbst die Eingeborenen Mühe, die Verbindung dieses Wassernetzes kennen zu lernen. Bald trifft man reißende Stromgefälle, gegen welche die Fahrzeuge bisweilen kaum heraufgezogen werden können, bald Kanäle mit todtem Wasser; bald Stromarme, die sich wieder in Afterarme verwandeln, bald Afterarme, die sich umgekehrt in wahre Ströme umwandeln und dem Hauptarme das nöthige Wasser entziehen; bald Kreuz- und Querarme, die weder zum Steigen noch zum Fallen des Wasserstandes in der eigentlichen Fahrstraße etwas beitragen. Hier hat man einen Zufluß, dort einen Abfluß, der sich aber durch die Aufschwellung des Haffs morgen wieder in einen Zufluß verwandelt. Der Fremde gebe es nur auf, sich in diesem Strom-Wirrwarr orientieren zu wollen: jede Wasserstraße hat noch ein Dutzend verschiedener deutscher und litauischer Benennungen, die ebenso das Ohr wie jene das Auge verwirren. Vor zwei Jahrhunderten war die Niederung noch ein wüster unwirthbarer

Bruch, der Aufenthalt wilder Thiere; jetzt gehört sie zu den fruchtbarsten und wohlhabensten Gegenden der Monarchie... Jedoch ist die Eindeichung der Flußarme noch heute nur eine theilweise und mangelhafte, die das Delta durchschneidenden zahllosen Gräben und Kanäle vermögen doch nicht eine gehörige Entwässerung durchzuführen, und seine Basis ist völlig uneingedeicht und den Fluten des Haffes preisgegeben. Alljährlich finden zur Zeit des Eisgangs und oft auch im Herbste mehr oder minder große Überschwemmungen statt, sie richten zwar stets Verwüstungen an, aber im Großen und Ganzen sind sie doch für die Littauische Niederung, was die Überschwemmungen des Nils für Ägypten sind, indem sie der Landschaft Dungstoffe von den getreidereichen Fluren Rußlands und Polens zuführen, sie damit in außerordentlichem Grade befruchten und das Memeldelta zu einem ostpreußischen Gosen machen. Es ist daher von der Wissenschaft noch fraglich, und auch die Anwohner sind darüber noch nicht einig, ob die theilweise Eindeichung jener Flüsse ihnen nicht mehr Schaden als Nutzen bringe, für die Befruchtung ihrer Ländereien nicht geradezu ein Hemmnis sei. Verschiedene Thatsachen scheinen das zu bestätigen... Auf die regelmäßigen Überschwemmungen sind die Niederunger vorbereitet und zu ihrem Empfange lange vorher gerüstet. Sie halten Heerschau über die Deiche, stellen auch während der Nacht Wachen aus, die Fakkeln in den Händen halten und einander Signale zurufen. Mit langen Stangen und eisernen Haken bewaffnet, stehen sie Mann an Mann auf ihren Mauern, den Dämmen, und erwarten klopfenden Herzens den furchtbaren Gast, der schon auf meilenweite seine Ankunft mit Donnergetös verkündet. Und nun beginnt das Ringen mit der empörten Fluth, mit den treibenden Eisbergen, die sich festsetzen und auf die Dämme schieben wollen. Sie werden mit Stangen vom Ufer abgehalten oder mit den Haken zerschlagen und wieder in Bewegung gesetzt; Strauch, Mist, Erde, Pfähle, Bretter und Stroh liegen bereit, um jeden Dammriß sofort wieder zu verstopfen und dem gierig nachstürzenden Wasser den Weg zu versperren. Aber alle Angst, Mühe und Kosten, die der Durchzug des furchtbaren Gastes verursacht, werden reichlich aufgewogen durch das Geschenk von Schmutz und Schlamm, welches er zurückläßt.»

Der Journalist aus der Großstadt war fasziniert, wie urgewaltig es noch zuging im Memelland. Dabei schwang zugleich auch ein wenig Zivilisationskritik mit. War es richtig, dem Strom ein Korsett anzulegen? Diese Frage war als Interessen- und Zielkonflikt immer wieder verhandelt worden – zwischen zwei Bauern oder zwischen benachbarten Dörfern, wenn die eine Partei für besseren Schutz eintrat, die andere auf den fruchtbaren Schlamm nicht verzichten mochte. Aus dem kleinen Streit löste sich später ein grundsätzlicher Zweifel. Gegen Ende des 19. Jahrhunderts kam Kritik auf, und deren radikalste Verfechter verkündeten, der Mensch hätte warten sollen, bis die Memel genügend Sand und Schlamm angeschwemmt und aus eigener Kraft die Ebene bewohnbar gemacht hätte. Das freilich war eine Minderheitenposition in einer ansonsten immer noch fortschrittsbesessenen Gesellschaft.

Die Bewohner der Niederung selbst lebten mit dieser Hybris, hatten zumindest latent ein Bewußtsein davon. Wenn der Kampf mit der «empörthen Fluth» nicht glückte, dann war die grundsätzliche Frage da. Die Katastrophe wurde oft als Strafe Gottes empfunden, als Sintflut, der ein Sündenfall vorausging. Jede Generation hatte dies erlebt, oft mehrmals. Die letzten und schwersten Hochwasser des 19. Jahrhunderts ereigneten sich 1888 und 1889, ihnen folgten Cholera und Hungersnot.

Das Zusammenleben mit dem Strom hatte einen besonderen Typus des Bauern hervorgebracht. Vorherrschend war, länger als anderswo, der Einzelhof, meistens eine Familienwirtschaft kleiner oder mittlerer Betriebsgröße, die mit nur wenigen fremden, meist saisonalen Arbeitskräften auskam. Von der Obrigkeit war im Wasserland nicht viel zu spüren, beziehungsweise nur in dem Sinne, daß man sich gebunden fühlte an die oberste Instanz, die Einfluß auf das Wasser nahm.

Der entscheidende Bezug des Lebens war die Gemeinschaft der Strombewohner. Sie bestand nicht nur aus den selbstgeschaffenen verbandlichen und genossenschaftlichen Institutionen, sondern auch und noch viel mehr in den ungeschriebenen Gesetzen der Nachbarschaft. Ob die Kinder mit dem Kahn in die Schule gebracht werden mußten oder das trockene Heu auf den Uferwiesen vor dem Sommerhochwasser in Sicherheit oder einer durch widrige Umstände in Schulden geraten war, man tat sich zusammen. Eine «talka», das heißt eine unentgeltliche Gemeinschaftsarbeit, zu verweigern galt als schweres Vergehen. Vor allem bei Hochwasser und Eisgang war man aufeinander angewiesen. Einer half dem anderen beim Hochbrücken des Viehs. Menschen aus den tiefergelegenen Häusern fanden Unterschlupf in den höhergelegenen. Letztere gehörten oft den im wörtlichen Sinne Höhergestellten. Das Gutshaus, das Pfarrhaus, das Wirtshaus waren die häufigsten Orte der Zuflucht. Das System hatte durchaus patriarchalische Züge, doch auch sehr egalitäre. In höchster Gefahr hatte jeder jedem beizustehen.

Im Frühjahr, wenn die Niederung zu einem einzigen See wurde, lebten die bäuerlichen Familien wie auf einer Insel. Am schlimmsten wurde die Lage, wenn neuer Frost eintrat. Wegen der dünnen Eisdecke konnten sie dann weder mit dem Kahn noch zu Fuß das Haus verlassen. Manchmal war man für Wochen abgeschnitten von der Außenwelt. Für diesen Fall mußte man autark sein, ausreichend versorgt mit Brennmaterial, Nahrung, Medizin für Mensch und Vieh. In den meisten Niederungshäusern stand ein Sarg auf dem Dachboden bereit. Wenn jemand starb, mußte die Leiche im Hause behalten werden, bis stärkerer Frost oder offenes Wasser erlaubten, sie zum Kirchhof zu bringen. Für dieses Wetter hatte man ein regionales Wort: «Schaktarp». Das heißt «zwischen den Zweigen» und ist ein Bild für den Zwischenzustand – nicht fest, nicht flüssig, nicht gangbar, nicht schiffbar. Für den Dichter Ernst Wichert war der «Schaktarp» auch eine Metapher für Gesellschaftliches. In den 1860er Jahren war er Amtsrichter in Prökuls und erlebte vor den Schranken des Gerichts eine bäuerliche Welt im Übergang, hin und her gerissen zwischen der Tradition und den Einflüssen der industriellen Moderne, zwischen deutscher und litauischer Sprache und Erfahrung. Seine «Litauischen Geschichten», die dies verarbeiten, handeln von einer Gesellschaft «zwischen den Zweigen».

Es war die Zeit, als die Eisenbahn in Preußens Osten vordrang und die Jugend der Agrarprovinz begann, sich nach Westen zu orientieren. Der Exodus zog sich über viele Jahrzehnte und erfaßte Millionen. Der Nationalökonom Werner Sombart bezeichnete das Geschehen, als er um 1930 Bilanz zog, als ein Phänomen ohnegleichen, gegen das die «Völkerwanderung, die das frühe europäische Mittelalter einleitete, ein Kinderspiel gewesen sei». Die Memelniederung blieb davon nicht verschont, aber die Landflucht verlief hier nicht ganz so dramatisch und setzte später ein. In Max Webers großer Enquete über die «Verhältnisse der Landarbeiter im ostelbischen Deutschland» (1892) rangiert die Region ganz unten in der Skala der Wanderungsverluste. Dem Soziologen galt sie als leuchtendes Exempel für seine These, daß nicht Armut und schlechte Böden und die Härte des Daseins allein die Jugend vertreibe, sondern die Agrarverfassung der großen Güter, die mit besitzlosen Arbeitern und Kleinbesitzern, persönlich abhängigem Gesinde und mit vielen saisonalen Kräften arbeiteten. Kleine und mittlere Familienbetriebe wie in der Niederung hingegen banden die Bewohner stärker an das Land. Sie ermöglichten ein Überleben durch weitgehende Selbstversorgung, jenseits der neuen Kriterien kapitalistischer Rentabilität. Andere, nichtökonomische Gründe traten hinzu. Auf einen machte der junge Max Weber aufmerksam: auf die Bindungskraft der Religion.

Die Niederung war Ort besonderer Frömmigkeit. Und da die Beziehung zu Gott früher mehr oder weniger den ganzen Kosmos des Lebens einschloß, werden daraus auch Mentalitäten kenntlich. Die älteren Volkskunden überschlagen sich in farbigen Berichten, und besonders erregt die protestantische Kirche. Sie schwelgen – in Klagen, weil die Gläubigkeit hierzulande nicht nur innig, sondern zugleich verworren und dissidentisch war. Ihr Eigensinn hing vor allem mit den litauischen Bevölkerungsteilen zusammen und deren «fortgesetztem Heidentum». Aus einer Heimatkunde: «Friedrich Wilhelm I. mußte die Kirche von Inse zur Strafe für die Bewohner des Kirchspiels nach Kallningken verlegen, weil sie unter einer Eiche dem Donnergott Perkunas zu Ehren nächtliche Opferfeste gefeiert hatten und dem Pfarrer, der den Baum umsägen ließ, derartig zusetzten, daß dieser die Flucht ergreifen mußte.» Solche Szenarios sind aus der Geschichte der Christianisierung wohlbekannt, nur haben sie meist Hunderte von Jahren früher stattgefunden. In der Niederung, deren Besiedlung erst nach der Reformation stattfand, war der Protestantismus anscheinend auf lange nur ein dünner Firnis.

Bis in unser Jahrhundert wurde berichtet von Pilgerfahrten zu heiligen Eichen und der unausrottbaren Allmacht des heidnischen Götterdreigestirns Perkun, Potrimp und Pikoll, von bacchantischen Johannisfesten und Hexenglauben. Einer der letzten Lehrer von Inse stellte 1936 fest, daß heimlich dem Heidengott Kriwe Speisen gebracht wurden. Verbunden damit war, was die Kirche einen «Mangel an Sittlichkeit» nannte. «Geschlechtliche Ausschweifungen und Schnapsgenuß von frühester Jugend» an und infolgedessen eine besonders hohe Zahl von unehelichen Geburten. Schon die Hütejungen und -mädchen, soeben eingesegnet und kaum entwickelt, gäben sich den Trieben hin in der Abgeschiedenheit der Weiden. Kaum sonst irgendwo soll es so schwer gewesen sein, des Volksglaubens Herr zu werden, dessen ungebundene Sinnenfreude und ergebenen Fatalismus in eine «protestantische Ethik» umzuformen. Dazu hatten viele Litauer eine Neigung zum Katholizismus. Sie kamen ja aus einem Land, wo die Gegenreformation gesiegt hatte, und von dem Zauber des barocken, heftigen Temperaments blieb ein wenig hängen. Auch als Protestanten besuchten viele, um ganz sicherzugehen, katholische Geistliche, erbaten deren Segen für krankes Vieh und ließen sich sogar Hostien und Reliquien geben. Im 18. Jahrhundert mußte man dafür noch über die Grenze gehen, was ziemlich beschwerlich war. Später konnte man sich an kleine katholische Gemeinden wenden. Sie wurden gegründet von den immer weiter einströmenden Litauern, die sich nicht so ohne weiteres assimilieren wollten, hatten Zulauf auch von anderen Gruppen, zum Beispiel von Katholiken aus den Garnisonen.

An dem Prozeß der protestantischen Durchdringung, das ist die andere Seite des Eigensinns, waren außergewöhnlich viele Kräfte beteiligt. In einem Städtchen wie Groß-Skaisgirren zum Beispiel fand man um 1930 bei gut 2000 Einwohnern neben den Lutheranern den Ostpreußischen Gebetsverein, Baptisten, Mennoniten, den Bund freier Christen, die neuapostolische Gemeinschaft, Blaukreuzler, Sabbatisten, Adventisten und Zeugen Jehovas. Die Gegend war von Anfang an ein Zufluchtsort für Dissidenten gewesen. Unter ihnen waren die Mennoniten vielleicht die interessantesten. August Skalweit schrieb über sie in einer großen Arbeit über das Retablissement Litauens (1906): «Unter... ganz eigentümlichen Bedingungen wurden 1713 in der Tilsitschen Niederung Mennoniten aus dem Bistum Kulm angesiedelt. Ihnen wurden drei verfallene Vorwerke überlassen und drei Scharwerksdörfer eingeräumt. Damit konnten sie schalten und walten, wie sie wollten, den Acker nach eigenem Ermessen unter sich verteilen und bewirtschaften. Den Schulzen wählten sie sich selbst. Sie blieben freie Leute, und weder sie noch ihre Nachkommen sollten zur Leibeigenschaft gezwungen werden. Freie Religionsausübung, Freiheit von militärischer Werbung und vom Scharwerk ward ihnen ausdrücklich versprochen... Die Mennoniten hatten es im Staate Friedrich Wilhelms nicht gut. Gegen ihren Glauben an und für sich hätte der König nichts gehabt, aber daß sie sich so hartnäckig weigerten, Soldaten zu werden, das konnte ihn derartig erzürnen, daß er die Aufnahme in Preußen verbot, ja, sogar Ausweisungsdekrete gegen sie erließ... Unter den in der Niederung angesessenen Mennoniten ließ der König 1723 Zwangsaushebungen vornehmen und die für den Militärdienst geeigneten Leute nach Berlin und Potsdam schaffen, wo sie in die Regimenter gesteckt wurden. Nach diesem Gewaltakt wanderte die 1000 Seelen starke Kolonie aus. Trotz alledem hat Friedrich Wilhelm den Mennoniten doch immer wieder sein Land geöffnet, in das sie gerne kamen, da sie anderswo noch schlechter behandelt wurden und hier wenigstens vor religiösen Verfolgungen sicher waren.» Die Gemeinschaft der Mennoniten, deren Gesetze vor denen des Staates rangierten, hat die Niederung nicht unerheblich geprägt.

Zwischen den Lebensbedingungen im Wasserland und der Religiosität seiner Bewohner bestand ganz allgemein ein Zusammenhang; daraus entwickelten sich mit der Zeit neue, originäre religiöse Formen. «Der geborene Niederunger», berichtet eine Heimatgeschichte, «neigte sehr zur Sektenbildung. Vielleicht waren die schlechten Wege und die Unmöglichkeit, im Winter, bei Überschwemmungen und zur Zeit des Schaktarps... die Kirche zu erreichen, ein Grund hierfür. Überall bildeten sich Gebetsvereinigungen, in denen gebetet und gesungen wurde.» Vielleicht waren es diese Vereinigungen, die am klarsten zum Ausdruck brachten, was Preußisch-Litauen war. «Surinkimas» (Versammlung), im Deutschen sagte man «Gemeinschaftsbewegung», war die übergreifende Bezeichnung für das von Ort zu Ort und Haus zu Haus recht unterschiedliche Phänomen. Die Mitglieder trafen sich häufig, aber unregelmäßig in den Stuben der größeren Höfe. Manchmal hielt der Hausvater die Andacht, zu besonderen Anlässen und vor allem im Winter die Wanderprediger. Sie waren meist Bauern, Fischer oder Schiffer, und wenn es die Arbeit zuließ, zogen sie über Land, das Wort Gottes zu verkünden. Diese «Stundenhalter» oder «Sakytojai» waren häufig von furchterregender Redegewalt und hatten eine größere Autorität als der Pfarrer. Die

Ursprünge der Bewegung gehen auf den Pietismus zurück, der im östlichen Preußen mit königlicher Unterstützung weitere Verbreitung fand, und auf die Herrnhuter Brüder. Verständlicherweise kam dem Laienelement in der Besiedlungsphase, wo Kirchen und Priester noch selten waren, eine große Bedeutung zu, entsprach die gemütvolle, antiaufklärerische Frömmigkeit doch den Bedürfnissen und Ängsten vieler Neuankömmlinge.

Ihre spezifisch preußisch-litauische Ausprägung erhielt die «Surinkimas» mit Klimkus Grigelaitis Anfang des 19. Jahrhunderts. Seine Tätigkeit fiel zusammen mit anderen Erwekkungsbewegungen in Deutschland, die sich aus der Erfahrung der napoleonischen Kriege entwickelt hatten und als Gegenströmung zur Modernisierung in Staat und Gesellschaft und auch zur neuen Rationalität der Theologie. Mit Klimkus gewann die Praxis des Predigens eine gewisse institutionelle Form: eine Art gottesdienstliche Ordnung, die den Verlauf der Versammlungen festlegte, ihre Lieder, Gebete und Rituale; eine Satzung, die den Predigernachwuchs regelte. Die bis dahin mündliche Tradition, die aus der je persönlichen Erfahrung und Inspiration geschöpfte Bibelauslegung trat in die Schriftlichkeit ein. «Von Klimkus wird erzählt, daß er einst an den Ufern der Minge entlang dem Dorf Terauben zu einer Versammlung unterwegs war, er während eines Gebetes auf den buschreichen Flußufern in eine Art Ekstase verfiel, die lange andauerte, so daß die Versammlung auf ihn vergeblich wartete. In der Verzückung habe er die Engel des Himmels herrliche Loblieder singen hören. Er habe diese Lieder aus dem Gedächtnis aufgezeichnet und sie drucken lassen. Jetzt findet man sie in jedem litauischen Gesangbuch als Anhang beigebunden. Es sind zwölf Original-Loblieder (Liaupseles) von lebendiger Frische und voll jauchzenden Jubels; jedoch hinsichtlich ihrer poetischen Qualität lassen sie zu wünschen übrig.»

Der letzte Satz verrät, die Würdigung stammt nicht aus den

Reihen der «Surinkimas». Sie ist Teil eines Gutachtens, das ein Pastor Gaigalat für das Königsberger Konsistorium anfertigte. Seiner gründlichen Recherche verdanken wir die Niederschrift von Predigten und Gebeten einiger Stundenhalter sowie Angaben zu deren Wirken und Biographie. Insgesamt offenbart der Tenor der 1904 veröffentlichten Schrift eine ambivalente Einstellung der Kirche. Einerseits brauchte man die Sakytojai in der seelsorgerisch unterentwickelten Provinz, die unter Pfarrern nicht gerade ein beliebter Einsatzort war. Dort waren sie kräftige Verbündete bei der Evangelisation der halbheidnischen Bevölkerung und später gegen die Erosion des religiösen Lebens. Andererseits sah man in ihnen Rivalen und potentielle Häretiker, die durch «Unbotmäßigkeit» und «hanebüchene Irrlehren» die Christen verdarben. Die Prediger selbst begriffen sich als Teil der Kirche und bestritten dem Klerus nicht das Recht auf die Verwaltung der Sakramente. Aber sie unterschieden deutlich und stolz zwischen dem «Amt» des bloß studierten Pfarrers und der eigenen höheren «Berufung» als Abgesandte des Herrn.

Das Verhältnis von Kirche und Laiengemeinschaft ist ein schönes Beispiel dafür, wie Volkskultur und Hochkultur einander berühren, sich scheiden, aber auch austauschen im Alltag. Spannungen zwischen ihnen kamen am häufigsten am Totenbett zum Tragen. Der Tod war in der Vorstellung der Surinkimas noch einbezogen in das Leben. Zum Abschied gehörten die Wache am offenen Sarg, lange Blicke und Umarmungen. Noch auf dem Weg zum Kirchhof und selbst wenn der Leichnam über Kilometer mit dem Kahn gefahren werden mußte, suchten die Angehörigen und Nachbarn die Berührung. Die Pfarrer und mit ihnen die Gesundheitspolizei bekämpften diese östliche Sitte, intervenierten nicht selten und zogen sich den Zorn der Trauernden zu. Auch Sterbenskranke entschieden sich oft für den Beistand des vertrauten Predigers statt für den Offiziellen, der einer anderen Schicht angehörte und in einer Sprache tröstete, die Distanz legte. Und sie wünschten sich anstelle des Kreuzes eine Grabstele der alten heiteren Art mit holzgeschnitzten Herzen und Vögeln. Noch um 1930 ärgerten sich die Vertreter der evangelischen Kirche in ihren Visitationsberichten darüber – der Tod war die letzte Bastion der Surinkimas.

Sie verschwand allmählich mit der wachsenden Vergesellschaftung der bäuerlichen Welt. Als Gemeinschaft hatte sie diese gegen die Gesellschaft verteidigt, nicht nur im Religiösen. Sie hatte das Litauische gegen den Ansturm des Deutschen behauptet, Kranke und Bedürftige durch Almosen vor dem Absturz bewahrt, Streit geschlichtet zwischen Nachbarn im gemeinsamen «Vaterunser», die Herrschaft über das Wasser demütig eingebunden in die Schöpfungsgeschichte und die Apokalypse. In der Verkündigung hatte sie gegen den Trend der Zeit die Seßhaftigkeit hochgehalten, denn der Bauer und das Wort bezogen die Kraft aus dem Ort und der Verwurzelung darin. Ihr hinhaltender Widerstand hat das Zurückbleiben der Region weiter verlängert und dazu beigetragen, daß sie sich in manchen Zeitströmungen exterritorial halten konnte. Ganz zuletzt, als die Nationalsozialisten die Kirche gleichschalteten, haben die Reste der Surinkimas und ein paar ältere Sakytojai die Gläubigen gestützt.

Unter den heute im Westen lebenden Niederungern ist selbst die Erinnerung an diese Besonderheit ihrer Region schon fast verloren. Einzig präsent ist ein Erlebnis, es wird so oder ähnlich oft erzählt: An Orten, wo noch eigens Gottesdienst gehalten wurde für die wenigen Protestanten litauischer Zunge, da standen die anderen Bewohner und nicht selten auch auswärtige Gäste sonntags vor der Kirche und lauschten dem «himmlischen Gesang». Chorälen, in die sich die archaische Tonalität der litauischen Volkslieder mischte, eigentümlich schleppend und mit vielen Schleifen, unbekümmert um den Rhythmus des auf Tempo drängenden Organisten. Das Singen und Zuhören zeigt das letzte Stadium der Lebendigkeit, den Nachhall von Klimkus' Liedern und des A-cappella auf den Höfen und zugleich, wie fremd sie geworden waren – eine exotische Attraktion im eigenen Land.

Genesis, sowjetisch

Im zehnten Band der «Großen Sowjetenzyklopädie», 2. Auflage 1953, ist unter dem Stichwort «Kaliningradskaja Oblast» im Unterabschnitt «Landwirtschaft» folgendes zu lesen: «Im faschistischen Ostpreußen waren auf der Fläche, die zum Kaliningrader Gebiet gehört, 90 % aller Ländereien im Besitz von 1200 Großgrundbesitzern und über 22000 Kulakenwirtschaften. (Kulak: in bolschewistischer Terminologie der ‹Dorfkapitalist› – U.L.) Auf die 32000 bäuerlichen Betriebe kamen nur etwa 10 % der landwirtschaftlichen Nutzfläche, und ihre Besitzer mußten bei Kulaken und Gutsbesitzern arbeiten. Obwohl die Leibeigenschaft hier formal in der ersten Hälfte des 19. Jahrhunderts abgeschafft worden war, haben sich die feudalen Leibeigenschaftsverhältnisse in der Landwirtschaft bis zur Vereinigung mit der UdSSR erhalten. Im allgemeinen gab es im Gebiet keine rationelle Ausnutzung der Anbaufläche; die Meliorationsarbeiten wurden im Interesse der großen Landbesitzer durchgeführt. Die räuberische kapitalistische Ausbeutung des Landes führte zu einer Erschöpfung und zum Sinken der Ernteerträge. Nach der Gründung des Gebiets Kaliningrad und seiner Besetzung mit sowjetischen Umsiedlern wurden Kolchosen und Sowchosen organisiert. Kommunistische Partei und Sowjetregierung gewährten den Werktätigen große Vergünstigungen sowie große materielle und technische Hilfe bei der Organisation der sozialistischen Landwirtschaft. Bis 1951 waren im Gebiet Kaliningrad 60 Sowchosen mit einem großen Park moderner Landwirtschaftsmaschinen, 152 Kolchosen und 32 Maschinen-Traktoren-Stationen mit Meliorationsabteilungen geschaffen worden. 76 Kolchosen, 44 Sowchosen und sämtliche Maschinen-Traktoren-Stationen wurden elektrifiziert.»

Ein Rechenschaftsbericht aus dem Maschinenzeitalter, kühl und ohne Geheimnis, und dennoch eine Schöpfungsgeschichte. Aus dem Nichts sei alles begonnen worden, auf einem Platz äußerster historischer Rückständigkeit ward ein funktionierendes, menschenwürdiges System. Man habe, wie an anderer Stelle oft betont wurde, eine Wüste vorgefunden, fast ohne Menschen, und auch die materiellen Überreste der vorigen Zivilisation seien fast vollständig vernichtet gewesen. «Sowjetmacht plus Elektrifizierung», nach dieser bewährten Formel hatte man einen gewaltigen Plan in die Tat umgesetzt, in einer Rekordzeit, der Spanne nur einer einzigen Planperiode 1953, im Todesjahr Stalins, war die Realität gestaltet, und die Propaganda hatte die Legende gleich mitgeliefert. In sowjetischen Augen war es Neulandprojekt. Ein gesellschaftliches Experiment ersten Ranges, die Probe der großen Idee gewissermaßen unter Laboratoriumsbedingungen: ein leerer Raum, von Grund auf neu zu formen, Menschen ohne historischen Ballast an den Füßen, kein Klassenfeind, kein Priester, die den sozialistischen Aufbau hätten stören können. Seine Bedeutung erhielt das Vorhaben nicht zuletzt durch seine militärische Dimension. Es war aus dem Blut des «Großen Vaterländischen Krieges» geboren, das verlieh ihm symbolischen Wert für die ganze Sowjetunion. Unter den Territorialgewinnen Stalins war dieser sicher der mit Bedeutung beladenste. Der erbeutete Oblast sicherte nun den westlichsten Abschnitt der Staatsgrenze. Und er saß den «Volksdemokratien» im Nacken, konnte aus nächster Nähe Polen, die Tschechoslowakei oder Ungarn in Schach halten.

Wie weit war und ist die Wirklichkeit von der «Großen Sowjetenzyklopädie» entfernt? Das Scheitern des Geplanten und Behaupteten ist offensichtlich. Nur fehlen die Tatsachen, aus denen man einen Verlauf rekonstruieren könnte, den Bogen spannen über die Jahrzehnte. Lange hat die westliche

«Kreml-Astrologie» aus offiziellen Verlautbarungen der «Prawda», Andeutungen der «Gazeta Olszynska» und Reiseimpressionen schwedischer Seeleute Thesen erdacht und die wüstesten Szenarios. Nun zerfällt sie mit dem Koloß, welcher ihr Gegenstand war, zu Staub. Der Raum wird frei für Wissenschaft und Begegnung. An deren Anfang steht der Offenbarungseid. Es wird lange dauern, bis die Geschichte nach 1945 im Zusammenhang erzählbar wird.

Vorläufig noch sind wir auf vorhandene Bruchstücke angewiesen. Vorsichtig benutzt und gewendet, können sie den Blick für die Begehung des Ortes schärfen. Eines der interessantesten ist die seit 1964 in Kaliningrad erscheinende Bibliographie sämtlicher das Gebiet betreffenden Schriften. Größtenteils waren und sind sie im Westen nicht erhältlich, doch allein die Titelliste ist aufschlußreich. Zuallererst eine Leerstelle – die Geschichte der vorsowjetischen Zeit kommt nicht vor. Mit Ausnahme zweier, immer wiederkehrender Themen: die Vor- und Frühgeschichte Ostpreußens, also Berichte über die Reste der paläontologischen Sammlung oder über neuere Ausgrabungen im Gebiet, und der geheime Weg von Lenins «Iskra» über Königsberg und Tilsit ins Zarenreich. Die Episode verknüpft den Oblast mit dem vorrevolutionären Rußland. Und: Im Dunkel der Prähistorie, wo die Menschheit noch nicht vorhanden war oder noch nicht nach Völkerschaften sauber getrennt, dürfen sich auch sowjetische Forscher zu Hause fühlen. Das leuchtet ein; das dokumentiert die Furcht vor der Vergangenheit und die Lust zugleich, sich doch auf etwas zu beziehen. Aber was lag zwischen dem Erlaubten? Die Lücke zwischen dem lanzenbewehrten Menschen der Bronzezeit und dem listigen Überbringer der «Iskra», immerhin 3000 Jahre, bezeichnet ein potentielles Areal der Phantasie. Was denkt einer, der nichts wissen darf, über die verflossene Zeit in dem Raum, in dem er lebt? Raum und Zeit kann kein Regime der Welt abschaffen, auch nicht die daraus sich ergebenden Fragen.

Der andere Teil der Bibliographie nennt hauptsächlich Titel

über die Entwicklung der Industrie, des Verkehrs und der Landwirtschaft. Es sind, wie Stichproben zeigen, Ansammlungen von Daten, von Erfolgen und Beschwerden, Lobreden auf die «Helden der sozialistischen Arbeit», vermischt mit konkreten Verbesserungsvorschlägen etwa für Meliorationssysteme. Für die Niederung zum Beispiel werden die unterschiedlichsten Produktionsziffern genannt. In den Fünfzigern ist die Rede von Hektarerträgen, die weit über denen der deutschen Zeit liegen, mal katastrophal darunter. Einmal beträgt die Jahresdurchschnittsleistung einer Kuh magere 600 Kilogramm, ein andermal unglaubliche 6000. Nach dem 20. Parteitag, im Laufe der Ära Chruschtschow, scheinen sich die Dokumentationen auf größere Realitätsnähe einzupendeln. Besonders für das Land am Strom wird häufiger von Problemen gesprochen. «In der ersten Zeit des Großen Vaterländischen Krieges und auch im ersten Jahrzehnt danach wurde ein großer Teil der Gräben wegen fehlender Aufsicht deformiert, er verschlammte und wuchs mit Moos, Gras, Holz und Gestrüpp zu. Als Folge der verminderten Wirksamkeit der Gräben beginnt in manchen Bezirken die erneute Versumpfung. In den letzten Jahren wird in großem Umfang das Trockennetz repariert und gesäubert.» Das wurde 1968 gesagt, im Optimismus des kürzlich Erreichten wird Vergangenes enthüllt.

Es ist nicht schwer auszumalen, wenn man die Wirtschaftsweise der Niederung kennt, was damals geschah. Panzer und Trecks hatten Dämme und Gräben beschädigt, manche Schleuse war, weil sie dem Feind als Fußgängerbrücke dienen konnte, gesprengt worden. Im Frühjahr 1945 kam es zu ersten Dammbrüchen, und da kaum jemand zum Ausbessern da war, bald zu weiteren. Niemand reinigte die Drainagen. Wenn eine Arbeit, die alle zwei, drei Jahre getan werden muß, unterbleibt, reicht ein kurze Spanne. Dann fallen die Gräben zu, ganz von selbst und vor allem, wenn Mensch und Vieh darübertrampeln. Unachtsame Zeiten, die eine Kulturlandschaft nicht verträgt. Jede Unterlassung rächte sich in fast geometrischer Progression. Hinzu kam die Unkenntnis, einmal grundsätzliche, denn die Art des Wasserbaus war den neuen Siedlern unbekannt. Und dann der konkrete Umstand, daß der «Schlüssel» fehlte, also die Pläne der örtlichen und regionalen Systeme, die das über Jahrhunderte erworbene Wissen festhielten – über den Abzug des Wassers, die Gefälle und Gefahrenpunkte sowie die Strategien des Eingreifens. Spätaussiedler berichteten, daß Ende der vierziger Jahre, als eine Eisstopfung sich riesig türmte und ins ungeschützte Land zu schieben drohte, man in Panik Bomben warf.

Die Herrschaft über das Wasser mußte naturgemäß das größte Problem der sowjetischen Agrikultur sein. Bis man sich ihrer halbwegs zu bemächtigen wußte, dürften große Teile der Niederung bereits verlorengegangen sein. Darüber offen zu sprechen hätte bedeutet, sich mit den Errungenschaften der «Faschisten» zu befassen. Dann hätte konkret über Gesellschaft debattiert werden müssen, auch die eigene. Das ist das eigentlich Bezeichnende, worüber die Kaliningrader Bibliographie Auskunft gibt: daß der Oblast sich fast nur in technisch-ökonomischen Kategorien dachte. Das ist sowjettypisch und nicht außergewöhnlich. Aber daß in einer Gegend, wo so Ungewöhnliches passierte, wo Dutzende von Völkerschaften strandeten und auch für sowjetische Verhältnisse ein unabsehbares Abenteuer stattfand, nicht mal eine Studie zu finden ist über die Eingewöhnung auf fremder Erde, ist schon erstaunlich.

Interessanterweise haben die meisten Dörfer der Niederung naturverbundene Namen bekommen. Auch hier gibt es ein «Oktjabrskoje» und ein «Moskowskoje», ein «Oktoberdorf» und ein «Moskauer Dorf», oder nach Kriegshelden benannte Örtchen wie «Gastellowo». Aber im Vergleich zu anderen Teilen des Oblast überwiegen die unpolitischen. «Pastuchowo», «Wischnjowka», «Wassilkowo», «Solonzi», «Aisty», also Hirtendorf, Kirschendorf, Kornblumendorf, Sonnendorf, Storchendorf. Andere bezeichnen ganz klassisch die Flur, leiten sich ab von Ufer, Bucht, Insel, Anlegestelle, Landzunge oder Wiese. «Jasnoje» kommt von «jasno» (klar), «Prochladnoje» von «prochlo» (frisch). Das Klima, die Erde, das Wasser haben zu den Bezeichnungen inspiriert. Das alte Seckenburg heißt heute «Sapowednoje» (Naturschutzgebiet), das benachbarte Rautenburg «Plodowoje» (von Fruchtbarkeit), Neukirch hat den Namen des berühmten russischen Biologen Timirjasew abbekommen. Haben die Bewohner selbst sie ausgesucht?

Der letzten Allunionszählung zufolge lebten im Jahre 1989 im Gebiet 871159 Einwohner, ungefähr ein Drittel weniger als zu deutscher Zeit, davon 78,8 % in Städten und 21,2 % auf dem Lande. Sie gehören über 80 Nationalitäten an. Mehr als 630000 sind Russen, etwa 70000 Weißrussen, 50000 Ukrainer, um die 20000 Litauer. Die nächstgrößeren Gruppen sind Polen, Tataren, Mordwinen, Juden, Tschuwaschen und Zigeuner. Die kleineren mit einem Gesamtanteil von circa 5 % sind nicht vollständig aufgeschlüsselt, und zum Teil sind sie zahlreicher, als die Statistik besagt. Denn die Kinder aus Mischehen lassen sich mit sechzehn Jahren meistens die russische Nationalität in den Paß eintragen. 1968 bereits, das wurde damals eigens bekanntgegeben, war knapp die Hälfte der Bewohner im Oblast geboren, heute werden es mehr als zwei Drittel sein. Die Einwanderergesellschaft tritt in die dritte Generation ein. Der Oblast ist eine Sowjetunion im kleinen und die Niederung als ihr Teil ebenso. Der Kreis, der heute etwa dem Rayon Slawsk entspricht, hatte 1989 knapp 21000 Einwohner.

In einer Gesellschaft, die nur Notdürftigstes über sich bekanntgibt und ihre Archive verschlossen hält, kommt der mündlichen Auskunft eine besondere Bedeutung zu. Doch die liegt genausowenig auf der Straße. Nicht nur, weil «Glasnost» diese Ecke des Imperiums anscheinend noch nicht erreicht hat. Nichts ist absurder als die Vorstellung, vor einem zerfallenen Insthaus haltzumachen oder an der Wasserpumpe gegenüber der Kirchenruine «Guten Tag» zu sagen und zu fragen, wann und warum sie oder er sich in diesem Oblast eingefunden hat.

Tatsächlich und wenn man einmal die Schwelle der Angst überwunden hat, ist die Begegnung ganz anders. Die Vergangenheit des deutsch-sowjetischen Krieges, in den Erwartungen der Besucherin so übermächtig, ist darin ganz blaß. Entgegen schlägt einem weder Feindschaft noch Ressentiment, sondern einfach Fremdheit. Ich bin eine Fremde, ich erscheine an einem Ort, wohin sonst niemand kommt, den man verläßt, aber nicht freiwillig aufsucht. Verwundert wird der Gast betrachtet und nicht selten mit einer gewissen Hoffnung, es könne sich um jemand handeln, der Hilfe bringt oder dessen Anwesenheit eine Veränderung ankündigt. Der Fremden wird erzählt, was sie wissen will, ziemlich knapp, und dann ausführlich über die Mühen des Alltags, wie sie sind: der Mangel, die Preise, der Schnaps, die Kinder, die fern sind, das Ewiggleiche. Gefragt wird sie nichts. Der Ort ihrer Herkunft, selbst wenn der Name Deutschland fällt, ist offenbar so unwirklich, daß sich daran nichts Konkretes knüpfen läßt. Sie ist da, gekommen von irgendwoher, zu Protokoll zu nehmen, was drückt, zuzuhören, weil sich sonst niemand erkundigt. Eine Situation, wie sie in der Tundra Jakutiens oder in einem abgelegenen Dorf in Zentralrußland vermutlich ganz ähnlich wäre.

Das ist verwirrend, und vieles von dem, was vorgebracht wird, klärt sich allmählich nur, im Verlauf von Monaten. Als erstes setzt sich ein Bild zusammen von der historischen Situation – den Motiven, Umständen, Zwangslagen – des Ankommens:

Irina S. – zugezogen aus dem Inneren Rußlands, weil ihr Dorf nur noch verbrannte Erde war und sie gehört hatte von heilen Häusern und weißgestrichenen Gartenzäunen.

Ivan M. – gebürtig aus Orel, 1945 wurde er aus der Zwangsarbeit in der Nähe von Dachau entlassen und blieb auf dem Rückweg hier hängen.

Viktor K. – 1948 als Parteisekretär aus Sachalin abberufen unter Aufbietung äußerster Überredungskünste und Versprechungen, schließlich unter Androhung von Gewalt als Leiter einer Sowchose im Bezirk Slawsk eingesetzt.

Maria V. – litauische Bauerntochter aus der Gegend von Plunge, die 1948 mit der ganzen Familie vor der Deportation nach Sibirien floh und einen geeigneten Ort suchte zum Untertauchen, nicht so weit weg von zu Hause, wo niemand «Kulaken» vermutete.

Andrej W. – ein Waisenkind von ich weiß nicht woher, der 1945 mit der Front kam, sich Plünderern anschloß und dann nicht mehr ging, weil es genug zu essen gab.

Alexander S. – aus Leningrad, er wurde 1947 demobilisiert im nahe gelegenen Gussew und verliebte sich in eine Melkerin, die ihm eine Stelle als Hirte verschaffte.

Vera T. – Ende 1944 schrieb ihr Mann aus Polen, sie solle in Nowgorod schon mal das Bier zubereiten, er komme bald nach Haus. Er kehrte nicht zurück, und als sie eine Werbung las in der Zeitung, daß Arbeitskräfte im Kaliningradskaja Oblast gesucht würden, zog sie mit den zwei Söhnen westwärts, in der Hoffnung, ihn dort, so nahe an der polnischen Grenze, wiederzufinden.

Der neue Oblast zog Menschen an, die der Krieg entwurzelt hatte, auf die verschiedenste Weise. Selbst in späteren Siedlergenerationen setzte sich der Wirbel des Krieges noch fort. Olga, meine Dolmetscherin, die 1968 als Zehnjährige nach Kaliningrad kam, behauptet, ihre Familiengeschichte repräsentiere die «normale» sowjetische Migration. Ihre Eltern trafen sich nach dem Krieg in Wladiwostok. Der Vater, geboren im Ural, landete dort 1945 mit einem Schiff der Kriegsmarine und stieg auf die Handelsmarine um. Die Mutter, Kriegswaise aus einem Dorf bei Moskau, ließ sich von einer dortigen Fischfabrik anwerben. Nach der Heirat gingen sie ins 400 Kilometer entfernte Karalerowo, das soeben aus dem Boden gestampft wurde und als neue Millionenstadt Quartier bot. Ende der fünfziger Jahre, nach einer Zwischenstation bei väterlichen Verwandten in der Taiga, suchten sie ihr Glück bei Feodossija auf der Krim, wo es wärmer und komfortabler war. Mit dem Tode von Olgas Vater blieb der Witwe dann nur, bei den Schwestern anzuklopfen, und die lebten seit 1947 in Kaliningrad. Diese konnten ihr eine Arbeit auf einer Baustelle besorgen und damit Zugang zu einer sonst nicht erhältlichen Wohnung.

Die Besiedlung ist Teil der sowjetischen Odyssee, darin ein besonderes Kapitel. Als ich 1992 wieder den Kaliningradskaja Oblast bereise, haben Olgas intellektuelle Freunde eine Fragebogen- und Interviewreihe unter der «Pioniergeneration» begonnen. Sie haben festgestellt, daß die Einwanderung in drei Schüben vor sich ging. Die ersten waren Rotarmisten, die sich nach Beendigung der Kämpfe niederließen, die besten Häuser besetzten und ihre Familien nachholten. Im weiteren Verlauf des Jahres 1945 folgten Fremdarbeiter und Kriegsgefangene, die aus Deutschland zurück in ihre Heimat wollten. Eigentlich nur durchreisen, aber sie wurden hier aufgehalten, mußten Kontrollstellen des KGB passieren und dort Auskunft geben, wie und warum sie in die Hände des Feindes gefallen waren. In den Verhören vermittelte sich ihnen eine Ahnung, daß sie bei ihrer Ankunft zu Hause mit Verfolgung rechnen mußten wegen «Kollaboration». Und so tauchten viele im Königsberger Gebiet unter, wo die Staatsmacht damals nur sehr punktuell funktionierte und mehr an der Arbeitskraft ihrer Untertanen interessiert war als an deren Gesinnung. Außerdem lockte das «Deutsche» – Annehmlich- und Bequemlichkeiten, die sie während der Qual und Entbehrung in den Lagern im Vorübergehen wahrgenommen hatten und, wenn sie auf Bauernhöfen waren, sogar sehr intensiv, und in die sie nun hineinschlüpfen konnten. Ab dem Sommer 1946 wurden dann systematisch Siedler angeworben. Der Erlaß Nr. 1522 des Ministerrats der UdSSR vom 9. Juli sah vor, in 27 Gebieten Rußlands und 9 belorussischen die Trommel zu rühren für den neuen Oblast. Zeitungen veröffentlichten Artikel, die die guten Bedingungen dort priesen, Partei und Komsomol suchten im sozialistischen Wettbewerb junge Leute dafür zu gewinnen. In der Ukraine und in Litauen sprach sich die Möglichkeit von Mund zu Mund herum. Die aufbrachen dorthin, kamen aus den am stärksten zerstörten Rayons, waren oft Menschen, die alles verloren hatten, Haus und Familie. Besonders zahlreich von der Wolga, wo Stalins Deportationen Anfang der vierziger Jahre ganze Völkerschaften auseinandergerissen und auch unter den Verbliebenen Heimatlosigkeit gesät hatten. Allen wurden gute Wohnungen versprochen, «Westzulagen» zum Lohn und Existenzgründungsdarlehen, wenn sie sich auf mehrere Jahre verpflichteten. Vorsorglich, damit sie nicht davonlaufen konnten, nahm man ihnen die Pässe ab.

Die Grenzen zwischen erpreßtem Umzug und Zwangsverschleppung waren in der Sowjetunion oft fließend. Viele sollen enttäuscht gewesen sein bei der Ankunft, und da kaum Vorbereitungen getroffen worden waren für den großen Zustrom, kam es gleich im ersten Winter zum Desaster. Das neue Leben fing an mit Hunger, Kälte und Seuchen, manche gingen daran zugrunde. Während der fünfziger Jahre bemühte man sich weiter um Neusiedler. Rekrutenjahrgänge, die gerade ihren Wehrdienst beendet hatten, wurden am Ort ihrer Entlassung festgehalten. Damit sie eine Familie gründen konnten, schickte man Sonderzüge mit heiratswilligen Mädchen. In übervölkerten, krisenhaften Regionen suchten die Moskauer Strategen Leute abzuziehen für das Gebiet. Das war nicht so leicht. So attraktiv war das im Westen Gebotene nicht, zumindest lange nicht so wie die baltischen Staaten. Allerdings sollen sich immer wieder Glücksritter gefunden haben, die bloße Neugier und Abenteuerlust hertrieb und meist schnell wieder weg. Die Fluktuation scheint auch für bewegte sowjetische Verhältnisse ziemlich groß gewesen zu sein, nicht zuletzt durch die Menschen, die auf der Flucht waren. Diese unstete Bevölkerungsgruppe, die überall zu finden ist, war hier besonders häufig. Wer Deportation oder Gefängnis zu fürchten hatte und sich für eine Weile unsichtbar machen wollte, konnte in der neu zusammengewürfelten Gesellschaft des Kaliningradskaja Oblast die gewünschte Anonymität finden.

In die vorläufige Bestandsaufnahme der Kaliningrader Historiker fügt sich ein Bruchstück aus der Bundesrepublik, ebenfalls eine mündliche Quelle. Ende der fünfziger Jahre wurden einige tausend Memelländer aus der litauischen Sowjetrepublik entlassen. Bei ihrer «Heimkehr» ins westliche Deutschland befragte man sie, was sie in den fünfzehn Jahren nach dem Krieg erlebt und ausgestanden hatten. Das war sowohl von öffentlichem wie von geheimdienstlichem Interesse. Dabei erzählten sie auch von Besuchen auf der russischen Memelseite. Sie hatten als Eingeborene und Sowjetbürger, mit der neuen wie mit der alten Gesellschaft hinreichend vertraut, einen scharfen und mitempfindenden Blick für die dortigen Eingewöhnungsprobleme. Ihrem Eindruck nach litten die fremden Neusiedler stark unter Heimweh und Depressionen. Sie klagten über das feuchte Klima, fürchteten sich vor Sturm und tosendem Wasser. Die Memelländer beobachteten zum Beispiel, wie die Neuen nach und nach die deutschen Kachelöfen herausrissen und durch russische Öfen ersetzten und sie, weil der Ziegel ihnen trist vorkam, die Hauswände blau und grün und gelb bemalten. Ständiges Gesprächsthema waren die Flüchtigen, die bei Nacht oder unter Vortäuschung eines Verwandtenbesuchs mit nur kleinem Gepäck über die Memel gingen auf Nimmerwiedersehen. Sie mußten durch litauisches Gebiet, und dort wurde auch nach ihnen gefahndet. «Sabotage am sozialistischen Aufbau» hieß das Delikt. Es soll so häufig vorgekommen sein, daß ganze Kolchosen schließen mußten. Daraufhin soll die sowjetische Verwaltung eine Studie ins Auge gefaßt haben, welche Völkerstämme der UdSSR für das Leben im Kaliningrader Gebiet am besten geeignet sein könnten und am wenigsten physisch und psychisch leiden würden. Das Ergebnis, wenn es eines gab, ist unbekannt. Jedenfalls berichteten die Memelländer, daß man sich behörderlicherseits bemühte, geschlossen siedelnde Gruppen nicht allzusehr zu stören. Wenn mehrere Fischerfamilien vom Ladogasee oder vom Schwarzen Meer auf die Haffdörfer verteilt wurden, durften sie zusammenbleiben. Ein kleiner Halt, er förderte die Stabilität, aber auch nicht immer. Kleinere Minoritäten wie Mordwinen, Tschuwaschen oder Tataren machten sich im Clan davon, heimwärts oder woandershin.

Heute sagen die Bewohner, die wir treffen, sie hätten sich «gewöhnt». Nun sei der größere Teil des Lebens eben in der Fremde vergangen. Schlimm sei nur, daß es jetzt so erbärmlich zu Ende gehe, noch «schlechter als überall». Die Erzählungen erscheinen merkwürdig stereotyp. Das Auffälligste ist die Lücke, die zwischen der Periode des Sichniederlassens und der Gegenwart klafft. Für die dreißig, vierzig Jahre dazwischen hat niemand Worte. Es ging bergauf, dann wieder bergab, nach solcherart Mitteilung verstummen sie. Es ist kein Schweigen, das etwas verbergen will oder sich mit einem Redeverbot hinreichend erklären ließe. Es kommt eher aus dem Empfinden der Ohnmacht und einer ungeheuren Banalität. Was schon, was gäbe es da zu sagen?

Ein Teilchen aus einer russischen Quelle leuchtet ein wenig in die Zeit der Sprachlosigkeit. 1969 erschien in Moskau ein ungewöhnliches Buch mit dem Titel «Jantarny Bereg», «Bernsteinbezirk». Scin Autor, der Journalist Georgi Metelski, hatte den Kaliningradskaja Oblast bereist, sich mit Neugier und einer Portion akademischer Bildung dort umgetan und seine Eindrücke gefährlich konkret aufgeschrieben, und das hatte, der Himmel weiß warum, die Zensur passiert. Auf einem Kahn war er durch die Gewässer der Niederung gefahren und hatte die Kunst der preußischen Ingenieure und Agronomen bewundert. Und während er schaukelte, immer weiter, die Kanäle wollten kein Ende nehmen, hatte er sich vorgestellt, daß es vom Großen Friedrichsgraben eigentlich möglich sein müßte, auf dem Wasserweg in die Seine und bis Paris zu gelangen. Nach allem, was er beschrieb, müssen damals die Schleusen und Pumpstationen und ein Teil der Gräben intakt gewesen sein. Metelski war voll des Lobes. Ihn erstaunte nur, wie wenig die Leute, die täglich damit umgingen, von der Entstehung dieser Kulturlandschaft wußten und von der Geschichte überhaupt. «Sie kennen sogar die jüngste Vergangenheit dieser Ecke des Landes nicht, wo sie wohnen... Zigmal habe ich sie gestellt, die doch offensichtlich einfachste Frage: ‹Wie hieß die Stadt früher, in der Sie leben?› Und viele, viele haben entweder zweifelnd die Schultern gehoben oder mit einiger Heftigkeit gleichsam als Kampfansage zurückgefragt: ‹Und warum sollen wir das wissen?! Jetzt heißt es eben so und so!› Ich fragte einen Waldhüter: ‹Was ist das für eine Pflanze?› Der Waldhüter lächelte in seiner Antwort schuldbewußt: ‹Bei uns im Altaigebirge habe ich so etwas nicht gesehen.›»

Metelskis Erwartung an die Bewohner stößt die deutsche Besucherin darauf, daß sie insgeheim eine ähnliche hat und wie absurd diese ist. Warum sollte sich der Waldhüter mit der Flora und Fauna der Niederung befaßt haben? Dort, wo er herkommt, im Altai, hat man in den dreißiger Jahren die Beziehung der bäuerlichen Bevölkerung zum Land und zur Tradition mit Gewalt zerbrochen. Dort, wo er hinging, im Kaliningradskaja Oblast, war er ein Kolchosarbeiter von Anfang an, und er eignete sich die neue Umgebung unter den herrschenden Umständen an. Er war kein Bauer, der einen Wald in Obhut nahm, er war kein Botaniker, er hatte keinen Heimatkundeunterricht genossen. Er war Glied eines technischen Kollektivs und einer Maschinenstation. Der Boden unter seinen Füßen war Grundstoff einer Produktion, er hatte, außer Güteziffern, nichts Lokalspezifisches mehr und keine Verbindung zu einem ländlichen Kosmos. Was sollte ihm die Raute bedeuten, die für den litauischen Bauern an der Memel magische Kräfte hatte und einen Platz auf der Hochzeitsfeier und zu Johanni? Der entwurzelte Waldhüter aus dem Altai hätte natürlich neugierig sein können. Gewiß, aber warum?

Metelski, ein Mann der Intelligenzija und selbst Kommunist, unterschätzt die Logik der Verwüstung. Man muß die

Brüche und was die Siedler aus der Zeit vor 1945 einbrachten, gerechterweise mitdenken. Doch so extrem die Verbindungslosigkeit sein mag, bleibt die Frage bestehen, wie der Mensch sich auf den Raum, in dem er lebt, bezieht. In einen historischen Ort kann man nicht einfach hineinschlüpfen. Aber man kann auch nicht umgekehrt seine prägende Kraft per Dekret völlig aus der Welt schaffen. In der Nachkriegszeit soll in der Gegend von Sowjetsk ein Spruch kursiert sein: «Kuriza nje ptiza, Prussija nje sagraniza.» – «Ein Huhn ist kein Vogel, Preußen ist kein Ausland.» Im Witz der besitzergreifenden Behauptung steckt der Einspruch gleich mit drin. Frech und angreifbar wie in der allgemein bekannten traditionalen Fassung als frauenverachtendes Sprichwort, in dem die zweite Zeile lautet: «Eine Frau ist kein Mensch.»

In Andeutungen scheint ein Thema auf, das keines sein durfte. Auch Metelski stieß darauf. Zum Beispiel notierte er folgende kuriose Geschichte: Ihm wurde kolportiert, kürzlich hätten Straßenarbeiter in einem alten Drainagerohr eine Flasche gefunden und darin einen Zettel, auf dem in kyrillischen Buchstaben stand: «Diese Wasserleitung haben 1916 russische Soldaten erbaut.» Das kann stimmen, im Ersten Weltkrieg wurden russische Kriegsgefangene für solche Arbeiten eingesetzt. Sie könnten sich, auch das ist nicht unwahrscheinlich, stolz und subversiv verewigt haben. Wichtiger als ob es tatsächlich so war, ist, daß die Anekdote berichtet und für gewichtig gehalten wurde. Eine einsame russische Flaschenpost in preußischen Gewässern! Sie dokumentiert auf herrlich absonderliche Weise das Bedürfnis nach einer Beziehung. Eine Ergänzung zur eingangs zitierten großen sowjetischen Schöpfungsgeschichte, eine Fußnote «von unten», die doch mehr ist als eine bloße Illustration der herrschenden Version. Denn sie hat Charme und noch eine Spur von Geheimnis.

Zwischen Strom und Haff
Erinnerungsbrücken

Die Geschichte der Niederung läßt sich auch handfester erzählen: als «Schöpfungsgeschichte» eines Käses, der unter dem Namen «Tilsiter» Weltruf erlangte.

Tilsiter Käse

Bereits aus Ordenszeiten wissen wir, daß die Eingeborenen sich mit Milchwirtschaft befaßten. Das «Elbinger Vokabular», eine altpreußische Wortsammlung, nennt Namen für Kuhmilch, Lab, Käse, Butter, Molke und Sauermilch. Der «Suris», wie der Käse im Preußischen und im Litauischen heißt, wurde etwa so hergestellt: Man verrührte süße und saure Milch miteinander. Wenn alles verdickt war, kamen Kümmel und Salz hinzu und der gewürzte Brei in ein spitz zulaufendes Säcklein. Nachdem der Saft abgetropft war, bestrich man die geformte Masse mit saurem Rahm und ließ sie ziemlich lange trocknen. «Er wird so hart», notiert die Naturgeschichte von Bock (1782), «daß man ihn mit einem Beil in Stücke zerlegen muß, und erfordert beste Zähne, ihn klein zu machen, und einen guten Magen, ihn zu verdauen.» In Russisch-Litauen, zum Beispiel in der Tauroggener Ecke, soll die Urform des Suris bis in unser Jahrhundert weitergelebt haben. Auf preußischer Seite dagegen verwandelte er sich. Die je neuen Einwohner fügten ihm dies und das hinzu, experimentierten mit den Rezepten. Besonderen Einfluß nahmen die Mennoniten aus den traditionellen

Käseländern, aus Holland und der Schweiz. Die holländischen schufen eine Art Zwischenstadium zum Tilsiter, den «Mennonitenkäse». Die schweizerischen probierten Annäherungen an den Emmentaler. Aber die Natur ließ sich nicht vollständig zwingen. Die Memelwiesen waren als Viehfutter zu anders, das Klima, die Eigenschaften des Wassers, auch die Bakterien und was sonst noch beim Käsen eine Rolle spielt. Jedenfalls waren die Mennoniten führend in der Veränderung des Bodenständigen. Von ihnen stammen Neuerungen wie der beheizbare Kupferkessel und das Nachwärmen des Käsebruchs.

Bis ins 19. Jahrhundert gab es ein buntes Durcheinander von Käsevariationen. Jede Familie, jede Wirtschaft hatte ihr eigenes Rezept, und das war Frauensache. So ist es nicht verwunderlich, daß der «Schöpfungsakt» auf diesem Felde einer Frau zugeschrieben wird. 1845 soll es gewesen sein, als eine Frau Westphal in Milchbude den Tilsiter «erfand», das heißt die Produktion in bestimmte Regeln brachte. Von einer Vereinheitlichung kann damals allerdings noch nicht die Rede sein, aber eine Professionalisierung der Käseherstellung kam in Gang. Sie entfernte sich von der bäuerlichen Wirtschaft. Molkereien wie die der Frau Westphal entstanden, die Milchverwertung wurde ein eigener Berufszweig, und sie produzierte hauptsächlich für den Markt. Dieser erweiterte sich mit dem Verkehr und mit der Verstädterung, es war die Zeit der industriellen Revolution, und meldete den Produzenten seine Wünsche zurück. 1881, auf der Molkereiausstellung in Königsberg, wurde die Aufforderung in die Niederung geschickt, die «charakteristischen Eigenschaften des Käses mit unveränderter Gleichartigkeit zu verbinden», denn nur dadurch seien seine «Liebhaber» zu «gewohnheitsmäßigen Abnehmern» zu gewinnen, könne der Name «Tilsiter» zu einem Begriff werden.

In den Jahrzehnten vor dem Ersten Weltkrieg schritt die Standardisierung voran. Und mit ihr breitete sich der Tilsiter auch in anderen Gegenden und im Ausland aus, wurde unabhängig von der Natur des Landes und der Eigenart der Leute.

Mancher sah schon früh das Dilemma: «Es ist jedoch eine Gefahr... mit ostpreußischen Augen gesehen, daß die Typisierung in der eingeschlagenen Richtung auf möglichste Geschmacklosigkeit noch weiter fortschreitet. Es mag sein, daß dann der Tilsiter in Neu-Guinea oder Australien ebenso gut hergestellt werden kann wie bei uns.» Anfang des 20. Jahrhunderts war die Käsemarke etabliert. Die Zentrifuge hatte ihr den letzten Schub gegeben, und auch die Bauern kauften den Käse nun auf dem Markt. Als während der Inflation Anfang der zwanziger Jahre die Frauen wieder mit dem Käsemachen begannen, weil die Molkereien für die Milch nur Papier zahlten, stellten sie häufig fest, daß sie nicht mehr wußten, wie es ging, oder auch daß ihnen die Laibe aus eigener Herstellung nicht mehr schmeckten.

In der Niederung ging der technische Fortschritt weiter. Die Käserei wurde Sache von Maschinen und Experten, im Konkurrenzkampf gingen schwächere Betriebe ein. 1939 wurde als letzte und modernste die Molkerei von Neukirch fertiggestellt. Fünf Jahre später, im Oktober, legte man sie still. Polnische Fremdarbeiter mußten sie eilends demontieren und per Eisenbahn nach Westen verladen. Heute wird die Tilsiter Käserei in Schleswig-Holstein weitergeführt. Nach dem Krieg hat sich die pikante, etwas schmierige Charakteristik immer weiter verloren. Schnittfest und geschmacksärmer, hygienisch kontrolliert durch die Gesetze aus Brüssel, in platzsparender Stangenform und nicht mehr als runder Laib, geht er als einer der Billigen im Riesensortiment der Welt in ein paar Dutzend Länder. Gerade acht Wochen reift er noch, solange wie das Schiff unterwegs ist, in dessen Bauch er nach Japan gelangt. Ein heimatloser Käse. Doch nicht ganz, sein Name war die einzige Erinnerungsbrücke zu jenem verschwundenen Ort.

Dort, in der Niederung des Njemen, hat man nach dem Krieg Käse hergestellt, aber einen ganz anderen. Jedoch kürzlich, im fünften Jahr der Perestroika, ist etwas Merkwürdiges geschehen. In Slawsk, dem früheren Heinrichswalde, stellt der

Leiter der dortigen Käsefabrik uns aufgeregt ein neues Produkt vor. Man habe mit Hilfe von Leningrader Experten einen Käse entwickelt, der zwar immer noch nicht konkurrenzfähig sei mit dem aus Litauen, doch besser als alle bisherigen nach dem Krieg. Und der sei «zufällig» dem «Tilsiter» sehr nahe. Diese Feststellung habe neulich ein Gast getroffen, ein in Amerika lebender Ostpreuße, der sich aus nicht genannten Gründen nach Slawsk verirrt hatte und von der Stadtverwaltung eingefangen und herzlich bewirtet wurde. Nach dem Kosten des Käses sei er sehr überrascht gewesen und glücklich. Die Niederung, so der überlieferte Kommentar, habe wohl immer noch dieselben würzigen Kräuter und dasselbe Klima wie früher. So sei – congratulations! – die Wiederschaffung des Tilsiters nach einer gewissen Zeit des Ausprobierens nur logisch.

Nach Gilge – Archipel Biographie

Die gesellschaftliche Zeit beschleunigt sich, auch hier. Wäre ihr Lauf ein wenig schneller gewesen, hätte er den langsameren der Biologie noch eingeholt. Ich bin ein Jahr zu spät. Im Sommer 1990 starb in Myssowka, ehemals Karkeln, der letzte Eingeborene aus deutscher Zeit. Willi soll er geheißen haben, wie weiter, weiß keiner, sein russischer Nachname war nicht der richtige. Seine Frau war im Krieg umgekommen, Kinder und Verwandte gab es nicht. Also war er dageblieben mit damals schon fast fünfzig, hatte in der Fischereikolchose gearbeitet, und da gut die Hälfte der Neusiedler Litauer waren, konnte er sich mit ihnen in der Sprache seiner Vorfahren verständigen. Das erzählt sein Nachbar, ein Mann aus Jurbarkas, der ihn 40 Jahre lang kannte und mochte. Willi sei im Dorf «geehrt» gewesen, von allen. «Wie einen Minister» habe man ihn zu Grabe getragen und, weil er nichts besaß, gemeinsam die Kosten der Beerdigung und des Grabmals bestritten.

Er wäre es gewesen! Ein Gespräch mit ihm hätte den epochalen Riß in der Überlieferung überbrücken können, fadendünn und phantastisch. Zwischen denen, die den Ort aus der Vergangenheit kennen und dann nicht mehr, und denen, die heute ohne Kenntnis der Vergangenheit am Ort leben, steht seine Biographie als einziges Kontinuum. Lebenslauf und Lebensraum fallen zusammen, als einsame Ausnahme. Die Ortlosigkeit der Masse hat ihm eine herausragende Stellung verschafft, ihn in den Rang eines Zeugen erhoben. Darum wohl wurde Willi verehrt: weil er ein Wissen hatte, das hinter 1945 zurückführte, in die Generation der Väter und Großväter. Er konnte Kräuter mit Namen nennen, den Verlauf des Eisgangs einschätzen, die Himmelsfarben deuten. Ein Medizinmann gewissermaßen, nur ohne ein ihn tragendes Gemeinwesen. Man hat ihm zugehört, das ist bemerkenswert, doch inwieweit konnte er sich verständlich machen? Er ist gestorben, bevor seine einstigen Landsleute als Gäste wiederkommen durften und er von den ihnen unbekannten Jahren nach 1945 hätte erzählen können. Aber vielleicht hätten sie ihn, nach so langer Zeit, auch nur zum Teil verstanden.

Die Suche nach einem Zeitzeugen wird zur Obsession. Immer wieder tauchen Gerüchte auf, da oder dort solle noch jemand leben. Sie erweisen sich als falsch, der oder die Genannte ist meist aus Litauen. Ein Akzent im Russischen, ein Habitus oder das Muster der selbstgestrickten Jacke, besondere Kenntnisse, die aus einer ähnlichen Landschaft stammen und aus dortigen Begegnungen mit Deutschen, ließen sie in Verdacht geraten, sie seien von hier. In einer Gesellschaft, in der Leute aus so vielen Nationen und Regionen zusammengelaufen sind, kann man nur schwerlich die Geschichte des Nachbarn richtig verorten. Jurbarkas, der Altai, Samarkand oder Sachalin können für den, der nicht von dort kommt, nur Schemen sein. Mit der Zeit lernt man, bestimmte Signale mit bestimmten Herkunftsorten zu verbinden, aber ein wirkliches Erkennen dürfte kaum möglich sein. Wie kann man sich über Vergangenheiten verständigen, die aus einem über viele Tausende von Kilometern sich erstreckenden Raum stammen? So gesehen hatte Willi, der fremde Einzelgänger, immerhin den Vorteil, daß sein Erzählen sich in manchen Fällen durch den Ort sinnlich beglaubigen ließ.

Unterwegs von Karkeln zu den anderen Dörfern am Rande des Kurischen Haffs verlieren sich solche Gedanken. Meine Orientierung wird mühevoller. Statt der paar Kilometer, die der alte Plan ausweist, sind Dutzende zurückzulegen. Tawe und Loye sind nur noch von der Wasserseite zu erreichen und, da es sehr windig ist, an diesen Tagen überhaupt nicht. Gilge, der größte der Fischerorte, kann weder von Seckenburg noch vom Großen Moosbruch per Auto angefahren werden, nur auf einem langen Umweg über Labiau, auf dem Deich des Großen Friedrichgrabens. Nach gut fünfzehn Kilometern, wo er auf den Nemonienfluß trifft, fragen wir nach einem Kahn. Im «Elchkrug», dem Gasthaus an der Wasserkreuzung, das heute keines mehr ist, wohnt eine Russin. Sie überläßt uns eine Nußschale, «Seelenverkäufer» sagte man dazu früher. Wir rudern mit der Strömung und gegen Wind haffwärts, ins «amphibische Land». Niemand begegnet uns, bald ist das letzte Haus außer Sicht, der letzte Elektromast, nichts außer Schilf. Wir legen an, wo es etwas lichter scheint, versuchen, ein Stückchen landeinwärts zu gelangen. Zweimannshoch ist das Rohr, kräftig genug, daß es uns hält, wenn der Untergrund sich saugend an die Füße heftet. Nach anderthalb Stunden und gut hundert zurückgelegten Metern ist kein Durchkommen mehr. Wir sind, zum dritten- oder viertenmal in dieser Woche, in der Wildnis. Dieses Mal haben wir keine andere Wahl, nur zurück.

Das ist die andere Obsession, die einen ergreift, ebenso unentrinnbar. Sie ist die depressive Rückseite der ersten, des manischen Verfolgens der Spur einer nicht mehr entzifferbaren Gesellschaft: die Leidenschaft, sich zu ergeben an die siegreiche Natur, die an der Erdgeschichte weiterschreibt, das Kapitel «Alluvium» fortsetzt, auch genannt «Holozän». Das Gefühl ist verwandt dem Kitzel, den der Journalist Otto Glagau und der Fotograf Walter Engelhardt beschrieben – nur weniger sanft, bedrohlicher. Die beiden wußten, sie würden irgendwann auf eine Siedlung treffen und daß im Winter, wenn alles vereist ist, die Haffbewohner mit Schlitten kommen, um das Rohr zu schneiden. Das ist 1991 fraglich. Die Wildnis, in die wir eingetreten sind, ist kein Eiland, das der Mensch aus Rücksicht oder ihm zur Freude mit seinen Plänen verschont hat. Diese hier wartet – jubelnd – auf das Verschwinden des Menschen. Wenn das Eis an den Polkappen weiter schmilzt, wird niemand dem steigenden Wasser einen Damm entgegensetzen. Dann wird das Haff ausufern bis Tilsit.

Wo immer hinter dem Schilf Gilge sein mag und was davon übrig ist, wir werden es nicht finden. Für mich liegt Gilge in Flensburg. Es lebt in den Erinnerungen des Fischers Paul S., steht in seinem Gesicht und in den Händen. Mehr als sechs Jahre sind seit dem Interview vergangen. Es hat sich mir eingeprägt, war eines von denen, die mir klarmachten, wie fremd mancher Flüchtling im Westen Deutschlands war. Noch einmal wolle er sein altes Jagdrevier in Gilge sehen, hatte er 1985 gesagt, «und dann zurück» – mit einer Stimme, wie wenn er gegen einen Orkan anschreien müßte.

Kurz vor Weihnachten 1913 wurde er geboren als ältester Sohn von fünf Kindern. Die Familie war alteingesessen. Die Männer gingen seit Generationen auf Fischfang, die Frauen besorgten 25 Morgen Land, Wiesen, Kartoffeln und Gemüse in Poldern. Daneben Geflügel- und Schweinezucht auf der Basis von Fischchen (Stinten), denn Getreide wuchs in der tiefen Niederung nicht. Eine für die Haffdörfer typische Mischwirtschaft, fast autark. Der kleine Paul mußte selbst in schlimmsten Zeiten, am Ende des Ersten Weltkrieges, nicht hungern. Schon mit sechs, sieben, acht Jahren war er in den Ferien mit auf dem Boot. «Unsere Väter, das waren Steinchristen!» Dieser Satz ist mir im Kopf und ebenso meine entgeisterte Rückfrage: «Steinchristen?» – «Die waren aus Stein. Die hatten kein Herz wie Menschen.» Er meinte die Härte und Strenge seines, aber nicht nur seines Vaters, und beim Sprechen kam ihm der Ärger über «den Alten» wieder hoch: wie er sich auflehnte als Bub, weil er nicht auf einem kahlen Brett schlafen, in «Klompen» (Holzschuhen) gehen, ewig Fisch und Milchsuppe essen wollte. Im selben Atemzug jedoch betonte er, daß des «Alten» steinernes Herz kein individueller Fehler war, sondern notwendiger Widerpart zur Grausamkeit der Natur, das Gehorchenmüssen selbst ein Naturgesetz. Nach der Einsegnung trat Paul S. ganz in die Fußstapfen des Vaters. Das war selbstverständlich, wenn auch weniger als früher. Er hätte als Bergmann ins Ruhrgebiet gehen können, das war eine reale Alternative. Die aber gruselte ihn. Insgeheim träumte er, es einem weltenbummelnden Onkel gleichzutun, der als Halbwüchsiger spurlos verschwand und sich schließlich aus Afrika meldete. Aus Äthiopien oder von der Elfenbeinküste schickte er zwei Bildchen vom Lagerfeuer im Kral und die Nachricht, er bilde jetzt Neger im Fischfang aus. Einen anderen Floh setzte dem Jungen einer von den Künstlern ins Ohr, die sommers in Gilge malten. Schon als Zwölfjähriger «pinselte» er in jeder freien Minute. Ausgerechnet das Wasser, wunderte er sich, war am schwierigsten aufs Papier zu kriegen. So gewann er zu der Welt, in der er lebte, über das Medium ihrer Darstellung Distanz. Wenn ihn damals einer bei der Hand genommen hätte und woandershin eingeladen, wäre er wohl mitgegangen.

Paul S. blieb, und je älter er wurde und vor allem seit er sich aus der Bevormundung des Vaters lösen konnte und auf dem eigenen Boot fischen, desto mehr genoß er das Leben. «Das war eine Freiheit war das!» Das ist der zweite Satz, der Gegensatz zum ersten, den ich nicht vergessen werde. Die Nächte auf dem Haff, nicht selten in Gefahr, Tage faul in der Sonne, Wochenenden mit Kumpels, vierzig Schnäpsen und «gemeinsamer Jagd auf Mädels». Zum Tanz fuhren sie per Fahrrad in den Großen Moosbruch, denn bei den Mädchen im eigenen Dorf hatten sie wenig Chancen. In Gilge waren sie die «Teerjungens», denen der Geruch vom Teeren der Baumwollnetze anhaftete und was sonst noch am Fischerleben für Frauen unangenehm ist. Die Verfemung erhöhte die Kraft und den Zusammenhalt der Gruppe. Die Nazi-Zeit empfanden die jungen Fischer als Freiheitsberaubung. Nach der Rückkehr vom Fischfang im Frühtau auf der Wiese militärische Übungen abzuhalten erschien ihnen albern, eine «Spielerei» und Zumutung. Die Bauernjungens taten das, die gingen in die HJ und die SA. Der Bürgermeister, der Wachtmeister, der Oberfischmeister, der Lehrer und der Zöllner traten, wenigstens pro forma, in die Partei ein. Und als 1937 Strom ins Dorf kam und mit ihm die ersten Volksempfänger und die Stimme des «Führers», rückte Berlin etwas näher. In den Rhythmus des Fischerlebens und in die Fischergemeinschaft konnte die neue Zeit kaum eindringen. Die ältere Generation hatte den Kirchenrat in Händen, den Marine- und den Kriegerverein, die Feuerwehr und das Portemonnaie Geld, wer sollte denen etwas sagen.

Trotzdem freute sich Paul S. auf das Militär. 1938 wurde er eingezogen bei der Marine, der Rekrutendienst ging nahtlos über in den Ernstfall. Zwar paßte der Drill dem temperamentvollen Jungen nicht, doch seine kriegerische Reise durch mehrere Länder Europas erfüllte ihm – auch – einen Kindheitstraum. Neu und exotisch war zugleich die Begegnung mit der Technik. Mit zähem Ehrgeiz eignete sich der Dorfschüler die so schwer begreiflichen Kenntnisse für den Kriegsberuf des Horchers an. Als Spezialist stieg er auf bis zum Obermaat. Früher als die meisten Kameraden war er davon überzeugt, daß der Krieg verloren sei und ein Sieg die noch größere Katastrophe wäre. Nach kurzer englischer Kriegsgefangenschaft fand Paul S. seine Mutter und zwei Geschwister in einem schleswigholsteinischen Dorf wieder. In dem von Flüchtlingen überfüllten Nordwesten erlebte er die schrecklichsten Demütigungen seines Lebens. Er ging als Bauernknecht, mußte sich von gerade eingesegneten Bürschchen kommandieren lassen, das war schlimmer als der Hunger. Wenn er für die Familie klaute,

Holz, Gurken oder Kartoffeln, war die Genugtuung für ihn das Wichtigste. Wutentbrannt ergriff er im Frühjahr 1946 die Flucht.

Das verhaßte Bauernland im Rücken und, als einzige Alternative, den ebenso großen Horror vor Augen, sich auf Einladung der Besatzungsmacht im Ruhrgebiet unter Tage lebendig begraben zu lassen, sprang er auf einen Kohlenzug – seewärts. Ein Bekannter der Familie aus Labiau, ein gewesener Parteibonze, was nun nicht mehr zählte, hatte zwei Kutter vom Kurischen Haff nach Flensburg gerettet. Der stellte den 33jährigen ein. Von da ab war ihm wieder wohl. Mit der «Seeverpflegung vom Tommy» und jeder Menge Aalen, die zum Tauschen fast so begehrt waren wie amerikanische Zigaretten, war er in diesen Zeiten fast wie ein König. Er heiratete, noch im geliehenen Anzug, eine ausgebombte Einheimische und kriegte, weil er das Wohnungsamt mit Aalen bestach, gleich ein passables Quartier. Schon 1947 konnte er auf Pump einen eigenen Kutter kaufen. Obwohl die Währungsreform schon in Sicht war, durfte er die Hälfte der Summe noch in Reichsmark an die Geldverleiher zurückzahlen. Tag und Nacht fischte er, die Frau machte mit. Aal zum Essen alle Tage, Aal zum Tauschen, so begann für das Paar die Geschichte der Bundesrepublik. Viele Haffischer hatten sich inzwischen an der Förde eingefunden. Als der alte Gilger Fischmeister wieder aufkreuzte, bekamen alle mit seiner Hilfe eine Lizenz als Berufsfischer. Die Konkurrenz war groß, und die Neuen mußten die Ostsee erst kennenlernen. Paul S. setzte auf Technik, auf die Chance, schneller als die Einheimischen, die durch die Schwerkraft ihrer Traditionen gebunden waren, moderne Fangmethoden zu lernen. Er meldete sich bei der Versuchsfischerei, probierte neue Heringsstellnetze, Reusen und schwedische Spezialmotoren. Alles war anders als zu Hause im Süßwasser. Gilge, behauptete er, habe er schnell abgeschrieben. Das war vorbei, die Politik der Vertriebenenverbände hielt er für illusionär. In gewisser Weise konnte er der Verpflanzung im nachhinein sogar etwas abgewinnen. Am Haff hätte er als ältester Sohn die Schwestern auszahlen müssen und noch die 25 Morgen Land am Hals gehabt. Deswegen und als «Teerjunge» sowieso hätte er schwer eine Frau bekommen. Dort wäre die Modernisierung, die er schon in den dreißiger Jahren gegen den «Alten» hatte durchkämpfen wollen, viel langsamer gelaufen. So wie es war, konnte er eigentlich von Glück sagen. Durch seine Schwester, die 1949 mit drei halbverhungerten Kindern aus Sibirien zurückkam, kannte er auch die schlimmere Seite des Vertriebenenschicksals. Paul S. blieb, was von seinen Landsleuten nur wenige konnten, in seinem Element und Beruf und hatte teil an dessen beschleunigter Veränderung. Dies ermöglichte ihm, die Entwicklungen in seiner Heimat, die nun russisch war, ohne Sentimentalität zu betrachten.

Aus Berichten von Spätaussiedlern setzte er sich zusammen, was dort geschehen sein mußte: Anfangs, bis 1947, lebten in Gilge noch zahlreiche zurückgebliebene Fischer, fast unter sich. Die Fänge waren überreich, weil das Haff während des Krieges nur schwach befischt worden war. Nach und nach siedelten russische Fischer zu vom Kaspischen und vom Asowschen Meer, von der Wolga und vom Don, vom Ilmen- und Ladogasee. Geschickte Leute, aber sie waren andere Traditionen des Fischens gewöhnt. Sie wußten natürlich die schweren Kurenkähne und die noch schwereren Keitelkähne nicht zu handhaben, fuhren sich kreiselnd im Röhricht fest, manövrierten sich bei rauhem Wetter in den Tod. Das Haff hatte, wie kaum ein Gewässer der Welt, unendlich viele Fischarten und entsprechend vielfältige Methoden, Gerätschaften und Regeln, mit ihnen klug und schonend umzugehen. Sie zu lernen hätte wohl eine Generation gebraucht. Manches, zum Beispiel die Aalfischerei, haben die deutschen Fischer den Zugezogenen noch vor ihrer Abreise beigebracht. Sehr bald aber nach der Gründung der Kolchosen setzte sich die industrielle Fischerei durch. Motorkutter, oft auch ausrangierte Minensuchboote, senkten ihre großen Schleppnetze auf den Grund des Haffs. Aus Japan, wo einige der neuen Fischer im Krieg gewesen waren, führte man die sogenannten «Giganten» ein, kilometerlange Netzwände mit gewaltigen Reusen an den Ecken. Ein paar Jahre erbeutete man auf diese Weise mehr als zehn- oder zwanzigmal soviel wie früher. Ein Fischer war in diesen entbehrungsreichen Anfangsjahren außerordentlich privilegiert. Ab Mitte der Fünfziger schon hatten der Raubbau und die Verschmutzung durch Öl und Sprit zu irreparablen Schäden geführt. 1956 berichtete ein Nachzügler unter den Spätaussiedlern, die ersten Russen hätten die Haffdörfer bereits wieder verlassen.

Paul S. stimmten solche Nachrichten traurig, aber mit den Jahren wußte er sie einzuordnen. Vor seinen Augen spielte sich, etwas langsamer, der Niedergang der Förde ab. Sie verschlammte, vermüllte, vergiftete sich. Die Küstenfischerei starb, und Paul S. wußte, daß er nicht nur Opfer war. Die letzten, die nicht aufgeben wollten, seien die Flüchtlingsfischer gewesen. 1985 noch ging Paul S. mit einigen Kumpels zum Eisfischen. Diese ostpreußische Methode kannte man früher in Flensburg nicht. Sie erregte Aufsehen und wurde nachgeahmt – als Sport. Das war der letzte Nachklang vom Haff.

Zwei, drei Jahre nach dem Interview verunglückte Paul S. Kurz vor Weihnachten, um seinen Geburtstag herum, und obwohl er sich nicht wohl fühlte und das Wetter stürmisch war, fuhr er auf die Ostsee hinaus. Man fand ihn bewußtlos und unterkühlt in seinem Boot liegend vor der dänischen Küste. Hat er am Ende – unbewußt – doch zum Anfang zurückgewollt? Kein Fischertod; der Schlaganfall lähmte ihn nur und zwang ihn, von seinem Traum Abstand zu nehmen, noch einmal sein altes Jagdrevier zu besuchen.

Wo liegt Gilge? Das verlassene Dorf findet man fast überall in der Welt. Es lebt noch eine Generation weiter, selten länger, in den Städten, verstreut, als einzelne Lebensgeschichte – eine Biographie auf einem imaginären Archipel.

Gilge, den Ort, gibt es übrigens noch. Der Weg dorthin ist,

wenn man die Karte genau liest, nicht so schwer zu finden. Eine schmale Straße bis Nemonien, die klapprige Fähre setzt sogar ein Auto über. Die letzten vier Kilometer durch eine Birkenallee, hell-anmutig und preußisch-gerade, links Kopfsteinpflaster, rechts eine Sandbahn fürs Vieh – verwunschen, anders kann man es nicht sagen. «Matrossowo», «Matrosendorf» steht am Ortseingang. Ein auf Sperrholz gemalter Leninkopf, halb abgefallen oder im Begriff, vollends demontiert zu werden, blickt ohne das energische Kinn auf die zerbrochene Brücke über den Gilgestrom. Ihr zur Seite ist ein schmaler, rohgezimmerter Steg gezogen. Die alten Fischerhäuser reihen sich am Wasser, hölzerne und steinerne, nicht sehr dicht, spiegeln sich im von gelben Seerosen durchzogenen Grünblau. Im bewegten, verschwimmenden Spiegelbild ist Gilge ganz nah. Aufblickend ist der Verfall nicht zu übersehen. Die meisten Gebäude sind kurz vor dem Zusammensinken. Von hinten hat die Buschwildnis die Gärten überwuchert. Wir gehen wie durch ein Freilichtmuseum an einem der letzten Tage vor der endgültigen Schließung. Niemand außer uns ist unterwegs. Aber frischgehacktes Holz und zwei Störche auf dem Dach lassen auf die Anwesenheit von Menschen schließen.

Am Ende des sandigen Weges durchs Dorf streichen Buben eine Fassade, vergnügt und zügig. Ein altes deutsches Gasthaus, noch ein Stück Inschrift ist über der Fensterreihe zu lesen, und in sowjetischer Zeit vermutlich ein Lebensmittelladen, was auch schon länger zurückzuliegen scheint. Bevor wir ins Überlegen kommen, was Wundersames hier geschieht, schwappt eine Wasserladung aus der Haustür. Hinterher stiefelt schimpfend eine etwa 40jährige Frau. Sie hält die Jungen, ihre Söhne, an, ordentlich zu arbeiten und die Farbe nicht zu verschwenden. Ungefragt wendet sie sich an mich und erklärt, sie bauten hier ein kleines Hotel mit Café für deutsche Touristen, die ja bald kommen müßten an diesen Platz, einen der schönsten der Welt. Ich verstehe sie kaum, sie spricht schwäbisch. «Schoffe, schoffe muß man, so ischt's.» Mit ihrer Familie sei sie vor ein paar Monaten aus der kasachischen Steppe gekommen. Gut zwanzig Verwandte und Bekannte säßen schon auf gepackten Koffern, wollten auch «nach Gilge». Bald würden die letzten russischen Babuschkas, die noch in Matrossowo übrig sind, sterben, dann wäre das Dorf frei für eine schwäbische Kolonie. Zwei bis drei Jahre rechneten sie, dann habe jeder sein Haus in Ordnung. Dann sei die Kirche wiederaufgebaut und die Schule, die ein Internat haben soll, damit auch die deutschen Kinder aus den umliegenden Dörfern in ihrer Muttersprache unterrichtet werden können. Platz sei im Delta genug, und der Kaliningrader Oblast sei als besonders friedlich bekannt. Baumaterial gebe es satt, Lehm zum Ziegelbacken, Holz und Rohr aus dem Busch. Nur Fischen müßten sie noch lernen, denn für «Küh» sei es hier nicht so gut «wie auf de Stepp. Schoffe, nur schoffe muß man. Der Mensch isch ein Schoffer.»

Groß-Legitten. Der einzige Zeuge

Es ist das einzige deutsche Grab auf dem russischen Friedhof von Mordowskoje, ehemals Groß-Legitten, in einem Wald von roten blechernen Sternen und orthodoxen Kreuzen:

Otto Schuhmann 1904–1933

Hedwig Naujok 1900–1946.

Die Sterbedaten auf dem Granit bezeichnen die Wendepunkte im Leben eines Jungen namens Paul, der sich Naujok nennt, aber eigentlich ein geborener Schuhmann ist. 1933 war er anderthalb, 1946 vierzehn.

An diesem Tag im Mai pflanzt er mit seiner Frau Stiefmütterchen in die schwere, nasse Erde. Sie haben sie aus Šiauliai mitgebracht, das ist ungefähr vier Stunden von hier, mit dem Mercedes. Anschließend sitzen wir im Schatten der Ordenskirche, in der Paul Naujok kurz vor Kriegsende konfirmiert worden ist. «Hör mal, Ulli», bestürmt er mich alle paar Minuten, sein Erzählen unterbrechend. Zweifelt er an meiner Aufmerksamkeit? Er kann es nicht fassen, daß ich zuhöre und so lange darauf gewartet habe.

Bald ein Jahr hatte ich recherchiert, bis der Zufall mir seine Adresse zutrug. Ich suchte jemanden, der im alten Ostpreußen zu Hause war und aufgrund besonderer historischer Umstände mit demselben Ort nach 1945 und über die kommenden Jahrzehnte in Kontakt geblieben ist. Paul Naujok kennt Groß-Legitten und Mordowskoje. Seine Erfahrung geht über den Zeitenbruch hinweg.

Zuflucht Litauen

Groß geworden ist er auf Adelig-Legitten, gut einen Kilometer vom Dorf entfernt, bei der Schwester seines Vaters, Hedwig Naujok, und deren Mann, welcher Kämmerer dort war. Eine sorglose, fröhliche Jugend zwischen den Kindern der Arbeiter und denen des Herrn, irgendwo in der Mitte der sozialen Hierarchie des Rittergutes. Die Verpflanzung zu den Verwandten mit anderthalb Jahren war, wie ihm später klar wurde, ein Aufstieg und bewahrte ihn vor gesellschaftlichem Außenseitertum. Sein leiblicher Vater, Otto Schuhmann, war Maurer gewesen und Kommunist. Die Nazis hatten ihn 1933 totgeschlagen. Ein Restchen von dem roten Ruf hing dem Jungen noch an. «Zum Ausgleich» wollte er «für Hitler durch Nacht und Not gehen». Als im September 1939 der erste im Polenkrieg gefallene Soldat mit bombastischem Pomp in Groß-Legitten begraben wurde, ganz in der Nähe seines Vaters, fühlte sich der achtjährige Pimpf mit dem Helden verbunden und schwor sich, wenn schon, dann solle es dieser Tod sein, der ihn treffe.

Der Krieg ging dem Ende zu, und Paul war für den Volkssturm noch ein paar Monate zu jung. Am 21. Januar 1945 floh er mit seiner Pflegemutter Richtung Königsberg und weiter nach Pillau und Palmnicken. Mit Zehntausenden wurden sie von der Roten Armee abgeschnitten. Statt weiter westwärts bewegten sie sich nach Hause, dorthin, wo sie sich auskannten, Vorräte hatten und eine warme Stube. Als am 9. Mai 1945 die Schüsse und Jubelschreie der russischen Soldaten die Kapitulation des Feindes verkündeten, schöpften die Deutschen Hoffnung. Nun würden die anderen Bewohner des Rittergutes und des Kirchspiels zurückkehren, oder im schlimmsten Fall würden alle gemeinsam aufbrechen nach Westen. Nichts geschah. Die Verbliebenen, hauptsächlich alte Leute, Frauen und Kinder, wurden festgehalten und mußten sich durchschlagen im ungewissen – ohne jede Ahnung von der Weltlage, weiterhin ausgesetzt den Übergriffen der Roten Armee, in einem ungleichen Kampf um die immer knapper werdenden Lebensmittel. Privater Anbau von Getreide und Gemüse war verboten, und die schon während des Krieges eingerichteten ersten Kolchosen und Sowchosen waren noch nicht funktionstüchtig.

Am 16. Februar 1946 starb Hedwig Naujok «an Wasser», der Krankheit des Hungers. Zusammen mit einem Nachbarn zimmerte Paul einen rohen Sarg aus Scheunenbrettern. Eine ganze Nacht lang hackten sie die hartgefrorene Erde vor dem Portal der Groß-Legitter Kirche auf. Wo sollte er nun hin? Pauls leibliche Mutter, die sich mit dem jüngeren Bruder angeblich noch in Königsberg aufhalten sollte, war nicht zu finden. Die letzte Nachricht von seinem Pflegevater, irgendwo aus Rußland, war drei Jahre alt. Die Bekannten waren zu schwach, auch noch einem verlassenen Nachbarsjungen beizustehen. Da machte im Frühjahr ein Gerücht die Runde: Hinter der Memel sei alles anders, da lebten die Leute noch gut. «Dort ist vielleicht, dachten wir, ein anderes Land. Litauen, den Namen kannte ich ja nicht.» Mit einem Sack auf dem Buckel zog der Fünfzehnjährige los in Richtung Grenze, schmuggelte sich auf einen der Güterzüge, schlüpfte durch die Kontrollen der Miliz, entging mit knapper Not dem Überfall einer jugendlichen Diebesbande. Und landete «im Schlaraffenland». Brot, Milch, Eier, Specksuppe, ein Bett im Kuhstall und ein freundliches Wort – nach mehr als einem Jahr unter Wolfsgesetzen war das unbegreiflich. Zwei Wochen lang aß Paul sich bei litauischen Bauern satt, dann fuhr er «heim» mit vollem Sack. Im Juni desselben Jahres, als die Vorräte zur Neige gingen, tat er sich zusammen mit Günter, einem noch kleineren, schon halb verhungerten Buben, und schleppte ihn und sich ins Litauische.

40000 bis 50000 Bewohner des russischen Ostpreußen, wird geschätzt, haben damals diesen Weg angetreten. Die «Hungerfahrten» erhielten viele, die sich schon verloren glaubten, am Leben. Bei der Ausreise nach Deutschland 1947-49 wurden noch knapp 100000 gezählt von ursprünglich etwa

250 000 nach dem Krieg Eingeschlossenen. Ohne litauische Hilfe wären es noch weniger gewesen. Bei ihrer Ankunft im Westen berichteten die Überlebenden von ihren Wohltätern und dem «Land, wo Milch und Honig floß», ähnlich wie Paul Naujok, ideal und unwirklich wie aus einem Märchen. Litauen war die Gegenwelt zum Horror in der besetzten Heimat, und aus dem Kontrast bezog es seinen Glanz. Hier die «bolschewistischen Horden und Flintenweiber», dort die «rettenden Schutzengel», hier der «Vorhof zur Hölle», dort «das Paradies auf Erden». Die Sprachbilder gehören zusammen und erklären sich aus dem Inneren der damaligen Situation.

Auch Litauen war ein sowjetisch besetztes Land. Sollten auf der anderen Seite der Memel tatsächlich so gänzlich andere Verhältnisse geherrscht haben als diesseits? Es war, seit im Herbst 1945 die Grenze nach Polen hermetisch abgeriegelt worden war, der einzige Weg, der überhaupt hinausführte. Rein geographisch mußte der Überlebenswille sich in diese Richtung wenden. Im Bewußtsein der Ostpreußen verknüpfte sie sich eigentlich mit Hinterwäldlertum und östlicher Rückständigkeit. Und gerade dieses verächtlich Gemachte, das ist die Ironie einer dunklen Geschichte, war es, was sie nach 1945 anzog. Was an Litauen so paradiesisch schien? Es war Litauen, das heißt für eine kurze Übergangszeit noch das Land, das es vor dem Krieg war. Auf den Höfen ging der Betrieb weiter. Zwar war der Besitz auf 30 Hektar beschränkt, der Einsatz von Gesinde und anderen fremden Arbeitskräften verboten, aber die jahreszeitlichen Arbeiten konnten mit nachbarschaftlicher Hilfe meist rechtzeitig und mit der gewohnten Umsicht geschehen. Anders als in vielen Gebieten der UdSSR war hier die Versorgung gesichert bis reichlich. Wie in chaotischen Perioden üblich, vergrößerte sich der Sektor des Selbsthergestellten. Die alten Fähigkeiten des Spinnens und Webens, der Käserei und des Pökelns waren noch nicht vergessen. Man wußte noch, wie Birkensaft gezapft wird und wie man ohne Hebamme ein Kind zur Welt bringt. Die Bauern waren fast autark, und sie vermochten, ohne selbst zu hungern, Lebensmittel zu vermarkten oder sogar zu verschenken. Sie waren über die Saisonarbeitskräfte aus dem russischen Ostpreußen, die sich ihnen anboten, oft froh. Noch dazu, wenn diese Ersatzteile für Maschinen mitbrachten, moderne Zentrifugen, Butterfässer und intakte Küchengeräte, die in Litauen nicht zu haben waren. Die Hilfsbereitschaft der Litauer hatte eine ökonomische Basis, brachte auch den Gebenden Vorteile.

Auf lokaler Ebene existierte damals, den neuen Herren zum Trotz, noch eine bäuerliche Gesellschaft. Es galten die alten Gesetze des sozialen Umgangs. Man begegnete einander unter Bekannten noch im Vertrauen, der katholische Glaube band die Gemeinden auch nach ihrer offiziellen Auflösung und wenn die Pfarrer nach Sibirien verschleppt waren. Zu den Traditionen der litauischen Gesellschaft gehörte bis damals das Betteln. In einem System, das keine Sozialversicherung kannte, wurden die Armen mit ausgehalten, von Almosen ernährt und reihum beherbergt. Dafür beteten die Beschenkten für die Seelen der Verstorbenen. Das kam den herumziehenden Ostpreußen zugute. Sie abzuweisen wäre für einen litauischen Bauern eine Sünde gewesen. Außerdem betrachtete man die Bittsteller von jenseits des Stroms als Verbündete. Als Leidensgenossen unter sowjetischer Herrschaft und als Bauern, denen schon widerfahren war, was in Litauen noch bevorstand. 1947 wurde auch hier die Kollektivierung beschlossen. Trotz der jährlichen Deportationen der «Kulaken» und massiven Drucks vor Ort konnte sie nur sehr allmählich durchgeführt werden. Der erbitterte Partisanenkrieg und der hinhaltende Widerstand der Bauern verzögerte die Sowjetisierung. Auf dem Lande war die Unterstützung der hungernden Ostpreußen auch Teil des Untergrundkampfes. Zugleich bekannten sich die Litauer damit zu einer jahrhundertealten Nachbarschaft. Sie mochten aus vielerlei Gründen die Deutschen nicht als Faschisten sehen, die neue Teilung der Welt ging nicht in ihre Köpfe. Als Klammer wirkte nicht zuletzt das

Memelgebiet, das Teil der litauischen Sowjetrepublik war und noch etwa 30 000 deutsche Altbewohner hatte. Sie wurden als «Autochthone» den Litauern gleichgestellt und erhielten, ob sie wollten oder nicht, 1947 einen sowjetischen Paß.

Von den «russischen Ostpreußen» blieb ein kleiner Teil nicht nur vorübergehend in Litauen. Manche, vor allem Alleinstehende, suchten sich eine Dauerbeschäftigung. Kleinere Mädchen und Jungen wurden von Litauern an Kindes Statt angenommen. Als sich 1951 alle Ostpreußen, die auf der jetzt russischen Seite der Memel geboren waren, für die Ausreise nach Deutschland registrieren lassen mußten, meldeten sich 3386 Menschen. Von ihnen waren 703 Männer, 1615 Frauen, 1068 Kinder unter sechzehn Jahren, davon 279 Waisen.

Ein kurzes Nachspiel zu einer Völkerbeziehung – es hat kaum Aufsehen erregt in den Zeiten des Kalten Krieges. Erst 1991 hat der Dokumentarfilmer Eberhard Fechner die Geschichte einem größeren Publikum vor Augen geführt. In seinem Film «Wolfskinder» läßt er sechs Geschwister einer Labiauer Familie vom Leben nach dem Krieg erzählen. Drei von ihnen, zwei Jungen und ein Mädchen, blieben damals in Litauen hängen. Im Wechselgesang erinnern sie sich an Szenen aus diesen Jahren: wie sie verwilderten auf der Jagd nach Eßbarem und in der Angst vor Wölfen und wolfsähnlichen Menschenungeheuern, wie ebensoschnell sie sich anpaßten an die litauischen Gastgeber, deren Sprache erlernten und die eigene vergaßen und wie an warmen Sommertagen sich für Augenblicke der Übermut der Kindheit, aus der sie herausgerissen wurden, wieder einstellte. Sechs Jahre haben gereicht, die Halbwüchsigen der Familie zu entfremden. Das Wiedersehen auf dem Hamburger Hauptbahnhof war leer, die Wartenden erkannten die Ankommenden nicht und umgekehrt. Und obwohl sich die drei schließlich gut eingewöhnten, wurden sie ihre «Wolfskinder»-Zeit nie ganz los.

Paul Naujoks Geschichte fügt sich in die von Fechner aufgezeichnete ein. Nur ging sie weiter in Litauen. Während Günter, der Freund, sich 1952 in den Zug setzte, entschloß Paul sich zum Dableiben. Damals wohnte er bei einem deutschen Kriegsgefangenen in Šiauliai. Den zog nach seiner Entlassung nichts fort. Beide sahen sich ohne Angehörige, beide wußten nicht, was sie im Westen erwartete, und so hielten sie «den Spatzen in der Hand fest». Als Litauer, wenn man seine Herkunft verleugnete, lebte es sich erträglich. 1954 heiratete Paul Naujok eine Frau, die – halb Litauerin, halb Weißrussin – auch zwischen den Welten hing. 1955 und 1957 wurden die Kinder Irene und Manfred geboren. Bis heute hat der Ostpreuße seine Entscheidung nicht bereut.

Der Grenzgänger

Paul Naujoks Befinden und seine positive Einstellung zu Litauen hatte auch mit seinem Beruf zu tun. Nach Jahren der Landarbeit und einer Art Schlosserlehre wurde er Autofahrer. Erst kutschierte er einen russischen Betriebsleiter durchs Baltikum, später transportierte er mit dem LKW Lebensmittel und Baustoffe für ein Kombinat. Unterwegs lernte er russische Lande kennen – bis zum Ural. Sein westlichster Anlaufpunkt war Kaliningrad. Jeden Monat führte ihn sein Dienst dorthin, überquerte er die Tilsiter Brücke und kam unvermeidlich über die alten Reichsstraßen 138 und 126 durch seinen früheren Heimatort. Auf dem Hin- oder Rückweg stieg er jedesmal aus, schaute am Grab seiner Pflegemutter und seines Vaters vorbei und registrierte die Veränderungen ringsum. Er hat darüber nicht Buch geführt, was ihn heute ärgert, aber vieles hat sich ihm eingeprägt.

Das erste Stadium hatte er ja noch als Junge miterlebt. Auf dem Rittergut Adelig-Legitten soll im Frühjahr 1945 «nicht eine Fensterscheibe kaputt» gewesen sein. Erst mit der Besatzung hatte die Zerstörung angefangen. Jeder nahm, was er brauchte, Eingemachtes, Hausrat, Möbel, Brennbares. Für Holz in den Wald zu gehen war kraftraubend und gefährlich wegen der Wölfe und der Blindgänger. Alles stand herrenlos da. Das Recht des Stärkeren, Schnelligkeit und List entschieden, wer etwas besitzen oder nutzen durfte. Auch die Deutschen beteiligten sich, notgedrungen. Solange Platz war, jagte man die Schweine und Hühner in die nicht bewohnten Stuben und Schlafzimmer. Niemand wußte, wie lange er bleiben würde, konnte oder mußte; so lebte man von der Hand in den Mund. Und wenn der Alkohol floß oder der Himmel besonders tief hing, knallten die jungen Rotarmisten die Störche von den Dächern und setzten die Scheunen in Brand. Das Herrenhaus fiel der Schatzsuche zum Opfer. Man vermutete irgendwo eingemauert das aus Königsberg verschwundene legendäre Bernsteinzimmer und ruhte nicht eher, bis jeder Keller, Hohlraum, Treppenwinkel durchbrochen und zerwühlt war. 1952, als Paul Naujok zum erstenmal als Lastwagenfahrer den Schauplatz wiedersah, war dann das zweite Stadium in vollem Gange. Mit der Einrichtung der Kolchose war eine systematische Umnutzung der Gebäude verbunden, und weil die vielfältigen Zweckbauten des Rittergutes für die auf Rinderzucht vereinseitigte Produktion nicht funktional waren, baute man nach und nach neue Ställe und Silos und gab die verlassenen zum Ausschlachten frei. Das war die dritte Phase; und wenn dann die Ziegel fast abgetragen waren, wurden die Reste eingeebnet. Alle großen Güter in der Umgebung von Labiau, bis auf Klein-Scharlack, sind so oder ähnlich vom Erdboden verschwunden. Seit den siebziger Jahren, manchmal erst in den Achtzigern, ist Gras darüber gewachsen.

Auch die Ordenskirche von Groß-Legitten war 1945, nach dem Durchbruch der Front, unversehrt. Im Laufe des Jahres kamen die sakralen Gegenstände und die gesamte Einrichtung abhanden, dann die Grabsteine rundherum, zuerst die prächtigen der Gutsbesitzer, zuletzt die der Instleute und Landarbeiter. Viele der Räuber kamen aus Litauen, Schwarzhändler, aber auch Gelegenheitssünder. Paul Naujok, der seinerzeit von der Barmherzigkeit eines litauischen Bauern lebte, hat sich schwergetan, dies zu glauben. 1947 wurde in der Kirche ein Getreidelager errichtet, das hat die Außenmauern vor weiterem Abbruch geschützt. Weil die Laster, wenn sie das Lager anfuhren, immer über die Ecke des Familiengrabes rollten, hat Naujok eines Sommers in einer Nacht- und Nebelaktion die Knochen umgebettet, etwas abseits, in den Schutz von russischen Toten, die allmählich den Friedhof bevölkerten. Beim Graben wurde er verhaftet unter dem Verdacht, einen Schatz bergen zu wollen. Bis auf diesen einen Zwischenfall, der ihm ein paar Stunden Verhör einbrachte und eine Nacht im Gefängnis, konnte er sich bei seinen Stippvisiten frei bewegen. Niemand nahm ihn als Ostpreußen wahr.

Wenn er ein bißchen Zeit hatte, stattete er seiner Schule einen Besuch ab. Sie war immer noch Schule, und über die Jahre wurde er dort zum «Ehrengast». Umringt mit großem Hallo, erzählte er immer neuen Schülergenerationen von seiner eigenen Schulzeit: wie schlecht er gelernt hat, welche Streiche er trieb, auch die von Max und Moritz, und er zeigte ihnen das kleine Lüftungsfenster, das er von der hintersten Reihe aus immer bedienen mußte und das damals schon, als er das Ämtchen versah, klemmte. Das Merkwürdige war, daß niemand den gebrochen Russisch sprechenden Mann als Fremden oder gar als Deutschen identifizierte. Die Schüler und Lehrer nannten ihn, weil er dieselbe Schulbank gedrückt hatte, einen «Hiesigen, wie wir». Jahrelang versuchte der LKW-Reisende, sich einen Reim darauf zu machen. Bis ihm ein Russe berichtete, in dieser Gegend lebten vorwiegend Verbannte von der Krim, die wegen politischer oder krimineller Vergehen zwangsverfrachtet worden seien. Daraus schloß er auf eine schwere Orientierungslosigkeit, die sich als Krankheit weitervererbt auf die Nachkommen, die dann nicht mehr unterscheiden können zwischen eigenem und fremdem Ort, zwischen eigener und fremder Geschichte.

Wenn Paul Naujok aus Mordowskoje zurückkehrte nach Šiauliai, war ihm für zwei, drei Tage unwohl. Obwohl er sich nach der Geborgenheit seiner Familie gesehnt hatte und mehr als sonst spürte, wie sehr er hier zu Hause war, stießen ihn die Orte der Kindheit doch immer wieder darauf, daß er eigentlich im Exil lebte und es anderswo noch weitere Exilanten geben müsse. Manchmal fragte er seine Frau, ob sie bereit sei, mit ihm zu gehen, wenn die Deutschen wiederkämen. Damit rechnete er fest, auch wenn es keine Anzeichen dafür gab. Jeden Monat kaufte er sich einen ganzen Schwung DDR-Zeitungen – «Wochenpost», «Horizont», «Neues Deutschland», «Zeit im Bild», und studierte die Verlautbarungen zur deutsch-deutschen und europäischen Lage, Witze, Fortsetzungsromane und Botschaften zwischen den Zeilen. Die neue Ostpolitik interpretierte er als Anzeichen einer Bewegung, eines möglichen Zusammenrückens. Um dieselbe Zeit etwa, auch das paßte da hinein, war ihm mitgeteilt worden, daß seine Mutter und sein jüngerer Bruder noch lebten, am Rhein, in der Nähe der Bundeshauptstadt. 1976 gelang es, sich in der DDR zu verabreden. Aber aus dem Treffen wurde keine Beziehung. Mutter und Sohn waren einander fremd und blieben es auch. Paul Naujok schob dies auf Persönliches. Schließlich war er von der Erziehung her ein Naujok und kein Schuhmann. Daß zwischen Ost und West ein Graben auch zwischen den Leben entstanden war, konnte er von seiner Seite des Eisernen Vorhangs schwer fassen. Er sah die Mauer und begriff sie nur äußerlich. Er fuhr zurück über Warschau und Vilnius und fühlte die historische Verwandtschaft der durchquerten Regionen, die drüben längst abgeschrieben waren.

Zehn Jahre später, um die Mitte der Achtziger, begann dieser Raum zu zerfallen. Das schon lange rebellische Polen setzte sich nicht nur gegen Moskau durch, sondern auch gegen den litauischen Nachbarn ab. Ganz ähnlich der Freiheitskampf in Litauen, er isolierte die junge Nation von ihrer Umgebung. Was würde, fragte sich Paul Naujok, nun mit seiner alten Heimat geschehen? Auf seinen regelmäßigen Besuchen hatte er nicht umhinkönnen, sich einzugestehen, daß an der Memel mittlerweile eine Kulturgrenze entstanden war. Trotzdem konnte er sich einen russischen Sonderweg auf Dauer nicht vorstellen. Damals beschloß er, sich selbst um Groß-Legitten zu kümmern. Mit einem Kollegen lud er 1987 die mehrere Tonnen schwere Kirchturmspitze auf seinen LKW. Sie lag herrenlos herum, seit der Staat nach einem Brand das Getreidelager aufgegeben und die Kirche aufgelassen hatte. Im Wettlauf mit jugendlichen Gangs, die darin ihre Feste feierten, brachte Naujok historische Details in Sicherheit – Fliesen, Fragmente von Kapitellen, besonders geformte Ziegel etc. – und stellte sie in seinem Schrebergarten unter. Den kopflosen Soldaten am Seitenportal abzumontieren gelang ihm nicht. Aber dessen behelmten Kopf, den er vor langer Zeit mit Erde bedeckt hat, wird er irgendwann ausgraben. «Jetzt muß man die *Dinge* retten.»

Was genau ihn dazu bewegte, war Paul Naujok nur teilweise klar. War es, daß der Verfall sich zu beschleunigen schien oder die Perestroika sensibler machte für die erschreckenden Vorgänge? Mußte man nicht wie in Litauen Beweismittel sichern, die frühere Besitzerschaften und Identitäten der Weltöffentlichkeit vor Augen führen? Die Reste mußten in Verwahrung genommen werden für die Ostpreußen, damit sie bei ihrer Rückkehr noch etwas vorfänden. Denn das schien ja nun die historisch anstehende, unausweichliche Lösung zu sein.

1989 durfte er zum erstenmal in den Westen reisen zu seinem Bruder, zu ehemaligen Spielkameraden und Nachbarn. Er war erstaunt, wie gut sie lebten, und noch mehr darüber, daß auch die Herrensöhne und -töchter von Adelig-Legitten und den umliegenden Gütern wie alle anderen ein Reihenhaus bewohnten. In den ganzen Wochen, wo er herumgereicht wurde unter den Landsleuten, bestaunt wie ein Wundertier, beschenkt und verwöhnt, begegnete er niemandem, der wieder nach Hause wollte, «nicht für eine Million». Den Kreis Labiau, was vom ihm übrig war, konnte er im Museum in Otterndorf besichtigen. Aus Dankbarkeit bot Paul Naujok der Kreisgemeinschaft der Vertriebenen die Kirchturmspitze an. Aber selbst die Getreuen, die über Jahrzehnte die Heimatarbeit getragen haben, hielten eine Überführung für nicht sinnvoll beziehungsweise für zu kostspielig.

Paul Naujok fuhr nach Šiauliai zurück in einem alten Mercedes. Das Geschenk freute den berufsmäßigen Autofahrer mächtig, und zugleich erinnerte es ihn ständig daran, daß sein Geschichtsbewußtsein – Kalkül und Sehnsucht – ein Hirngespinst war. Wie kann man ein Volk, das mit solchen Autos lebt, zusammenbringen wollen mit dem verrottenden Groß-Legitten? In der Abgeschiedenheit Litauens und der sowjetischen Weltläufigkeit wußte er sich, wenn auch nur imaginär, in der Gesellschaft von Landsleuten. Seine «Kirchturmpolitik» hatte, potentiell, eine Legitimation. Jetzt ist der Einzelgänger wirklich allein, ist der Zeitenbruch mit mehr als vierzigjähriger Verspätung wirklich da.

Ein Grab ist zu pflegen, das bleibt. Wir gießen die Stiefmütterchen und die Studentenblumen. Sie wachsen nicht an. Als wir nach einem kleinen Ausflug in die Umgebung Groß-Legitten noch einmal passieren, sind sie gestohlen. «Hör mal, Ulli», tröstet mich Paul Naujok, «das ist so üblich hier.» Eine alte Frau, die an einem benachbarten Grab einen Sowjetstern putzt, will von Neuigkeiten im Kolchos plaudern. Mordowskoje habe eine Eingabe an die Verwaltung des Oblast gemacht: Man habe es satt, «Mordowskoje» zu heißen. Denn die mordwinischen Siedler, die nach dem Krieg dem Ort seinen Namen gaben, seien schon längst über alle Berge.

Kalinins Stadt

Jede Stadt hat ihre eigene Weise, den Reisenden zu empfangen, und fast immer einen idealen Punkt, von wo aus sie sich am besten erschließen läßt. Das kann von einem Bahnhof aus sein, über einen Boulevard oder Küstenstrand. Im alten Königsberg war wohl die Einfahrt auf dem Fluß unter der Fülle der Möglichkeiten die eindrucksvollste. Eine Partie mit dem Boot vom Frischen Haff den Pregel hinauf, durchs flache Wiesenland, bis dieser zur Hauptschlagader der Stadt wird. Wo er sich dehnt zunächst und künstlich ausbuchtet zu riesigen Hafenbecken und dann wieder schmaler wird, wenn hinter der Feste Friedrichsburg die Wohnquartiere beginnen. Wo der Fluß sich gabelt und eine kleine Insel umarmt, bog der Fremde links ab ins Hundegatt, entlang den alten Fachwerkspeichern, schipperte wenig später rechtsherum unter der Krämerbrücke hindurch und landete endlich zwischen Kähnen, wo eben gerade Platz war am Kai des Fisch- oder des Kohlmarktes: mitten im chaotischen, vielstimmigen Getümmel schreiender Fischweiber und Niederungsbäuerinnen, die sich in ihrem Werben um die «Madamche» und «Herrche» gegenseitig an Lautstärke und Mutterwitz zu überbieten suchten. Eingehüllt in eine Wolke von Gerüchen – von Stint und Zwiebel, Fleck mit Majoran und bei entsprechender Windrichtung noch von der Zellulose –, mußte der Neuling erst einmal jede Orientierung verlieren. Manch einer fand die Stadt schön, mancher schaurig. Ein Juwel, darüber herrscht Einigkeit, war sie nicht gerade, aber alle hat die Lebendigkeit ihrer Uferpartien gefangengenommen. Von hinreißender «Buntscheckigkeit», vornehmer ausgedrückt «Universalität», ist in den Stadtporträts die Rede – bis in die dreißiger Jahre des zwanzigsten Jahrhunderts. Einmal angekommen auf festem Boden, wandte man sich dann entweder nach links, hügelan zum Ordensschloß, oder lenkte seine Schritte nach rechts, talwärts zum Dom, in die Gassen und Gäßchen der Insel Kneiphof. Wie der Fremde auch entschied, er bewegte sich in eine fast siebenhundertjährige Geschichte hinein.

Kaliningrad hingegen sollte man sich aus der Luft nähern. Für den westlichen Gast zumindest, wenn er zum erstenmal die Stadt besucht, wäre ein Hubschrauber das angemessene Gefährt oder besser noch: er spränge mit dem Fallschirm ab. Wenn er in großer Höhe die Reißleine zöge, könnte er im nun verlangsamten Fall zunächst eine Ansammlung von Betongebirgen erkennen und einige großzügig angelegte Straßenschneisen, ganz ähnlich wie im Anflug auf Irkutsk, Chelabinsk oder Nowosibirsk. Nach ein paar hundert Metern sähe er klar und immer klarer etwas sehr Eigenartiges: nämlich einen Flecken Grün, von Wasser umgeben, fast wie ein Stück Urstromtal. Für einen Augenblick wäre der Luftreisende verwirrt. Denn er weiß fast nichts von Kaliningrad, nimmt aber an, daß es sich um eine Stadt handelt. Dann aber würde er im östlichen Abschnitt der Insel cin großes rotes Gebäude entdecken, das sich allmählich als Ruine entpuppt und ihn darauf stieße, daß es sich hier um einen Ort menschlicher Zivilisation handelt. Um eine Kollision zu vermeiden, würde er seine Flugbahn ein wenig korrigieren und kurz darauf im hohen Gras landen. Der Weg von oben, in Minutenschnelle, ist eine Fiktion, doch er beschreibt das Wesentliche der Begegnung. Auch wenn man sich umständlichst über Land nach Kaliningrad begibt und durch ein paar Dutzend Straßen sich ins Zentrum vorarbeitet, die Verwunderung ist wie ein Aufprall.

Die Stadt ist übrigens nach einem Verbrecher benannt. Mit dem Namen ehrte Stalin einen seiner engsten Weggefährten, den Vorsitzenden des Präsidiums des Obersten Sowjets, Michail Kalinin – einen Monat nach dessen Tod im Sommer 1946.

Seljony Ostrow – Grüne Insel

Noch nach Wochen und immer neuen Besuchen zu den verschiedensten Tages- und Nachtzeiten hört das Erstaunen nicht auf. Besonders in Erinnerung ist mir der Tag der Heumahd. Ich liege Anfang Juni auf der Insel im hohen Gras, zwischen Margeriten, Hornklee und ausgeblühtem Löwenzahn, an einer Stelle, von wo nur die abgebrochenen Türme des Doms zu sehen sind. Sonst nichts, keine Hochhäuser, nicht die alte Börse am anderen Pregelufer, nicht der Rest des jüdischen Waisenhauses hinter der Honigbrücke. Nur Wildnis und die Ruine – eine Situation so romantisch, wie Goethe weiland das Forum Romanum genossen hat. Nur im Unterschied dazu ist es hier niemals still. Rundherum dröhnt der Großstadtverkehr, vor allem von der Hochstraße, die auf gigantischen Pylonen in nordsüdlicher Richtung über den Leib der Insel stelzt. Das Brausen ist so stark, daß ich die Sensen nicht höre. Erst im erschrockenen Gesicht des Russen, der knapp vor mir innehält, bemerke ich die Gefahr.

«Grüne Insel» nennen die Kaliningrader den Ort. In der unwirtlichen modernen Innenstadt ist sie so etwas wie eine Exklave. Eine Zone im Abseits, von offensichtlicher Einzigartigkeit; der unverfängliche botanische Name läßt ihre Bedeutung für die Hiesigen im verborgenen. Die Insel ist heute ein Park, dem Alter der Linden und Akazien nach zu urteilen vor gut zwanzig Jahren angelegt. Mit geraden Wegen, die wie ein Fischgrätmuster die Fläche zergliedern, mit Ruhebänken und etwa zwei Dutzend Skulpturen einheimischer und ausländischer Künstler. Ein nacktes kleines Mädchen reckt seine Arme zum Pregel, weiter zur Mitte hin schreitet eine Arbeiterin mit Kopftuch. Ein kauernder Frauenakt und ein stehender, sie werden beobachtet von Juri Gagarin, dessen Büste die Reihe der Männer eröffnet. Puschkin und Maxim Gorki, Tschaikowsky und Glinka, neben den namenlosen Schönheiten bevölkern russische Dichter, Musiker und Tatmenschen die ansonsten unbewohnte Insel. Am nächsten zur Ruine steht ein junger, baumlanger Kerl, auf ein Schiffsruder gestützt, mit einer kühnen Haartolle. Er scheint die Versammlung der Bronzen, Granite und Terrakotten anzuführen. Es ist Peter der Erste; die Wahrscheinlichkeit ist groß, daß er tatsächlich und leibhaftig einmal auf diesem Platz gewesen ist und den Dom bewundert hat. Im Mai 1697 hat er auf seiner ersten großen Europareise Station in Königsberg gemacht. Inkognito angeblich, doch jedermann erkannte ihn, und er stattete dem Kurfürsten Friedrich Wilhelm III. einen privaten Besuch ab. Die Chroniken berichten von einem verständnisvollen Gespräch über beiderseitige Belange. Der Kurfürst wollte Unterstützung für seine Expansionspolitik gegen Schweden und für seine geplante Krönung als König von Preußen. Zar Peter war auf der Suche nach Anregungen, sein Reich zu modernisieren und es nach Europa hin zu öffnen. In Königsberg gedachte er, etwas Schiffsbau und Seefahrt zu lernen, und er vervollkommnete bei einem Oberingenieur der brandenburgischen Armee seine Künste im Kanonenschießen. Mit einem grandiosen Feuerwerk über dem Schloßteich und einem Bärenkampf im Schloßhof besiegelten die Herren ihre Übereinkünfte – an der Schwelle eines neuen, für beide Seiten erfolgreichen Jahrhunderts. 1701 wurde Königsberg Krönungsstadt und Mittelpunkt der Monarchie. 1703 gründete der Zar auf dem sumpfigen Gelände der Newamündung sein Sankt Petersburg. Seitdem waren die Ostseestädte in vielfältigster Weise miteinander verbunden.

Steht er darum hier? Die Zaren sind inzwischen wieder zu Ehren gekommen. In diesem Sommer wird der letzte Romanow aus dem französischen Exil geholt, und sein Leichnam wird begraben in einer Stadt, die in ebendiesem Sommer ihren alten Namen «Sankt Petersburg» zurückerhält. Der Kaliningrader Peter, scheint es, ist kein Konjunkturritter der Perestroika. Er blickt schon ein paar Jährchen länger auf den Dom. Vielleicht wirklich, weil er den Kneiphof gekannt hat? Die Begründung ist eigentlich absurd, denn der Gründer der heutigen Stadt ist die Rote Armee, ihr Vater Stalin, der ihr in memoriam an seinen 1946 verstorbenen Kampfgefährten Kalinin den Geist seiner Epoche aufdrückte. Peter I. als Augenzeuge eines preußischen Königsberg? Der Gedanke ist verrückt und doch nicht verrückter als diese ganze merkwürdige Insel und die Gedanken, in die sie den Fremden treibt. Ich suche, ohne auch nur das geringste zu finden. Daß hier einmal fünf Längs- und acht Querstraßen Platz hatten, dazu ein Rathaus, ein Hospital und eine Universität, ist heute unvorstellbar. Der Raum ist in längstens fünf Minuten durchquert, in alle Richtungen leicht überblickbar. Jeder Versuch, nach Stadtplan oder Kataster die Abmessungen einer Straße abzuschreiten, scheitert. Der Menschenverstand sträubt sich gegen etwas, was nach den Gesetzen der Geodäsie eigentlich ein Kinderspiel sein müßte. Es kann einfach nicht sein, daß zwischen Puschkin und Gorki, die nur ein kleiner Steinwurf trennt, sieben Häuserblöcke waren. Die verwinkelte mittelalterliche Stadt ist weder mit Hilfe der Phantasie noch durch die Mittel der Mathematik wieder auf das leere Tablett dieser Insel zu bringen. Die Pylonen, die den heutigen Leninskiprospekt tragen, durchbohren wahrscheinlich die Fundamente der Patrizierhäuser der Kneiphofschen Langgasse und berühren die Eichenpfähle, die dort zu Ordenszeiten in den Sumpf getrieben wurden. Mein Vorstellungsvermögen reicht aus, mir die Probleme der Statik zu vergegenwärtigen. Nicht aber die Gasse selbst zu den verschiedenen Zeiten ihrer Existenz. Sie ist geschichtlich so fern, der Anblick der Gegenwart läßt sich auf Geschichte überhaupt nicht mehr beziehen. Das über sie Gelesene schrumpft zu einem einzigen nebulösen «Davor».

Wann war das und war es hier? «Wir glauben plötzlich,

nach der Szene zu urtheilen, die wir jetzt vor uns haben, in einer der ältesten Straßen Lübeck's oder Bremen's oder des alten Hamburg zu seyn. So sehr hat hier in der Langgasse des Kneiphofs alles einen behäbig kaufmännischen, einen ächt hanseatischen Charakter. Hier – zum Theil aber auch in anderen Stadttheilen – ist immer noch der Sitz der alten berühmten Handelsfirmen Königsbergs, das Quartier unserer Fugger, unserer kleinen und großen Rothschilde, hier hört man noch immer die Namen von dem alten gediegenen Silber- und Goldklange, die Namen der auf unverwüstlicher Solidität gegründeten, durch Spekulation im größten merkantilischen Styl weltberühmt gewordenen Kaufmannshäuser, die mit London und mit Liverpool, mit Amsterdam und mit Bordeaux, mit Boston und mit New York in wöchentlicher, ja täglicher Verbindung stehen, und bei denen der Engländer oder der Amerikaner, wenn er nach unserer Stadt kommt, aus- und eingeht, als wäre dieses Königsberger Kaufmannshaus nur ein anders placiertes Comtoir seiner Heimath, nur ein versetzter Colonie-Zweig seines eigenen Familienkreises. Wahrlich, der glänzendste Beweis von der ächten Humanität kaufmännischer Gastfreundschaft und ihrer weltumfassenden Größe.» Das ist vor knapp einhundertfünfzig Jahren geschrieben, von dem Lehrer und Schriftsteller Alexander Jung, und veröffentlicht 1848. Hatte Königsberg nicht in diesem Jahre auch eine kleine Revolution? Der Fremde gerät durcheinander mit den Zahlen und Zeiten, ihn beschäftigt viel mehr die Grundfrage: ob nämlich diese Stadt je existiert hat. Wäre nicht der Gullideckel mit der Aufschrift «Königsberg i. Pr.» und «Steinfurt», der im Bereich der früheren Magisterstraße ganz plötzlich abgewetzt aus dem Asphalt blitzt, könnte man die Geschichte vor 1945 für eine Erfindung halten.

«Kaliningrad ist nicht Königsberg; es ist ein Vorposten Asiens», hat der letzte deutsche Chronist nach dem Krieg abschließend festgestellt. Ein Archivar namens Fritz Gause, der im Auftrag des Bundesminsteriums des Inneren eine monumentale Stadtgeschichte verfaßte. Demnach stünde die Ruine des mittelalterlichen Doms in Asien? Hätte die nicht einmal fünfzigjährige Stadt dem Zeugen der siebenhundertjährigen einen neuen Platz angewiesen? So scheint es zu sein, in gewisser Weise. Ohne seine historischen Nachbarn wirkt der Dom fremd, wie von einem anderen Planeten gefallen. Verloren auf dem häuserlosen Eiland, ein heimatloses Relikt der abwesenden Verlierer. Und gleichzeitig erscheint er so kräftig und bedeutend wie niemals zuvor. Wann und wo sonst ist ein gotisches Bauwerk von allen Seiten und aus den unterschiedlichsten Entfernungen von Kopf bis Fuß zu bewundern. Auch wenn es keinen Kopf mehr hat, weder Dach noch richtige Türme, die spitzbogigen Fenster treiben die Vorstellung des Betrachters himmelwärts. Über die Stumpen der zufällig erhaltenen Höhen hinaus; fehlende Horizontalen, durch Stahlträger ersetzt, lassen die vertikalen Linien deutlicher hervortreten. Der verkürzte Dom scheint endlos anzusteigen, auf den geborstenen Mauerkronen und Giebelstücken setzen Gras und kleine Birken die Bewegung fort, und der Blick folgt den Krähen und Tauben, die der Besucher aus ihren Trümmerverstekken aufstört, weiter in die Lüfte. Manche Fensterhöhlen sind mit Beton gefüllt und durch aufgemaltes Maßwerk verziert, was das Rot der sie umgebenden Ziegel unterstreicht und deren feine Anordnung. Andere Fenster, vor allem die kleineren, sind leer und erlauben Durchsichten auf die Architektur, die der intakte Dom nicht kannte. Von seiner trutzigen Wehrhaftigkeit, die für ihn typisch war, ist im Torso kaum noch etwas zu spüren. Er hat – von außen – die einnehmende und erschütternde Wirkung eines Kriegsversehrten. Innen umschließt er eine eindrucksvolle Leere. Ungehindert kann man vom Haupteingang bis zum Hochaltar gehen. Keine Taufkapelle und keine steinerne Kanzel, weder die Holzfigur des Luther von Braunschweig noch die Bilder der anderen Hochmeister verführen die Augen zum Verweilen – nur der Raum, der erzählt und Ehrfurcht gebietet. Das Licht führt Regie, über die Fundamente des Grabmals von Herzog Albrecht wandern die Sonnenstrahlen und die des Mondes. Die mit Zement verschmierten Bruchstellen des Korpus wäscht der Regen aus, der Wind verteilt die Brösel auf üppig wuchernden Rasen und löst zuweilen ganze Steinlawinen aus. Der Dom als Ruine ist ein Ort der Andacht im ursprünglichen Sinne. Nicht so sehr religiöser Versenkung, sondern wie Kant es sich dachte. «Zwei Dinge erfüllen das Gemüt mit immer neuer Bewunderung und Ehrfurcht, je öfter und anhaltender sich das Nachdenken damit beschäftigt: Der bestirnte Himmel über mir und das moralische Gesetz in mir.» Viele Kaliningrader haben sich an diesem Ort verewigt. Ein «IGOR» schrieb seinen Namen auf das Sims eines Seitenaltars. «Ich war hier», das «ICH» groß geschrieben und ohne Unterschrift, und «DU bist schön!»

Zu seinen Lebzeiten hat der Dom eher im Schatten gestanden. Er war das zweite Wahrzeichen, untertan der Burg und später im Schlepptau anderer mächtigerer gesellschaftlicher Kräfte. Als der Deutsche Orden seinen Schwerpunkt verlegte von Akko in Palästina über Venedig auf die Marienburg an der Nogat und schließlich hierher, besetzte er zunächst das nördliche Hochufer und baute 1255 auf dem Hügel Twangste die erste Festung. Von hier aus wurden die prussische Urbevölkerung unterworfen und die Kreuzzüge gegen die Litauer geführt. Ein Waffenplatz im wahrsten Sinne des Wortes. Zu seinen Füßen wuchsen drei Städte: Altstadt, dann Löbenicht und zuletzt Kneiphof. Die Schwemmsandinsel im Strom bekam 1327 von Hochmeister W. von Orseln das kulmische Recht verliehen. In ihrem östlichen Teil nahm der Bischof von Samland seinen Sitz. Bischof Janes Clare ließ um 1330 in energischem Tempo einen Dombau hochziehen. Die Mauern des Chores standen schon, da mußte er sich von Hochmeister Luther von Braunschweig sagen lassen, daß der Plan zu hochfahrend und zu kriegerisch ausgefallen sei. Und unterschreiben, ihn «pulchre et decenter», «schön und geziemend» weiterzuführen und der Burg keine Konkurrenz zu machen. Der Dom war, auch wenn er die Grablege der Hochmeister war, hauptsächlich Gemeindekirche der Stadt Kneiphof. In seiner Umgebung siedelten Kaufleute und Handwerker, und durch ihre Gesellschaft hatte er ein wenig teil an den Konflikten des späten Mittelalters und der frühen Neuzeit. Wenn die Herrschaftsansprüche der Ordensherren mit dem wachsenden Selbstgefühl der Bürger kollidierten, war der Kneiphof auf seiten der Rebellen. 1455 verschanzten sich auf der Insel die letzten Aufständischen. Im kommenden Jahrhundert teilte der Hochmeister Albrecht von Brandenburg-Ansbach dem Dom eine neue Rolle zu. Er hatte in seiner fränkischen Heimat, bei Osiander in Nürnberg, die neue Lehre vernommen und war nach seinem Übertritt und persönlicher Rücksprache mit Luther entschlossen, im Ordensstaat die Reformation einzuführen und ihn in ein weltliches Herzogtum umzuwandeln. Damit hatte er den Bischof unterworfen, das Domkapitel wurde durch ein dem Herzog unterstelltes Konsistorium ersetzt. Andererseits erfuhr der Dom im geistigen und theologischen Sinne eine Aufwertung. Ihm zur Seite gründete Albrecht 1544 auf dem Territorium der Domschule eine Universität. Die «Albertina» sollte tüchtige Pfarrer, Ärzte und Juristen im Geist der neuen Zeit heranbilden.

So war der Dom umstellt von den Gedanken des Humanismus und der Renaissance und einer sich verweltlichenden Theologie. Im 17. Jahrhundert wurde er selbst beziehungsweise ein Teil von ihm zu einem Haus der Wissenschaft. Der Südturm nahm die mehr als 10 000 Bände umfassende kostbare Bibliothek auf, die Kanzler Martin von Wallenrodt der Stadt stiftete. Jedes Zeitalter bescherte ihm neue Pracht und hinterließ seine Spuren. Selbstverständlich aber wurde Preußens Monarchie nicht im Dom aus der Taufe gehoben. Kurfürst Friedrich III. ließ sich 1701 in der Schloßkirche zum König krönen. In diesem Jahrhundert, das man in Preußen das «Königsberger Jahrhundert» nannte, machten sich Kräfte frei, die eine Kathedrale grundsätzlich und überhaupt an den Rand drängten. Die drei mittelalterlichen Stadtteile wurden 1724 vereinigt zur «Königlich Preußischen Haupt- und Residenzstadt» und wie das ganze Land absolutistisch straff regiert. Wiederum, wie schon seinerzeit Herzog Albrecht, wurde die Burg auf dem Hügel erweitert, verschob sich – nicht nur räumlich – die Proportion zwischen ihr und dem Bau im Tal. Dazu entwickelte sich die Albertina immer mehr zu einem wirklichen Widerpart des Gotteshauses. Nach dem Pietismus, zu dessen Vordringen sie noch maßgeblich beitrug, wurde sie zu einem der Zentren der europäischen Aufklärung. In deren Mittelpunkt brillierte ein Königsberger namens Immanuel Kant, der später die Berühmtheit nicht nur des Doms in den Schatten stellen wird. In seinen Ideen spiegelte sich die Dynamik einer Stadt, die zunehmend von Bürgern beherrscht wurde, vom Hafen und den Beziehungen Königsbergs zur Welt. Für Kant und seine Freunde war der Dom ein Fossil des finsteren Mittelalters. Seitdem stand er da, imposant als Sehenswürdigkeit und ohnmächtig in den meisten gesellschaftlichen Belangen. Mehr als ein Statist und immer weniger ein Akteur. Als letztes erhoben im Dom die Prediger der «Bekennenden Kirche» ihre Stimme – vergeblich gegen die um sich greifende Unmenschlichkeit.

Vielleicht ließ Kaliningrad den Königsberger Dom stehen, weil er schon längst keine Macht mehr darstellte? Unwahrscheinlich, denn woher sollten sie das wissen, und Gotteshäuser wurden von Kommunisten in aller Regel nicht geschont. Die Antwort der Kaliningrader, sofern man eine bekommt, ist immer gleichlautend: «Wegen Kant.» Kants Mausoleum lehnt sich an die Südseite des Doms. Seine jetzige Gestalt, 1924 von Friedrich Lahrs im Stil der Neuen Sachlichkeit entworfen, war im Gegensatz zur alten Stoa Kantiana eigentlich ein Fremdkörper an dem gotischen Bau. Jetzt stützen die modernen Säulen die Ruine des Mittelalters und beschützen sie vor dem Abriß. Denn Immanuel Kant war auch unter den neuen Herren geschätzt – als Großvater von Hegel, Urgroßvater von Marx und Ururgroßvater Lenins. Zwar liegen seine Gebeine nicht mehr hier. Es wird erzählt, im Jahre 1945 hätten russische Jugendliche auf der Suche nach Gold und Edelsteinen den Sarkophag geöffnet und die Knochen in der Stadt verstreut. Aber der Platz wurde geehrt, man pflegte ihn, und manche der Kaliningrader Bewohner legten Blumen dort nieder. Die Autorität des Mausoleums hatte wohl auch damit zu tun, daß es das einzige Gebäude des Kneiphofs und der gesamten Umgebung war, das im Feuersturm unversehrt geblieben war. Wie durch ein Wunder, und das mußte doch einen Grund haben.

Geriet der Dom also als ein Nebengebäude des Philosophentempels unter Denkmalschutz? Oder betrachtete man ihn eher mit Milde: als Memorial des Krieges? Er lag gewissermaßen im Epizentrum der Katastrophe. In zwei Augustnächten hatte 1944 dic Royal Air Force 90 % der Innenstadt durch Bomben zerstört. Was noch übrig war, legte im April 1945 die Artillerie der Roten Armee nieder. Die Sieger übernahmen nach erbitterten Kämpfen ein zerstörtes Königsberg. Die Fotos, die sie von sich schossen an jenem historischen 9. April und in den Tagen nach der Kapitulation der Deutschen, zeigen sie in einer Trümmerwüste. Später dann, und davon gibt es fast keine Bilder, lebten sie darin. Wir sind gewohnt, die Verwüstungen mit den Augen der Königsberger zu sehen, derer, die Abschied nahmen nach dem August 1944, und derer, die die elenden Jahre in der besetzten Stadt überlebten. Wie aber mögen sie auf die neuen Bewohner gewirkt haben? Die Königsberg als Ruinen- und Leichenfeld kennenlernten und sich, wenn sie bleiben wollten, darin zurechtfinden mußten?

Kürzlich tauchte in Kaliningrad eine Sammlung von Aquarellen auf, die das zerstörte Königsberg zeigen. Ihr Schöpfer ist Arseni W. Maximow, und man muß die ganze Geschichte erzählen, um den Wert der Gemälde zu verstehen. Maximow ist 1912 in Sankt Petersburg geboren als Sohn eines Architekten und einer Künstlerin. Er selbst wurde ebenfalls Architekt und offenbar einer von herausragenden Talenten. Am Ende des Krieges war er Offizier in der Ingenieursabteilung der ersten

Baltischen Front und mit ihr an der Belagerung und Eroberung Königsbergs beteiligt. Während der Vorbereitungen zum Sturm auf die Festung regte er an, ein Modell der Stadt zu bauen mit allen Vororten, Forts und Verteidigungslinien. So geschah es; am Stadtrand von Wehlau bastelten unter seiner Anleitung etwa hundert Spezialisten der topographischen Kompanie aus Holz, Gips und Pappe ein etwa 40 qm großes Königsberg. Neun Tage und Nächte dauerte der Bau, dann kamen die Offiziere und besichtigten die Abschnitte, die ihnen für die Attacke zugewiesen waren. Nach dieser gründlichen Vorbereitung konnte die Artillerie ihre Geschosse exakt plazieren und die Einheiten wie ortskundig ihren Weg finden. Maximow selbst hat die wirkliche Stadt erst danach zu Gesicht bekommen. Er blieb dort als Architekt und war mehr als 20 Jahre in der Verwaltung der Stadt mitverantwortlich für den Aufbau des sozialistischen Kaliningrad. Gleich nach dem Ende des Krieges begann er, die Überreste des alten Königsberg zu malen. Über seine Motive sagte er rückblickend: «Als ich in den ersten Nachkriegsjahren die Ruinen der Stadt Königsberg untersuchte und in ihrem erschreckenden Zustand sah, kam mir in den Kopf, die Stadt in dem Zustand zu zeigen, wie sie von Rußland übernommen worden war. Die Ruinen wirkten tatsächlich schrecklich, gleichzeitig aber auch so malerisch, daß sie mich anregten, in meiner Freizeit diese Etüdenserie anzufertigen. Meine Absichten wurden noch dadurch verstärkt, daß kein Maler Kaliningrads dieses Thema berührte. Sie gingen vorüber, ohne zu fühlen, daß täglich Ruinen abgetragen und die Steine übers Meer nach Leningrad gebracht wurden.» Angeblich hat Maximow heimlich gemalt oder doch zumindest seine Beschäftigung hinter beruflichen, planerischen Interessen versteckt. In der zarten Technik des Aquarells gibt sich eine Haltung zu erkennen, die nicht mehr Siegerpose ist, sondern auf eigene Weise fasziniert. Maximows «Etüden» sind vielgesichtig und nicht nur düster. Zwanzig Jahre lang hat er solche Motive aquarelliert, so lange (und noch länger) müssen sie zum Alltag der Stadt gehört haben. Sie waren Lebenswelt für die Siedler von überall, und diese müssen mit der Trümmerlandschaft wohl oder übel eine gewisse, vielleicht sogar familiäre Vertrautheit gehabt haben. In diesem Sinne könnte die Ruine des Doms für sie auch eine sentimentale Erinnerung an das erste Kapitel Kaliningrads sein, an das Ankommen und Heimischwerden in der Fremde.

Die «grüne Insel», die dem Gast aus dem Westen wie eine Toteninsel erscheint, ist für den Kaliningrader Teil des Lebens. Ihren Dom sieht man von fast allen Ecken der Innenstadt. Aus Zehntausenden von Fenstern der Neubaublöcke fällt der Blick auf ihn, an den Fahrgästen von mindestens sechs Linien der Straßenbahn zieht er vorbei. An dunstigen oder nebeligen Tagen hat er Ähnlichkeit mit einem Schiff, das auf einem großen Wasser im Tal vor Anker liegt. Selbst in sehr weiten Entfernungen kann man häufig Standpunkte finden, wo durch eine Schlucht der Betonstadt plötzlich ein rotes Eck von ihm blitzt. Seine Präsenz ist umwerfend – und ohne Konkurrenz.

Dom Sowjetow

Die Sowjetmacht hat den Burghügel Twangste zu ihrem Sitz erkoren. Was wäre natürlicher, wo sonst sollte sie sitzen als auf der Kuppe, die der Deutsche Orden ausguckte, die Flußniederung zu überwachen, wo die Herzöge und Könige residierten. Die strategisch und symbolisch bedeutsame Erhebung über dem Pregel erscheint höher heute, auch sie ist wie das Tal abrasiert, das Monstrum auf ihm steht frei wie die Domruine gegenüber. «Das häßlichste Gebäude Europas», rief Marion Gräfin Dönhoff nach ihrem Besuch 1990 öffentlich in ihrer Zeitung aus. Für sie verkörperte es das schockierend Fremdartige und Abstoßende Kaliningrads. Auch wer Königsberg nicht kennt, wird ihr Empfinden teilen, wenngleich gesagt werden muß, daß dieses Gebäude überall in Europa stehen könnte. Die sechzehn Stock aus Beton, die grau und klobig sich gen Himmel erheben, sind architektonisch von einer ziemlich normalen Bösartigkeit. Skandalös daran ist mehr der Anspruch, eine ganze Stadt nach diesem Ebenbild formen zu wollen. Vom Hügel aus kann man die vorderen Abschnitte der fünf Kaliningrader Bezirke überblicken, den Moskowski, den Baltiski, den Oktjabrski, den Zentralni und den Leningradski Rayon. So weit das Auge reicht – Häuserblöcke von sechs bis zehn Stockwerken, meist aus Platten zusammengesetzt und in verschiedenen Formationen in die Ebene gestellt, quer oder längs, und zu größeren Einheiten gefaßt durch die Führung der Magistralen, manchmal auch um leere Flächen gruppiert. Ganz offensichtlich haben die Planer Kaliningrads nicht nur eine moderne Stadt gewollt, sondern waren auch darauf erpicht, sich ganz bewußt von der Raumordnung und den Maßstäben der alten abzugrenzen. Der Kontrast könnte nicht größer sein.

Der Generalplan für die Gesamtanlage der City ist noch relativ jung. Erst in der zweiten Hälfte der «neuen Zeit» nahm sie Kontur an, und dies ist verbunden mit dem Abriß der Schloßruine. Bis Mitte der sechziger Jahre hockte sie nämlich noch auf dem Königsberg. Ihre Beseitigung ist das einzige Ereignis der Kaliningrader Stadtgeschichte, über das wir ein wenig informiert sind. Möglicherweise wird sich einmal herausstellen, daß es die Schlüsselgeschichte ist für die Identität der Stadt. Dafür spricht heute schon die unendliche Zahl der Versionen und Legenden, die sich darum ranken. Eine der ersten war in der deutschen Ausgabe der «Moskau News» zu lesen. Swetlana Suchowa, eine junge Journalistin, enthüllte im Dezember 1990 einige bislang geheime Dokumente und Bilder aus staatlichen und privaten Archiven und versuchte, den damaligen Hergang zu rekonstruieren: Das zerbombte, ausgebrannte Schloß war nach dem Krieg jährlich weniger geworden. 1946 hatte man im Hof desselben eine Anlage errichtet, die seine Steine zu Schotter verarbeiten sollte. Das ging irgendwie nicht recht voran, jedenfalls war nach Einstellung der Zerkleinerungsbemühungen der Substanzverlust fortan nur noch auf das Wetter zurückzuführen und auf private Nutznießer, die die Ruine für die Reparatur ihrer Behausungen ausschlachteten. Anfang der sechziger Jahre, mit dem «Tauwetter» unter Chruschtschow, meldeten sich erstmals Stimmen, die für einen Erhalt der Überreste des Schlosses eintraten. «Es wurden Argumente ins Feld geführt, wonach mit dem Schloß die Namen des Zaren Peter I., des Feldherrn Suworow, des Anführers des Bauernaufstandes, Pugatschow, und vieler anderer herausragender russischer Persönlichkeiten verknüpft waren. Das Schwergewicht wurde jedoch auf die Verbindung des Schlosses mit der revolutionären Geschichte gelegt. In einem seiner Säle fand der Prozeß gegen die deutschen Sozialdemokraten statt, die russischen Sozialdemokraten halfen, Lenins Zeitung ‹Iskra› nach Rußland zu transportieren; hier sprach Karl Liebknecht. Kurzum, die Residenz der preußischen Könige wurde eifrig rot gefärbt.»

Der Chefarchitekt Kaliningrads, Wladimir Chodakowski, arbeitete mit seinem Team Vorschläge für die teilweise Wiederherstellung und mögliche Nutzung des Baus aus. Vorgesehen waren ein Memorial zu Ehren der ruhmreichen Roten Armee, ein Hotel und ein Restaurant. Unter Breschnew brach der Liberalisierungsprozeß ab. 1965 wurde im Kaliningrader Gebietsparteikomitee der KPdSU der Beschluß gefaßt, das Schloß abzureißen. Ob dies auf höhere Anweisung aus Moskau geschah oder ob die örtliche Führung dem Wunsch von oben vorauseilte, ist bis heute unklar. Auf jeden Fall muß man von einer konzertierten Aktion ausgehen. Chodakowski reichte daraufhin seinen Rücktritt ein, sein letzter Protest war ein persönlicher Brief an Breschnew. Solche Appelle an den obersten Machthaber waren gewöhnlich das einzige Mittel, das in einer aussichtslosen Sache noch eingesetzt werden konnte. Der Bittsteller berief sich auf Expertisen seiner Kollegen, diverser Architektenverbände der Union und die Allrussische Denkmalsschutzgesellschaft und unterzeichnete mit dem Zusatz «Mitglied der KPdSU seit 1943». Unterstützung erhielt er von einigen jungen Journalisten der Gebietsjugendzeitung «Kaliningradski Komsomolez». Diese richteten im Oktober 1965 ihrerseits einen Hilferuf nach Moskau, an die berühmte «Literaturnaja Gaseta», die sowohl über Einfluß im Lande verfügte wie auch im Ausland wahrgenommen wurde. Über sie geriet die Angelegenheit vermutlich an «Radio Liberty».

Einer der Unterzeichner des Schreibens war der Schriftsteller Valentin Jeraschow. Er wurde daraufhin vom Ersten Sekretär des Gebietsparteikomitees, Nikolai Konowalow, vorgeladen zu einer Art Verhör unter Genossen. Das Gedächtnisprotokoll Jeraschows zitiert folgende Argumente: «Konowalow: ‹Ein faschistisches Schloß, den Hort der preußischen Reaktion wiederherstellen?! Und das fordern sowjetische Menschen, Kommunisten, Kulturschaffende! Das ist doch Idiotie! Dadurch spielen sie den westdeutschen Revanchisten in die Hände...› Jeraschow: ‹Soweit ich mich erinnern kann, gab es im 14. Jahrhundert noch keine Faschisten...› Konowalow: ‹Das Schloß war die Residenz der preußischen Könige, von hier aus unterdrückten sie das Volk. Wir werden es sprengen und an seiner Stelle neue Häuser bauen. Damit kein deutscher Geist erhalten bleibt.› Jeraschow: ‹Wollte man Ihrer Logik folgen, dann sollte man auch den Kreml und das Winterpalais als ehemalige Residenzen der russischen Zaren wie auch die Basiliuskathedrale sprengen. Nebenbei gesagt, wurden solche Vorschläge gemacht. Aber sogar Stalin brachte genügend Verstand auf, um das nicht zu genehmigen. Wollte man den deutschen Geist in Kaliningrad ausmerzen, so müßte man alle erhalten gebliebenen Gebäude, darunter auch das des Gebietsparteikomitees, in dem wir unser Gespräch führen, sprengen, denn hier war einstmals das Finanzministerium Ostpreußens untergebracht.›»

Kurz nach diesem Gespräch, noch im Dezember desselben Jahres, wurde mit dem Abbruch der nordöstlichen Fassade der

Schloßruine begonnen. Es war verboten, die Sprengungen zu fotografieren oder zu filmen, auch für das offizielle lokale Fernsehen. Ein heimlich gedrehter Amateurfilm des Architekten Wladimir Ossipow wurde gestohlen, nachdem er ihn einmal im Club seiner Gesinnungsgenossen vorgeführt hatte. In diesem Winter formierte sich in der Stadt eine Szene von Dissidenten, von Studenten und Künstlern, und sie riskierten mit einer Unterschriftensammlung für die Erhaltung des Schlosses Kopf und Kragen. Viele wurden mit Berufsverbot belegt, für einige Jahre verschärften die Sicherheitsorgane ihre Kontrollen. Soweit die Dokumentation Swetlana Suchowas. Sie ist in dieser Sache Partei, so sehr, daß sie die Ereignisse der sechziger Jahre nicht weiter verwunderlich findet. Für Außenstehende, besonders aus Deutschland, sind sie sensationell. Nicht die Argumente der Parteifürsten, aber daß eine gesellschaftliche Opposition sich kristalliert um die Verteidigung der Überreste einer geschlagenen feindlichen Stadt, ist so selbstverständlich nicht. Die jungen Leute hätten sich wie ihre Altersgenossen in Leningrad oder Moskau auf das eigene Erbe berufen können, die verbotenen Dichter Bulgakow, Babel oder Pilnjak lesen, eine Geheimgesellschaft für die Freiheit Rußlands gründen können. Nein, die Front der Andersdenkenden wählt als ihr Fundament den fremden Ort.

Wen man auch trifft in Kaliningrad, gesetzt den Fall, er ist vor 1960 geboren, fast ein jeder hat Erinnerungen an den Abriß des Schlosses. Wie er als Schaulustiger verweilte oder als Passant unterwegs zur Arbeit vorbeieilte, viele dutzend- oder hundertmal, denn die Ruine stand wie auf dem Präsentierteller, und ihre Vernichtung dauerte mehrere Jahre. Immer wieder wurde Dynamit gelegt, knallte und rauchte es im Zentrum. Manche Mauer widerstand, dann setzte man Bulldozer ein. Eines Tages sollen Panzer angerückt sein. Drei oder vier, die mit Hilfe von Eisenseilen ein besonders zähes Stück Schloß auseinanderrissen. Augenzeugen schildern die Prozedur so dramatisch wie eine mittelalterliche Vierteilung. Eine große

Menschenmenge muß darum herumgestanden haben. Einige, sagt man, hätten geschrien, die meisten seien stumm gewesen. Von Applaus war nur in der Parteizeitung die Rede. Die Summe der Geschichten darüber vermittelt den Eindruck, als hätten zwanzig Jahre nach der Besetzung der Stadt so etwas wie Geburtswehen eingesetzt. Als habe man nach dem Sieg nur pragmatisch Quartier genommen und sei nun ins Denken gekommen über die Bedeutung der Inbesitznahme und deren Konsequenzen. Als stelle man sich erst jetzt die Frage: In was für einer Stadt leben wir eigentlich?

Das alte Königsberg hatte als Trümmerstadt ein ziemliches Beharrungsvermögen bewiesen, das heißt, die Menge des Abraums war zu groß für die Kapazitäten der Nachkriegsgesellschaft, und diese hatte Gelegenheit, sich an die Hinterlassenschaften der Besiegten zu gewöhnen. Etwa zeitgleich mit dem Schloß wurden im gesamten Innenstadtbereich die offenbar noch zahlreichen Ruinen flachgelegt. Verbunden mit dem Kahlschlag war das Versprechen der Behörden, neue Wohnungen und Kultureinrichtungen zu schaffen. Kaliningrad, bislang im toten Winkel des Reiches, wurde nun auch von Moskau mit mehr Aufmerksamkeit bedacht, mit Geldern und Ehren. 1966 erhielt es den Leninorden, 1971 den Rotbannerorden. 1972 startete ein großes Sanierungsprogramm. Ein Masterplan wurde aufgesetzt, der seine Strategien und Phantasien vom Twangste-Hügel aus entwickelte und dessen Krone eben das «Dom Sowjetow», das «Haus der Räte», sein sollte. Es ist sicherlich kein Zufall, daß dieses nach dem Moskauer Vertrag (1970) stattfand. Erst damals schien die Vergangenheit von Deutschlands östlichster Großstadt abgeschlossen, schien Rußlands westlichste Großstadt eine Zukunft zu haben.

Vielleicht umreißen die Eckdaten der Amtszeit des Herrn Konowalow in etwa die Ära des Wandels. Der Erste Sekretär regierte den Oblast von 1961, dem Jahr des Mauerbaus, bis 1984, ins Vorfeld also der Perestroika hinein. Aus der Sicht der Hiesigen wäre «Normalisierung» vielleicht das richtige Wort für den Vorgang. In deren Logik ist das Ergebnis des Umbaus eine ganz normale Stadt, und nicht einmal nur in sowjetischen Maßstäben. Kaliningrad reiht sich ein in den modernen Unsinn der getrennten Funktionen und scheucht die Bewohner zwischen Wohnen, Arbeit und Freizeit über das ganze Areal. Es gibt dem Auto Priorität und verachtet den Fußgänger. Sein Mangel an Urbanität liegt nicht ausschließlich im totalitären System, sondern auch an den Bewohnern, die meistens vom Dorf kommen. Ähnliche Phänomene gibt es weltweit, in Städten, die von der Landflucht explodieren. In Istanbul zum Beispiel, wo heute inzwischen mehr als 80 % der Einwohner Nichtistanbuler sind und eine der zauberhaftesten Städte der Welt durch verständnislose anatolische Bauern (im Verein mit Baulöwen) vor die Hunde geht. Warum sollten vierhunderttausend Kaliningrader auf ihre Neubauten nicht stolz sein? Und warum sollten nicht auch sie vergessen dürfen? Die Monotonie der Stadt ist auch ein Programm zur Abwehr des Grauens. Man wollte seine Ruhe haben vor der Geschichte, die Alpträume in geordnete Bahnen lenken. Statt der Brandwunden erinnerten nun an jeder Ecke sterile Memorials an den Krieg, fabrikmäßig hergestellt und aus denselben Materialien wie die Plattenbauten ringsherum.

Unter den Versen, die auf das neue Zeitalter geschmiedet wurden, war auch ein Gedicht in deutscher Sprache:

> Noch hat die Zeit des Krieges Schreckensspuren
> im Antlitz dieser Stadt nicht ganz verwischt...
> Neubauten, vielgeschossig, heute tragen
> glasklare Fensterreihen hoch empor,
> wo der Komfort schenkt wohnliches Behagen,
> wo Loggien geschmückt mit Blumenflor...
> Wie eh und je die Möwen mühlos schweben
> allgegenwärtig über Strom und Stadt;
> in ihren Straßen pulst ein neues Leben,
> das jenes alte überwunden hat.

Kaliningrad 1980 – der Verfasser ist Rudolf Jacquemien, ein gebürtiger Kölner. Seiner Biographie nach ist er eher ein typischer Kaliningrader denn ein Deutscher. Er lernte Schlosser im Ruhrgebiet, und als er während der Weltwirtschaftskrise arbeitslos wurde, wählte er aus der Misere den Weg in die Kommunistische Partei und auf die hohe See. 1932, mit 24 Jahren, verließ der Gelegenheitsseemann und Jungkommunist sein Schiff. Das war in Murmansk am Nördlichen Eismeer. Seitdem und dann mehr als 60 Jahre hatte er an sowjetischen Zeitläuften teil. Er heiratete eine Archangelskerin, wurde Instrukteur im internationalen Seemannsclub und kämpfte als Rotarmist gegen die faschistischen Okkupanten. Wie viele deutsche Kommunisten unter Stalin wurde er während des Krieges deportiert – sechs Jahre «Arbeitsarmee» im Ural, noch einmal acht Jahre im Lager Dolinka bei Karaganda. Nach weiteren Jahren in Kasachstan zog er nach Litauen, 1970 dann in das gerade sich verwandelnde Kaliningrad. Seine Gedichte und Erzählungen schrieb er teils in Deutsch, teils in Russisch. Seit den sechziger Jahren unterstützte er die schwierige Kulturarbeit der Rußlanddeutschen. Ein Abtrünniger wurde er jedoch nie. Wie die Russen seiner Generation erlebte er die Perestroika als Entwertung eines Kommunistenlebens. Er hat sich wohl gefühlt in Kaliningrad, in der Gesellschaft der Entwurzelten, nicht auf dem historischen Boden Königsbergs. Oder vielleicht – ganz heimlich – doch auch letzteres? Mir gegenüber hat er die Frage weder verneint noch bejaht; er ist geistig schon nicht mehr klar in diesem Frühjahr 1991.

Das Dom Sowjetow ist bis heute nicht fertig, genauer gesagt, es ist eine Bauruine. Unter ihren Füßen arbeitet der Schloßberg, untergräbt die Fundamente und die Berechnungen der Statiker. Wenn man verbotenerweise die Baustelle betritt, kann man erkennen, der Berg schwitzt Ziegel und Feldstein aus. Wie man hört, ist der Koloß auf tönernen Füßen zum Gespött der Kaliningrader geworden. Auch seine Zeit ist bereits zu Ende, zwischen ihn und seine Stadt ist ein geistiger

Umbau, die «Perestroika», getreten. Er ist allein – wie sein Gegenüber im Tal. Fast scheint es, die beiden Ruinen im Zentrum, das Dom Sowjetow und der Dom, hielten Zwiesprache miteinander. Wer wird wen überleben? Wer sinkt früher darnieder, wird nachhaltiger die Erinnerung beherrschen? Noch ist die Rivalität nicht entschieden.

Der Gegensatz der beiden Zeitzeugen zieht sich als Spur durch die ganze Innenstadt. Wenn man den Asphaltdschungel erst einmal betreten hat und sich darin die Füße wund läuft, begegnet man allerorten auch der Vorgängerin. Unter der gebrochenen Straßendecke treten alte Steine an die Oberfläche. Ein Mädchen ritzt mit einem rotgebrannten Ziegelrest ein Hüpfspiel auf den Beton. Auf dem Kinderspielplatz stößt man unvermutet auf ein Bunkereck. Neben dem Moskowskiprospekt tritt eine krumme Gasse mit Katzenkopfpflaster aus dem Trottoir und endet nach 30 ansteigenden Metern unvermutet vor dem nächsten Wohnturm. Selbst wo der Raum durch und durch neu gestaltet ist und zwischen den Hochhäusern jede Orientierung auf dem alten Stadtplan zwecklos, rufen Gullideckel Königsberg auf den Plan. Verbindet man sie miteinander, kann man unter Umständen einen früheren Straßenverlauf entdecken.

Kaliningrad hat neben dieser zweiten noch eine dritte Welt: die Wildnis. Man kann sie in der ganzen Stadt finden, meistens an Wassern gelegen, mal größer, mal kleiner, am ausgedehntesten zwischen den Armen des alten und des neuen Pregel. Das ist nicht weit vom Dom; man muß nur die Honigbrücke überqueren, geradeaus weiter in Richtung der früheren «Plantage» sich bewegen (der Name erinnert an den gescheiterten Versuch einer für die Seidenraupenzucht eingerichteten Maulbeerplantage) und auf die ehemaligen Altstädtischen und Bürgerwiesen zu. Dort wächst meterhohes Schilf, sät sich der Busch aus. Über den fast verlandeten künstlichen Flußauslegern kurven Libellen. Konzerte von Fröschen und Grillen erfreuen die anderen Residenten wie die Gäste. Trampelpfade und ausgebrannte Lagerfeuer deuten auf einen regelmäßigen menschlichen Besucherverkehr hin. Die Wildnis ist heute das Rückzugsgebiet der Hochhausbewohner, die rund um die Kreuzkirche (Königsbergs jüngste Kirche, bis vor kurzem eine Fischfabrik) leben. Vor allem junge Leute nutzen sie für die Liebe, die Kinder entwischen hierher, wenn sie die Kontrolle der Babuschkas abschütteln wollen. Mir vermittelt der Spaziergang eine Vorstellung davon, wie damals, vor der Ankunft der Ordensritter, das Stromtal ausgesehen haben könnte.

Nishni Prud – ein Spaziergang vom Mittelalter ins All

In der Kaliningrader City orientiert man sich am besten nach dem Wasser. Der Flußlauf, die Kanäle und Teiche sind die einzig zuverlässigen Konstanten. Diese Stadt ist wie ein Palimpsest – eine alte Handschrift, die abgeschabt wurde und neu überschrieben und dem Entzifferer der gelöschten die Adern des Papyrus zu Hilfe gibt bei seinem schwierigen Geschäft. «Den Schloßteich werden sie nicht weggetragen haben», sagten sich die Königsberger, die seit 1945 an Rhein, Elbe und Bodensee leben, oft zum Trost. «Nishni Prud», «Unterer Teich» heißt er jetzt, ganz einfach und zeitlos. In nördlicher Blickrichtung, wenn man dem Dom Sowjetow den Rücken zukehrt, macht er tatsächlich den Eindruck einer unzerstörten Idylle. Langgestreckt, wie eine Raupe von exotischer Bläue, üppig grün gesäumt und begehrt. An diesem Vormittag gehört er den Rentnern und den noch nicht schulpflichtigen Buben. Die Alten angeln schweigend, die Jungen baden. Sie schwingen an einem Seil, das von einer Kastanie hängt, übers Wasser, mit Tarzangeheul, und lassen sich hinunterplumpsen, liegen anschließend bibbernd auf dem heißen Asphalt der Promenade oder jagen hinter den Schwänen her. Der Teich ist, was er auch zu deutscher Zeit war, ein Ort der Muße und Erholung. Welches Volk würde darauf verzichten wollen? Hier ist Kaliningrad, hier war Königsberg, das eine verschlingt sich mit dem anderen im Fortgang je neuer Generationen. Dennoch und merkwürdigerweise läßt bei dem fremden Besucher gerade das «Natürliche» die Phantasien ins Kraut schießen. Je heiterer und verführerischer es von der Dauer erzählt und je weniger man darin den Wechsel der Zeiten lesen kann, desto mehr fordert es Imaginationen über die Geschichte heraus. Das Gelesene und Gehörte tritt als Gespensterverkehr auf den Plan.

Dieser See ist künstlich, der älteste noch sichtbare Zeuge vermutlich der mittelalterlichen Siedlungsgeschichte. Es ist der Katzbach, der mal zum Pregel abfloß. Die Ritter stauten ihn vor dem Eingang ihrer Burg und gewannen dadurch einen Teich, aus dem sie das Wasser in die Verteidigungsgräben leiten und Kraft für ihre Mühlen gewinnen konnten. Kornmühlen, Holzmühlen, Lohmühlen, Walkmühlen, Malzmühlen, eine Poliermühle zur Aufarbeitung der metallnen Rüstungen. In seinen ersten Jahrhunderten spiegelte das Wasser den Kosmos des Krieges und der Arbeit. In das Gedächtnis aber der Stadt ging es ein in seiner letzten (nicht ganz so langen) Rolle als Zentrum des Vergnügens und der Festlichkeit. Als eine Gegenwelt zum geschäftigen Pregel und seinen Mastenwäldern, zur Dynamik der wachsenden steinernen Stadt und ein wenig auch zu den sozialen Hierarchien, die den Alltag beherrschten. «Dieser Verein von Stadt und lieblichster Idylle, üppigster Natur!» schwärmte um 1850 der Schriftsteller Alexander Jung. «Und wenn nun an einem dieser wahrhaft italienischen Sommerabende unseres nordischen Klimas drüben in den Gärten die Konzerte erwachen und durch den Äther vibrieren; wenn die Schwäne auf dem schwarzen Gewässer wie weiße Najaden lautlos sich heranwiegen; wenn die Gondeln mit ihren Sängern, mit fröhlichen Lichtern vorbeiplätschern...» Und wenn dann noch der Halbmond schien, dann hielt Alexander Jung die Schornsteine in der Ferne für türkische Minaretts. Etwa um dieselbe Zeit schreibt Walter Cornelius, der nüchterne Stralsunder, der aus dem großen Berlin anreiste: «Hier liegt eine kleine, warme Gemüthswelt mitten in der großen kalten Region des Verstandes. Hier erhält an schönen Sommerabenden der Nordbewohner eine leise Ahnung vom Leben im Süden.»

Es wird nirgends direkt gesagt, aber die Rede ist natürlich von Privilegien. Im 18. und 19. Jahrhundert war der Schloßteich keineswegs der allgemeinen Öffentlichkeit zugänglich. In der Laube küßte ein Edelmann seine Liebste, das Konzert drang aus den Fenstern des Palais Keyserling, und auf dem Ball der Gräfin Charlotte Caroline Amalie hatte als einziger armer Mann Immanuel Kant Zutritt. Wenn Königin Luise mit ihrem Gemahl Friedrich Wilhelm III. zu Janitscharenmusik über den nächtlichen Teich schwebte, dann überbrachte die Serenade nicht irgendein Chor, sondern der Chor der Freimaurerlogen. Das Volk stand dabei, drängte sich am schmalen südlichen Ufer vor dem Schloß. Dennoch war der Teich eben nicht der Ort bitteren Ausgeschlossenseins. Hierarchie war ja in der Gesellschaft allüberall. Das Besondere hier war eher der entspannte Umgang mit dem sozialen Abstand, das gemeinschaftsstiftende Flair der südländischen Inszenierung. Zumal der Teich an Alltagen von der Wasserseite zugänglich war. Per Boot und vor allem im Winter, im nordischen Volksfest der Schlittschuhläufer. Ihr Flanieren und Gleiten auf dem Eis eilte spielerisch der Landnahme an den Ufern voraus, demokratisierte den Teich schon mal für eine Jahreszeit. Um die Wende zum 20. Jahrhundert kaufte der Staat von Spendengeldern Teile der Privatgärten und legte eine Promenade für die Bürger an. Der Weg um das Wasser schloß sich nach und nach zu einem Ring, das letzte nordwestliche Stück wurde 1937 vergesellschaftet, durch die Enteignung der drei Freimaurerlogen.

Zwei Generationen – knapp – war er wirklich ein Volksteich. Um ihn herum pilgerten des Sonntags nicht nur die Kneiphofer und Amalienauer, sondern auch die kleinen Leute aus Sackheim. Der Osterspaziergang, der Verlobungsspaziergang, der Verwandtenbesuchsspaziergang, alles verlief um ihn herum. Abends wurde hier ungeniert liebkost, setzte ein öffentliches Einverständnis die geltenden Gesetze des Anstandes außer Kraft. Hier küßten sich die jungen Leute, die aus dem «Miramar»-Kino kamen oder vom Tanz aus der «Pelikan-Klause», hier erholten sich die Älteren von den Baiser- und Marzipangenüssen in der Französischen Straße und wenn sie sich über die Maßen von dem kleinen Luxus der dortigen Geschäfte hatten verführen lassen. Am Schloßteich brannte nun die bengalische Beleuchtung für jedermann. Die Musik war öffentlich – vom Froschkonzert über den Großen Zapfenstreich und die wöchentlichen Aufführungen des je dienstablösenden Regiments der Garnison bis zum Jacques-Offenbach-Abend in der 1912 eröffneten Stadthalle. Von allen Orten in Königsberg kam sicherlich der Schloßteich am häufigsten in den Genuß des Seufzers «Verweile doch, du bist so schön». Der glückliche Augenblick, er dürfte am Wasser und auf dem Wasser wahrscheinlicher gewesen sein als irgendwo sonst in der Stadt. In der Erinnerung der vertriebenen Königsberger steht er ganz oben. Auch deswegen, weil die Vertrautheit mit dem Schloßteich eine der ganz wenigen Erfahrungen ist, die alle teilen. In der «Schicksalsfamilie», wie sie unter Versprengten oft beschworen wird, ist er ein realer gemeinsamer Bezugspunkt.

Das alles läßt sich mühelos vorstellen am «Nishni Prud». Sein Anblick bringt die Geschichten nur so zum Sprudeln, und manchmal stellt sich eine Ahnung ein von dem, was man – unbeschreiblich – das Fluidum einer Stadt nennt. Doch was sich beim ersten Spaziergang wie eine Fortsetzung des Schloßteiches ausnimmt, ist genauer besehen größtenteils neu. Die zwei Brücken, die Wege und Treppen, die meisten der Bäume sind jünger als vierzig Jahre. Jünger als Königsbergs Untergang, aber eben alt genug, ein Bild *wieder* entstehen zu lassen, das dem früheren ähnelt. Auch der Teich war ein Opfer des Krieges, Schauplatz der Kämpfe und eines noch grausameren Nachkrieges. Auch diese Szenen kommen hoch aus den Lektüren, mischen sich unter die anderen. Keines der mehr als vierzig Kriegsdenkmale von Kaliningrad kann so viel Schrecken bereiten wie diese grüne Oase. Hier ist er näher, wenn auch nicht erzählbarer.

Ich zähle auf, was ich weiß: Ende August 1944 brennt nach dem britischen Bombardement fast die gesamte Umgebung ab sowie die Brücke. In den Teich stürzen brennende Menschen. Viele der Toten können vor Einbruch des Frostes nicht mehr geborgen werden. Die Stadt ist beschäftigt, die einen packen für die Flucht, die anderen lassen sich zwingen, nicht zu flüchten. In den Ruinen um den Schloßteich entstehen Bunker und Stellungen. Freistehende, weithin sichtbare Wände werden für Propaganda genutzt: «Mauern brechen, unsere Herzen nicht.» Im Januar schließt sich der Ring um Königsberg, in den ersten Tagen des April reißt dann das Artilleriefeuer nicht mehr ab. Fünfhundert Meter vom Schloßteich entfernt sitzt General Lasch in seinem Bunker. Er kapituliert nach tagelangen Häuser- und Straßenkämpfen, als die Rote Armee fast vor seiner Tür steht – und rettet das eigene Leben. Nach diesem 9. April 1945 geht der Krieg fort. Am Schloßteich stehen das Städtische Krankenhaus und das Krankenhaus der Barmherzigkeit in Flammen. Die Patienten fliehen Richtung Wasser, frischamputierte junge Soldaten, Schwestern, die Schwerstverletzten schleppend. Gejagt von Gewehrkolben, von wild um sich schießenden Rotarmisten. In der «Barmherzigkeit» ist Professor Unterberger gerade bei einer schweren Zangengeburt. Man entreißt ihm die Instrumente, er vollendet seine Arbeit mit den Händen. Die Soldaten zerren die Frau, sobald sie entbunden hat, vom Tisch und fallen zu mehreren über sie her. Der Arzt, der nichts tun kann, nimmt sich im Nebenzimmer das Leben. So berichtete später sein Kollege Hans Schubert.

Von ihm, dem Hygieniker, und dem Chirurgen Hans Graf Lehndorff stammen die meisten der Informationen über das, was am Schloßteich zwischen 1945 und 1947 geschieht. Die Quellen dieser Jahre konzentrieren sich um die beiden Krankenhäuser am Hang, der Teich ist ihr Hinterland. Lehndorff zum Beispiel versteckt seine Kollegin zum Schutz vor weiteren Vergewaltigungen unter einem der umgedrehten Boote am Ufer. Auf der Promenade fahren die Totengräber mit Handwägelchen und laden ihre Last in den nächsten Bombentrichtern ab. Der Teich muß Trinkwasser spenden, da die zentrale Versorgung kaputt ist. Von den Kadavern und Exkrementen wird er zum Seuchenpfuhl. Mücken und Fliegen vermehren sich wie rasend, ebenso Ratten; im Mai 1945 beginnt die erste Typhuswelle, später bricht das Fleckfieber aus, im nächsten Sommer die Malaria. Im Winter rücken die Frierenden den alten Bäumen am Wasser zu Leibe. In der «Barmherzigkeit», wo der medizinische Betrieb in den unteren Etagen notdürftig weitergeht, werden immer mehr Menschen mit Hungerödemen eingeliefert. Frauen und halbe Kinder stehen Schlange, bitten um eine Abtreibung oder um ein Medikament gegen die Geschlechtskrankheit. Oft erscheint die Besatzungsmacht. Verhöre wechseln mit allgemeinen Kontrollen, manchmal bringen die Offiziere Fleisch vom Schwarzmarkt mit und verlangen eine ärztliche Expertise, ob es von Menschen stamme. Am Teich spielen fünf- oder sechsjährige Kinder in den aberwitzigsten Stellungen «vergewaltigen». Als die Natur wieder grün wird, legen sich die von Schmerz Gepeinigten Kräuter auf die Wunden. Keiner weiß, wie lange diese Situation dauern wird. An Abenden steigt Hans Graf Lehndorff oft über die Eisentreppe auf das Dach des Krankenhauses und schaut auf den Pregel, ob da ein rettendes Schiff kommt.

Einer der Patienten, der damals eingeliefert wird, ist der siebzehnjährige jüdische Junge Michael Wieck. Ein Überlebender der nationalsozialistischen Verfolgung, er überlebt auch die Lungenentzündung. Seine Genesung, schrieb er später in seinen Memoiren, ist mit einigen fundamentalen Bildungserlebnissen verbunden. In der Anstaltsbibliothek entdeckt er die Vorsokratiker, vertieft sich in Anaximander, Heraklit und Thales von Milet. Etwas später holt er versäumten Biologieunterricht nach, das Kapitel «eßbare Pflanzen». Auf dem Höhepunkt der Hungersnot verordnen die Ärzte allen, die allein auf die Toilette gegen können, einen Botanisiergang auf den Wiesen. Am Schloßteich wächst nun, was früher nicht wachsen durfte: Brennessel, Giersch, Melde und Löwenzahn. Es ist April oder Mai, die Jahreszeit, wo die Zahl der Morde wegen der schwierigen Ernährungslage besonders hoch ist. Von Michael Wieck, dem späteren Geiger, wissen wir auch, daß es selbst in diesen Zeiten Musik gibt. Lautsprecher, die überall die Stadt beschallen, übertragen nicht nur Nachrichten und senden Propaganda, sondern auch die herrlichsten Konzerte.

Wie der Schloßteich ausgesehen hat, als 1947 die Aussiedlung der restlichen Deutschen begann, ist nicht überliefert. Ziemlich kahl vermutlich, andererseits wild. Die «Flora und Fauna der Katastrophen» – wer sollte in solchen Zeiten die Kapriolen der Biologie verfolgen, die Agonie eines Teiches, Vergiftungen, beschleunigtes Wachstum, Mutationen? Die Überlebenden des Nachkrieges – 25000 von etwa 110000 Verbliebenen – hatten bei ihrem Abtransport keinen Blick für die Details des Panoramas. Wie lange der Teich so blieb und sein Eigenleben führte, habe ich nicht herausgefunden. Jedenfalls hat Ende der siebziger Jahre im vorderen Teil eine gründliche Reinigung begonnen, und obwohl dies nicht die erste war, wurden im verschlammten Grund noch eine Menge Reste aus jenen Zeiten herausgezogen. Der vorerst letzte Akt der Verschönerung des «Nishni Prud» findet 1991 statt. Im erneuerten südöstlichen Promenadenbereich wird ein Gedenkstein aufgestellt für einen Helden des «Großen Vaterländischen Krieges». Marinesko – sein Name ist auch in Deutschland bekanntgeworden, denn er war der Kommandant des U-Bootes der Sowjetischen Rotbannerflotte S 13 und gab am 30. Januar 1945 den Befehl zum Abschuß der «Wilhelm Gustloff». Diese hatte 6600 Flüchtlinge an Bord, meist Zivilisten, darunter viele Königsberger. In diesem selben Sommer der Ehrung Marineskos wird übrigens in London ein Denkmal für «Bomber Harris» vorbereitet, den Oberkommandierenden der britischen Luftstreitkräfte, der verantwortlich war für den Einsatz der Royal Air Force über deutschen Städten, unter anderem über Königsberg.

Etwas oberhalb des Nishni Prud, wo früher die Französische Straße verlief, erinnert ein Findling an einen Königsberger Dichter. Seine Inschrift ist knapp und sachlich: «Hier wohnte in der Hausnummer 25 E.T.A. Hoffmann (geboren 1776, gestorben 1822)». Er scheint den Russen etwas zu bedeuten. Was, weiß ich nicht – nur, daß Gogol ihn geliebt hat, der bissige Satiriker des feudalen Rußland und Kritiker der Zarenherrschaft. Es ist immer merkwürdig, an einen Ort zu gelangen, wo ein Dichter lebte, dessen Werke ich gelesen habe, und plötzlich der Genius loci das Gelesene belebt oder in anderem Licht erscheinen läßt. Was aber, wenn der Ort so völlig verändert ist? Überraschenderweise beflügelt er meine Gedanken an die Poesie. Wie von selbst hüpfen Klein Zaches und der Kater Murr auf den kahlen Hügel über dem Nishni Prud. Natürlich war der Schloßteich für Hoffmann eine Quelle der Inspirationen, erzählerischer und musikalischer. Hier konnte er, fast wie auf einer Opernbühne, in der Form schon der poetischen Groteske, die preußische Oberschicht studieren, erstickende Konvention wie heftige Leidenschaft. Und zugleich Bilder aufnehmen für die märchenhafte zweite Welt, die er dagegensetzte, gegen die noch feudale Pose wie gegen die Phantasiefeindlichkeit der Aufklärung. Zum erstenmal nimmt die Stadt für mich etwas von der Verrücktheit dieses Dichters an. Mir fällt eine absonderliche Szene ein aus einem seiner Romane oder Stücke (auch später finde ich nicht heraus, wo), in der ein Baron von R. oder F., ein preußischer oder ein russischer, wo immer er Station macht, sich das Panorama nach seinem

Geschmack und seiner jeweiligen Stimmung gestalten läßt. Seine Bediensteten rennen herum, fällen hier einen Baum, legen dort ein Haus flach und decken mit Hilfe großer Segel die Reflexe der Sonne ab oder lenken den Mondschein auf einen idyllischen Teich. Dann betrachtet der Herr Baron das Werk für einige Minuten und reiht es, wenn es gefällt, in die Sammlung seiner Panoramen ein, die er im Kopf trägt und realiter nie wiedersehen wird, weil er schon unterwegs ist zum nächsten. Bei E. T. A. Hoffmann träumt das Feudalsystem die Moderne. Man könnte die Groteske gedanklich bis nach Kaliningrad führen: Das Ambiente des kleinem Memorials auf dem kahlgeschlagenen Hügel hätte sich der Dichter selber ausdenken können.

Ihm vis-à-vis, auf dem höchsten Punkt der Kuppe, befindet sich das Hauptdenkmal der Innenstadt: eine Weltenuhr. In den Abteilungen des Runds setzt sich Kaliningrad in Beziehung zu verschiedenen Ländern der Erde. Sieben Stunden Zeitunterschied zu New York und genausoviel, bloß in die andere Richtung, zu Tokio, 1081 Kilometer bis Moskau und 11683 bis Mexiko.

46 Jahre zurück bis Königsberg sind es im Mai 1991 und geographisch etwa einen knappen Kilometer. Am anderen Ende des Nishni Prud, jenseits der ehemaligen Wrangelstraße, beginnt die historische Zone. Mit dem Dohna-Turm am Oberteich und dann rechts wie links im weiten Bogen fort. Nach den Wasserläufen sind die Befestigungsanlagen die zweite große Konstante in der Stadt. Türme und Tore, Bastionen und angrenzende Kasernen und ein riesiger, sie verbindender, baumgekrönter Erdwall mit diversen Eingängen zu unterirdischen Garagen und Munitionsdepots. Das Auge, gewöhnt an das Grau und das Rechteck, begrüßt den roten Klinkerton mit Freuden. Gerät ins Schwelgen geradezu ob der Zinnen und Bogen aus dem 19. Jahrhundert. Wie niedlich und beinahe freundlich sie wirken, diese baulichen Zitate der Preußen auf das hohe Mittelalter – wie aus dem Modellbaukasten für

Eisenbahnliebhaber oder Zinnsoldatenfans. Bis das Denken wieder einsetzt, und dann erscheint ihre Präsenz angesichts der Zerstörung innerhalb des Festungsrings geradezu obszön. Ihre Unverwüstlichkeit ist teils geheimnisvoll, teils zeugt sie von einem internationalen Konsens der Militärs. Weder die Bomber noch die Eroberer haben ihnen etwas angetan, sie haben weder die ideologischen noch die ästhetischen Grundsätze der neuen Besitzer gestört. Bis auf ein paar Kleinigkeiten; die Herrschaftszeichen mußten verschwinden, Preußenadler, Hakenkreuze etc. oder auch Köpfe. Am Königstor schlug man Ottokar von Böhmen, Herzog Albrecht und Friedrich Wilhelm I. das Haupt ab. Am Roßgärter Tor durften die Reliefs von Scharnhorst und Gneisenau bleiben, zur Erinnerung an die preußisch-russische Waffenbrüderschaft gegen Napoleon. Das zählte noch, hier im Besonderen und auch im Allgemeinen, der Respekt vor den Leistungen in Uniform.

In Königsberg waren die Wallanlagen zuletzt Teil des Grüngürtels der Stadt und ein beliebter Spazierweg. Auch heute kann man ihn gehen, mit einiger Mühe und festen Schuhen. Von der Krone des Walls kann man Einblicke nehmen in die Stadt jenseits. Königsberg – was von ihm blieb – liegt größtenteils *außerhalb*. Über die Uliza Pobjeda, die Straße des Sieges, ehemals Hufenallee, gelangt man in die Stadt mit dem ostpreußischen Gesicht. Vertrautheiten verdichten sich, manche scheinen auch nur so. Wer nicht ganz kundig ist, läßt sich leicht täuschen. Vor dem alten Schauspielhaus sitzt harmonisch, wie wenn es immer so gewesen wäre, eine klassizistische Fassade nach dem Vorbild des Bolschoi. Stilistisch korrespondiert sie mit der Kolonnadenreihe am Eingang des Sportstadions schräg gegenüber; es ist das hierher versetzte Säulenportal der abgerissenen Altstädtischen Kirche. Der Tiergarten, wieder schräg gegenüber, scheint nur gealtert; hätte ich nicht nach dem Elternhaus der Hannah Arendt gesucht in der Tiergartenstraße Nr. 6 – vergeblich –, wäre ich nicht darauf gekommen, daß das Gelände des Zoos erweitert wurde. Die Luisenkirche, wieder linker Hand, ist charmant wie eh und je; sie beherbergt ein Puppentheater. Die neue Stadt spielt in der alten Versteck, mal mit Stil und Humor und oft makaber. Gleich hinter der Luisenkirche bzw. dem Puppentheater gibt sie ein Rätsel auf, das so knifflig ist, daß selbst der, der es wider Erwarten löst, nicht an die Lösung glaubt. Da guckt einen ein Holzhaus an, man hat es x-mal auf Fotos gesehen mit seinen Veranden und Schnitzereien, und man erkennt es nicht, weil es woanders hingehört. Es ist das Jagdhaus Kaiser Wilhelms II., das er sich 1891 von norwegischen Zimmerleuten in der Rominter Heide bauen ließ. Ein hoher Militär, der davon wußte und es in sein Herz schloß, hat es gleich nach dem Krieg aus immerhin hundert Kilometer Entfernung herbringen lassen – als Dienstvilla. Heute ist sie Teil des hier beginnenden Kalininparks. Dieser Rummelplatz befindet sich auf dem Boden des Altstädtischen Friedhofs. Ein paar Grabsteine sind eingelassen in die Trottoirs der umliegenden Straßen. Die Häuser aber der Toten stehen meistens noch. Die Villen und feineren Etagenhäuser der Hufen und Amalienaus machen sich nur langsam und stückweise davon. Noch ist ihre Zeit nicht abgelaufen, aber sie werden arg strapaziert durch Überbelegung und ein Publikum, das kaum Augen für ihre Schönheit hat. In den meisten sind sogenannte «Kommunalkas», Gemeinschaftswohnungen, und als solche sind sie unbequem und im sanitären Bereich schlicht skandalös.

Man hat die bürgerliche Vorstadt in Zeiten der Not bezogen. Ihre ersten Bewohner waren Offiziere. Und als ihr Glanz zu schwinden begann, ist sie an die schwachen Schichten weitervererbt worden. Man hat sie abgewohnt und umgenutzt, mehr schlecht als recht, und im Umgang mit der historischen Substanz ist die Unsicherheit zu spüren. Das Bemühen, sich in ihrer Fremdheit zu behaupten, hat neben der unglücklichen Usurpation zuweilen auch etwas Rührendes. Auf der Wand der kleinen katholischen Adalbertskapelle prangt ein Gemälde, das einen Mann im weißen Kittel zeigt. Er vertritt den neuen Hausherren, ein Laboratorium, und zieht aus einem überdimensionalen Computer mit bedeutungsvoller Geste eine Schlange weißen Papiers mit wissenschaftlicher Botschaft. Die Szene bildet, fast sakral, ein Kirchenfenster nach, als ginge es um die Tat und das Wort eines Propheten. So möchte sich Kaliningrad sehen. Es ist vielleicht kein Zufall, daß das Denkmal der Raumfahrt gerade in diesem, dem noch deutschesten aller Stadtteile, errichtet wurde. Vor dem ehemaligen Park Luisenwahl reckt sich in großer Höhe ein Kosmonaut, umgeben von einem Kreis. Als Inschrift trägt er ein Zitat von Ziolkowski, einem Pionier der Weltraumforschung. «Die Menschheit wird nicht mehr auf der Erde bleiben, sie wird zum Licht und in den Weltenraum streben, zuerst erreicht sie Schichten außerhalb der Atmosphäre, und dann besiegt sie das ganze Weltall.» Wie keine andere Stadt der UdSSR hat Kaliningrad sein Selbstverständnis und seine Sehnsüchte mit dem All verbunden. Lokalpatriotismus, denn Alexej Leonow machte 1953 in der Stadt seinen Schulabschluß, der Mensch, der 1965 als erster frei im Weltraum schwebte.

Der Kult um ihn dürfte jedoch tiefere Gründe haben. Wie überall war der Vorsprung der Sowjetunion im Wettlauf zum Mond auch ihrer Bürger Stolz. Er war *der* Punkt des Konsenses zwischen der Führung und dem Volk. Die Raumschiffe verkörperten mehr als nur hypothetisch die Möglichkeit, ein System mit solcher Potenz könne über kurz oder lang auch den Schwierigkeiten auf Erden gewachsen sein. In Kaliningrad mußte dieser Glaube noch inniger sein. Wo allen die Bodenhaftung fehlte und die Zuwandernden auch untereinander kein nationales oder kulturelles Band besaßen, wo noch dazu der Geist einer feindlichen Historie ausgetrieben werden sollte durch Besseres, war der technische Mythos ohne Alternative. Die Spanne zwischen dem ersten Sputnik und dem schließlich verlorenen Wettlauf zum Mond Ende der sechziger Jahre war die Zeit, wo die Stadt sich zu definieren hatte und die erste Generation, die hier geboren war, dringend eine Orientierung brauchte, bevor sie ins Flegelalter und ins Denken kam. Was lag näher, was konnte es Sinnvolleres geben als die Teilhabe an diesem Menschheitstraum? Kaliningrad identifizierte sich mit Baikonur, definierte sich – direkt zum All.

Hotel «Kaliningrad»

Zuerst nehme ich sie mit den Augen der Kaliningrader wahr: als Fremde. Sie geistern durch die Stadt, in Grüppchen, manchmal in großen Schwärmen. Schon von Ferne sind sie zu erkennen. Sie halten zusammen wie eine Entenschar und sind gekleidet wie zu einer Expedition. Während die Hiesigen sich mit aller zur Verfügung stehenden Raffinesse und Eleganz für die warme Jahreszeit herausputzen, gehen sie in Shorts und sportlichen Röcken, Buschhemd und derben Wanderschuhen, kleinen Rucksäcken auf dem Buckel, mit Kameras und Landkarten bewaffnet, und häufig tragen sie sogar einen Kompaß. Die meisten sind alt, und es sind viel mehr Frauen als Männer. Auch sonst fallen sie auf, besonders durch ihr Benehmen. Sie stochern mit ihren Fingern Löcher in die Luft, steuern im Eiltempo Punkte an – irgendwo, bleiben dann plötzlich wie angewurzelt stehen. Sie schleichen stundenlang um ein Haus herum, betasten Gartenzäune und Mäuerchen, stibitzen in unbeobachteten Momenten Fliederschößlinge und Pfingstrosen. Wenn die Einheimischen sie anstarren, erklären sie teils forsch, teils verlegen, radebrechend in der eigenen Sprache: «Zu Hause, da, ich.» Oder: «Klavierlehrerin, Wohnung» und spielen mit den Händen auf einer imaginären Tastatur. «Mondscheinsonate. Mittwochs. Verstehen?» Für die Kinder, die sie neugierig umringen, zaubern sie aus ihren Taschen Schokolade, Kaugummi und ein Pröbchen löslichen Kaffee «für die Mama».

Die Deutschen sind mit einem Schlag aufgetaucht, mit dem ersten Frühlingstag im April 1992 sind sie da, zu Hunderten.

Bis zum Herbst werden es ungefähr 60 000 sein. Ihre Gegenwart mehr als 45 Jahre nach dem Krieg erscheint in höchstem Maße merkwürdig, wenngleich man in diesen Zeiten natürlich mit allem rechnen muß. Im Sommer davor war der Putsch gewesen, dann kam der Winter, in dessen Verlauf sich Partei, Komsomol und alle alten Gewißheiten auflösten. Die Touristen sind in gewisser Weise das erste Ereignis im Prozeß des Zusammenbruchs, von dem man sagen könnte, da geht etwas «Neues» los. Das Hotel «Kaliningrad», wo die meisten von ihnen wohnen, ein grauer Kasten, der bisher dem Geschäftsverkehr der Hafenstadt diente, ist das Zentrum dieser Veränderung. Dort bewegt sich etwas, für alle sichtbar. Nur was und wie genau, das weiß noch keiner. Bis auf eine kleine Zahl von Kaliningradern, die entschlossen die Gelegenheit am Schlafittchen gepackt und die Arbeitsstelle hierher verlegt haben. Das Hotel wird umlagert von alten Frauen, die Blumen und radieschengarnierte Wurstbrote verkaufen, Taxifahrern mit blankgeputzten rostigen Karossen, von lächelnden Germanistikstudentinnen im Sonntagsstaat, jungen Männern in Lederjacken, die grusinischen Kognak, Bernsteinketten und deutsche Militaria feilbieten und die (nicht sehr gefragten) Liebesdienste junger Frauen. Kinder jeden Alters fuchteln den Gästen mit Postkartenbündeln vor den Nasen herum. «Alt-Kenigsbjerg! Alt-Kenigsbjerg! Nur eine Mark!»

Wiedersehen

Am Morgen zwischen acht und neun geht es im Foyer des Hotels «Kaliningrad» zu wie – ja wie? Für diese Art von Chaos und Geschrei läßt sich kaum ein tauglicher Vergleich finden. Es ist die Zeit zwischen einer meist schlechten Nacht und einem harten, lang ersehnten und gefürchteten Tag. Man wartet aufeinander, teilt sich, wenn jemand neu eintrudelt, die Details über den erbärmlichen oder doch nicht so erbärmlichen Zustand des Hotelzimmers mit. Die schon drei Tage da sind, trösten die Neuankömmlinge, die am späten Abend nach dreitägiger Busfahrt todmüde eingelaufen sind und über «die verfluchten Polen» schimpfen, die ihnen den Riesenumweg über Ogrodniki/Lasdiyai aufzwingen und sie dann noch zwanzig Stunden in der Bruthitze auf Abfertigung warten lassen. Schamlos und verständnisinnig hören Fremde ganz privaten Äußerungen zu. «Ach, wißt ihr, meine Schwester hat noch gesagt: ‹Laß das, Lieschen, du heulst dich kaputt. Was behängst du dich mit der Vergangenheit?› Aber ich kann nicht anders. Wenn ich es nicht täte, wär ich unruhig in alle Ewigkeit.» Die alte Dame und die umstehenden Zuhörer fühlen sich verbunden durch den gewagten Entschluß, daß sie allen Warnungen zum Trotz die Reise in die alte Heimat antreten wollten. Nun sind sie da, und die meisten sind in vertrauter Gesellschaft – von Landsleuten, die sie persönlich kennen. Sie kommen als Stadtgemeinschaft, Kreisgemeinschaft, Dorfgemeinschaft, als Abiturientenjahrgang, Konfirmationsgruppe oder Marinekameradschaft. Fünf Geschwister nebst Cousinen, ein Paar mit seinen Trauzeugen, das am Ort der grünen Hochzeit nun die goldene feiern will, zwei Familien, die sich auf dem Treck begegnet sind und einander das Überleben verdanken. Man reist in alten Bindungen, die im Alltag von heute eine nur noch geringe Rolle spielen. Für diese eine Woche werden sie aktiviert. Unter den Mutigen sind auch einige wenige aus der ehemaligen DDR. Sie wirken etwas selbstsicherer, denn sie sind mit dem Russischen und den chaotischen Unbequemlichkeiten des absterbenden Sozialismus vertraut. Andererseits wissen sie in der Regel weniger über die Geschichte und Heimatkunde Ostpreußens und müssen, was ihnen nicht immer leichtfällt, bei den Westdeutschen dies und das erfragen. Selbst in Kaliningrad gibt es «Ossis» und «Wessis» und die Barriere zwischen ihnen.

Trotz ihres fortgeschrittenen Alters sind die allermeisten so jung, daß sie ihre Geburts- und Wohnorte nur als Kinder kannten. Ihre Erinnerungen stammen aus der Puppenwagen-, Kurzehosen- und Schiefertafelzeit, alles andere haben sie vom Hörensagen der Eltern und Großeltern aufgenommen, viel später, als Anekdote, in familiären Erzählritualen, und nicht selten hatten diese Situationen, wo die Älteren sich in die alte Heimat zurückerzählten, für sie einen unangenehmen Beigeschmack. Denn die Jungen waren damit beschäftigt und dringend bemüht, sich anzupassen und nicht als Vertriebene aufzufallen. So sind manche Besucher über sich selbst verwundert, wie sehr sie sich nun plötzlich einlassen. «Weißte noch? Planeten-August? Wie wir hinter dem hergezogen sind?» «Planeten-August» war ein verbummelter Oberlehrer, der an den Straßenecken des Stadtteils Sackheim große Volksreden schwang, gespickt mit lateinischen und griechischen Brocken. Das wissen nur die Sackheimer, und in dem Augenblick, da sein komischer Anblick ihnen lebendig vor Augen steht, ist blitzartig klar, daß diese Geschichte nur noch eine Handvoll Leute zum Lachen bringt und bald niemanden mehr.

Gegen neun Uhr brechen alle auf. «Tschüs!» sagen sie im Hamburger Tonfall oder «Alla tschüs!» auf pfälzisch. «Wir gehen heute zu Kant und ins Bernsteinmuseum.» – «Hildegard, kannste für mich im Zoo das Bärenhaus knipsen?» – «Guckt mal, Mädels, so hat die Dolmetscherin es mir erklärt: Dsherdshinskaja aussteigen und dann rechts und wieder rechts.» – «Nö, mir goan net mit. Mir foahrn nach Oschnaggern. Dös kennt ihr Königsberger net. Dös isch anne Grenz zu Litauen. ‹Oschka›, die Ziege, ‹nugara›, der Bergrücken, also mir han auf dem ‹Ziegenrücken› g'wohnt.» Viele bleiben nicht in der Stadt, sondern fahren auf die Dörfer. Sie zeigen ihrem Taxifahrer eine selbstgefertigte Wegeskizze, und weil es zu wenige Dolmetscher gibt, haben sie einen russisch geschriebenen Zettel dabei, den sie für den Fall des Falles vorzeigen können. Darauf steht: «Wir haben früher in diesem Haus gewohnt. Wir kommen in friedlicher Absicht und möchten ein bißchen schauen.»

Ein Paar bleibt zurück im Foyer. Die Frau geht noch mal ins Zimmer, etwas Vergessenes zu holen. Der Mann, ein Siebziger in grauen Bundhosen, blickt suchend um sich und wendet sich – niemand sonst ist da – an mich. Geht ihm die plötzliche Stille auf die Nerven oder ist er erleichtert, das Geschrei los zu sein? Er fängt einfach an zu reden: «So hab ich es mir doch nicht vorgestellt. Das Gras wächst die Stufen hoch bis inne Küche. Ich hatte ja eigentlich kein Zuhause. Wir waren ‹Leute›, das werden Sie nicht mehr kennen, so was. Deputant war mein Vater, beim Grafen S. Dem sein Herrenhaus ist weg, das ist ja klar. Das mochten die Sowjets nicht. Nur das Inspektorhaus steht, da guckt ne Birke aus dem Fenster. Wir hatten doch nichts, damals. 37 Mark, soviel kriegte mein Vater, Getreide und Kartoffeln. Bei fünf Kinders, in zwei Zimmers mit sieben Leute! Wo die heute so wenig Wohnraum haben, warum haben die alles weggerissen? Bei uns inne Ecke ist nichts mehr. In zehn Jahren ist da Wildnis. Wir haben ja nach dem Krieg auch mit nichts angefangen. Behelfsheime, Hunger, davor Gefangenschaft, drei Jahre beim Ami, Holzfällen und dünne Suppe. Kriege sollten nicht sein. Was soll das in Jugoslawien? Die sind doch verrückt. Ich hab Schmied gelernt, Huf- und Wagenschmied. Da konnt ich im Westen aufe Zeche anfangen. Fast alle sind aufe Zeche gekommen, aber unter Tage. Ich hatte ein Loch im Kopf, da brauchte ich nicht. Ich durfte die Geräte der Bergleute reparieren, Pickel undsoweiter. Die Bergmannssiedlung in Gladbeck war so ähnlich wie die beim Grafen. Alles in Reih und Glied gestanden, die Häuser, nur besser, mehr Platz und Sanitäres. Ich komm nicht mehr her. Ich bin geheilt. Was soll das? Alles hab ich gesehen. Das Gras wächst, das weiß ich jetzt. Abends zwischen sieben und acht sind wir immer schwimmen gegangen im Pregel. Heute angeln sie da noch. Wir Bergleute haben auch geangelt im Westen. Jeder dritte hatte einen Angelschein. Forellen ausgesetzt, Köder rein – das war natürlich anders als in Ostpreußen. Dort gab es alles von der Natur. Im Hotel gibt es Sardinen zum Frühstück.

Am Morgen! Ist das nicht furchtbar? Ich bin schon siebzig. Noch mal komme ich nicht. Ich bin geheilt, ich will noch leben.»

Der Mann ist ein eher wortkarger Typ. So erlebe ich es über Wochen jeden Tag. Sobald ein Mensch aus der Gruppe herausfällt aus irgendeinem Grund, fängt er an zu erzählen. Ich habe kein Tonband dabei, das verbietet die Situation, sondern schreibe die Geschichten aus dem Gedächtnis auf. Mich beeindruckt vor allem die Weise des Sprechens, *wie* die Worte fallen. Darin formt sich ein Lebenslauf neu, neue Verwirrung und neue Klarheit werden in eine ungewöhnliche, nicht selten poetische Sprache gekleidet. Die Adressatin bin nicht ich, die Betreffenden reden zu sich selbst.

Monolog eines Mannes, am Abend in der Hotelbar: «Ich war zu Hause heute. Also da wo, wissen Sie, wo Albehnen liegt? Zwölf Kilometer von hier. Gestern bin ich durchgefahren. Immer am Haff längs, und plötzlich steh ich vor der Kirche von Brandenburg, also vor dem Stumpf von dem Turm natürlich. Zu weit! Wo ist das Dorf? Heut hab ich es gefunden. Es ist nicht mehr da. In Heimatkunde, wissen Sie, war ich nicht gut. Grundmoräne, Endmoräne, Urstromtal, daran kann ich mich entsinnen. Ich war siebzehn, als wir rausmußten. Ich sag nichts mehr gegen die langweilige Heimatkunde. Die Endmoräne, der Hügel, da stand das Elternhaus. Die Drainage, da begann das Feld. Denken Sie, mittendrin seh ich eine Ölpumpe! Auf dem Acker meines Vaters! Fünfzig Meter von der Reichsstraße 1! Alles hab ich gefunden. Es ist nichts mehr zu sehen. Links das Öl, rechts ein Feld. Luzerne, so hoch.» Er springt auf und zeichnet eine Linie auf Höhe der Brust. «Der Taxifahrer, ein russischer Major, hat das Foto gemacht. Ich in die Luzerne bis hier. So fruchtbar war das Land meines Vaters. Keine Grundmauern, nichts. Kein Brunnen, nichts. Von fünfzehn Bauerndörfern in der ganzen Umgebung nichts. Aber ich hab alles gefunden. Einen Ziegel zum Beispiel, da steht ‹Cadienen› drauf, daraus war unser Haus gemacht. Der Ententeich – früher war er doppelt so groß. Die Russen holen da Wasser für ihre Schrebergärten. Fünfzig Meter zurück, da war ne Röhre unter der Reichsstraße 1, wo wir als Kinder durchgekrochen sind. Ich also durch die Brennesseln. Sie ist noch da. Alles ist noch da. Auch die Kiesgrube, wo wir im Winter Ski gelaufen sind. Der Wald, wo wir ‹Räuber und Soldat› gespielt haben. Da staunen Sie, das hab ich alles gefunden. Ich ahnte, daß nichts mehr steht. Wie sollte man am Rand des Sowjetischen Reiches Bauerndörfer finden, und schon gar deutsche. Weg, das ist doch logisch. Ich war vorbereitet. Heute fiel mir das Lied ein, kennen Sie das? ‹Nach der Heimat kam ich wieder,/ alles hab ich mir besehen,/als ein Fremder auf und nieder/ mußt ich durch die Straßen gehen./Die alten Straßen noch,/ die alten Häuser noch,/die alten Freunde noch,/die sind nicht mehr.› So ist das geschrieben, vor langer Zeit, die Stimmung und alles paßt. ‹Auf dem Friedhof angekommen, hab ich manchen Freund erkannt, und an einem Leichensteine spürt ich eine leise Hand.› Das ist ja heute nicht mehr, die Friedhöfe sind weg. Es gibt noch eine Straße, fragen Sie nicht, sie fällt mir nicht mehr ein. Auf der Balga war ich natürlich auch. Da steht doch nur noch die Vorburg. Die Hauptburg ist abgestürzt ins Haff, schon seit dem 15. Jahrhundert geht die koppheister. Als ich jung war, stand da noch der dicke Turm. Da war mein Name eingeritzt und der meines Vaters und meines Großvaters und meines Urgroßvaters. Der Turm ist fast weg. Auf den Grundmauern stehen russische Namen. Die machen das genauso wie wir. Die wollen sich auch verewigen. Die Steilküste bricht seit Jahrhunderten. Wissen Sie, daß die Ritter ihre Klos über dem Haff hatten? Die schissen, und es fiel herunter. Sehr praktisch, Entsorgung sagt man dafür heute. Ich bin ja schon über die Heimat geflogen, von Hannover aus. Das Frische Haff konnte ich sehen, sonst nichts. Schön, sehr schön. Heute war ein Fotografierwetter – wie früher. Geknipst haben wir damals nicht, nein. Aber heute, fünfzig, sechzig Bilder in alle Richtungen. Ich hätte den Sonnenuntergang filmen müssen. Doch was ist? Im Hotel ist Abendessen! Wie die Sonne versinkt, der große Ball über Pillau. Das Gold verströmt im Haff und ergießt sich bis zu den Füßen. So war das. Meine Frau ist aus Hinterpommern, die versteht mich. Aber das glaubt sie nicht, wie das Gold um die Füße spielt. Italien, Spanien, das ist nichts dagegen. Das glaubt mir keiner. Als ich ankam hier, hab ich nicht geschlafen, die ganze Nacht. Jetzt hab ich es gesehen, und jetzt kann ich schlafen. Man denkt ja auch an andere Dinge natürlich. Ich hab nichts gegen die Russen. Sie sind so freundlich. Ich würde jeden einladen zu mir nach Hause. Aber nicht reden. 25 Grad Kälte war, als wir über das Frische Haff flohen. Die Großeltern sind dageblieben, verhungert, sagt man. Was wußte der Russe von meinen Großeltern? Der Großvater sprach doch gut Russisch! Vor dem Ersten Weltkrieg war er Lehrer, und er verdiente so wenig, der arme Teufel, da hat er sich werben lassen für die privaten Schulen der Deutschen in der Ukraine. Russische Lehrerprüfung gemacht, natürlich. Hat unterrichtet, mußte Gottesdienst machen, Trauungen, Konfirmation, Beerdigung. Wie ein kleiner König lebte er. Ein-, zweimal im Jahr kam der Pfarrer aus Riga oder Schitomir und hat nach dem Rechten gesehen. Mein Vater und seine Schwestern sind dort aufgewachsen. Mein Vater hat das immer erzählt, wie gut sie es hatten. Er war bei russischen Bauern, fremde Leute, mit dreizehn schon hat er da gearbeitet. Nachts bei die Melonen gewacht, wie ein Sohn war er. Am Ende des Ersten Weltkriegs, wo es so unruhig war, sind sie geflohen. Mit dem Panjewagen, immer die Eisenbahnschienen entlang. Viele Monate, wie die Zigeuner. Bis Königsberg sind sie gefahren. Da hat mein Vater meine Mutter kennengelernt und geheiratet. Die Familie von ihr saß schon seit fünfzehnhundertundnochwas in Albehnen, ich hab die Dokumente. Zwölf Hektar und noch mal soviel gepachtet. Nicht viel, so war das in Ostpreußen. Und davon mußten wir weg. Mein Vater, der kannte doch die Russen, der war deswegen auf der Flucht auch so ruhig. Er hat nicht glauben wollen, daß ein Volk sich so verwildern kann. Sie müssen wissen, was meinen Schwestern und Tanten geschah. Das waren Tiere! Nicht die Alten, die Jungen. Bestien, kaum größer als ihr Gewehr. Am Lagerfeuer, die Frauen ausgezogen, Musik, sie sollten tanzen die ganze Nacht. Die Tanten kamen nach Hannover mit Syphilis und sind gestorben mit 26 und 30, weil sie nicht mehr leben wollten. Mit mir hat das Schicksal es gut gemeint. Ich kann nicht klagen. Wir kamen in Schleswig-Holstein an. Ich sollte den Hof erben, aber das war ja nichts mehr. Also Lehre als Maurer, solche Leute brauchte man damals. Und als die Umsiedlung war, im Norden waren ja zu viele Flüchtlinge damals, die saßen doch alle auf einem Drubbel, da sind wir mit vielen anderen an die Schweizer Grenze. Meisterprüfung, neun Jahre Polier in der Schweiz, ich hab gut verdient. Dann hab ich dreißig Jahre ein Baugeschäft gehabt. Ein Häuschen, mir geht es gut. Einmal eben wollte ich es sehen. Ein Abschiedsbesuch, würde ich sagen. Vielleicht fahr ich mal nach Nidden in Urlaub. Das ist in Litauen, ganz schön und bequem. Und dann mach ich von dort noch mal einen Abstecher nach Albehnen. Vielleicht mit der Tochter und dem Schwiegersohn. Der ist Südtiroler, spricht aber gut Deutsch. Wissen Sie, wo Bozen liegt? Wenn ich den Sonnenuntergang gefilmt hätte, sie würden sofort kommen. So kurz vor Mittsommer sind die Tage lang. Ich versteh, so lang kann das Hotel mit dem Abendessen nicht warten.»

Es geht um vieles bei diesen Reisen. Nur um eines nicht: die Rückkehr nach Ostpreußen. Sie wußten längst, daß das Verlorene endgültig verloren ist und sie im Gesamt des 20. Jahrhunderts eher auf der Siegerseite stehen. Was sie suchen, sind die losen Enden ihrer Biographie. Einen Bogen, einen Sinn, der das Davonkommen und das Davor und das Danach irgendwie zusammenbindet. Von größtem Interesse sind Geschichten wie diese: Ein Mann hat auf dem Dachboden des elterlichen Hauses ein Buch gefunden, das er vor 48 Jahren dort versteckt hatte. Ziemlich gut versteckt, denn es war ein erotischer Schmöker und er war erst vierzehn damals. Er zeigt das Buch mit den geknifften Ohren und die Seite, auf der er aufgehört hat zu lesen, und alle gucken darauf wie auf das siebente Weltwunder. Am nächsten Abend hat die Begebenheit im ganzen Hotel die Runde gemacht, und die Damen an der Rezeption und die Dejournajas in den Etagen haben sie weitererzählt an die russischen, armenischen und georgischen Gäste.

Glücksritter

«Hier spricht Kenigsbjerg», brüllt der junge Russe, der die Verbindungen schafft, in den Hörer und überreicht ihn freudestrahlend einem deutschen Immobilienmakler. «Goworit Kaliningrad.» – «Hallo, Amerika!» – «Dobry wetscher, Warschawa!» – «Oheiogoseimas, Tokio!» – «Jerewan, poshalnista, Tblissi, Nowgorod...» Die Telefonzentrale im Hotel «Kaliningrad» ist ein winziger, verräucherter Raum. Hier wird eine Weltläufigkeit geübt, die vorerst noch mehr Wunschtraum ist als Wirklichkeit. Die alte Börse, 1991 wiedereröffnet, ist nach ein paar Monaten wieder geschlossen worden. Die «Freihandelszone Bernstein», schon vor zwei Jahren deklariert, existiert bloß auf dem Papier. Dennoch schicken immer wieder Firmen aus dem In- und Ausland ihre Kundschafter her, das Feld zu sondieren. Und da es internationale Telefone nur selten gibt, sind fast alle auf das schäbige Nebenzimmer im Hotel angewiesen. Zwei Tage an diesem Ort, Sprachkenntnisse vorausgesetzt, und man wüßte, was sich an Geschäften tut in Kaliningrad.

Es ist ein offenes Geheimnis: Die größeren, seriösen Unternehmen ziehen in aller Regel unverrichteter Dinge wieder ab. Die Lage im Allgemeinen ist zu unsicher, im Besonderen zu delikat für ein Engagement. Die einzig Entschlossenen sind offenbar Polen und Geschäftsleute aus den ehemaligen mittelasiatischen Sowjetrepubliken, wobei es um Handel geht, nicht um Produktion, und um Immobilien. Auch einige Deutsche sind aktiv, sehr besondere, und wäre die Situation im Oblast stabiler, könnte man sie als «Randfiguren» der Wirtschaftswelt abtun. Hier trifft man echte Revanchisten. Zum Beispiel einen «Außenminister der ostpreußischen Exilregierung», der seine Landsleute im Hotel zu agitieren versucht, Besitzansprüche geltend zu machen und sich dafür in einen Rechtsstreit zu begeben. Oder Firmen, die über russische und rußlanddeutsche Strohmänner Land aufkaufen und deren Vertreter besessen sind von dem Gedanken, daß «deutsches Brot wieder aus dem Osten kommt». Die allen Leuten, auch denen, die es nicht hören wollen, lautstark ihre Ansichten vortragen. «Rußland kann das Gebiet nicht halten, das sag ich Ihnen. Nur noch bis 1995 geht deren Verwaltung, dann sind wir dran. Was glauben Sie, ‹zwei plus vier› ist doch nur zur Beruhigung der Nachbarn geschlossen worden. Ich bin neulich mit dem Militärhubschrauber über Land geflogen, gegen Bakschisch. Anders kriegt man die Russen nicht ans Laufen. Von oben sehen Sie es genau: alles leer, da ist doch niemand. Und bei uns treten sich langsam die Leute tot, und die Gülle stinkt zum Himmel. Jetzt werden die ostpreußischen Bauernenkel kommen, die werden die degenerierten holländischen Landwirte das Fürchten lehren.»

Die Ewiggestrigen sind da, und ihre Unverfrorenheit läßt die meisten der deutschen Besucher vor Scham in den Boden versinken. Aber nicht sie sind die Männer der Stunde. Sondern die Glücksritter, hemdsärmelig, optimistisch, wieselflink. Ungebundene, unideologische Menschen, die nicht nur das Geld, sondern auch das Abenteuer verlockt. Sie sind Verwandte eher des armenischen Kaufmanns, der mit einem Sack voll Rubel durch die ehemalige Sowjetunion reist und ihn auf gut Glück verstreut, als des honorigen Managers der Ferro-Stahl, der in Kaliningrad standesgemäß im ehemaligen Parteihotel der NSDAP Quartier bezogen hat. Der Typ ist im Kommen, überall in Mitteleuropa, und er ist nicht nur erfolgreich, sondern auch imstande, Sympathien, sogar Bewunderung zu gewinnen. Während alle anderen unter der Last und Komplexität der Aufgaben ächzen, entweder den Herkules mimen oder den Lotsen, der resigniert von Bord geht, und wenn ihnen dies verwehrt wird, herumlaufen wie das Leiden Jesu, tänzelt er über die Ruinenfelder der Geschichte und verbreitet charmant Optimismus.

Unter den vielen Tausendsassas, die mir begegnen, ist der netteste ein Rheinländer. «Schampanskoje, Madame?» Die Frage eröffnet eigentlich nicht unser Gespräch, sondern kündigt einen Wasserfall an, der noch am Boden der nächsten Flasche zu sprudeln nicht aufhört. «Ich bin ein Spekulant, Madame. Das ist etwas Herrliches. Sie als Journalistin müßten das wissen. Sie spekulieren doch auch den ganzen Tag über Gott und die Welt, je doller, desto lieber. Da fragt doch keiner, wo Sie Ihre Einfälle herkriegen. Hauptsache, Sie langweilen sich und andere nicht. Angefangen hab ich in Erfurt. Gleich als die Mauer wackelte, bin ich rüber. Büro aufgemacht, Immobilien, Export-Import, Camping. Den ersten Campingplatz hab ich bei Minsk gekauft. Das war ne Raketenbasis, paar Tanks kriegte ich inklusive. Wenn die Touristen kommen, werden sie damit erschreckt. Die werden empfangen mit Getöse, und dann sind sie glücklich, wenn sie selber damit fahren dürfen. Hier bin ich auch schon anderthalb Jahre. Die Leute in Kaliningrad sind besonders unbeleckt. In Weißrußland, da ist noch eine Struktur, hier ist so eine Sammelsuriumgesellschaft. Der reinste Dschungel! Eine Korruption besonderer Art, schlau wie die Füchse und dabei naiv wie die Säuglinge. Chaos und ein Vakuum von Macht – dieser Nachteil hat auch seine Vorteile. Die brauchen Beratung, dringend, sonst geht der ganze Oblast baden. Wissen Sie, was ich gemacht hab an Ostern? Ich wohn an der Loreley, und da gibt es eine alte Sitte. Der Fährmann nach St. Goar nimmt von allen Autos, die rüber wollen, statt Geld ein buntbemaltes Ei. ‹Was machste mit den Eiern?› frag ich. Der stöhnt, der arme Kerl muß sie nach Dienstschluß bei Verwandten rumfahren, in Altenheime undsoweiter. ‹Gib sie mir, ich bring sie nach Königsberg.› Der Mann hat sich gefreut wie ein Schneekönig. Die Eier los und für so einen verrückten Zweck! Also vorsichtig, schön langsam durch Polen, die Zöllner anne Grenze bestochen mit einem Ei, und dann die Adressen aller Waisenhäuser in Königsberg raussuchen lassen. Das war ein Jubel! Das Fernsehen kam, TV Moskau hängte sich noch dran, und die Eier vom Rhein wurden bis Wladiwostok gezeigt. PR vom Feinsten, warum muß Reklame immer teuer sein. Mein Job hier? Ich berate die Stadtverwaltung bei der Privatisierung. Zuerst die Frisöre, das hab ich in Minsk schon mal durchgezogen. Wo gibt es so was, daß am Ende des 20. Jahrhunderts der Staat noch über die Köpfe der Bürger herrscht! Frisöre, dann die Dolmetscher. Die sind wichtig in Kaliningrad wegen der Touristen. Neulich hab ich im Hotel gepfiffen. ‹Dolmetscher zum Einsatz, die Stunde 50 Mark!› Die sprangen nur so herbei und kriegten große Äuglein. ‹Einzige Bedingung›, sag ich, ‹bringt euren Gewerbeschein mit.› Da sahst du nur noch eine Staubwolke. Hier macht doch jeder, was er will. Nächste Woche werden wir sie versammeln in der Uni, dann werden sie in Klassen eingeteilt und bestimmten Tarifen zugeordnet. Und dann muß die Verwaltung gucken, daß sie die Schäfchen kontrolliert. Wenn die Touristen aus Deutschland unbedingt die Phantasiepreise zahlen wollen, da kann man nichts machen. Die Stadt muß langfristig denken lernen. Der Heimwehtourismus läuft sich tot. Noch drei Jahre, dann ist das erledigt. Man rechne die vorhandene Hotelkapazität, eine durchschnittliche Verweildauer von vier Tagen und eine sechsmonatige Saison, na maximal vier Jahre, dann ist das abgefrühstückt. Ich lese das ‹Ostpreußenblatt› neuerdings – wegen der Immobilienanzeigen. Aber diese Geschichten mit den Trecks und den untergehenden Schiffen, die kann doch heutzutage kein Mensch mehr ab. Ich bin Experte für Immobilien, das ist mein Hobby. Nur ist das noch schwierig hier. Natürlich gibt es jede Menge Anzeigen in der

Kaliningrader ‹Prawda›. Aber wenn du da anrufst und fragst, dann sind die völlig entgeistert. Die denken, ich leg einfach die Dollar auf den Tisch. Gibt es eine Grundbucheintragung? Nein! Wer trägt die Erschließungskosten? Was ist denn das? Eigentumssicherheiten, Vertragsrecht, Erbrecht? Nie gehört! Jetzt verkaufen sie jede Menge Gebäude, aber ohne die Grundstücke. So ein Quatsch, kein Ausländer geht so ein Risiko ein. Oder denken Sie an die Streupflicht, Sie haben ein Haus, und vor der Tür muß der Staat im Winter die Asche austragen. Absurd! Kaufen tun nur reiche Russen und Polen. Die Polen müssen ja irgendwohin mit den Rubeln, die sie auf dem Schwarzmarkt verdienen, und die Russen bringen ihr Geld aus den Krisengebieten in Sicherheit. Wissen Sie, wie? Da erwirbt ein Aserbeidschaner für vierzig Millionen Rubel von einem Betrieb eine ganze Siedlung. Geht zum Notar, läßt sich den Kauf beglaubigen und reist wieder ab. Kein Mensch erfährt davon. Der Staat kassiert keine Steuern dafür, keiner weiß, wo das Geld herkommt. Erklär mal der Obrigkeit, daß hinter jedem Notarvertrag die Steuerfahndung hersein muß. Aber die Verwaltung hängt ja selbst mit drin. Ich kenne sie alle, die Brüder. Da ist keiner umgekommen von den alten Kommunisten. Die haben alle Immobilien beiseite geschafft. Unsereins muß erst mal die Bedingungen schaffen, die Sicherhciten. Das hab ich denen auch im Kaliningrader Fernsehen gesagt, die haben jetzt auch so eine Talk-Show. Wenn ihr die Immobilien nicht ordentlich zur Handelsware macht, dann hofft ihr vergeblich auf Devisen. Spekulanten aller Länder vereinigt euch, kommt in das Hongkong des Nordens! Das ist die Devise. Mütterchen Rußland in die Hände von Japanern, warum denn nicht! Ich habe alle Unterlagen von Ostpreußen. Wo gute Böden sind, wo schlechte, auch mit den Bodenschätzen. Ich war mal mit einem Historiker unterwegs, einem Dr. K. Der ist interessiert an Bodenschätzen, er hat eine Firma. Der kannte sich aus! Der wußte genau, da hinter der nächsten Biegung ist Trakehnen. Von Kultur hab ich keinen Schimmer. Kennen Sie den Heinrich Böll? Den mag ich, obwohl, gelesen hab ich nie was. Ich bin ne schwarze Socke, wie man in Erfurt sagt, aber solche Leute mag ich. Also wie ich mit dem Dr. K. zum erstenmal über die Memel gefahren bin, über die Luisenbrücke, da hat er von Tilsit gesprochen. Ich hab nicht richtig zugehört. Dreißig Kilometer weiter geht mir ein Licht auf. Tilsiter Käse! Hoppla, mein Gott, den kenn ich doch vom Aldi! Ich mach nämlich die Auslandsvertretung für Aldi, übrigens auch für Otto-Versand, ich verteil schon mal die Kataloge. Tilsiter Käse! Zurück marsch, marsch! Rein in die nächste Molkerei, und in einer Stunde war der Vertrag fertig. Zehn Tonnen pro Jahr, im Gegenzug moderne Maschinen. Wichtig ist, daß da draufsteht ‹Tilsiter Käse aus Ostpreußen›. Das schwerste ist, den in die EG reinzuschleusen. Das wird schon klappen. Wissen Sie, was mein Hobby ist? Ich bin Verkleidungskünstler. Seit dreißig Jahren mach ich das. Meine Lieblingsrolle ist der Bahnhofspenner. Da bin ich perfekt, da erkennt mich keiner. Im Bahnhof können se Sachen erfahren, da denken Sie, die Welt ist aus den Fugen.»

Jerusalem

Vor dem Eingang des Hotels «Kaliningrad» liegt reglos ein mittelgroßer gelber Hund. Er schläft auf kaltem Stein, in der Morgenfrühe, seelenruhig, obwohl alle paar Sekunden die Tür knallt wie ein Pistolenschuß. Die heraustretenden Touristen sammeln sich um ihn. Atmet der überhaupt? Kein Mucks ist zu hören, kein Anzeichen zu sehen, daß das Herz pocht. Er muß tot sein, kein Hund mit einem normalen Verstand würde sich an einem solch kalten, turbulenten Ort zum Schlummern legen. Aber wie kann man einen toten Hund einfach vor einem Hotel liegenlassen? Die Deutschen schütteln die Köpfe, wie wenn sie sagen wollten: In dieser Stadt ist alles möglich.

Ich bin Teil der Menschentraube – unter Landsleuten, in derselben beklemmenden Stimmung. Als der Hund aufspringt und alle lachend auseinanderstieben, fällt mir ein Paar auf, das die Szene aus der Distanz beobachtet. Amerikaner! denke ich zuerst. Doch schon im Gehen und bevor ich sie auf englisch nach der Uhrzeit frage und sie mir auf englisch antworten, weiß ich es genau. Es ist die Weise, wie sie mich anschauen – ich kenne diesen Blick aus Israel. Viele Male, im Bus oder auf der Straße, vor allem in Tel Aviv oder Jerusalem, in den großen Städten, wo man normalerweise kaum noch in Blickkontakt gerät, habe ich es bemerkt oder auch nur gespürt, jenes seltsame melancholische Interesse, das sich mir bis heute nie völlig enträtselt hat. Ein alter deutscher Jude, eine Jüdin aus Europa heften sich für Augenblicke an eine Frau, in der sie eine Deutsche vermuten und die einer «anderen» Generation angehört. Die sie an etwas erinnert, an etwas Schönes und Vertrautes, das sie gewohnt sind wegzuschieben, weil zwischen dieser Jugend andernorts und Israel die «Endlösung» steht. Die Begegnung der Augen fordert selten auf zu einem Gespräch, beinhaltet eher im Gegenteil das Einverständnis, daß Worte nur zu Verlegenheiten führen würden.

Heinrich und Alija C. sind aus Haifa. Er ein gebürtiger Königsberger, sie eine Wilnaerin polnischer Muttersprache, sie sind schon zwei Wochen in der Stadt. Kaliningrad ist nicht das Heilige Land, sondern ein Ort, an dem man Tabus entwischen kann. Wie, frage ich fast ohne Scheu, kommt der Mensch aus dem Nahen Osten in den soeben erst geöffneten Kaliningradskaja Oblast? Heinrich C. hat in deutschen Zeitungen über Monate die Veränderungen der Lage beobachtet. Der leichteste Weg, nach Frankfurt zu fliegen und sich einer deutschen Reisegruppe anzuschließen, kam für sie nicht in Frage. Nicht so sehr, weil sie den Antisemitismus der Mitreisenden fürchteten, sondern weil sie nicht wußten, was sie mit ihnen hätten reden sollen. Sie wollten nicht aus der Nähe erleben, wie diese über ihre verlorene Heimat trauern, und sich nicht Fragen aussetzen, wo denn sie gewohnt und wie sie die Flucht überstanden hätten. So gingen sie einen eigenen Weg, schrieben an die jüdische Gemeinde Kaliningrad und baten um eine Einladung. Das dauerte, selbst die Flugroute auszutüfteln war eine Wissenschaft. Als es endlich soweit war, erzählten sie Nachbarn und Bekannten, sie führen «nach Rußland», russische Juden zu besuchen. Die Wahrheit, daß sie nach der alten Heimat wollten, teilten sie nur der Familie und engsten Freunden mit. Anderen wäre sie nur schwer verständlich zu machen, gerade jetzt, wo die Wiedervereinigung und besonders die unglückselige Rolle der deutschen Rüstungsindustrie im Golfkrieg in Israel alte Ängste wiederbelebt hat.

Wir flüchten uns, weil es zu regnen beginnt, in das Kellercafé des Hotels. Dort trinken wir endlos Tee. Die Kakerlaken laufen über Tische und Wände, und wir reden und reden. Über das jüdische Königsberg und das jüdische Wilno und wie erstaunlich es ist, daß so nah beieinander zwei so verschiedene Städte existiert haben. «Imagine, only 350 kilometers between them. I did not realize this before.» Beide waren noch halbe Kinder, als sie ihre Stadt verließen. Heinrich C. stammt aus einer assimilierten, deutschnationalen Familie, die gerade mal an Pessach in die Synagoge ging. Der Vater, ein kleiner Verwaltungsangestellter, war stolzer Träger des Eisernen Kreuzes, die Mutter arbeitete als Krankenschwester in einem evangelischen Hospital. Über dem Kanapee in Maraunenhof hing ein Porträt des «Vaters der Judenemanzipation», Moses Mendelssohn. Königsbergs jüdische Welt war klein, 4000 Bürger mosaischen Glaubens unter insgesamt 360000 Stadtbewohnern, und wie viele seiner Altersgenossen wußte Heinrich C. von der Tradition und den vielen Schattierungen und Gruppierungen des Judentums fast nichts. Der Schock von 1933 war groß, noch im Frühjahr zogen die Cs. zu Verwandten nach Berlin, tauchten in der Anonymität der Millionenstadt unter. Heinrich C. war damals zwölf. Er konnte gerade noch die mittlere Reife machen, dann nahm ein fürsorglicher Onkel den Widerstrebenden mit nach Palästina. Seine Eltern, die Deutschland nicht verlassen mochten, hat er nicht wiedergesehen.

Alija C. dagegen war Zionistin, gewissermaßen von Geburt an. Ihre Eltern träumten vom gelobten «Erez Israel» und gaben der Tochter den Vornamen «Einwanderung» (Alija). Im bürgerlichen Wohnzimmer hing ein Bild von Theodor Herzl, und obwohl der Vater einen gutgehenden, traditionsreichen Gamaschenhandel betrieb, war er mit Leib und Seele Sozialist. Er ärgerte sich nicht nur, wenn seine polnischen Arbeiter Pfusch ablieferten, sondern auch wenn sie ihre Rechte nicht vehement genug vertraten. Vielleicht war das der Grund, daß die Familie niemals Anstalten machte, sich selbst der «Alija» anzuschließen. Ihr Wilno war das «litauische Jerusalem», eine zur guten Hälfte jüdische Stadt. Mit der anderen, der polnisch-katholischen, kamen sie gut aus – gewohnheitsmäßig und nicht zuletzt wegen des sozialistischen Internationalismus. Die Zeit der Pogrome war längst vorbei, warum sollte ein Patrizier, der seine Stadt und das 20. Jahrhundert hinter sich wußte, alles aufgeben, um in der Wüste Palästinas Orangenbäume zu pflanzen? Alija hat, obwohl sie noch ein Mädchen war, die ostjüdische Welt von Wilno ziemlich gut gekannt. Die Geschäfte des Vaters brachten auch fromme Leute ins Haus, auf dem Rückweg von der Schule bummelte sie neugierig durch die Viertel der armen Chassidim, steckte ihren Kopf in die Hinterhöfe und Betstuben, schnappte Jiddisches und Hebräisches auf. Sie war elf, als 1940 die Rote Armee Wilno besetzte und den Besitz der Familie enteignete. Am 14. Juni 1941 wurde sie in einen Viehwaggon geladen und in den Altai deportiert. Der jüngere Bruder blieb auf Rat eines mitleidigen Offiziers bei den Großeltern zurück. Es sei «zu kalt dort» für kleine Kinder. Wegen der Kälte und weil nach Ausbruch des Krieges sich keiner mehr um sie kümmerte, zogen die Deportierten nach Samarkand weiter. Sie überstanden Hunger und Skorbut, doch das Schlimmste stand erst im Frieden bevor. Im Dezember 1945, bei ihrer Rückkehr nach Wilno, erfuhren sie, was geschehen war. Mehr als 90 % der Juden von Wilno waren von deutscher SS und litauischen Sondereinheiten ermordet worden. Auch der vierjährige Bruder, auch die Großeltern, Tanten, Onkel, Vettern und Cousinen – erschossen in einem Wäldchen vor der Stadt, «Ponary» heißt der Platz. Über Lodz, wo sie noch zehn Monate Zwischenstation machten und als letzte Erfahrung in Europa den Antisemitismus der Polen zu spüren bekamen, reisten die Überlebenden nach Palästina aus. In einem Kibbuz in Judäa, mitten im Unabhängigkeitskrieg, lernten die Wilnaerin und der Königsberger sich kennen. Es ging um Israel, die Zukunft. Das Herkommen und das Davor traten völlig zurück. Heute erst realisieren Heinrich und Alija C. in der ganzen Bedeutung, wie nah geographisch und einander wesensfremd die Milieus waren, die sie prägten.

Israel – Kaliningrad – Wilno – Königsberg: an diesem Tag in dem Kakerlakencafé entkomme ich zum erstenmal seit Wochen der deutsch-sowjetischen Tragödie und gewinne aus dem Abstand neue Perspektiven. Wir diskutieren uns durch die Geschichte der multiethnischen mitteleuropäischen Region und über zwei Kontinente, mit Hilfe und im Schutz einer Fremdsprache. «How could it happen, wie konnte es passieren», ereifert sich Alija C., «daß das Kaliningrader Gebiet nicht florierte? Die hatten doch bessere Voraussetzungen hier als wir im Orient. Beide Gebiete sind klein, beide waren im Grunde nichts als große Flüchtlingslager, eine Ansammlung von Alpträumen, unnormal in fast jeder Hinsicht. Man muß doch zum Boden eine Beziehung aufnehmen. Der Boden ist für die Wirtschaft das Wichtigste, für die Legitimation der Politik, und die körperliche Arbeit für die Seelen. Sozialisten sind doch Materialisten und Erzieher.» Ihr Unverständnis ist das einer Israelin, die sich im Kibbuz eingewöhnte. Ihre Empörung die einer Sozialistin, der in diesen Tagen hier die letzten Reste eines Glaubens abhanden kommen. «Nirgends», bestätigt ihr Mann, «nirgends kann man noch ein Beispiel finden, wo der Sozialismus die großartige Idee auch nur annähernd verwirklicht hätte.»

Heinrich C., von Beruf Schiffsingenieur, hat fast alle Länder der Erde gesehen und mehr Zeit auf den Meeren zugebracht als in Israel. «Der Unterschied zwischen hier und dort ist: das Buch. Die geistige Kraft, die ein Volk nach 2000 Jahren der Diaspora noch eint und wieder zusammenführt. Wie unser sozialistischer Freund Heinrich Heine sagte: ‹Der Talmud ist das portative Vaterland.› Für den Juden sind Flucht und Vertreibung Teil seines Selbst. Mit dem Exodus reißt die Tradition nicht ab, ganz im Gegenteil. Abraham lebt glücklich in der sumerischen Zivilisation, und plötzlich bricht er damit und verzichtet auf einen dauernden Wohnsitz. ‹Ziehe hinweg aus deinem Vaterlande›, das ist positiv gemeint, das Nomadische ist zu bejahen. Das jüdische Volk wird durch den Exodus zum Volk. Es hatte als Fixpunkt immer schon die Katastrophe. Dazu gibt es keine historischen Parallelen, insofern befindet sich der Staat Israel außerhalb der Geschichte. Überall sonst ist die Wurzellosigkeit ein Grund der Auflösung. Die Leute, die hier zusammengelaufen sind, bleiben Zusammengelaufene.» Was «dort», in Israel, geschehen ist, ist ihm «hier» klargeworden wie nie. Er spricht von einem Buch, das er erst spät im Leben gelesen hat und an dessen Kraft er erst glauben lernte, als andere Überzeugungen, eine nach der anderen, verlorengingen. «Nur das Buch, nur das und nichts weiter.» Diese Erkenntnis ist weniger späte Bekehrung als Ausdruck einer fürchterlichen Desillusionierung. Bis auf das Buch, auf das Israels Existenz gründet, haben sich alle Träume zerschlagen. Von der gerechten sozialen Ordnung, vom Zusammenleben mit den arabischen Nachbarn, vom Fortschritt, der sich mehrt in jeder Generation. Ohne das Buch allerdings wäre, dafür gilt ihm der Kaliningradskaja Oblast als drastischer Beweis, das jüdische Siedlungsprojekt kein Staat geworden.

Israel, immer wieder Israel. «Was haben wir an Israel und was hat es uns gewonnen?» Vor dem Hintergrund Kaliningrads erscheint es heller. Vor dem Hintergrund Königsbergs dunkler. Am Ort der Kindheit vollzieht Heinrich C. nach, was er an Identität zurückgelassen hat und verdrängen mußte. Er war keiner von den Jeckes (deutschen Juden), wie sie in der Nachbarschaft am Berg Carmel zuhauf leben, für die das Deutsche noch nach fünfzig Jahren das Maß aller Dinge ist und die sich sträubten gegen die hebräische Sprache und den Wind des Orients. Nicht umsonst liebte er eine Ostjüdin, und schon um derentwillen durfte er das Besondere seiner Geschichte nicht übertreiben. Und in jungen Jahren, im Kibbuz in Judäa, als Soldat der Hagana, als Ingenieurstudent in Tel Aviv, hat er sich gern eingepaßt in die neue Welt und ihre Überlebensgesetze. Mit dem Älterwerden erst kam die Königsberger und Berliner Zeit zurück und, je weiter sich Israel von seinen Idealen entfernte, eine Bitterkeit dazu. War der Preis nicht zu hoch gewesen? Hatte man in Israel über die historische Notwendigkeit hinaus die tausend Vergangenheiten der Juden und besonders die der deutschen nicht zu sehr weggedrückt? Den Bogen ins Totalitäre überspannt und die nächste und übernächste Generation mit einem heroisch vereinheitlichten Judentum und Konsumgütern abgespeist?

«Wir sind einsam in Israel.» Sagt er das oder sie? Und doch kehrten sie am liebsten gleich heute nach Haifa zurück. «Ab sofort werden wir nur noch zum Vergnügen verreisen», schwören sie im Duett. Dieser Tag in Kaliningrad *ist* ein überwiegend vergnügter. Deshalb wohl kam unsere Begegnung zustande: weil wir Lust hatten, uns ernsthaft zu amüsieren, und seit ewigen Zeiten niemanden mehr getroffen hatten, mit dem wir das dazu notwendige Minimum an Selbstverständlichkeiten teilten. Ein Tag ohne «Kaliningrad-Blues». «Le chaim», es lebe das Leben! Wir strolchen durch die Geschäfte und kaufen Bernstein («Der ist ewig», meint Heinrich C.), und gegen Abend entführe ich die beiden nach «Jerusalem». Das ist eine Anhöhe im Südosten der Stadt, früher die letzte Straßenbahnhaltestelle nach «Zeughaus» und «Kaserne», die ihren Namen aus der Ordenszeit hat. Dorthin begaben sich die Ritter ersatzweise – da sie nach dem Verlust des Heiligen Grabes nicht, wie eigentlich vorgeschrieben, nach dem wirklichen Jerusalem wallfahrten konnten.

Danach folgen wir der Einladung der jüdischen Gemeinde Kaliningrad und hören in der Turnhalle einer Schule dem neuen Kinderchor zu. Er ist das schon am weitesten eingeübte «Stück» jüdischer Wiedergeburt. 3000 vorwiegend russische Juden leben in der Stadt, die meisten schon lange, relativ unbehelligt von Antisemitismus, aber auch ohne Tradition. Manche sitzen auf gepackten Koffern und warten auf die Ausreise nach Israel. Die Mehrheit wartet ab, und eine Minderheit will sich mehr oder weniger autodidaktisch die Kultur und Religion der Ahnen zurückerobern. Zur Zeit kämpft man mit der Stadtverwaltung um die Freigabe eines verrotteten Kinogebäudes, das als Synagoge umgebaut werden soll. Mit der anderen Hälfte seiner Energie betreibt der Vorsitzende eine Art Reisebüro für die Juden der ganzen Ex-Sowjetunion. Über Kaliningrad werden vor allem Busreisen nach Westeuropa abgewickelt, temporäre, wie musikalische Gastspiele, oder die Auswanderung derer, die nicht nach Israel wollen, sondern zum Beispiel nach Berlin. Bis hierher, zum westlichsten Punkt Rußlands, kann man sich mit Rubeln fortbewegen. Von hier aus ist die Strecke, die in Devisen bezahlt werden muß, am kürzesten.

Vierzehn Tage später erhalte ich einen Brief aus dem litauischen Vilnius. «Wilno, im Juni 1992. Sehr geehrte Frau Ulla! Bitte, halten Sie uns nicht für verrückt. Aber wir haben uns in Kaliningrad wohler gefühlt als hier. Heinrich hat in seiner Stadt kaum etwas gefunden, was ihn an Königsberg erinnert. Das ist nichts gegen die Grausamkeit, die der Besuch in Wilno bedeutet. Wilno ist so schön, erscheint unversehrt. Wenn wir am Abend durch die Gassen gehen und auf die barocken Kirchtürme noch Sonne fällt und fast keiner unterwegs ist, kommt es mir vor, wie wenn die Zeit stillstünde. An jeder Ecke wird es lebendig. Hier hab ich meinem Bruder Eis gekauft, Onkels Tabakladen, da ein Fenster, die Wohnung der Schulfreundin. Alle Einzelheiten sind da. Auch das andere, was man mir erzählt hat. Die Rinnsteine, wo das Blut floß. Die Altstadt, überall war, haben die Überlebenden gesagt, das Schlachthaus. Ich habe die Morde ja nicht gesehen. Dieser Horror ist... (Es folgen zwei unleserliche Wörter.) Menschenleer, nur der Körper der Stadt lebt. Und die, die heute da wohnen, sind mitschuldig an der Ermordung der Juden und der Vertreibung der Polen, und sie tun so, als wenn Wilno immer schon ihnen gehörte. In Kaliningrad konnte ich mit den Bewohnern sprechen, sie beanspruchen keine Beziehung zu der Stadt. Bei den Litauern bleibt mir das Wort im Halse stecken. Ich schaue durch sie hindurch, wie wenn sie nicht existieren würden. Manchmal schäme ich mich deswegen. Vielleicht würde ich ihnen leichter verzeihen, wenn sie sagen würden, sie haben die Stadt usurpiert. Aber sie wollen es nicht wahrhaben. Wenn ich auf russisch oder polnisch nach dem Weg frage, wenden sie sich brüsk ab. Die Straßen heißen nach mittelalterlichen Großfürsten, überall nationale Fahnen. Wilno war niemals die Stadt nur einer Nation. Das Jerusalem des Ostens ist tot, nicht weniger als Königsberg. In Kaliningrad sind die Menschen und die Mauern neu. Für Heinrich ist alles Vergangene nur im Kopf da. Das ist leichter. Morgen fliegen wir nach Moskau, dann ist alles vorbei. Auf Wiedersehen in Haifa. Le chaim. Ihre Alija C.»

Der «Kenig» am Bernsteinmeer

«Wirklichkeit und Verläßlichkeit der Welt beruhen darauf, daß die uns umgebenden Dinge eine größere Dauerhaftigkeit haben als die Tätigkeit, die sie hervorbrachte, und daß diese Dauerhaftigkeit sogar das Leben ihrer Erzeuger überdauern kann.»

Hannah Arendt über
«Die Dinghaftigkeit der Welt»

Während des Putsches im August 1991 haben die Städte der Sowjetunion ihr Gesicht gezeigt. Leningrad, zum Beispiel, die Ostseeschöne, hat sich in diesen Tagen und Nächten den historischen Raum zurückerobert – durch Barrikaden, Demonstrationen und besonnene klare Worte. Es hat sich zu Sankt Petersburg bekannt und ein Kapitel Geschichte hinzugefügt, ein Selbstbewußtsein, das später, in den Mühen des Alltags, noch trägt. Kaliningrad dagegen, die häßliche kleine Schwester, ging auf Tauchstation. Dort war es vollkommen ruhig. Das regionale Fernsehen sendete «Schwanensee» und wiederholte die offiziellen Moskauer Verlautbarungen. Kein mutiger Bürgermeister meldete sich zu Wort, kein desertierter Soldat, keine empörte Bürgerin. Weder Parteigänger der Putschisten noch ihre Gegner traten auf den Plan. Und so wurde, als der Spuk vorbei war, auch nicht auf den Plätzen der Henker getanzt, blieben Dsershinskij, Kalinin und Lenin auf ihren Sokkeln. Im nachhinein stellte die «Kaliningradskaja Prawda» fest: 25 % der Bevölkerung seien für den Putsch gewesen, 25 % dagegen, 50 % indifferent. Eine Schätzung aufgrund einer nichtrepräsentativen Umfrage oder eine atmosphärische Messung im Bekanntenkreis der Redaktion, das ist nicht ganz klar. «Typisch Kaliningrad» kommentierte jedenfalls der langjährige Chefredakteur des Blattes, der gerade noch rechtzeitig, bevor er zwischen die Fronten geraten konnte, in Pension gegangen war. «Wir sind eine unpolitische Stadt und eine opportunistische Stadt. Wir haben keine eigene Farbe.»

In den Monaten nach dem Putsch ging alles seinen Gang, wie es von oben bestimmt wurde oder sich durch die Kettenreaktion äußerer Umstände ergab. Man fügte sich dem Verbot der Kommunistischen Partei, das heißt, die Betreffenden wechselten die Kleider und blieben im Amt. Man nahm zur Kenntnis, daß mit der Selbständigkeit der Republiken alle Nichtrussen im Kaliningradskaja Oblast zu Ausländern wurden. Die einzige Neuigkeit, die kleine Proteste hervorrief, waren die galoppierenden Preise. Im Herbst, zur Einmachzeit, flammten ein paarmal sogenannte «Zuckerunruhen» auf. Ein neuralgischer Punkt, schon immer; in dieser Jahreszeit, wo der Zuckerbedarf steigt und die Konflikte in den Familien um ihn eskalieren (die Frauen kämpfen für die Marmelade, die Männer wollen Schnaps brennen), ist eine Rationierung und gleichzeitige immense Verteuerung ein Politikum wie zu Zeiten der Französischen Revolution der Brotpreis in Paris. Mehrfach blockierten Frauen des Zuckers wegen die Straßenbahn. Im Winter folgten kleinere Kundgebungen gegen Entlassungen in den Betrieben, im Frühjahr für die Privatisierung der Schrebergärten.

In der regionalen Verwaltung beschäftigt man sich seit dem Tod der Sowjetunion mit der «Freien Wirtschaftszone Bernstein». Sie wurde im September 1991 mit Jelzin unter Dach und Fach gebracht – auf dem Papier. Matotschkin, der von Jelzin eingesetzte Gebietschef auf dem neugeschaffenen Verwaltungsposten, ist ein Professor der Ökonomie. Auch auf höchster Ebene gilt der Primat der Wirtschaft. Denn Politik ist kaum zu machen in dieser Situation. Das Gebiet ist ausgeliefert – Moskau, dem Militär, dem Wohlwollen der polnischen und litauischen Nachbarn. In den Unwägbarkeiten der Geopolitik besinnt man sich auf seinen «natürlichen» Standort –

den Platz an der Ostsee. An ihn knüpfen sich die Phantasien von einem Ausweg. «Kaliningrad, das Hongkong des Nordens» lautet die Zauberformel. Also: internationaler Umschlagplatz plus High-Tech plus investitionsanlockende Sonderregelungen. Der Name vereint werbewirksam die Erfordernisse eines Markenzeichens mit einem Geltungsanspruch aus den Tiefenschichten der Erdhistorie. «Bernstein», das klingt magisch, und da vor der Haustür mehr als 90 % aller Weltvorräte des fossilen Harzes lagern, kann sich das Projekt mit dem Flair der Einzigartigkeit schmücken.

Diesen Weg zu gehen ist naheliegend. Wenn es überhaupt eine Tradition gibt in Kaliningrad, dann ist es das Pragmatische, das nüchterne Streben nach Wohlleben. Es ging der Stadt in den letzten dreißig Jahren vergleichsweise gut. Der größere Teil der Bevölkerung gehörte zu den in der Sowjetunion privilegierten Gruppen. Das sind etwa 30 000 Seeleute und ihre Angehörigen, die Zugang hatten zu Devisen, westlichen Waren und guten Wohnungen. Dann die hauptberuflichen Mitglieder der Armee und der Flotte, ebenfalls bevorzugt in vielerlei Hinsicht. Und die Veteranen, die verdienten Soldaten, die nach dem Krieg dablieben und sich ihre Verdienste auch materiell bezahlen ließen. Alle drei Gruppen waren in besonderem Maße an die Macht gebunden und entsprechend konservativ. In den Führungspositionen dominierten die technischen Eliten. Ihre Loyalität war eine Frage des Lebensstandards, und ebendeswegen sind sie besonders anfällig für dessen Einbruch. Aus eigener Kraft, ohne Moskaus Tropf, kann er nun nicht mehr gehalten werden. Die Hafenanlagen sind alt, die meisten Fabriken (Fleisch-, Fisch-, Zellstoffabrik) auf einem vorsintflutlichen Niveau. Was an modernen Zukunftsindustrien etabliert wurde (Kriegsschiffe, Weltalltechnik), muß wohl auf die Verlustliste gesetzt werden. Den Bankrott des Weltraumzentrums im fernen Kasachstan nahm man in Kaliningrad mit Recht sehr persönlich. Nicht allein wegen seines Chefs, des verehrten Alexej Leonow. Der Kollaps Baikonurs war das Menetekel – es leuchtete der hiesigen Katastrophe voraus.

Der durchschnittliche Kaliningrader tut, was er auch früher tat. Er orientiert sich an der Speckseite. Sein Denken kreist um Rechnungen, und diese beziehen neuerdings das kapitalistische Ausland mit ein: Für einen Rubel bekam man vor einem Jahr noch drei Brote, heute gerade noch eine Schachtel Streichhölzer; ein Rubel umgerechnet in Valuta sind im Mai 1992 anderthalb Pfennig. Zwanzig an Touristen verdiente Mark sind eine Monatsrente oder ein halber Lehrerlohn. Im Mai 1993 beläuft sich der Wert eines Rubels nur noch auf das Zehntel eines Pfennigs. Der Hyperinflation entrinnt nur, wer Devisen besitzt. So gehen die Rauchzeichen des Aufbruchs nach Westen, dorthin treiben die Hoffnungen. Aber auch die Alpträume segeln im selben Windkanal: Es geht das Gerücht, die Bundesrepublik Deutschland werde das Gebiet kaufen für 30 Milliarden D-Mark, zahlbar in zehn Jahresraten. Die derzeit meistdiskutierte Frage lautet: Wie kriegen wir, ohne selbst verkauft zu werden, die harte Währung ans Bernsteinmeer?

Kant, Immanuel

Merkwürdigerweise bringen gerade die Zeiten des Überlebenskampfes fast immer eine ebenso intensive Suche nach geistigen Dingen hervor. In Kaliningrad hat die Religion starken Zulauf, von der orthodoxen Kirche bis zu den – vor allem bei jungen Leuten beliebten – indischen Lehren. Und: Immanuel Kant. Er ist bekannt wie ein bunter Hund und hat eine Autorität, die gegenwärtig wohl die des lieben Gottes noch übertrifft. Ich gehe zu einem Empfang der «Bisnesmeny», und als erster Trinkspruch wird der kategorische Imperativ serviert. Am Zeitungskiosk um die Ecke hängt ein Zitat im Fenster aus den «Beobachtungen über das Gefühl des Schönen und Erhabenen». Auf dem Kolchosmarkt nickt die ukrainische Apfelverkäuferin und antwortet: «Natürlich habe ich von Immanuel Kant gehört. Er war für die Freiheit und hat hier sein Grab.» Sie findet meine Frage nach dem Philosophen absolut nicht lächerlich.

Anfangs fällt es mir schwer, mich an die Omnipräsenz dieses Mannes zu gewöhnen. Aus einer philosophielosen Welt kommend, wo Kant allenfalls ein Thema ist für Eingeweihte, unter denen im übrigen die Aufklärung gegenwärtig nicht besonders hoch im Kurs steht, zucke ich unwillkürlich zusammen, wenn mir in den unerwartetsten Zusammenhängen Gedanken des 18. Jahrhunderts präsentiert werden. «Aufklärung ist der Ausgang des Menschen aus seiner selbstverschuldeten Unmündigkeit.» Geschrieben zu Königsberg in Preußen, veröffentlicht am 30. September 1784. Wie wahr, doch ganz allmählich erst kommen mir die Sätze wirklich zu Bewußtsein. «Was kann ich wissen? Was soll ich tun? Was darf ich hoffen? Was ist der Mensch?» Die berühmten Fragen, deren Beantwortung, nach Kant, das Geschäft der Philosophie ausmachen, im Westen schon fast zu Tode analysiert, gewinnen in Kaliningrad eine Frische und Aktualität, wie wenn sie gerade eben zu Papier gebracht und mit Verve an den Bürger gerichtet worden wären. Alles scheint zu passen, wie geschaffen als Programm für den Homo sovieticus, der sich jetzt als Individuum konstituieren könnte und als Schöpfer eines demokratischen Gemeinwesens. Ich sehe die Begriffe in Gedanken auf Spruchbändern leuchten: DER MENSCH – MITTELPUNKT DER WELT. PERSÖNLICHE FREIHEIT. GLEICHHEIT VOR DEM GESETZ. RECHTSSICHERHEIT. Für jede Straße und jedes Gebäude gäbe es einen geeigneten Satz. Für die Universität: HABE MUT, DICH DEINES EIGENEN VERSTANDES ZU BEDIENEN. Für den Leninplatz: SEINE EIGENE GLÜCKSELIGKEIT ZU SUCHEN IST PFLICHT. Für den Wohnblock am Moskowski Prospekt: DER GERICHTSHOF IST IM INNEREN DES MENSCHEN AUFGE-

SCHLAGEN. Für den Dohna-Turm: DER KRIEG IST DAS GRÖSSTE HINDERNIS DES MORALISCHEN. Parolen – wie gerufen von ratlos Umherirrenden, wie aufgezogen von freundlichen Engeln, die nun statt der Partei die Orientierung besorgen. Und zum Teil stehen sie ja schon auf dem Banner der Politik, die aus Moskau eingeflogen wurde. Ist nicht ÖFFENTLICHKEIT gleichbedeutend mit GLASNOST, Kants Vorstellung von der REFORM von oben verwandt mit PERESTROIKA? Kant ist heute die Galeonsfigur des kleinen Schiffes Kaliningradskaja Oblast. Und wer daran zweifelt, daß eine Philosophie, die den Menschen herausführen wollte aus feudalen Verhältnissen, auch taugt für den Weg aus dem gescheiterten Sozialismus, dem sei entgegnet, daß es hier gar nicht um eine zutreffende und praktikable Kant-Interpretation geht, sondern um die Erschaffung eines Selbst-Bildes. Kant steht Pate bei der Geburt einer nachsozialistischen Identität – der Verquickung einer neuentdeckten Utopie mit dem Versuch, sich zu erden in der Vergangenheit des Ortes.

Der Gedanke kam mir, als ich im Frühjahr 1991 zum erstenmal länger in Kaliningrad war und mir die Stadt selbst nach Wochen noch wie verriegelt erschien. Ich suchte verzweifelt nach einer Leitidee für ein filmisches Stadtporträt und rettete mich, weil ich in Eindrücken ertrank und fast nichts davon entschlüsseln konnte, zu Kant. Was mir zitiert wurde von ihm, das wußte ich natürlich, war oft nicht mehr als eine Verlautbarung. Die auf die höflichste aller denkbaren Weisen einer konkreten Antwort auswich oder das angesprochene Problem maskierte. Andererseits offenbarte die Summe von Verlautbarungen und ihre stetige Wiederholung auch eine Realität. Vielleicht würde sie mich an den Rand einer Wahrheit führen? Ich fing an, die Gründe der Leidenschaft für Kant systematisch zu durchdenken. Damals habe ich zehn Hypothesen zusammengetragen:

1. Kant ist ein Lokalheld, um so mehr, als er seine Philosophie fast ausschließlich am Ort entwickelt hat. «Eine solche

Stadt, wie Königsberg am Pregelflusse, kann schon für einen schicklichen Platz zur Erweiterung sowohl der Menschenkenntnis als auch der Weltkenntnis genommen werden, wo diese, auch ohne zu reisen, erworben werden kann.» Unter Bezug auf Kant macht Kaliningrad aus seiner insularen Not eine Tugend und versetzt sich zugleich aus einer randständigen europäischen Lage in den Mittelpunkt eines geistigen Universums. Wie der Brite seine Zugehörigkeit zum Empire durch familiäre Kenntnis des Herrscherhauses bekundet, merkt sich der Kaliningrader persönliche Details von Kant. Wie: Er war 150 Zentimeter groß und ein Weiberfeind. Er hatte einen krummen Rücken. Er kochte seinen Senf selbst, und er hatte Geburtstag am 22. April – wie Lenin.

2. Für die kritische Intelligenz der Stadt ist Kants Philosophie eine Art Sonde in die eigene Vergangenheit. Was fehlt uns? Was ist aus uns geworden? Die Intellektuellen tun, was Adorno einmal vorgeschlagen hat: nämlich bei den Lebensgeschichten von Philosophen nicht *sie* zu beurteilen und ihnen einen Platz zuzuweisen in der Geschichte, sondern umgekehrt, zu fragen, ob wir und die Gegenwart vor dem Richterstuhl der Kantschen Philosophie bestehen.

3. Kant gilt als geheimer Spiritus rector der jungen (1967 gegründeten) Kaliningrader Universität. Sie beansprucht für sich, bereits in den siebziger Jahren eine Kant-Renaissance initiiert zu haben für die Sowjetunion und heute Vorreiter zu sein in der neuen Ethikdebatte. Einer Anekdote zufolge soll der berühmte sowjetische Kant-Biograph Arseni Gulyga hier den ersten Impuls für sein Werk empfangen haben. Er stand 1945 im April als junger Soldat an Kants Grab und las darauf die in Kyrillisch gekritzelte höhnische Bemerkung der Sieger: «Siehst du nun, Alter, daß die Welt materiell ist!»

4. Kant verbindet die alte und die neue Ära. Seine Karriere vom Ahnherrn des Marxismus-Leninismus zum Propheten der Dissidenz bis zum staatstragenden Ehrenbürger des heutigen Oblast stellt eines der wenigen Momente von Kontinuität dar

und der möglichen Verständigung zwischen Menschen verschiedener Vergangenheiten.

5. Durch die physische Gegenwart seines Mausoleums in Kaliningrad ist Kant Teil der kurzen Stadtgeschichte. Einer Volksgeschichte, könnte man sagen – fast jeder Bewohner hat es vor Augen gehabt, wenn auch nicht als heiligen Ort, so doch als lokale «Sehenswürdigkeit», und hat mehr oder weniger lebendige Phantasien darüber, wer dieser Mann gewesen sein könnte.

6. Kants Biographie und sein Jahrhundert liefern einen prächtigen Stoff für die preußisch-russischen Beziehungen. Immer wieder wird in Kaliningrad die alte Freundschaft der beiden Staaten hervorgehoben und deren vielfältige wirtschaftliche und geistige Verbindungen; besonders gern zitiert – als Probe aufs Exempel – die russische Besetzung Königsbergs während des Siebenjährigen Krieges. Da bittet ein Immanuel Kant die Zarin, auf die er selbstverständlich seinen Eid geleistet hat, untertänigst um Beförderung, und er hält den feindlichen Offizieren auf freundliche Bitte ein Privatkolleg über Mathematik, Pyrotechnik und Fortifikation. Wie viele Bürger der «kaiserlich-russischen Stadt» ist er erfaßt vom «Ostfieber». Von der spritzigen, rauschenden Geselligkeit, die die Russen in das zopfige Königsberg bringen, von der Sehnsucht nach Sankt Petersburg, wo dieser Lebensstil zu Hause ist. Darauf will man heute noch stolz sein: nicht so sehr auf den militärischen Sieg über die Preußen, sondern daß das Russische die Besiegten bezauberte und durch Charme und Geist in Bann schlug.

7. Kant ist zum verständnisvollen Schutzpatron der Wirtschaft und der Freihandelszone ernannt worden. Seine Freundschaft mit dem schottischen Kaufmann Green, mit dem er, wie es heißt, jeden Satz der «Kritik der reinen Vernunft» besprochen hat, gilt als schönes Beispiel für die beflügelnde Logik ökonomischen Denkens. Mit Kant legimitiert sich die Wirtschaft weiterhin als «Basis», schlägt sie den Salto

mortale in den Kapitalismus und verleiht dem Ersehnten und Gefürchteten moralische Größe und ein positives Image.

8. Kant ist die Option für den westlichen, universalistischen Weg und gegen postkommunistischen Konservatismus – gegen Orthodoxie, russisches Vormachtstreben, soziale Romantik und Irrationalismus. Insofern hat sie etwas Integrierendes für die Völkerschaften des Oblast, ist ein Gegengewicht gegen die wachsende Bedeutung der nationalen Bindungen.

9. Die Liebe zu Kant überspringt die ungeliebten und mörderischen Kapitel der Vergangenheit und ist Verständigungslinie zwischen den Kaliningradern und den Königsbergern. Mit Kant wird manche Unsicherheit und Peinlichkeit in den schwierigen Begegnungen überbrückt. Kant beglaubigt den Edelmut der Versöhnungswilligen, würzt deutsch-russische Feiertagsreden und verleiht manchem Showbusiness seriösen Glanz.

10. Die Identifikation mit Kant ist eine Fiktion, die hinwegtäuscht über fundamentale Tatsachen von Ort und Zeit. Über die große Differenz zum Beispiel östlicher und westlicher Mentalitäten oder zwischen der modernen Demokratie und der von Kant gewünschten. Der philosophische Zugriff verlängert das abstrakte Denken der Vergangenheit, das sich blind stellte gegenüber jeder Empirie. Vielleicht vernebelt Kant mehr, als er erhellt? Vielleicht hat der verehrte Immanuel seine größte Kraft nicht als Ratgeber im Getümmel des Lebens, sondern im Reich der Erlösungshoffnungen.

Kann man eine Stadt durch ihr Verhältnis zu einem Philosophen charakterisieren? Grundsätzlich eher nicht; aber der Versuch, es zu tun, trägt in diesem Falle, und er trägt woandershin. Der Film, der aus den genannten Überlegungen entstand, führte – für mich selbst verblüffend – auf die andere, die dunkle Seite der Stadt. Verschiedene Kaliningrader verkünden darin ihre Begeisterung für Kant – Studenten, ein Banker, ein Kriegsveteran, ein Physiklehrer, ein Steinmetz, die Wächterin der Dominsel. Und wie sie da so stehen vor der Kulisse ihres

Ortes, wird die Botschaft, für die sie werben, schwach und schwächer. Die jeweilige Umgebung, die von Verlusten erzählt oder von den Ergebnissen verfehlten Handelns, widerspricht der Selbstverständlichkeit ihrer Rede. Die Szenen in ihrer Gesamtheit führen vor, wie fern sie von Kant sind und Kant von ihnen und wie mächtig gegenüber den Beschwörungen das 20. Jahrhundert ist. Unversehens geraten die Interviewten in den Denkhorizont eines anderes Philosophen, den sie nicht kennen: der Königsbergerin Hannah Arendt.

Hannah Arendt, die 1906 geborene Jüdin, hat ihre Philosophie in der Auseinandersetzung mit dem Totalitarismus entworfen und daraus auch eine neue Sicht auf Kant gewonnen. Sie geht davon aus, daß die Kategorien des Denkens und Maßstäbe des Handelns, die ihr Landsmann im erleuchteten Jahrhundert setzte, im unsrigen verfallen sind. Daß wir keine verläßlichen Regeln mehr besitzen und die ererbte Wahrheit an den zentralen Fragen des Heute versagt. Statt einer wachsenden Klarheit herrscht «außerordentliche Verwirrung in Elementarfragen des Moralischen», die ihrerseits nicht vollends begreiflich ist und auch nicht auflösbar durch einen neuen Gesamtentwurf von Gesellschaft. – Von der Philosophie der Emigrantin Hannah Arendt führt ein Weg hierher, die direkteste gedankliche Brücke vielleicht, die zwischen Königsberg und Kaliningrad möglich ist.

Immanuel Kants Statue ist in die Stadt, die mal seine war, zurückgekehrt. Christian von Rauchs Bildhauerarbeit – der Philosoph in grüßend-lehrender Pose – war verschwunden. Die junge Marion Gräfin Dönhoff hatte die Statue Ende 1944 zum Schutz vor Bomben auf Schloß Friedrichstein vergraben lassen. Als sie Ende der achtziger Jahre die ersten Kontakte knüpfte nach Kaliningrad, gab sie dem Schriftsteller Juri Iwanow entsprechende Informationen darüber. Die Mitglieder des von ihm geleiteten Kulturfonds machten sich auf die Suche, doch alle Recherchen blieben ergebnislos. Lediglich der Sockel wurde gefunden. Auf ihm hatte zwischenzeitlich eine

Ernst-Thälmann-Büste Platz genommen, dann war auch er abhanden gekommen, lag unerkannt in einem Schuppen am Rande der Stadt. Weil sie nicht auf den Sankt-Nimmerleins-Tag warten wollte und die Angelegenheit als eine politische auffaßte, ergriff Marion Dönhoff die Initiative, im Verein mit dem Aufsichtsratsvorsitzenden der Deutschen Bank, Herrn Christians. Dazu gesellten sich einige hundert Spender, meistens alte Ostpreußen. Sie finanzierten eine kostbare Kopie, die nach einem zufällig erhaltenen Gipsmodell gefertigt und im Juni 1992 von Berlin auf den Weg geschickt wurde. Dann illegal, in Bandagen vermummt, über die polnische Grenze geschafft und in Kaliningrad mit großem Zeremoniell empfangen. Die Reden zur feierlichen Enthüllung des Philosophen luden alle Zukunftshoffnungen der Russen und der Deutschen auf seine Schultern.

Prussisches Halsweh

Es gibt eine andere Aneignung der Stadtgeschichte, und die ist verworren und vermutlich wesentlicher. Unfeierlich und in ihren Ursprüngen zufällig und absichtslos, man könnte fast sagen «naturwüchsig». Im Unterschied zur Adoption des großen Philosophen geschah sie nicht primär über Ideen, sondern über das Sichtbare und Handgreifliche: über die Dinge. Und der Vorgang bedurfte, anders als der geschilderte, der vor allem eine symbolische Aktion der Kriegsteilnehmer war, einer neuen, unbefangenen Generation.

Was mir die jungen Intellektuellen erklären in der Küche der Kommunalka am Prospekt Mira, ist verwunderlich – und eigentlich auch nicht. «Ich bin kein Russe», sagt Juri, «ich bin ein Kaliningrader, ein Hiesiger. Unter uns sagen wir, wir sind aus ‹Kenig›. Das ist die Kurzform für ‹Königsberg› wie ‹Pieter› für ‹Petersburg›. Für uns ist das normal. Wir sind mit den deutschen Häusern groß geworden. Die Eltern haben immer gesagt, das seien fremde Gebäude, ein Haufen Ziegel nur. Wie soll ein Kind das verstehen, es kennt doch nichts anderes. Viele, viele Jahre hab ich mit den Nachbarjungen in der Ruine der Lutherischen Kirche gespielt. Als sie Anfang der siebziger Jahre abgetragen wurde, war ich traurig. Mein Spielplatz! Sie hat meine Vorstellungen von Architektur geprägt.» Wahrscheinlich ist Juri deswegen Architekt geworden. Er ist Anfang der sechziger Jahre in Kaliningrad geboren. Seine Freunde am Tisch sind im selben Alter und auch von hier, bis auf Olga, meine Dolmetscherin, der Arzt Viktor, der aus der Region stammt, von Gussew, und als einziger wirklicher Auswärtiger der Bernsteinschleifer Igor. Der ist erst seit zehn Jahren am Ort und betrachtet noch immer den Ural als seine Heimat.

Die Geschichten gleichen sich. Alle, auch die Mädchen, haben in Trümmergrundstücken gespielt, waren vertraut mit den merkwürdigen Zeichen und Buchstaben auf deutschen Grabsteinen. Erste Erinnerungen, kindliches Wohlbefinden, die Schürfwunden am Knie haben mit rotem Backstein zu tun. Und als sie größer wurden und die Eltern ihre Fragen abwehrten, wurden die Dinge durch das über sie verhängte Tabu um so interessanter. An dieser Linie verlief, offenbar mit großer Heftigkeit, der Generationskonflikt. Die Älteren sprachen vom «heiligen Krieg» und den Kosten ihres Sieges, und die Jugendlichen wollten wissen, wer die Besiegten waren. Was der Preußenadler bedeutet, wie die kopflosen Typen am Tor in der Frunsestraße heißen. Wenn in den sechziger und siebziger Jahren, was häufig vorkam, Kriegsfilme gedreht wurden in der Stadt, sahen die einen in den nachgestellten Schlachten eine ernste, zeremonielle Wiederholung ihrer eigenen Geschichte. Die anderen tobten fröhlich hinter den Kulissen, klopften an Pappmaché, gruselten sich mit Blut aus Himbeersaft und interessierten sich für die Details der Wehrmachtsuniformen. Auch die Mutproben in der Schule wurden auf diesem Felde geschlagen. Die wirksamste Opposition gegen die Lehrer war eine

Frage nach der Geschichte. Wenn zum Beispiel unterrichtet wurde, daß in den 1920er Jahren Majakowski und Jessenin die Stadt besuchten, bohrten die Aufmüpfigen, wie denn die Gastgeber mit Namen hießen. Naiv oder raffiniert, je nach Temperament und Situation, riskierten sie eine kesse Lippe und manchmal auch mehr. Die verbotene Zigarette, demonstrativ auf einem Aschenbecher mit dem Königsberger Wappen ausgedrückt, konnte zu einer Vorladung beim Komsomol und schlimmstenfalls beim KGB führen. Das Deutsche war Teil einer jugendlichen Subkultur, die sich über die Jahre eigene Rituale schuf. Zum Musikmachen traf man sich heimlich auf der Ordensburg Balga. Studenten feierten Kants Geburtstag oder malten am orthodoxen Osterfeiertag den kämpfenden preußischen Wisenten vor dem früheren Landgericht die «Eier» bunt.

An diesem Abend schwelgen sie in Erinnerungen an ihre Streiche. «Nostalgija», kommentiert Natascha halb ironisch. «So haltbar wie die Stuckdecke über uns. Guckt, wie sie bröselt und glänzt vom Bratpfannendunst.» Ihr Mann Alexej: «Ist das nicht urkomisch, daß wir Weltraumkinder alle Archäologen geworden sind?» Er zählt mir zuliebe auf, was sich so alles angesammelt hat in ihrem Kreis. Bierflaschen und Straßenschilder, Hirschgeweihe, Gullydeckel bzw. Fotos davon, Kacheln, Tassen, Wappen, Münzen. Eigentlich ist jeder ein Sammler, hat die Leidenschaft aus der Kurzehosenzeit ins Erwachsenenalter hinübergerettet. Als Hobby oder sogar als Beruf, wie bei Dimitri und Anatoli, den beiden Fotografen, die den ganzen Oblast nach alten Gebäuden abgegrast und mit der Kamera dokumentiert haben. Oder Igor, der sich bei seiner Kunst auch von deutschen Bernsteinarbeiten inspirieren läßt.

Mittlerweile haben die meisten selbst schon Kinder, und aus der einstigen spontanen Identifikation mit dem Deutschen ist eine ernste Frage geworden. «Bis heute ist ungeklärt, wer wir sind», behauptet Juri nun schon zum viertenmal. Und entzündet damit endlich die gewünschte Debatte. «Die einfachste

Antwort ist: Du fährst weg, dann weißt du, wer du bist», sagt Olga. «Wenn ich in Smolensk bin, dann fühle ich mich fremd, denn das ist eine richtige russische Stadt. Wenn ich meinen Mann auf dem Schiff in Sewastopol besuche, dann sieht jeder mir an, daß ich aus den westlichen Provinzen komme. Das sind Dinge, die kannst du nicht erklären. Umgekehrt, wenn ich durch Kaliningrad gehe, weiß ich auf Anhieb, wer hier lebt und wer nicht. Und danach unterscheide ich, nicht nach Ukrainern, Russen oder Litauern.» Viktor nimmt ihren Gedanken auf. «Als ich nach Leningrad fuhr zum Studieren, hab ich die Backsteinhäuser vermißt und bin immer in die Viertel gegangen, die etwas ähnlich waren. Ein Thälmann-Pionier aus der DDR hat mir vor Jahren Kassetten geschickt mit deutschen Liedern, und seither verstehe ich die ostpreußische Landschaft noch besser. ‹Wo wir uns finden wohl unter Linden›, das drückt aus, was mir die Bäume hier sagen. Die Natur und die Poesie, und die Poesie mit der Melodie, das ist eins. Ich würde also weitergehen als Olga. Du mußt dich bewußt vom Russischen entfernen, auch kulturell, wenn du deinen Geburtsort lieben und verstehen willst.»

Igor widerspricht vehement. In der Perspektive des Uralers ist das Problem nicht so einzigartig, wie die Freunde meinen. «Überall, in ganz Rußland, hat man die alten Gebäude zerstört und die Leute herumgeschickt. Ich wurde in einer Straße geboren, die mein Großvater gebaut hat. Mit zwanzig Jahren hab ich davon erfahren. Meine Mutter zeigte mir die Bilder. Mein Großvater, Architekt einer herrlichen, eigenartigen Straße! Die Sowjets waren Eroberer im eigenen Land. Es war Quelle des Gewinns, Gegenstand der Planung. Jetzt ist es weg, das betrifft alle gleichermaßen. Kaliningrad ist ein Ort wie alle anderen.» Dagegen zitiert Juri das neueste Ergebnis der Sprachwissenschaft. «An der Uni haben die Forscher festgestellt, daß sich bei uns phonetische Besonderheiten entwickelt haben. Unser Russisch ist härter, ähnlich wie früher das Ostpreußische. Meines Erachtens liegt das am Klima. Ihr wollt doch nicht bestreiten, daß die Halsschmerzen in diesem Raum besondere sind. Wie ein Dolch! Das hatten schon die prussischen Ureinwohner. Die rauhe Luft formt den Rachen und das Zäpfchen und wie die Leute den Mund zuhalten. Das georgische Russisch ist kehlig, unseres – na, wir bestätigen die Evolutionstheorie. Der Raum richtet den Menschen zu, nicht nur in Jahrtausenden, schon nach vierzig Jahren kann man das merken. Außerdem die kosmischen Strahlungen …»

An diesem Punkt teilt sich die Runde. Juri erhält Schützenhilfe von den Freunden, mit denen er seit Jahren wandert. Ihre liebste Tour geht in die Rominter Heide, in die heiligen Haine der Prussen. Sie zelten dort im Eichenrund, und nach zwei Tagen fühlen sie sich «wie neugeboren». Was anderes als die kosmischen Strahlungen könnte das bewirken? Tatjana holt aus zu einer theoretischen Ausführung, die sie, wie sie hiermit ankündigt, demnächst zu Papier bringen will. «Über Rußland, das stellte schon Nostradamus fest, hängt eine positive helle Strahlung. Rußland ist das Herz des Planeten. Nach der Lehre des Yogi wird es im Jahre 2015 einen großen Aufschwung nehmen und alle Länder hinter sich lassen. Im Kaliningradskaja Oblast ist die Strahlung besonders weich und warm. Sie wird verstärkt von den deutschen Gebäuden und deren Aura. Und den Menschen hier, die in ihrer alten Heimat alles Schlechte zurückgelassen haben und nur das Beste mitgebracht.» Schon bei ihren ersten Sätzen geht ein Aufschrei durch die andere Fraktion. Igor, Gennadi und Natascha malen den Teufel Technokratie an die Wand, der sie allesamt nebst den kosmischen Strahlen fressen werde.

«Nichts wird bleiben», Gennadi wird fast wild. «Ihr werdet euch noch nach den Zeiten sehnen, wo wir in den Trümmern nach Münzen gesucht haben. Unsere Schätze sind wertlos. ‹Geschichte ist Humbug›, hat Henry Ford gesagt, und der war Amerikaner. Diese Zeit beginnt jetzt in Kaliningrad. Alles ist jetzt erlaubt, und nichts bedeutet mehr etwas.» Igor hat die stärksten Argumente, seinen Bernstein. «Die Faszination, die er Jahrtausende ausübte, wird verschwinden. Das wird das Zeichen sein für den endgültigen Sieg der Technik über die Metaphysik.» Angefangen habe es mit Immanuel Kants Phantasie: Wenn man den Bernstein nur genügend erhitzen könne, ohne die Einschlüsse zu verletzen, dann könne man die Insekten darin aus ihrer dreißigmillionenjährigen Gefangenschaft befreien. Das sei nun auf andere Weise Wirklichkeit geworden oder beinahe wenigstens, wie die amerikanischen Zeitungen schrieben. Die Genforscher nähmen die Stechfliegen aus dem Bernstein und suchten nach einer, die einen Dinosaurier gestochen hat. Aus dem Restchen Blut, sagen sie, würden sie in zwanzig Jahren so viele Informationen haben, daß sie einen Dinosaurier nachbauen könnten. «Freunde, dann ist der Bernstein nur noch ein Gehäuse. Seine zweihundertfünfzig Farben, die Hunderte von Worten, die die Völker dafür erfunden haben, Tausende Geschichten über seine heilende und magische Wirkung: NICHTS. Unsere Bernsteinzone ist Teil der Menschheit und der Verbrechen gegen sie. Haltet euch nicht mit Nebensächlichem auf. Ob Königsberg sterblich ist oder nicht, ist heutzutage völlig ohne Belang.»

Er zitiert Agnes Miegel: «... daß Du Königsberg nicht sterblich bist». Deren Verse haben in diesem Sommer mit den ersten Touristen in die Stadt und ihre intellektuellen Zirkel gefunden. Sie sind zum Schlachtruf derer geworden, die glauben oder behaupten wollen: «Königsberg lebt!» Für die «Deutschtümler», wie Igor sie nennt, oder «Prussen», wie sie sich selbst bezeichnen. Die Debatte geht den ganzen Abend fort, freundschaftlich und spürbar gespannt. Die Meinungen in der Clique haben sich im vergangenen Jahr differenziert. Ihr regionales Selbstverständnis ist nun dem Druck und der Verführung von außen ausgesetzt. Juri zum Beispiel hat sich in die Idee hineingesteigert, daß die Ostpreußen, denen er begegnet, seine Blutsbrüder sind. Natascha dagegen findet ihre frühere Germanophilie, nachdem sie der Deutschen ansichtig wurde, eher befremdlich und erhofft von der Öffnung des Gebiets Anregungen der internationalen Rockkultur oder «green peace». Zeitgenossenschaft oder Ortsgenossenschaft, was ist wichtiger? Einigkeit herrscht nur darüber: Die neue Zeit ist weniger glücklich als erwartet und der sich verwandelnde Ort ihren Plänen und Träumen nicht gerade gewogen. Weder haben Juris Entwürfe für die Wiederherstellung des Domes Resonanz, noch sind die ehemals verbotenen Themen der Fotografen in der Freiheit mehr gefragt, und die bildende Kunst schon gar nicht.

«Mammute sind wir», beklagt sich Alexej. «Unsere Zeit ist vorbei, bevor sie gekommen ist.» Keiner der Dreißigjährigen ist erfolgreich in seinem Gebiet. Die junge geistige Elite Kaliningrads hat sich mehr oder weniger zähneknirschend und nicht untalentiert ins Geschäft eingefädelt. Der Steinmetz handelt mit Autos, der Regisseur dreht Werbespots, drei bieten Touristen ihre Dienste an als Taxifahrer und Guide, einer verschiebt polnische Textilien und litauische Limonade. Einige haben begonnen, Stücke aus ihren Sammlungen zu verhökern. «Notverkäufe» zum Teil oder zwecks Investition in einen neuen Traum, die Deutschlandreise.

Die Küche der Kommunalka ist ein Ort der Vergangenheit. Noch ein paar Monate, meint Juri, «und wir werden nicht mehr gemeinsam hier sitzen».

Das Kind des Kreuzritters

Er ist ein entfernter Bekannter, vielleicht auch Geschäftspartner von einem aus der altertümlichen Küchenrunde. Alexej hat mich zu ihm geschleppt, in das Neubauviertel irgendwo am östlichen Stadtrand, wo er im ersten Stock unerwartet beengt wohnt. Arkadi T. ist viel jünger, als ich nach den kolportierten Geschichten über ihn erwarten mußte – erst Anfang Dreißig. Bis zum letzten Sommer war er Leiter der ideologischen Abteilung des Komsomol, in den Maßstäben der alten Zeit demnach ein höheres Tier. Seit dem Verbot dieser Organisation arbeitet er, genau weiß es keiner, sagen wir mal als Journalist. Nebenher, aber wahrscheinlich hauptsächlich ist er «Tunnelgänger». Eine streng geheime Angelegenheit, weswegen ich schon vorab gebeten wurde, bitte nicht groß zu fragen oder auf Beweismaterialien zu bestehen. Da ich an Geheimnissen selten interessiert bin, habe ich zugestimmt.

Arkadi erzählt: Er steigt in die unterirdische Stadt ein, mehrmals in der Woche. In die Gänge unter dem Dom Sowjetow und dem Moskowski Prospekt, ein etwa 20000 Quadratmeter großes Areal von Tunneln und Höhlen. Ein Labyrinth, doch nur für den, der sich nicht auskennt. Die Zugänge gibt er nicht preis. Ganz allgemein wäre zu sagen, es geht durch bestimmte Keller, Kanalisationsanlagen oder auch über Baustellen. Seine Nachforschungen haben ergeben, daß unter dem Parkplatz des Hotels «Kaliningrad» das berühmte Lokal namens «Blutgericht» vollständig vorhanden ist, außerdem viele kleine und mittlere Wege aus der Ordenszeit und ein «Pferdefuhrwerk breiter» in Richtung Pregel. Weil die unterirdische Welt mit Pilz bewachsen ist und schlecht gelüftet, hat Arkadi mit Freunden Löcher gebohrt ins Freie oder Hohlräume miteinander verbunden. Ungefährlich ist das nicht, und außer Mut braucht es starke Nerven. Sie steigen über Skelette deutscher Soldaten und belgischer und französischer Kriegsgefangener, mancher Fund deutet darauf hin, daß hier auch Zivilisten Zuflucht gesucht haben in den letzten Tagen des Krieges. Bei ihren Expeditionen sammeln sie Waffen ein, allerhand Blech, Scherben und vor allem Ziegel.

«Wieso Ziegel?» frage ich. Nach der Vorrede erwarte ich eigentlich einen Schlachtplan zur Wiederauffindung des Bernsteinzimmers. Arkadi öffnet das Fenster und lädt mich ein, in seinen Garten zu steigen. Auf eine riesige Terrasse, die eigentlich das fragile Flachdach eines Garagenkomplexes ist. Dort stehen, mir fehlen die Worte, die Zeugen der Unterwelt. Zwischen Tomatenpflanzen und Kletterbohnen, Maßliebchen und Rittersporn hat Arkadi eine kleine Stadt angelegt. Einen Festungsturm aus Ziegeln, ein Miniatur-Dohna, eine Windmühle, gotische Häuschen, getrennt durch Zäune aus zersägten Weihnachtsbäumen. Eine eiserne Flagge mit dem Gründungsdatum von «Kenig» krönt eine Bohnenstange, den Rand des Kübels verzieren gipsgeformte Zinnen. An einer Kette von rostigen Hufeisen baumelt ein Vogelbauer, und sein Bewohner, ein hellblauer Wellensittich, badet gerade in einer reichsdeutschen Rasierwasserschale. Auf der noch freien Fläche hinter dem Idyll ist aus Kieseln eine Schrift gelegt. «Keine Abfälle hinunterwerfen, Scharikow!» Die Aufforderung an die Bewohner der höheren Stockwerke ist ein literarisches Zitat. «Sophisticated», lacht Arkadi. Er spricht gut Englisch. «Wer es versteht, der amüsiert sich. Wer nicht, weiß auch ohne Hintersinn, daß ich den Kampf gegen Dreck aufnehme.»

Michail Bulgakow hat die Szene betreten, und von diesem Augenblick an wird die kuriose Situation spannend. «Denken Sie, es ist hier und heute wie im Moskau der zwanziger Jahre?» – «Schlimmer! Filipp Filoppowitschs Hausgemeinschaft ist noch eine zivilisierte Bande gegen diese.» Er meint es nicht allzu ernst, aber deutlich ist, das zitierte Buch bestimmt seinen geistigen Horizont. Und Arkardi T., Ex-Mitglied der Kaliningrader Nomenklatura, möchte, daß ich seine Stadt durch die Brille des Dichterdissidenten sehe.

Bulgakows «Hundeherz» als Schlüssel zu Kaliningrad? Die Erzählung, eine groteske Parabel über die Revolution und die junge Sowjetunion, spielt in Moskau. Ein halbverhungerter, geprügelter, herrenloser Köter wird an einem Wintertag von einem vornehmen Herrn von der Straße aufgelesen. Der arme «Scharikow», wie ihn ein freundliches Fräulein einmal nannte, zu deutsch etwa «Moppel», erlebt für kurze Zeit paradiesische Zustände. Er frißt sich im Hause seines Wohltäters gesund und rund, nicht ahnend, daß er als Versuchshund gemästet wird. Filipp Filippowitsch, der geniale, skrupellose Wunderdoktor, hat sich zum Ziel gesetzt, die menschliche Rasse zu verbessern, insbesondere dem alten Menschheitstraum von der ewigen Jugend näherzukommen. Der Tag des Experiments naht, Scharikow werden die Hoden und die Hypophyse eines 28jährigen Mannes eingepflanzt. Der Spender ist ein Balalaikaspieler, den im Wirtshaus ein Messerstich ins Herz traf, ein Krimineller und Säufer – der Prototyp eines Lumpenproletariers. Scharikow überlebt die Operation wider Erwarten und wird zum Erstaunen und Entsetzen des Doktors, der einen verjüngten Hund zu schaffen beabsichtigte, immer menschenähnlicher. Aus dem armseligen, unterwürfigen Tier wird ein Rüpel von einem Menschen und schließlich ein wahres Scheusal. Mit einemmal hat der Doktor in seiner herrschaftlichen Wohnung einen Gast, der sich so ungeniert benimmt wie die verhaßten Nachbarn, die nach der Revolution in sein bürgerliches Quartier gezogen sind. Er flucht, spuckt auf den Boden, schmeißt die Zigarettenkippen herum, säuft, fällt die Köchin an. «Hör auf!» brüllt der Mann in den roten Saffianpantoffeln, der sein Schöpfer ist. Alle Erziehungsversuche fruchten nichts, am Ende will Scharikow, der sich einen Posten unter den roten Kommandeuren besorgt hat, dem Doktor mit Hilfe der Staatsmacht an den Kragen. «Das schlimmste ist doch», heißt es bei Bulgakow, «daß er kein Hundeherz mehr hat, sondern ein menschliches Herz. Das kälteste und gemeinste aller Herzen, die die Natur hervorgebracht hat.»

«Kaliningrad also ist Scharikow? Das Ergebnis einer verbrecherischen Operation, die einen Lumpenproletarier schuf?» – «Ich sage», antwortet Arkadi T., «es handelt sich um einen verwandten Vorgang, man muß die Lage unseres Gebiets realistisch sehen.» Er genießt meine Neugier, daß mich interessiert, was ihn treibt, nicht sein geheimes Wissen. Und deswegen bekomme ich zu Gesicht, was er eigentlich nicht zeigen wollte. Ziegel, die allerältesten, allerkostbarsten, in Holz eingeschreint wie die Reliquien. Auf ihrer Vorderseite sind Zeichen eingedrückt, Strichsymbole, die Pfote eines Wolfs, der Fuß eines Kindes. Aus dem 13. und 14. Jahrhundert, sagt er stolz. Er hat Himmel und Hölle in Bewegung gesetzt, um aus dem Ausland Bücher zu beschaffen, um die Steine zu datieren und die Zeichen zu entschlüsseln. Am rätselhaftesten war der Kinderfuß. Erst dachte er an einen zufälligen Abdruck, ein Kind könnte in den frischen, noch ungebrannten Lehm getreten haben. Bis er weitere Ziegel mit genau demselben Füßchen fand. Wenn also die Prägung seriell war, mußte sie etwas bedeuten. Den besten Hinweis erhielt er von der Babystation eines Kaliningrader Krankenhauses. Die Schwestern und Ärzte, denen er den Ziegel zur Begutachtung brachte, kamen überein, das Kind müsse weniger als ein Jahr gewesen sein und männlichen Geschlechts. Es war, schloß Arkadi daraus, noch in dem Alter, wo es in den Kulturen der meisten Völker als «rein» gilt. Der Fußabdruck war offenbar eine Art Zauber, der auf die Bauwerke des Mittelalters das Gute lenken sollte. Und er stellte sich vor, wie der verantwortliche Meister nach Formung der Ziegel ein barfüßiges Ritterkind auf die weiche Masse setzt, immer wieder, und wie nach jeder Reihe, das Ritual ist natürlich öffentlich, alle klatschen oder sich verbeugen. «Das ist das Größte», beendet Arkadi seine Ausführungen, «was ich im ganzen Leben gesehen habe.»

Irgendwas bewegt ihn, noch weitere Schätze auszupacken. Plötzlich liegen seine Ausweise auf dem Tisch, einer vom Komsomol, einer vom Militär und einer vom KGB, seine Kaderakten und die einiger Freunde. «Wir haben alles privatisiert nach dem Putsch.» Dieser Zusammenbruch an sich sei eigentlich nicht bedauerlich. Das Leben in seinem Bereich habe er schon viele Jahre als völlig leer empfunden und sich deswegen einen eigenen Sinn gesucht, eben die Steine. Durch den Fall der Mauer 1989 sei ihm bewußt geworden, daß auch jüngere Stücke einen Wert haben können. Vor allem aber habe ihn dies Ereignis gelehrt, was Geschichte ist. Vorher sei die Welt für ihn zeitlos, immer gleich gewesen. Der Bruch nun «nach vorn» habe ihm bedeutet, daß man «nach hinten» anders denken müsse und die Vergangenheit wohl als eine Abfolge von Verschiedenheiten und Einschnitten ansehen. So sei das Leben aufregender geworden. Der einzige Wermutstropfen sei, daß ihm die Ausweise nicht mehr den Zugang zur unterirdischen Stadt öffneten. Damit sei er zum Illegalen geworden mit seiner Leidenschaft. Aber wenigstens die Pläne des KGB habe er noch kopieren können. Sie zeigten Ergebnisse aus zwei Phasen der Stadtgeschichte. Einmal seien kurz nach dem Krieg, als die Bomben einige Gänge freigelegt hatten, Zeichnungen angefertigt worden, und dann wieder Ende der sechziger Jahre, nach der Sprengung des Schlosses. Inzwischen seien seine eigenen Skizzen genauer und vollständiger, gewissermaßen sei er nach dem Verscheiden der beklauten Mächte nun der König der Unterwelt.

Arkadi ist in einer schwierigen Lage. Eigentlich möchte er die Stadtverwaltung dazu bewegen, das archäologische Feld zu sichern, und sie dabei unterstützen. Andererseits haben seine alten Kollegen von der Nomenklatura, meint er, das Wohlwollen nicht verdient und sind bloß auf persönliche Bereicherung aus. Und dann sind ihm westliche Journalisten und Schatzjäger auf den Fersen, die nach dem Bernsteinzimmer suchen und ihm viel Geld bieten für seine Informationen. Er würde vermutlich das Wort «Moral» nicht benutzen, aber er hält die anderen Interessenten für «unwürdig», die Schätze zu bergen. Arkadi möchte derjenige sein, der die verschollenen Dinge zuerst sieht. Er glaubt sich durch die Geschichte der Berührungen, die er mit ihnen hat, legitimiert, und meint, die gewisse Stelle zu kennen, wo zwei große Gänge sich kreuzen und an allen Seiten von den Nazis zugesprengt worden sind. Dort vermutet er nicht das Bernsteinzimmer, sondern Waffen und Schmuck der Ordenszeit. Ihm geht es um den Augenblick, wenn die verschüttete Kammer sich öffnet. Der soll ihm gehören. Dann will er das eine oder andere davon nehmen, sehr wenig nur, so viel, wie er braucht, um ein Ticket nach Amerika zu kaufen und die ersten paar Wochen in New York zu überstehen.

Beim Abschied schlägt Arkadi T. mir vor, meine linke Hand auf den Fußabdruck des Kreuzritterkindes zu legen und zum Herzen zu führen. «Das bringt Gesundheit.» – «Glauben Sie an eine Wirklichkeit außerhalb der Kalenderzeit?» Ich bleibe noch, denn wieder betritt Bulgakow die Szene. Dieses Mal «Der Meister und Margarita», und wir sprechen über den Unbekannten im Moskau der dreißiger Jahre, der mit Immanuel Kant gefrühstückt haben will und angeblich beim Verhör Jesu durch Pilatus zugegen gewesen ist.

Insterburger Perestroika

Überall in der näheren und weiteren Umgebung der Städte bewegt sich die Erde. Im Wiesenland erscheint plötzlich ein braunes Stückchen Acker, dann noch eines, binnen einer Woche oft Dutzende. Mittels vier Pfählen wird zunächst ein Rechteck abgesteckt, dann graben fleißige Hände, seltener ein Pflug, das Gras um, bald danach verkündet ein Bretterbüdchen, daß eine Art Seßhaftigkeit ins Auge gefaßt wird. Eine neue Datschenkolonie entsteht. Die Einrichtung gab es schon immer. Sie war der ruhende Pol der Versorgung in den nicht enden wollenden Krisen der staatlichen Landwirtschaft und ein Raum des Rückzugs vor den Zumutungen der Politik. Sie war so notwendig wie beliebt, bald jeder verbindet mit ihr ein sehr persönliches Stück Biographie. Im Augenblick ist sie wichtiger denn je. Wer bis jetzt noch keine Parzelle hatte, nimmt sich eine. Neuerdings gibt sie der Staat als Eigentum – die einzige Art der Privatisierung, die erfolgreich vonstatten geht und schon übers Jahr Früchte trägt. Als Datschnik ist der auf der Arbeit sonst nicht gerade umtriebige Sowjetmensch ein Tausendsassa. Von staunenswerter Tatkraft und Phantasie, die den zum Hochmut neigenden westlichen Besucher immer wieder beschämen und begeistern.

Ein Spaziergang durch eine schon ältere Kolonie ist ein kulturgeschichtliches Abenteuer. Da gibt es Holzhäuschen im Stile Mittelrußlands, Blockhäuser wie am Ladogasee, zierliche Giebel nach Schwarzmeerart. Geschnitzte Veranden und Balkone, geziert und bewacht von litauischen Waldgeistern. Zeltartige Konstruktionen wie Jurten und halb in den Boden eingelassene kalmückische Semlankas. Von Efeu und wilden Rosen verschönte ausrangierte Militärcontainer und Traumgebilde, die ein Tudorcastle zitieren, eine Pagode oder Disneyland. In ihnen vereinen sich individueller Geschmack und nationale Tradition und ein Potpourri von Materialien. Ziegel und Feldstein, Stämme und Bretter, Blech und Kunststoff, Abfallprodukte und Fundstücke tausenderlei Art, die auch den einfachsten Entwürfen das Aussehen von bunten Hunden verleihen. Zur Zeit werden viele Häuser erweitert, das heißt in Ermanglung von Platz in die Höhe. Ein zweiter oder gar dritter Stock wächst dazu, man stellt sich offenbar auf längere Zeiten des Aufenthalts mit der ganzen Familie ein. Kamine werden gemauert und am Rande der Parzelle Behausungen für Schwein und Federvieh. Viele benutzen dafür alte Ziegel aus nahe gelegenen Ruinen; die letzten Überreste deutscher Bauernhöfe werden mit privatisiert. Die Kolonie belebt sich. Immer mehr Stunden in der Woche, immer mehr Monate im Jahr verbringen die Datschniki in ihrer selbstgeschaffenen Welt. Manche haben sich zusammengetan und ein Pferd gekauft. In diesem trockenen Sommer hat man ein System der Verantwortlichkeiten geschaffen fürs Gießen und andere Notwendigkeiten. Man sorgt sich gemeinschaftlich um die Bewachung vor Dieben und Brandstiftern und um die Rechtssicherheit des Boden- und Hausbesitzes. Was einmal vor allem Sommerfrische war, wandelt sich zur Farm, die Kolonie wird zum Dorf. Die Rache der Geschichte? Die Stadt zieht aufs Land, weil das Land die Stadt schon lange nicht mehr ernähren kann. Jahrzehnte hat es die Kinder an die Stadt verloren, Jahrzehnte von der Stadt die unsinnigsten Direktiven empfangen und wenig Unterstützung. Nun, im Zeitalter der Perestroika, wo ein Neubeginn möglich wäre, hat das Land nicht mehr die Kraft dazu. Der Impuls kann nur von der Stadt kommen. Vielleicht ist der Datschnik der Bauer von morgen? Der Schrebergarten ein Trainingsfeld für bäuerlichen Sachverstand? Es ist nicht ausgeschlossen, daß sich aus der periodischen Stadtflucht etwas Dauerhaftes entwickelt. Vorerst noch sind die «Dörfer» Satelliten der Stadt Tschernjachowsk.

Insterburg hieß sie früher. Sie war das Gegenteil des soeben Beschriebenen, der Inbegriff, ein Modell geradezu einer organischen Verbindung von Stadt und Land. Eine Landstadt im wahrsten Sinne des Wortes – Mittelpunkt eines agrarischen Kosmos, auf das Land bezogen, von ihm lebend und es belebend. Es war Umschlagplatz für Getreide und Vieh, Düngemittel und landwirtschaftliches Gerät. Hier trafen sich die Pferdezüchter zu Auktionen und Hengstprüfungen, die Reiter zu Turnieren. Hier ließ sich der Bauer in den «Herdbuchverein für das schwarzweiße Tieflandrind» eintragen und suchte bei der Raiffeisenbank um Kredit nach. Hierher schickte er seinen Sohn zur Landwirtschaftlichen Winterschule und die Tochter auf die «Klopsakademie» (Hauswirtschaftsschule). Vierzehn Kirchspielen bot die Stadt Einkaufsmöglichkeiten, Vergnügungen und Behördendienste. Die typische Existenzform des Insterburgers war die Selbständigkeit entweder als kleiner Kaufmann oder als Handwerker. Die Palette der Gewerbe war spezialisiert auf die Bedürfnisse des Umlandes. Auch die Industrialisierung verlief in ländlichen Bahnen. Die kleinen Fabriken waren und blieben im Grunde gewachsene Handwerksbetriebe. Ob Flachsspinnerei, Ofen- oder Bettfedernfabrik, die Mahl- und Schneidemühle, die Teer- und Harzchemie oder die Möbelproduktion, alle befaßten sich hauptsächlich mit der Verarbeitung und Veredlung der Erzeugnisse der Land- und Forstwirtschaft. Es war ein Wirtschaftsraum, der ganz in der Logik des Regionalen lebte. Der als Ensemble im zwanzigsten Jahrhundert viele Elemente des neunzehnten bewahrte. Dazu trug Ostpreußens Insellage zwischen den Kriegen nicht unerheblich bei. Damals wurde dies als «Strukturschwäche» bezeichnet. Aus heutiger Sicht muß man den Zusammenhang möglicherweise als geglückte Lebensform ansehen. Die Insterburger haben nach ihrer Vertreibung in gewisser Weise den Beweis dafür angetreten. Daß die meisten so schnell Fuß faßten im industriellen Westen, wo eigentlich ganz andere Gesetze galten, ein Haus und eine neue Existenz bauen konnten, hatte mit ihrer sehr komplexen Tüchtigkeit zu tun, mit einem selbständigen Unternehmungsgeist und handwerklichen Können und mit dem dichten Gewebe der persönlichen und geschäftlichen Beziehungen aus vergangener Zeit.

In Tschernjachowsk ist Insterburg noch vorstellbar. Es steht da, fast ganz, in immer noch leuchtendem Ziegelrot. Von allen Städten im nördlichen Ostpreußen hat diese ihr Gesicht am besten bewahrt. Die Wilhelmstraße heißt Pionerskaja Uliza, doch äußerlich ist sie die Allee zwischen Ulmenplatz und Ludendorffstraße geblieben. Auf dem Dach des Hauses hockt noch der Preußenadler, nebenan im Eingang eine schmiedeeiserne Jahreszahl, «1864». Auf einem Stein vor der Treppe ist zu lesen «Tüchtige Bürger machen erst einen tüchtigen Staat, nicht umgekehrt», die Maxime des Insterburger Vorschußvereins aus dem Jahre 1911. In der sowjetischen Stadt wirkt sie wie eine Botschaft von einem fremden Stern. Doch sie hat die neuen Bürger offenbar nicht gestört, ebensowenig wie das Kopfsteinpflaster oder die Breite des Trottoirs. In Insterburg hat der Krieg nur wenig Schaden angerichtet, und vielleicht hat das bis ins Detail erhaltene Ensemble die Sieger beeindruckt und zu mehr Pietät verführt? Diese Straße ist wie ein Vexierbild: Die Umrisse des Historischen verschwimmen mit dem Heutigen. Die Augen tun sich schwer zu trennen, ebenso die Gedanken. Mal rennen sie dem einen, mal dem anderen hinterher. Sie erfassen die Reichspost, streng und ziegelrot. Warum, fragt man sich erstaunt, brauchte Insterburg mit seinen knapp 50000 Einwohnern ein so riesiges Postgebäude? Und warum braucht Tschernjachowsk es nicht und hat darin eine Warmbadeanstalt eingerichtet? Gestalt und Funktion sind auseinandergetreten. So ist es häufig, und nicht immer sind die Gründe gleich einzusehen. Manchmal fügen sich neue Elemente durchaus harmonisch ein, wie die Tschaikowsky-Statue in den Vorgarten der Villa, die heute Musikhochschule ist. Das könnte, wüßte man es nicht anders, auch ein Ensemble von damals sein. Der Komponist, der russische Motive mit westeuropäischen verquickte, war auch in Preußen beliebt und dürfte im Klavierunterricht der Insterburger seinen Platz gehabt haben.

Verblüffend sind immer wieder die Blicke nach oben. Die Gestalt der Giebel und Erker, die Wappen und Jahreszahlen präsentieren sich wie früher. Kein Neubau stört die Silhouette, in so luftiger Höhe läßt der Alltag von heute dem alten Weichbild von Insterburg den Vortritt. Eine Ansicht wie die des Turms der Reformierten Kirche von der Pionerskaja Uliza gleicht dem, was man von der Wilhelmstraße aus sah. Aber gerade wenn die Übereinstimmung im Äußeren besonders schlagend ist, drängt sich die historische Differenz dazwischen. Für den Tschernjachowsker nämlich zeigt der Kirchturm eine Sporthalle an. Der Gegensatz der Bedeutungen vertreibt den westlichen Besucher aus dem Reich der Nostalgie. Nach einigen solcher Erfahrungen klug geworden, läßt er sich schließlich nicht mehr täuschen und verfällt, um unnötigen Schmerz zu vermeiden, ins Gegenteil. Alles historische Gemäuer wird ihm zum Blendwerk, ist die reine Kulisse. Aber auch das dauert meist nicht lange, dann sucht er wieder den Genuß der Illusion und tappt erneut in Situationen, wo sich die Grenzen zwischen Preußischem und Sowjetischem verwischen. «Hamann» steht auf dem Eckhaus linker Hand, weiß auf gelbem Putz, nur der Name, nichts mehr. Wer hat das Graffito in lateinischen Buchstaben hinterlassen? Der Kirchgänger, der Turner? Meinte der- oder diejenige den Johann Georg, den «Magus des Nordens»? Oder – der Schreibweise nicht ganz kundig – den «mit dem Hackebeilchen», den in den zwanziger und dreißiger Jahren jedes Kind kannte? Oder sonstwen? Die Inschrift ist klar und scheint frisch. Das verweist auf einen Tschernjachowsker Täter. Aber vielleicht zeichnete er nur einen alten Schriftzug nach? Auch nach gründlichstem Nachdenken bleibt manches im Rätselhaften.

An vielen Straßenecken könnte man Fotos schießen, die von solchen der dreißiger Jahre kaum zu unterscheiden wären – von einer Feuerwehr wie aus einem deutschen Lesebuch, der Drahtwarenfabrik oder dem Kasernentor. Dabei müßte die Momentaufnahme nicht einmal unbedingt die Menschen aussparen. Der Tschernjachowsker Junge mit den heruntergerutschten Kniestrümpfen ist dem Insterburger «Lorbaß» vielleicht gar nicht so unähnlich, jedenfalls ähnlicher als dem Enkel des Insterburgers, der heute in Krefeld wohnt. Den realen Abstand zwischen den beiden Städten offenbart drastisch erst das bewegte Bild beziehungsweise das Bild von den Bewegungen in den Straßen. In der Weise, wie die Menschen dieselben Wege gehen, wie sie stehen, strömen, einander begegnen, zeigt sich das grundsätzlich andere Wesen der Orte. Niemand wird auf Tschernjachowsks Straßen die Gangart der selbstbewußten Insterburger Handwerker finden und die Begrüßungsrituale ihrer Gattinnen vor dem Café Dünckel. Niemals hat man in Insterburg diese besondere Eile gesehen, die Tschernjachowsks berufstätige Frauen nach der Arbeit in die halbleeren Geschäfte treibt. Nirgends in Tschernjachowsk erlebt man das angespannte, hochgestimmte Durcheinander vor Beginn des Insterburger Pferdemarktes. Kein betrunkener Insterburger würde, selbst im schlimmsten Vollrausch nicht, den wodkaseligen Tschernjachowsker als Saufkumpan ansprechen und umgekehrt. Das ist evident, das muß nicht begründet werden. Es ist die Andersartigkeit der Haltungen und des Lebensrhythmus, die den Insterburger, der auf Besuch kommt, in Tschernjachowsk zum Fremden macht und die verhindert, daß der Tschernjachowsker in einem alten Film über Insterburg die Stadt als die seine erkennt. Zwischen der Vergangenheit und der Gegenwart liegen Welten. Nur in einem Punkt scheinen sie annähernd übereinzustimmen. In der Bewegung der Soldaten: Wenn sonntags die Rotarmisten durch die Straßen schlendern, in Gruppen, auf der Suche nach schönen Mädchen, dann tun sie dies vermutlich nicht viel anders als damals die Wehrpflichtigen der Insterburger Garnison. Die einen wie die anderen sind so neu in der Stadt, wie die anderen waren, sie sind gerade einer Kaserne entkommen und haben für Stunden dasselbe Bedürfnis. Das Militär gleicht das soziale Verhalten an, überall in der Welt.

Es gibt Momente der Kontinuität in der Geschichte, die selbst die abruptesten Wechsel verklammern. Von ihren Anfängen im 14. Jahrhundert war die Garnison durchgängig eine der wichtigsten Abteilungen der Stadt. Sie wuchs durch die Zeiten, beständig und nicht immer zur Freude der zivilen Bewohner, und war eine der Bastionen des preußischen Militarismus. Im Sommer der großen Mobilmachung, 1939, machte der Anteil der Soldaten an der Gesamtbevölkerung gut 12 % aus. Heute sind es vermutlich noch mehr. Auf jeden Fall hat die Rote Armee neben den gut erhaltenen deutschen Kasernenbezirken viele andere Gebäude in Beschlag genommen. Nach wie vor ist es ein strategisch bedeutsamer Standort und von hoher historischer Symbolkraft. Gleich nach dem Krieg hatte Shukow hier Quartier bezogen, der berühmte Marschall, der 1945 die Schlacht um Berlin anführte, und von hier aus das «atlantische Kommando» der Sowjetarmee geleitet. Nicht ohne Grund erhielt Insterburg damals den Namen eines Feldherrn.

Auch deswegen ist Tschernjachowsk einer der interessantesten Orte im Kaliningradskaja Oblast: ein neuralgischer Punkt, wo sich «Perestroika» entscheidet, vorankommt oder blockiert wird.

Die Kaserne «Zum nicht ausgelöschten Mond»

«Njet, nikogda – nein, niemals, nicht in diese Kaserne noch in eine andere dürfen Sie hinein», war mir im Mai 1991 schroff gesagt worden. Ein gutes Jahr später heißt es von höchster Stelle: «Vielleicht.» Über Wochen ist unklar, an welche Bedingungen sich ein mögliches Ja knüpft. An die Einwilligung aus Moskau, an Devisen, an das Ende eines bestimmten Manövers oder die Abwesenheit eines besonders gestrigen Diensthabenden? Alexej, der russische Kollege, der für mich mit dem zuständigen General der Roten Armee verhandelt, ist ratlos. Keine der üblichen Taktiken oder Bestechungsversuche gelingt. Zu guter Letzt drückt er, schon fast resigniert, auf die Tränendrüse. Der Vater der interessierten Journalistin habe als junger Soldat in der Kaserne gelegen und wegen dieses eher persönlichen Wunsches sei sie so hartnäckig. Das ist das Sesam-öffne-dich. Binnen weniger Stunden kommt aus Kaliningrad die Genehmigung.

Ein Offizier empfängt uns am Tor. Er salutiert, schaut sich suchend um, verwundert offenbar, daß wir ohne männliche Begleitung sind. Dann schüttelt er der Dolmetscherin Olga und mir verlegen die Hand. «Willkommen, wir haben gehört, Sie wollen die Stelle besichtigen, wo das Bett Ihres Vaters stand. Ich bin Valeri und werde Sie hinführen.» Erschrocken entgegne ich, ich müsse mich erst mal orientieren, die Angaben des alten Herrn seien natürlich vage. Wir gehen zu dritt durch eine Kastanienreihe auf den nächsten Eingang zu, eine Treppe hoch, in einen langen Korridor. Ich darf selbst die Türen der Schlafsäle öffnen. Je zwanzig Betten stehen darin, zwanzig Spinde, zwanzig Stühle. Vier kahle Wände, Fenster ohne Gardinen, Wolldecken ordentlich gefaltet und azurblau. Kein Soldat ist zu sehen, nicht mal ein Stiefelpaar oder eine Schachtel Papirossy. Es riecht nach Desinfektionsmittel und feuchtem Kalk. Die preußische Architektur ist fast perfekt restauriert. In Stein gefaßte Disziplin und Uniformität springt einen an. Aber eher wie eine Filmkulisse. Man erwartet den Auftritt des Aufnahmeleiters, der mit einer Flüstertüte die Komparsen in Wehrmachtsuniformen um etwas Geduld bittet oder den Ausstatter anschreit, er solle gefälligst die azurblauen Decken in stilechte graue umtauschen. Wir öffnen die zehnte oder zwölfte Tür, tun dasselbe im nächsten und übernächsten Gebäude, und immer noch ist kein Rotarmist in Sicht. Haben sie die Kaserne geräumt? Der frischgefegte Appellplatz, die Kantine, die Sporthalle, die in einem der früheren Pferdeställe angelegt wurde, sind leer. Nur im Krankenrevier finden wir drei Patienten und eine Ärztin, die uns erklärt, daß die jungen Männer, alle Kaukasier, das Klima nicht vertrügen und chronisch erkältet seien. Komparsen? Bin ich in einem sowjetischen oder postsowjetischen Film? Unser Begleiter entschuldigt sich, er ist für Fragen nicht zuständig. Mit Ausnahme solcher, die zur Identifikation des Raumes führen könnten, wo mein Vater wohnte.

Wir werden erwartet im Büro des Kommandeurs. In einem Zimmerchen, schmal und spartanisch, begrüßt uns ein kleiner, feingliedriger Mann. Seine khakifarbene Bluse trägt keine Rangabzeichen. Er nennt sich Pjotr, ohne «Genosse» davor und ohne Nachnamen. Hinzu kommt Ludmilla, die sich vorstellt als Offizierin und Ehefrau von Valeri. Viel könne er uns nicht erzählen, sagt Pjotr, meiner Frage zuvorkommend. Er sei erst im Februar 1991 nach Tschernjachowsk gekommen. Aus der ČSFR, sein ganzes Regiment sei praktisch zurückverlegt worden. 1968 habe es die Kaserne hier verlassen und nun sei es eben, der «veränderten Umstände wegen», wieder da. Zwischenzeitlich seien die Gebäude verschimmelt, und selbst nach der Renovierung könne man sich nach all dem Komfort in Prag an die vorsintflutlichen Zustände nicht gewöhnen. Ein Großteil der Soldaten sei in den letzten Monaten nach Hause gefahren, weil ihre Nationen von der UdSSR abgefallen sind, aber auch ein paar andere, man könnte sagen «Deserteure». Gegenwärtig sei die Kaserne nur zu zwanzig Prozent belegt. Nach absoluten Zahlen möge ich bitte nicht fragen. Wenn nicht gerade Heuernte wäre im Manövergelände, könnte ich mit einigen der jungen Leute gern sprechen. Nur eben bitte nicht über Zahlen und andere militärische Geheimnisse.

«Gibt es überhaupt in unserem Zeitalter noch militärische Geheimnisse?» gebe ich vorsichtig zu bedenken. Ich bin überrascht über die geringe Belegung der Kaserne; andererseits ist klar, daß die Annahme, durch eine Besichtigung etwas auszuspionieren zu können, vollkommen unsinnig ist. Ich beruhige die Offiziere, indem ich meinerseits Rapport erstatte über das, was bei uns im Westen öffentlich zugänglich ist, und verlese die neuesten Informationen eines Militärforschungsinstituts. In Stichworten: «Kaliningradskaja Oblast. 1. Landstreitkräfte: 2 Panzerdivisionen, 1 Sonderartilleriedivision, 2 motorisierte Schützendivisionen, 1 Küstenschutzdivision, insgesamt tausend Panzer. 2. Seestreitkräfte: etwa hundert Kampfschiffe modernster Ausrüstung. 3. Luftwaffe: ungefähr 200–300 Jäger und Jagdbomber, das heißt ein Drittel bis die Hälfte der Nordostgruppe der Streitkräfte. Noch andauernder Zuzug von Regimentern aus der DDR, Polen, der Tschechoslowakei und dem Baltikum. Die Zahl der Soldaten ist vor allem wegen der hohen Fluktuation schwer einzuschätzen. Vorsichtig: um die 100 000. Keine Atomraketen, aber alles in allem der Welt größte Militärkonzentration pro Quadratkilometer. In der Vergangenheit von strategischer Bedeutung vor allem als Eingreiftruppe bei Rebellionen in Ländern des Warschauer Paktes. Heute letzter Brückenkopf gegen die NATO, Pfahl im Fleisch der befreiten, aber militärisch ohnmächtigen Staaten der Umgebung, Bastion der Putschisten im Falle eines Machtwechsels in Moskau.» Die Offiziere machen undurchdringliche Gesichter, wie wenn sie das nichts anginge oder eher mich als sie. Pjotr, der Kommandant, nimmt das letzte Stichwort auf und beklagt sich über die Insellage. Über die Versorgung, die nur noch im Transit über litauisches Hoheitsgebiet abgewickelt werden könne. Die Kaserne bemühe sich, autark zu werden, eine eigene Ökonomie aufzubauen durch den Zukauf von Ackerland und das Ausleihen von Soldaten an die unter Arbeitskräftemangel leidenden Kolchosen und Sowchosen. Die jungen Leute verbrächten große Teile des Dienstes in der Landwirtschaft, und die meisten täten es gern, weil es weniger langweilig sei als in der Kaserne. Er selbst als Erzieher könne das nur befürworten, weil die körperliche Arbeit in der freien Luft den üblichen Krankheiten des Kasernenlebens vorbeuge – Drogen, Kriminalität, Gewalt und Depression. Vor allem die Jungen, die aus Moldavien oder aus Berg-Karabach oder anderen Krisenregionen kämen, seien ruhiger geworden dadurch.

In seinen Augen gehe es ums Überleben, auch für ihn. «Stellen Sie sich vor», bittet er mich: «Wir Offiziere sind wie die Nomaden. Ich zum Beispiel bin geboren in Port Arthur als Sohn eines Soldaten. Aufgewachsen bei Murmansk am Nördlichen Eismeer, verheiratet mit der Tochter eines Soldaten vom Baikal. Der erste Sohn ist in der Ukraine geboren, der zweite in Chabarowsk, der dritte in Prag. Wo ist mein Zuhause? In der Wohnung am Einsatzort, also jetzt hier. Die Dienstzeit geht in einem Jahr zu Ende, es gibt keinen Platz, wo man erwartet wird. Was ist naheliegender, als dazubleiben. Endstation Tschernjachowsk, es könnte eine schlechtere sein. Der Oblast braucht Fachkräfte, er hat genügend Land zum Siedeln. Außerdem ist es friedlich hier wie kaum irgendwo. Ich, auch Valeri und Ludmilla, einige andere Offiziere und ein paar Wehrpflichtige, die sich in der Stadt verliebt haben, wollen unsere Perspektive direkt vor der Kaserne suchen. So wie seinerzeit die Veteranen im Römischen Reich, nur daß die Unterstützung hatten von ihren Oberen.»

Der Kommandant behauptet seine Lebensgeschichte gegen den großen militärischen Zusammenhang, seine Zukunft gegen die Vergangenheit. Es ist sein erstes Interview mit der westlichen Presse und wahrscheinlich auch sein letztes. Wofür ist er verantwortlich? Als Marschall Shukow in Tschernjachowsk Quartier bezog, war er noch nicht geboren. Als sein jetziges Regiment 1968 den «Prager Frühling» niederschlug, hatte sein Wehrdienst gerade erst begonnen. In Afghanistan war er nicht, in den zwanzig aktiven Jahren war er in erster Linie Radioingenieur. «Folgen Sie mir!» Wieder bittet er mich sehr höflich und sehr eindringlich. «Sehen Sie, bitte, wie wir wohnen.» Ich füge mich, lasse meine Neugier lenken. Unterwegs durch die stille Kaserne sprechen die drei über ein Kind, das gestern tödlich verletzt wurde von einem Blindgänger, direkt vor der Stadt. Solche Fälle kommen immer noch ziemlich häufig vor, viele Areale sind nach dem Zweiten Weltkrieg nicht systematisch geräumt worden. In der Öffentlichkeit wird nun die Rote Armee aufgefordert, dies endlich zu tun, besonders in den stadtnahen Wäldchen und in den Gebieten, wo die neuen Schrebergärten entstehen. Ich erzähle, wie ich als Kind in «Aschebergs Büschchen» ein Waffendepot fand und es monatelang geheimhielt. «Wie in Weißrußland», sagt Valeri, «da haben wir im See nach Gewehren getaucht.» Ludmilla lacht, auch Pjotr. Sie erinnern sich an ihre Spielplätze, die Trümmergrundstücke von Leningrad und Murmansk. Wir sehen uns an und entdecken, wir sind Altersgenossen.

Die Wohnung des Offizierspaares ist ein ehemaliger Schlafsaal, vollgestopft mit Möbeln, Hausrat und Kisten, die den Raum verkleinern zu einer dunklen, schlechtgelüfteten Höhle. In ihr haben sich Gerüche von Schweiß und Lebensmitteln gefangen und von exotischen Ländern. Blaue Wolldecken teilen ein Kabuff für die zwei halbwüchsigen Kinder ab. Ludmilla holt Teewasser vom anderen Ende des Flurs, dort ist auch der einzige nicht defekte Stromanschluß. Valeri drückt Olga und mich sanft auf ein kleines Sofa. Er wartet nicht ab, bis sich die anderen auf den Boden gehockt haben, es platzt förmlich aus ihm heraus: «Was ist mit Ihrem Vater? Was für ein Soldat war er?»

Jetzt wäre Gelegenheit, die Lüge zu bekennen. Ich müßte gestehen, daß die Geschichte nur ein Paßwort war, um dorthin zu gelangen, wo ich nun sitze. Aber irgend etwas treibt mich in die Flucht nach vorn. Ob es die Vertrautheit ist, die mir so unerwartet entgegengebracht und fast aufgezwungen wird; jedenfalls erfinde ich einen Mann, der Karl heißt wie mein Vater. Und da ich über dessen Kriegsjahre nur Bruchstücke weiß, verbinde ich diese mit Gelesenem und Erdachtem. Der Anfang ist leicht: «Es war einmal ein Bauernsohn im Westfälischen, der Tierarzt wurde und gleich nach dem Examen in den Krieg nach Frankreich zog, dort zuständig war für den Ankauf von Pferden, zu diesem Zwecke durchs ganze Land reiste und – nach eigenen Angaben – eine der herrlichsten Zeiten seines Lebens verbrachte. Schwelgend in Pariser Flair, der Gesellschaft schöner Frauen, in Burgunderrausch und Kaninchen mit Senfsauce...» So weit etwa stimmt es, dann setze ich Insterburg in die Chronologie: «Im Sommer 1942, er war verregnet, verbrachte Karl hier einige ebenfalls glückliche Monate. Der junge Offizier hatte in der Umgebung Bauernpferde auf ihre Militärtauglichkeit zu prüfen, und er verliebte sich in eine Annemarie, die Tochter des Molkereibesitzers. Es ging ihm wie dem Soldaten im Sprichwort, der nach Ostpreußen versetzt wird und zweimal weint, einmal als er dorthin verdonnert wird und das zweite Mal beim Abschiednehmen...»

Ich verheddere mich in der Beschreibung eines angeblichen Fotos von einem Schlafsaal der Artilleriestraßenkaserne und vor allem, weil jetzt Rußland folgen müßte. Eigentlich habe ich genügend Bücher gelesen, um den Mann durch die Schlachten zu bringen. Ich könnte ihn zur neugebildeten Heeresgruppe A in Richtung Kaukasus befördern und dann auf die Kubanhalbinsel. Doch etwas sträubt sich. Nicht so sehr, daß die Lügengeschichte zu frivol würde. Es schieben sich Bilder vor sie, die stärker sind als alle Erfindung. Jahrzehntelang habe ich mit diesem Rußlandkrieg gelebt. Mit dem Verdacht, daß mein Vater ein Mörder war. Ich sah ihn in meinen Alpträumen, im Schlaf und im Wachen, wie er Dörfer anzündete und als «Führer» bei der Erschießung von Partisanen. Tausendmal stand er am Rande einer Grube, in die jüdische Frauen und Kinder fielen. Je hartnäckiger er meinen Fragen auswich, desto sicherer war ich, daß die Wahrheit noch schlimmer gewesen sein mußte. Ich lebte mit dem Stigma, von einem Verbrecher gezeugt worden zu sein. Das beeinflußte mein Erwachsenwerden, in jeder Weise und bis in die intimsten Zonen. Die ersten nackten Menschen, die ich im Leben zu Gesicht bekam, waren polnische Frauen vor den Gewehrläufen deutscher Soldaten. Dieses Foto verband auf lange das Geheimnis der Nacktheit unlösbar mit dem Tabu, das über dem Morden lag. Wie viele meiner Generation war ich durchdrungen und vergiftet von dem Krieg, den wir nicht erlebt hatten. Er hat die Glaubwürdigkeit von Eltern und Lehrern so grundsätzlich erschüttert, daß selbst in den einfachsten Dingen des Lebens ihre Autorität nichts galt und jedes noch so kleine Verbot nach Übertretung schrie. Über die Jahre habe ich mich von einigen Obsessionen befreien können und gelernt, den Krieg aus der Perspektive seiner Teilnehmer zu betrachten. In der Kaserne von Tschernjachowsk merke ich, wie gering noch immer meine Distanz dazu ist. All das steht blitzartig vor mir. Nichts von alledem könnte ich den fremden Offizieren vermitteln. Nicht dies, nicht die begonnene Lügengeschichte. In Frage käme allenfalls ein Stückchen Wahrheit in Gestalt einer Anekdote. Eine einzige Geschichte nämlich hat mein Vater «von Rußland» berichtet. In dem Schrank, in dem er seine Jagdgewehre aufbewahrte, lag eine Schapka. Die er nie trug, die er aber zur Belustigung seiner Töchter und Söhne häufiger aufsetzte und dabei voller Stolz kundtat, «mit dieser Mütze habe er in den Karpaten einen Bären geschossen». Als Kind nahm ich den Satz wörtlich und wie ein Märchen. Kraft seiner Mütze, dachte ich, hatte der mächtige Vater den Bären besiegt. Später empfand ich das Mützenritual provozierend. Es wurde zur Schlüsselszene meiner Kriegsphantasien, die den soldatischen Mann mit dem Jäger zusammenschloß, der das Schießen immer noch nicht lassen konnte. Vor einigen Jahren dann, ich war schon lange Historikerin, fiel mir zum erstenmal auf, daß die Karpaten nicht in Rußland, sondern in Ungarn und Rumänien liegen. Also auch dort mußte er gewesen sein, und ich begann nach dieser banalen Entdeckung, die Begebenheit ernst und wörtlich zu nehmen im Sinne des Erzählers. Mittlerweile ist sie zum Bild geworden für eine andere Kriegsbiographie. In mir hat sich die Vermutung verdichtet, daß dieser Vater eigentlich ein «Lauschöpper» war. So nennt man in Westfalen Leute, die sich gern drücken und es sich wohl sein lassen und sich, wo auch immer, Vergnügen oder ein stilles Plätzchen suchen. Vieles spricht dafür, daß der junge Tierarzt dieses Talent auch im Rußlandkrieg einsetzte und sich, die Vorzüge seines Berufes nutzend, hinter den Linien durchschlängelte – und zum Beispiel bei Gelegenheit ein jagdliches Abenteuer einschob.

Auch dieses scheint mir nicht erzählbar, in seiner Vielschichtigkeit nicht zu dolmetschen. Die alberne Szene, meine private Erleichterung könnte mißverstanden werden als Verharmlosung eines Krieges, der bei den Russen «der Große Vaterländische» heißt. Ludmilla, Pjotr und Valeri warten. Ich höre mich sagen: «Mein Vater war in Rußland, doch darüber weiß ich bedauerlicherweise nichts. Nur wie er in Gefangenschaft geriet, davon hat er berichtet. Im Januar 1945 wurde er aus einem Heimaturlaub nach Mähren beordert. Dort sollte er etwa tausend abgemagerte, räudige Panjepferdchen nach Osten, an einen bestimmten Frontabschnitt bringen. Auf dem Weg fing ihn die Rote Armee ein, die nächste Station war ein Lager bei Stalingrad, das er nach anderthalb Jahren mehr tot als lebendig wieder verlassen durfte.»

Valeri lächelt. «Bei uns waren die Väter auch nicht gerade gesprächig. Sie haben ihre Medaillen geputzt und ihre Privilegien gehütet. In der Sowjetunion war die Armee heilig. Sie, Madame, haben es leicht, Sie nehmen Ihren Vater als Soldaten nicht ernst. Wir sind groß geworden mit ‹Helden›, wir gingen in ihren Fußstapfen. Vor zwei Jahren haben wir in Prag das erste Mal von Katyn gehört. Jetzt deckt man inzwischen jede Woche neue Massengräber auf. Die Armee wird demontiert. Erst der Staat, dann die Partei, jetzt ist die Reihe an uns. Ich bin bald vierzig. Und das Verrückte ist, als mein Vater vierzig war, hat er gewußt, zum Teil wenigstens, was Stalin tat. Und als mein Großvater vierzig war, kam er gerade aus dem Gulag und hat zu niemandem darüber gesprochen. Kennen Sie die ‹Geschichte vom nicht ausgelöschten Mond›»? Valeri redet müde. In seiner Stimme ist ein Rest von Pathos, von der zitierten Heiligkeit, die ihm seit kurzem zuwider ist. Olga unterbricht, sie mag das Thema nicht und verlangt eine Pause. Ein frischer Tee macht die Runde. Pjotr schleppt aus einem Winkel der Höhle einen Stapel Bücher an. Dostojewski, Puschkin, Turgenjew, Leskow, Anna Achmatowa, Boris Pilnjak, einen Hemingway und einen Goethe, Erich Maria Remarque und einen zerfledderten Heinrich Böll – jedes nimmt er in die Hand, kommentiert es mit zwei, drei Sätzen und vergewissert sich, ob auch ich die Titel kenne. Im Nu und wie so oft in Rußland sind wir im Gespräch über Literatur. Über Schuld und Sühne im Allgemeinen und Besonderen und versteckten Andeutungen, die das Thema der Streitkräfte berühren. Über geheime Verwandtschaften russischer und deutscher Poesie und ob ein Land, in dem nur die Dichtung wahrhaftig ist und sonst nichts, auf deren Grundlage wieder zu sich finden könnte.

Es wird Abend darüber. Noch immer herrscht Ruhe in der Kaserne, der Dienstplan scheint außer Kraft. Über Remarque und Pilnjak finden wir den Faden wieder – zur Armee. Valeri vertritt die Auffassung, der Roman «Im Westen nichts Neues» von 1929 treffe genau die heutige Situation: eine verlorene Generation, die vom Krieg zerstört wurde, auch wenn sie den Schlachtfeldern äußerlich unversehrt entkam. Wie Remarque und seine jungen Soldaten hält er für das einzig Dauerhafte die Kameradschaft. Die sei, wir Frauen und besonders Ludmilla möchten entschuldigen, im zwanzigsten Jahrhundert wichtiger als die Liebe. Genau da schneide er sich mit dem russischen Altersgenossen Pilnjak. Die beiden Dichter verteidigten die Kameradschaft gegen die von oben geforderte Kumpanei des Tötens. «Aber erst im Scheitern», widerspricht Pjotr. «Erst wenn alles vorbei ist, sind die Soldaten wirklich nahe. Wenn auch die Verzweiflung tot ist und nur der Mond noch Anteil nimmt.» Wieder kommt Olga nicht nach mit dem Übersetzen. Ich kenne Pilnjaks Erzählung nicht und muß ohnehin passen.

Ludmilla deutet an, daß diese «Pilnjakowschtschina» sich schon seit Wochen hinzieht und sie langweilt.

Der Nachmittag dehnt sich bis in die späte Nacht. Am Ende kenne ich Pilnjaks «Geschichte vom nicht ausgelöschten Mond». Die Erzählung behandelt in kaum verhüllter Form die Beseitigung des legendären Bürgerkriegsgenerals und Oberbefehlshabers der Roten Armee, Frunse, der im Herbst 1925 unter ungeklärten Umständen nach einer Operation starb. Die Zusammenfassung, die Pjotr und Valeri mir im Wechselgesang gegen elf Uhr abends vortragen, im Mai 1992, lautet etwa so: Gawrilow (Frunse) kommt mit einem Sonderzug aus dem Kaukasus, kuriert von einem quälenden Magengeschwür. Bei seiner Ankunft in Moskau erfährt er, daß er sich operieren lassen soll. «Der Erste» (Stalin) hat es befohlen «im Interesse der Revolution» und hat den geplanten Akt väterlicher Fürsorge bereits in die Zeitungen setzen lassen. Gawrilow sträubt sich, voll böser Ahnungen. Während die Maschinerie des Verbrechens ihren Lauf nimmt, ein Ärztekonsilium sich anschickt, der Partei zu Willen zu sein, trifft sich Gawrilow mit seinem alten Freund Popow. Die beiden kennen einander aus der gemeinsamen Arbeit im Untergrund, als sie noch Weber waren in der Fabrik und Lenins Zeitschrift «Iskra» ihr Evangelium wurde. Sie waren Kampfgefährten in der Revolution von 1905, teilten Gefängnis, Verbannung und Emigration, standen schließlich im Oktober 1917 ganz vorn. «Für beide kreiste alles, das ganze Leben, alle Gedanken, um die Größte Revolution der Geschichte, die Größte Gerechtigkeit und Wahrheit auf der Welt. Aber ein für allemal waren sie füreinander Nikolaschka, bzw. Alexej, Aljoschka, ein für allemal waren sie Weber, die Genossen ohne Rang und Namen.» Um dieses Zitat hat sich den ganzen Abend über die Debatte von Pjotr und Valeri gedreht und um die Stunden vor der Operation, die im Zeichen dieser Freundschaft stehen. Wie die beiden, also Nikolaschka und Aljoschka, über alltägliche Dinge sprechen, Erinnerungen über die Liebe und über Popows Töchterchen

Natascha. Sie sind fremd und einsam in ihrem Moskau. Die Sowjetmacht, die sie maßgeblich mitgestaltet haben, hat sie abgestoßen. Die lärmende «Maschine der Stadt», in der sie einst die Massen mobilisierten, erweist sich als unempfindlich gegenüber dem Schicksal eines Individuums. Einzig mit dem Mond scheint es noch eine Verbindung zu geben. Er eilt über die Stadt, voll und weiß und aus irgendeinem Grunde erschrocken, mal frei, mal hinter Wolken, müde schließlich von der Hast. Am Ende, Gawrilow ist schon gestorben an einer Überdosis Chloroform und Popow hat gerade sein Testament gelesen, will die zweijährige Natascha «den Mond auslöschen». Sie bläst die Backen auf und pustet – vergeblich.

Pilnjaks Requiem auf die Revolution, sagt Valeri, sei heute in Kreisen der Armee fast ein Kultbuch. Besonders seit dem 20. August 1991, als die Wirklichkeit den historischen Vorfall noch einmal zitierte. An diesem Tag hatte ein Sprecher der Putschisten in Moskau verkündet, man wolle den entmachteten Gorbatschow durch eine unabhängige Ärztekommission auf seinen Gesundheitszustand untersuchen lassen. Die Geschichte bezieht ihre Brisanz auch aus ihrer Fortsetzung im Schicksal des Autors. Pilnjak, damals einer der am meisten verehrten Autoren der jungen Sowjetunion, fiel mit der Veröffentlichung der «Geschichte vom nicht ausgelöschten Mond», im Februar 1926, in Ungnade. Seitdem rissen die Hetzkampagnen gegen ihn nicht mehr ab. 1937 wurde er in Moskau verhaftet. Einer neueren russischen Information zufolge soll er 1941 in einem Arbeitslager gestorben sein.

Gegen Mitternacht verlassen Olga und ich die Kaserne. Ludmilla bringt uns zum Tor, von der Straße aus sehen wir in Valeris Höhle noch Licht. «Drôle de guerre», denke ich unwillkürlich. Eine Situation, für die es im Deutschen und, wie Olga versichert, auch im Russischen kein passendes Wort gibt. Ein Franzose, Jean-Paul Sartre, hat sie beschrieben. Modell gestanden hat der Winter 1939/40, den er als Wetterbeobachter an der Maginotlinie verbrachte. «Drôle de guerre»: Der Krieg macht Pause auf unbestimmte Frist. Die Männer sitzen in den Bunkern und füllen die Ereignislosigkeit mit Lesen und Kartenspielen. Momente der Privatheit und Freundschaft werden abgelöst vom Terror der Intimität. Für Momente gibt es im Kollektiv der Eingeschlossenen noch ein Ich und ein Heute. Beides verschwindet mit fortgesetztem Warten im Diffusen, die Zeit läuft leer, der Ort der Stellung erscheint immer unwirklicher. Alles strebt auf den gefürchteten und ersehnten, die Spannung lösenden Tag X zu: an dem etwas geschieht.

Neun Monate erst sind vergangen seit dem Putsch vom August. Der Tag X hat die Tschernjachowsker Kaserne nur als Nachricht erreicht und wurde, bevor es zur Mobilisierung kam, wieder abgeblasen. Aber noch kann ein Einsatzbefehl kommen, Frieden kann man den jetzigen Zustand nicht nennen.

Rückkehr aus der «babylonischen Gefangenschaft»

Ihr kräftiger Ziegelturm zieht die Blicke auf sich. Eine Kirche, äußerlich heil, umgeben von einem ebenfalls intakten Platz, als Mittelpunkt einer historischen Innenstadt – das hat im ganzen Kaliningradskaja Oblast nur Tschernjachowsk zu bieten. Insterburgs Wahrzeichen war der filigrane barocke Turm der Lutherkirche, doch die ist spurlos verschwunden. Im Stadtbild hat nun die ehemalige Reformierte Kirche die tonangebende Rolle übernommen. Ein Bau, der 1945 gerade mal fünfzig Jahre alt war, aber durch eine traditionsreiche Gemeinde in deutscher Zeit großes Ansehen genoß. In der Übersicht der Bau- und Kunstdenkmäler der Provinz von 1895 stellt Alfred Boetticher eine typisch ostpreußische Geschichte vor: «Die reformierte Gemeinde bestand anfänglich aus Schottländern, später nach der Pest 1709/10 kamen dazu Kolonisten aus Nassau, der Pfalz und der Schweiz. Anfangs, gegen Ende des XVII. Jh. hielten die Reformierten ihren Gottesdienst in einem Saale des Rathauses ab. Im Jahre 1702 wurde ihnen von Ernst von Wallenrodt ein langes Gemach im Schlosse eingeräumt. Im Jahre 1730 bewilligte Friedrich Wilhelm I. der Gemeinde eine Kirche, zu welcher er 1500 Thaler schenkte und die am 14. August 1735 eingeweiht wurde... Diese Kirche wurde 1885 wegen Baufälligkeit geschlossen und der Grundstein zur neuen Kirche auf dem freien Platz zwischen der Albrecht- und Wilhelmstraße am 9. September 1886 gelegt. Die Kirche ist ein stattlicher, modern-romanischer Bau nach den Plänen F. Adlers, 1890 eingeweiht.» Ihre stattliche Größe erklärte sich aus ihrer Rolle als Garnisonskirche. Sie war – in Funktion und Aussehen – eine Verkörperung der wilhelminischen Ära.

Pionerskaja Uliza heißt ihr heutiger Standort. Sie hat keine Uhr mehr, dafür aber eine Hausnummer, und auf der Turmspitze blinkt golden ein orthodoxes Kreuz. Bis 1988 ist sie als Turnhalle benutzt worden – bis ein Feuer ausbrach. Das erklärte die orthodoxe Kirche zum Gottesurteil. Und nachdem im Oktober 1990 das neue Gesetz über die Religionsfreiheit verabschiedet worden war, war die Sache auch gesellschaftlich spruchreif. Die orthodoxe Kirche durfte das Gebäude übernehmen. Bei meinem ersten Besuch, im Frühjahr 1991, hatte die Restaurierung gerade begonnen. Unter rußschwarzem Gewölbe, zwischen olivgrünen und schreiend blauen Säulen, auf denen noch die sportlichen Parolen «schneller – höher – weiter» zu lesen waren, werkelten damals ein paar junge Leute. Es fehlte an Material, die Baumaschinen waren kaputt, der Enthusiasmus der Freiwilligen verlief sich in Stümperei. Josef Ilnicki, der junge Pope aus Kiew, war der Verzweiflung nahe. Für den Gottesdienst hatte man am Haupteingang vorerst einen Bretterverschlag gezimmert. Ein wohnzimmergroßes Provisorium, geschmückt mit gelb gefärbten Bettüchern und billigen Drukken, mit einer Plastikwanne als Taufbecken und einer wackligen Ikonostase. Der Raum war voll jeden Sonnabend und Sonntag. Fünfzig bis siebzig Täuflinge drängten sich jedes Wochenende darin, hektisch und energisch durch die Zeremonie geschleust von einem völlig überforderten Ilnicki.

Ein Jahr darauf kommt mir der Pope strahlend entgegen. Die Kirche ist fertig! Bei der grandiosen Einweihungsfeier zu Ostern sei sie brechend voll und schon zu klein gewesen. Ich kann es nicht glauben, unter den herrschenden Umständen grenzte das an ein Wunder. Ilnicki bestätigt meine Vermutung: «Gott und der Geist des Volkes haben ein Wunder bewirkt.» Etwa 15 000 Menschen allein aus der Stadt seien inzwischen getauft, ein Drittel der Bevölkerung. Noch während er von der um sich greifenden «Erleuchtung» spricht, springt er in ein Auto. Entgegen seinem Versprechen kommt er nicht wieder. Ein Konflikt in Nesterow um die Eröffnung einer Kirche hält ihn fest. An den drei nächsten Tagen erreiche ich ihn trotz fester Verabredung nur zwischen Tür und Angel. Im ganzen Oblast habe ich nicht so einen beschäftigten und eiligen Mann getroffen. Interviews mit westlichen Journalisten, gibt er mir zu verstehen, gehören nicht zu den wichtigen Aufgaben. Ich lauere ihm auf, was mir peinlich ist. Er antwortet unwillig, mit dem Kopf schon wieder anderswo. «Batjuschka», «Väterchen»!, selbst Olgas respektvolle, zärtliche Anrede kann ihn nicht festhalten. Drei Fragen bloß kann ich loswerden. Aus dem, was er mir an Brocken zuwirft und ich in mein Notizbuch eintrage, läßt sich folgendes zusammenfassen:

Was sind die Hauptsorgen Ihrer Gemeindemitglieder? – Die größte Sorge sind für gewöhnlich Zwistigkeiten in der Familie. Überstrapaziert in Zeiten der Unterdrückung, zerbricht sie nun an den Herausforderungen der Freiheit. Der Pope ist die einzige Adresse, wo Eheleute, Eltern und Kinder im Falle eines Konfliktes Rat und soziale Unterstützung bekommen können. Nächstwichtig sind die politischen Sünden der Vergangenheit, die die Betreffenden umtreiben. Sie bitten um Vergebung, und da es in aller Regel keine Strafverfolgung durch die Behörden gibt, ist die Beichte die gesellschaftliche Instanz der Wahrheit und Sühne.

Wie sehen Sie die Zukunft der Kirche im Kaliningradskaja Oblast? – Hier muß die Arbeit der Kirche von Grund auf beginnen. Im alten Rußland konnte die Tradition teilweise überwintern, hier dagegen hat es weder Kirchen gegeben noch Popen, noch Reste gemeindlicher Zusammenhänge. Wer sich taufen lassen wollte, mußte bis Riga fahren oder nach Weißrußland. Infolgedessen war die Sehnsucht nach einer Kirche besonders groß, doch das Wissen von ihr besonders gering. Zugleich droht dem Siegeszug der Orthodoxie große Gefahr aus dem nahen Westen. Die Hilfslieferungen von Deutschen und Amerikanern richten furchtbaren Schaden an, weil sie die Bedürftigen entwürdigen und unter den Jungen falsche Wünsche wecken. Vor allem die Mission westlicher Kirchen, die mit Dollars und Paketen um Seelen werben, allen voran die Neuapostoliker, hat hier nichts zu suchen. Der Oblast ist russisch ein für allemal, und das Moskauer Patriarchat wird erreichen, was Partei und Militär nicht vermochten: nämlich den geistigen Grund zu legen für eine unauflösliche Bindung des Gebietes an das Mutterland.

Gibt es Verse oder Kapitel in der Bibel, die gegenwärtig besonders bedeutsam sind? – Wenn es überhaupt eine aktuell bedeutsame biblische Geschichte gibt, dann am ehesten die Rückkehr aus der Babylonischen Gefangenschaft. Also eine kirchengeschichtliche Parallele zu den Juden des sechsten vorchristlichen Jahrhunderts, die nicht auf den Propheten Jeremias hören wollten und ihre Sünde mit siebzig Jahren Exil büßten und nach ihrer Heimkehr Jerusalems Tempel wiederaufbauten. Die Zeit von Nebukadnezar bis Cyrus ist ebenso lang gewesen wie die von Lenin bis Gorbatschow. Und wie seinerzeit geht es um ein Zurück – hinter das Jahr 1918, als die Orthodoxie als Staatskirche liquidiert wurde. Im alten Rußland liegt die Alternative zum Marxismus-Leninismus. Nicht im Materialismus, Individualismus und Demokratismus des Abendlandes, sondern in der «Sobornost», der «Gemeinschaftlichkeit» aller, untereinander und zu Gott.

So gerafft klingen die Antworten wie ein politisches Kommuniqué. Diese Form ist der Wahrheit nicht unangemessen. Denn sie bringt zum Ausdruck, daß die orthodoxe Kirche die einzige Kraft im Oblast ist, die zielgerichtet, entschieden und erfolgreich handelt. Innerhalb eines Jahres hat sie an zwölf Orten Kirchen eröffnet, das heißt meist protestantische Ruinen in Besitz genommen (in Tilsit auch eine Synagoge) und eine Vielzahl von religiösen und sozialen Aktivitäten eingeleitet. Alles mit Hilfe von Spenden und Diensten der Bevölkerung und mit nur geringen Zuschüssen aus den Kassen des Patriarchats.

Unsere kurzen Begegnungen mit Ilnicki finden in der Kirche statt, auch das Sprechen und das Warten dazwischen. Währenddessen und von Mal zu Mal erscheint sie mir merkwürdiger. In das Staunen über die Tatkraft der Gläubigen, über das «Wunder» der unendlich vielen verputzten Quadratmeter, der abgestrahlten Ziegel und Heizungsinstallationen mischt sich Erschrecken über die Disharmonie im Ästhetischen. Die russischen Heiligenbilder verlieren sich in der langgestreckten Höhe des Kirchenschiffes. Die Ikonostase und ihre Eingänge werden erdrückt von der Großarchitektur des früheren Altarraums. Kühl legt sich das Backsteinrot der Säulen und Emporen über die Goldfarben der sakralen Einrichtung. Es ist Olga, die sich zuerst darüber äußert. Die Kaliningraderin, die ohne Religion aufgewachsen ist und in ihren Urteilen äußerst zurückhaltend, entsetzt sich maßlos. Sie erzählt mir die Geschichte von ihrer Taufe. Es war vor zwei Jahren in Riga. Ein spontaner Impuls, ausgelöst durch den Zauber der dortigen orthodoxen Kirche. Sie betrat sie im Laufe eines Stadtbummels und war hingerissen. Alles war golden und voller Licht, es roch gut – ein Fest für die Sinne und die Phantasie. Also meldete sie sich und ihre kleine Tochter für den nächsten Tag beim Popen an. Wie es dann genau war mit dem Wasser, den Kerzen und dem Kreuz, hat sie inzwischen fast vergessen. Bis heute kennt sie kein Gebet, nicht eine einzige biblische Geschichte. Aber sie hat eine ganz genaue Vorstellung davon, wie eine Kirche sein muß: nämlich eine Gegenwelt zum Alltag, in erster Linie zur allgegenwärtigen Abwesenheit von Ästhetik. Niemals hätte sie die Kirche von Tschernjachowsk zur Taufe bewegen können. Olgas Geschichte schärft – wie so oft – meinen Blick.

«Kann man einen protestantischen Raum für die Bedürfnisse des orthodoxen Kultus verwandeln?» Ilnicki versteht meine Frage nicht so grundsätzlich, wie sie gemeint ist. Er beschwert sich über die Akustik, die sei das einzige, was noch nicht in Ordnung wäre. Im hinteren Teil der Kirche könne man nicht verstehen, was er hinter der Bilderwand rede. Das verhalle oder verdopple sich in einer Art Echo. Ein Radioingenieur werde hoffentlich in Kürze eine technische Lösung finden mit Hilfe eines geschickt plazierten Lautsprechers.

Die Akustik einer protestantischen Kirche ist zugeschnitten auf einen anderen Ritus – auf das Unisono von Chorälen zu brausender Orgel und auf Predigten mit voller Stimme von erhöhter Kanzelposition. «Eine feste Burg ist unser Gott» schallt anders als die mehrstimmigen dionysischen Gesänge der Ostkirche. Die Worte des Pfarrers vom Altar verlangen ein anderes Lauschen als die halblauten Gebete des Popen vor und hinter der Ikonenwand. Nicht nur der Ton, alles ist anders in der Liturgie der beiden Religionen. Es beginnt mit der Sprache, wie sie den Ort faßt. Im Russischen wird die Hauptkirche einer Stadt oder einer Gegend «sobor» genannt, vom Wort «sobiratj» (sammeln). Dieser Begriff unterscheidet sich grundsätzlich vom westeuropäischen der «kathedra», der den Zweck der Versammlung bezeichnet – die sakrosankte Belehrung. «Sobor» deutet nur die gewisse Stelle an, über das Wozu und Warum schweigt das Wort. Der Kirchenraum verkörpert die dem zugrundeliegende Mentalität. Im Russischen bestimmt das Prinzip der Zentralisierung das Geschehen und das Denken, die Architektur der Kuppel und die das Geheimnis der Eucharistie verbergende Ikonenwand. Der Raum der Gemeinde wird nicht strukturell gegliedert. Keine Bankreihe, kein Seiteneingang teilt die Gläubigen, keine Systematik stört die Einheit der Seelen vor dem Antlitz Gottes. Alle stehen nach vorn gewandt, eine Art Urmasse, vereinigt in der Schau des Mysteriums. Das Zeremoniell der Versammlung bedarf keiner Erklärung. Das Tun des Priesters ist undurchschaubar wie der Gott unergründlich, und beides wiederum entspricht der Unbegreiflichkeit gesellschaftlicher Vorgänge. Dagegen ist die protestantische Basilika «vernünftig». Nüchtern und klar angelegt für die Verkündigung des Wortes. Ihre Aufteilung spiegelt Disziplin, in den Sitzreihen die Ordnung der Geschlechter und Schichten. Auch ihre Ästhetik ist weltzugewandt, verweist erzieherisch auf Werte des Lebens, von Tugend und Erfolg. Der Pfarrer vermittelt kraft seines Amtes und seiner persönlichen Autorität zwischen Gott und den Gläubigen und spricht die Mitglieder seiner Gemeinde in ihrer individuellen Verantwortung an. Der Gottesdienstbesucher verläßt die Kirche wissend, Gott hat ihm etwas aufgetragen.

Die Tschernjachowsker Kirche strahlt noch immer protestantische Frömmigkeit aus. Daran wird auch die geplante reichere Ausstattung mit Ikonen wenig ändern, selbst nicht in Jahrzehnten, wenn der preußische Ziegel vollgesogen sein wird mit Weihrauch. Die Einheit von Religion und Raum, ihre über Jahrhunderte wechselseitige Formung, läßt sich nicht völlig außer Kraft setzen. Auch die orthodoxe Kirche im Kaliningradskaja Oblast ist betroffen von dem allgemeinen Problem: daß der Zusammenhang von Ort und Kultur zerrissen ist. Ihr selbstbewußter Versuch, in das Haus der Vorgängerin zu schlüpfen, löst die Zerrissenheit nicht auf, sondern faßt sie ins Bild. Es ist naheliegend und mag legitim sein, die Gotteshäuser der Ostpreußen zu nutzen. Was sonst gäbe es an großen, repräsentativen Behausungen zu wählen? Die Tschernjachowsker Gläubigen werden sich in Ermanglung besseren Wissens an die Merkwürdigkeit der Backsteinkirche gewöhnen. Sie kannten sie ja schon lange als Turnhalle. Die Umnutzung der Kirchen hat die Schwellen der Sensibilität gesenkt. Angesichts der großen Blasphemie der Vergangenheit erscheinen mögliche Bedenken klein. Wie sollte man nach alldem darauf kommen, daß die Rechristianisierung eines Raumes durch eine andere Konfession auch ein Akt der Pietätlosigkeit sein könnte und ein Schritt auf dem Wege der Auflösung der eigenen orthodoxen Identität. Im strengen Sinne der orthodoxen Tradition ist die Reformierte Kirche nicht mehr als eine Notunterkunft. Geschichtlich steht sie zwischen der alten «Sobor» und dem neuen Ort ohne Aura und konfessionelle Eigenheit, den man «Containerkirche» nennt. Man hat sie, glaube ich, zuallererst aufgestellt in Albanien, kürzlich, als Ersatz für die zerstörten Moscheen.

Überlebenstraum: «Tausendundeine Nacht»

Teetrinken unter einem nachtblauen Sternenhimmel – er ist frisch gemalt, wölbt sich über einem orientalischen Wohnzimmer, über einem Sofa aus rotem Plüsch und saffiangelben Ledersesseln, goldgeränderten Tischchen und zarten Tassen, auf denen indische Göttinnen tanzen, vervielfacht von Spiegelwänden. Über unseren Köpfen heben die vier Apostel verzückt ihre Hände zur Jungfrau Maria. Zum dritten- oder viertenmal an diesem Vormittag tropft Himbeergelee in den Tee. Eigentlich haben wir ein nüchternes deutsches Backsteinhaus betreten, in einer Straße, die heute Uliza Pobjeda heißt. Die Familie K. hat es im Inneren vollständig verwandelt. Nach bald sechsjähriger Arbeit ist es so, wie es sein soll und allen gefällt. Insgesamt sind sie schon mehr als vierzig Jahre in Tschernjachowsk, die alteingesessenste von heute 50 Roma-Sippen – «Zyganski», wie sie sich hier nennen.

Frau Irena verscheucht noch einmal die Enkel und verbannt sie schließlich in die Küche. «Schlingel», schimpft sie und lacht. Sie spricht ein bißchen Deutsch, leider nicht genug, um auf Olgas Übersetzung verzichten zu können. Ihre Geschichte führt uns an den Rand der deutschen Welt in Mitteleuropa. Ihr Heimatort ist Vilkaviškes, ein Städtchen im westlichen Litauen. 1925 wurde sie in eine ziemlich ungewöhnliche Familie hineingeboren. Ihre Großmutter, Tochter reicher litauischer Bauern, war um die Jahrhundertwende mit einem Zygan durchgebrannt. Die Liebenden wurden verstoßen von ihren Familien und lebten an einem Ort, wo sie keiner kannte. Gemäß zwar der Sitte des Mannes, doch als einzige Zyganski im ganzen Umkreis, in einem blaugestrichenen Holzhaus, von drei Hektar Landwirtschaft, angeblich zufrieden und harmonisch. Sie zogen zwei Kinder auf und die Enkelin Irena. Irenas Kindheit war die eines Bauernmädchens. Sie hütete Kühe und Gänse, lernte nähen, spinnen und kochen. Zur Schule ließ sie der Großvater nicht, nur insofern war sie ein Zigeunerkind. Aber er lehrte sie rechnen und was er an Russisch und Polnisch konnte aus seiner Zeit in der Armee des Zaren. Das Lesen und Schreiben brachte sie sich selbst bei, beherrschte es aber nur im Litauischen, der gemeinsamen Haussprache der Familie. Dazu schnappte sie von den Kindern nebenan das Deutsche auf. Vilkoviškes gehörte zu den Rayons in Litauen, wo viele deutsche Bauern wohnten. Irena bewunderte die meist sehr viel wohlhabenderen Nachbarn und fühlte sich von diesem Milieu stärker angezogen und geprägt als vom Erbe der Zyganski.

Als 1940 die Rote Armee Litauen besetzte, leerte sich der Distrikt. Die reicheren Deutschen flohen vor der drohenden Deportation nach Sibirien, die anderen wurden etwas später aufgrund des deutsch-sowjetischen Abkommens zwangsausgesiedelt nach Deutschland. Einige von ihnen kamen 1941/42 zurück, im Gefolge der Besetzung des Baltikums durch Hitlers Wehrmacht. In dieser Situation taten Irenas Großeltern das Klügste, was sie tun konnten. Sie brachten das Mädchen als Magd auf einem deutschen Hof unter, in Beržinai bei Mariampolė. Ob die Familie, sie hieß Dobaitis, von ihrer Herkunft wußte, ist fraglich. Irena hatte einen litauischen Namen, ein rundes Gesicht und helle Augen, und sie sprach nicht ein Wort Romanes. Drei Jahre arbeitete sie dort und fühlte sich wohl in den großbäuerlichen und anscheinend großherzigen Verhältnissen. Was im «Generalkommissariat Ostland» vor sich ging, erfuhr sie nicht. Im Herbst 1944 flohen die Dobaitis vor der Roten Armee nach Westen. Irena, die Magd, blieb noch mit anderem litauischen Gesinde vier Monate auf dem Hof. Dann machte sie sich auf die Suche nach den Großeltern. Sie fand weder sie noch andere Verwandte und das Haus in Vilkoviškes zerstört. Ortlos und verwaist, ging sie auf Wanderschaft und verliebte sich in einen Überlebenden des fahrenden Volkes, das sie bis dahin kaum kannte. Er war ebenfalls um die zwanzig, kam gerade aus einem deutschen KZ und irrte wie sie durch das westliche Litauen.

Es ist das erste Mal seit siebenundvierzig Jahren, daß Irena K. mit einer Deutschen spricht. Sie ist ruhig dabei, zeigt weder Erschrecken noch die geringste Verwunderung. Aber sie bittet mich, ihrem Mann Viktor das Erzählen zu ersparen, denn er sei schwerhörig und leicht erregbar. Er sitzt bei uns, die ganze Zeit, dunkel und bärtig und von ehrwürdiger Statur wie der biblische Vater Abraham. Ganz knapp und ohne Einzelheiten stellt seine Frau ihn vor: Aus Jurbarkas stammt er, vom Nemunas, also der Memel. Die Eltern hatten eine kleine Landwirtschaft, ließen diese aber meist von Verwandten besorgen und fuhren mit dem Panjewagen über Land, um Körbe und Töpfe zu verkaufen. Ihr geschäftlicher Aktionsradius ging über die nahe gelegene Grenze bis ins Memelgebiet. Manchmal wechselten sie auch über die Luisenbrücke nach Tilsit ins Deutsche Reich und besuchten die Märkte von Heinrichswalde, Gumbinnen oder Insterburg. Ende der dreißiger Jahre zog die Familie in die Gegend von Kaunas. Noch bevor die deutsche Wehrmacht und die Einsatzgruppen im Juni 1941 das Dorf erreichten, ereignete sich ein Pogrom gegen Juden und Zigeuner, in dessen Verlauf litauische Bauern Viktors jüngere Brüder erschlugen. Er selbst und seine Eltern wurden dann von den Deutschen nach Kaunas verschleppt, drei Monate später in ein Konzentrationslager nach Luxemburg. In einem Rüstungsbetrieb mußten sie Bomben produzieren, und sie überlebten alle drei. Bei ihrer Rückkehr stellten sie fest, sie waren die einzigen von einer mehr als hundertköpfigen Sippe. In Litauen mochten sie nicht bleiben, ebensowenig wie Viktors Braut Irena, und sie entschieden sich für den Kaliningradskaja Oblast. Das war nah und zugleich angenehm anders. Wo alle fremd waren, fiel ein Zygan nicht so sehr auf, war sein Außenseitertum nicht so kraß und so gefährlich.

Viktor K. nickt heftig. Er krempelt seine Ärmel hoch, für einen Moment sieht es so aus, als wolle er seine Tätowierung zeigen, die Nummer aus dem KZ. Aber ihm ist einfach warm, vom Tee oder weil er etwas sagen möchte. Der Entschluß, in den neuen Oblast zu gehen, betont er, hatte auch mit der deutschen Kultur zu tun. Er und seine Familie hätten die Ziegelbauten gemocht, seien gewöhnt gewesen an die Alleen. Westlitauen und das östliche Preußen seien landschaftlich wie überhaupt sehr verwandt gewesen. Und Tschernjachowsk habe eben noch den Geruch von Insterburg gehabt und deswegen ihr «Heimweh» gelindert. Olga zögert etwas, bevor sie so übersetzt. Herr K. hat von «Nostalgia» gesprochen. Dieses Wort, das sowohl gehoben ist wie poetisch, meint anders als das deutsche vor allem die Sehnsucht nach der Vergangenheit, erst in zweiter Linie die nach einem vertrauten Ort. Bei «Heimweh», das in der Regel auch beides umfaßt, ist die Reihenfolge der Bedeutungen eher umgekehrt. Während Olga noch zwischen den Sprachen zu vermitteln versucht, präzisiert Herr K.: Eine Alternative zum Beispiel sei gewesen, in die Ukraine oder nach Moldavien zu wandern, wo es noch mehr Zigeuner gab und man sich enger mit den eigenen Leuten hätte verbinden können. Aber man müsse wissen, daß damals die Zeit der Zigeuner vorbei gewesen sei.

Durch Hitler waren die großen Familien zerstört, Stalin zwang die Überlebenden in die Seßhaftigkeit. Warum sollte man, wenn man sowieso in die Fabrik mußte, so weit fort fahren, zumal die Zigeuner im Süden ganz anders sind und ein Romanes sprechen, das die Hiesigen fast nicht verstehen.

Ich tue mich schwer, die Gründe nachzuvollziehen. Mit einer Selbstverständlichkeit und Freude begrüßen Irena und Viktor K. mich als Abgesandte eines Volkes, mit dem sie früher einmal zusammenlebten. Nicht das Ende, Auschwitz und die Toten ihrer Familie, gilt ihnen als Ausgangspunkt, sondern die historische Nachbarschaft. Sie wollen sich mit mir einer Zeit vergewissern, als sie noch Zyganski waren und die Deutschen Bauern, Handwerker und Pfarrer. Was man damals getrennt dachte und lebte, was den einen vom jeweils anderen spannungsvoll unterschied, erscheint heute eher als komplementär und außerdem verbunden durch dieselbe Region. Es braucht eine Weile, bis ich mich in der Perspektive der Tschernjachowsker Gastgeber zurechtfinde. Und begreife: Die langen sowjetischen Jahrzehnte haben den Völkermord zurücktreten lassen und die Bewertung der Zeit davor verändert. Nach 1945 haben die Überlebenden vor neuen Herausforderungen gestanden. Sie kamen in ein sozialistisches Litauen, das sich rasch veränderte und ihnen alle Grundlagen ihrer bisherigen Existenz entzog. Das Verbot zu vagabundieren war nur die vordergründigste unter den einschneidenden Maßnahmen. Es war die Kollektivierung, die sie traf. Sie nahm den fahrenden Händlern und Musikanten die Welt, in der sie sich bewegten. Sie raubte dem Zygan den Kunden, das Nachtquartier, die Ware, die Zuhörer und geselligen Anlässe – kurzum, sein gesellschaftliches Gegenüber, im wirtschaftlichen wie im geistigen Sinne. In der Ökonomie der Kolchosen und staatlich gelenkten Märkte hatte auch er seine Funktion verloren. Plötzlich waren sie, der Seßhafte wie der Nomade, Schicksalsgenossen. Ihre Daseinsweisen glichen sich zwangsläufig an. Man arbeitete unter denselben Bedingungen, hatte Russisch zu lernen und die Deportation zu fürchten. Zugleich hatten der Krieg und der große mitteleuropäische «Bevölkerungstransfer» die Maßstäbe gründlich verändert. Es gehört zu den Paradoxien dieses Prozesses, daß die litauischen Zyganski, als alle Welt sich fortbewegte, seßhaft wurden und daß ihre Erinnerung an die gemischte baltische Region zu den komplexesten gehört, die heute in ein historisches Selbstbild Litauens einzubringen wäre. Im Kaliningradskaja Oblast sind sie die einzige ethnische Gruppe, deren kollektive Biographie Berührungen mit dem alten Ostpreußen aufweist. Viertausend Zyganski sind es insgesamt, fast alle litauischer Herkunft.

Nicht ganz zu Unrecht fühlen sich Viktor und Irena K. gegenüber den anderen Tschernjachowskern als Regionale. Dies mag auch einer der Gründe dafür sein, warum sie ökonomisch vergleichsweise erfolgreich waren. Die Familie bebaute, auch in Zeiten, wo nicht mehr als 60 Ar zulässig waren, immer mehr Land als andere. Sie nutzte wilde, verschwiegene Ecken zum Heumachen oder Nischen im Kolchos, sich durch Fleiß und Geschick Vergünstigungen zu verschaffen. Und da ein Teil der wachsenden Sippe auf dem schwarzen Markt sein Talent zum Handel einsetzte, waren auch staatliche Ressourcen leichter zugänglich. In seinem Hauptberuf allerdings war Viktor K. bis zur Rente Heizer. Unter den Bedingungen Sowjetrußlands ging die Assimilation rasch voran, wenn auch langsamer als bei den meisten Völkerschaften des Oblast. Von der Tradition blieb die fast kultische Hochschätzung der Familie und die Sprache. Irena K. hat sie nach ihrer Heirat mühsam gelernt, aber die drei Kinder und die fünfzehn Enkel sprechen fließend Romanes. Nur zu Hause natürlich, in der Öffentlichkeit reden sie russisch. Das Litauische dagegen löst sich allmählich auf. Es hat Bedeutung nur noch als Sprache der Bibel und der Gebetbücher. Die Jüngsten lernen die Lieder und Verse wie Türkenkinder den Koran, das heißt ohne einen lebendigen Sprechkontext. Litauisch und das Katholische werden wohl noch eine

Weile miteinander verbunden sein. Denn Romanes ist eine nur mündliche Sprache und Russisch geht mit der Orthodoxie einher. Dennoch besucht Frau K. neuerdings die Tschernjachowsker orthodoxe Kirche statt die ferne katholische im litauischen Kybartai. Ihr gefällt die deutsche Atmosphäre dort. Sie erinnert sie an das Gotteshaus in Vilkoviškes, wo sie als Mädchen im Kirchenchor sang.

Von der Perestroika hält die Familie noch weniger als andere Bürger. Nicht allein der ökonomische Erdrutsch ängstigt sie, auch die «Freiheit». Die Freiheit, ausgenommen die der Religion, halten sie für gefährlich. Sie sind erklärte Anhänger des Ancien régime. Noch immer verehren sie Stalin, weil er ihnen nach dem Blutbad der Nazis Ruhe bescherte und die Konflikte zwischen ihnen und den Wirtsvölkern stillstellte. Besorgniserregend ist heute für sie vor allem der wiederaufkommende Nationalismus. Jenseits der Grenze, im benachbarten Litauen, werden die Zyganski schon wieder verfolgt. Viele von ihnen sind in der letzten Zeit in den Kaliningradskaja Oblast geflüchtet, teils wegen der Diskriminierung, teils weil die neuen Zölle den Handel behindern. Unter den Neuankömmlingen verbreitet sich der Traum von einer «Republik Romanistan». Auch in anderen Teilen der ehemaligen Sowjetunion wächst der Druck. Der Kaliningradskaja Oblast könnte sie alle aufnehmen. Er gilt als der einzige Ort in der Welt, wo dieses vielleicht möglich wäre. Viktor K. selbst ist strikt dagegen. In seinen Augen widerspricht der Staatsgedanke dem Wesen der Zyganski. Die «israelische Lösung», befürchtet er, würde wie in Palästina zum Bürgerkrieg führen. Er möchte die Einheit seines Volkes nur als eine geistige verstanden wissen.

Am späten Nachmittag werden Olga und ich sehr freundlich und sehr bestimmt verabschiedet. Gegen fünf Uhr wird die ganze Sippe zusammenkommen zu einem hochfamiliären Termin. Es ist Dienstag, im Moskauer Fernsehen läuft der sechste Teil der Zeichentrickserie «Aladins Wunderlampe».

Unter dem Sternenhimmel im deutschen Backsteinhaus guckt Familie K. das Märchen aus Indien, der Urheimat der Zigeuner, von dem Jungen mit dem reinen Herzen, dem jedes Streben nach Macht und Reichtum fremd ist und der durch einen Zauber sowohl reich als auch mächtig wird.

Gussew oder Die Vergangenheit ist ein fremdes Land

Von Tschernjachowsk kommend, gelangt man über eine breite Straße auf einen riesigen Platz. Nicht nur von Westen, auch von Osten, Norden und Süden ist die Einfahrt nach Gussew genau so. Aus vier Himmelsrichtungen laufen Straßen, wie mit dem Lineal gezogen, auf ein zentrales Rechteck zu. In dessen Mitte erwartet den Besucher ein Standbild von Lenin. Er ist nicht ganz so imposant, wie die sowjetischen Planer es sich gedacht haben – seinerzeit. Die Fichten zu seinen Füßen überragen ihn inzwischen um Mannshöhe, so daß man von ferne den Eindruck hat, als wachse ein Wäldchen aus dem betonierten geometrischen Gelände. In einigen Jahren wird es, wenn man es läßt, Wladimir Iljitsch völlig zugewuchert haben, und vielleicht wird man dann das Ensemble erneut bewundern als ein würdiges und witziges Beispiel für die geglückte Umwandlung eines Denkmals. Ohne den Wildwuchs und wenn man noch das große Gebäude an der östlichen Längsseite fortdenkt, ist dieser Platz wie kein anderer im Kaliningradskaja Oblast sowjetisch. Die Bombardements im Oktober 1944 und die Trommelfeuer vom Januar 1945 haben eine Trümmerwüste hinterlassen, die Raum bot für eine Gestaltung im Sinne der Sieger. Sie konnten ohne Rücksicht auf die Hinterlassenschaften der preußischen und der faschistischen Vergangenheit schalten und walten. Eine neue Stadtgründung, so scheint es. Doch der erste Blick trügt: Der Grundriß von Gussew ist identisch mit dem der Vorgängerstadt Gumbinnen. Bis ins Detail haben sich, selbst in den völlig zerstörten Arealen, die neuen Herren an Maßstab und Ordnung des Alten orientiert. Mit

Hilfe des Stadtplans von 1936 läßt sich das mühelos nachvollziehen und ebenso leicht verstehen. Gumbinnen war keine gewachsene, sondern eine auf dem Reißbrett geplante Stadt. In ihre Modernität konnte eine sozialistische Gesellschaft ohne weiteres hineinschlüpfen.

Sowjetische Stadtentwürfe wurzeln, dem Ideal nach, in der Gedankenwelt jenes 18. Jahrhunderts, in dem Gumbinnen entstand. Das heißt geschaffen wurde: «Gumbinnen erhielt seine Existenz aus den Händen Friedrich Wilhelms I. ... Früher war der Platz ein kleines unbedeutendes Fischerdorf am Pissastrom; litauisch hieß es Pisserkemen – das Dorf an der Pissa. Im Jahre 1724 ernannte Friedrich Wilhelm dieses Dorf zur Stadt, schenkte ihm das Stadtrecht, auch alle bürgerliche Gerechtsame und Freiheiten ... Der Anblick dieses Ortes in der Entfernung erheitert; die Seele wird nicht ins graue, schwarze Alterthum zurückgeführt. Alles erscheint frisch und jugendlich. Alte Städte von grauen Steinmassen erwecken ganz andere Empfindungen. Zwar kann man nicht sagen, daß der Haufen kalkweißer Gebäude Gumbinnen schöner macht; aber sichtbarer wird der Ort dadurch, und der Anblick macht froh. Zugleich vergesellschaftet sich damit die Idee der Reinlichkeit, und diese weckt Vorliebe für Menschen und Wohnung. Die Stadt selbst ist uneingeschlossen und weder Tore noch Schlagbäume, die sonst durch lauernde Mauthbediente bewacht werden und des Menschen Freiheit beengen. Von allen Seiten, beinahe aus allen Standpunkten hat das Auge freie unbeschränkte Sicht auf fruchtbare, durchweg kultivierte Ländercien ... Jeder kann hier frei atmen; das Herz wird nicht so gepreßt, wie in großen eng gebauten Städten, die das Grab der Menschheit sind (Rousseau) ... Aristoteles verlangte schon: Städte nur da anzulegen, wo helle und reine Luft ist. Diese ist doch nur in offenen, freiliegenden Orten zu finden, wo die Sonne mit ihrer ganzen Kraft wirken kann und der Windzug die groben unreinen Teile zertheilen kann. Durch eine solche günstige Lage und innere gute Anlage zeichnet sich auch Gumbinnen aus. In jeder Hinsicht kann diese Stadt ihrer regelmäßigen Bauanlage wegen zum Muster dienen. Der Strom ist in die Mitte genommen; die Straßen sind schnurgerade; vorzüglich sind die vier Hauptstraßen sehr breit, bequem und dergestalt angelegt, daß sie auf einen ziemlich regelmäßigen Mittelplatz führen, der zugleich den Marktplatz bildet. Auf diesem Platze steht das Königliche Littauische Regierungsgebäude; es ist mit einem Thurm versehen.»

Dieses Bild zeichnete 1818 der Geheime Kriegsrat Gervais im Rahmen einer Heimatgeschichte, knapp hundert Jahre nach der Stadtgründung. Eine Art Zwischenbilanz mit aktuellem Hintergrund. Napoleon war besiegt, und Europa schlug sich mit den Kriegsfolgen und Impulsen herum, die er hinterlassen hatte – bis kurz vor Moskau. Preußen hatte sich soeben aus seiner tiefsten Niederlage aufgerappelt und durch resolute Reformen aus der Krise und ins 19., bürgerliche Jahrhundert gefunden. Dabei war das «große Retablissement» Friedrich Wilhelms I. ein wichtiger, ein optimistischer Bezugspunkt. Denn es hatte die Grundlagen gelegt für die Gestaltung Ostpreußens und einen wichtigen Baustein für den spezifischen Weg Preußens in die Moderne. Es war ein gesellschaftliches Experiment ersten Ranges, das die Bewunderung eines Voltaire genoß, vergleichbar der Besiedlung Amerikas. Geboren aus der Not und aus einer damals überall in Europa grassierenden Utopie: eine Gesellschaft neu zu backen, ohne den Ballast des Alten, ohne blutige Revolution, wie aus der Hand eines Schöpfergottes geworfen in eine noch leere Welt. Preußens Osten war nach einer Pest wüst und fast menschenleer. Aus der Wildnis formte sich in wenigen Jahrzehnten eine Kulturlandschaft, aus dem bunten Durcheinander der zusiedelnden Völker eine Bürgerschaft. Gumbinnen war der Mittelpunkt, von dem aus das Geschehen gesteuert wurde. Ein Platz, ausgesucht nach den Gesichtspunkten des Verwaltens, als Sitz der neuen, der «Litthauischen Kriegs- und Domänenkammer» und reinste Verkörperung zugleich der Idee des gesamten Projekts. Die hier entstehende Stadt sollte ihren Bewohnern die Annehmlichkeiten des neuen Zeitalters bieten, andererseits sie in dessen Sinne formen.

Alle Heimatgeschichten heben stolz diesen erzieherischen Aspekt hervor, die letzte noch 1971: «Bis in unsere Zeit sprach aus dieser Stadt, aus ihrer Anlage und aus ihren Bewohnern – man spürte es förmlich – der preußische Geist, der sich in den Begriffen Sparsamkeit, Sauberkeit, Ordnung, Pflichterfüllung, aber auch in einer gewissen Nüchternheit und Sachlichkeit manifestiert. Die weitläufige Herkunft ihrer Bewohner ist dabei kein Widerspruch. Wenn eine Kulturlandschaft in ihrem Sein auch objektivierten Geist darstellen soll, so fand objektivierter preußischer Geist in der Stadt Gumbinnen seine Gestalt. Hier spürte man auch eine unsichtbare Ordnung, die auf Vordermann und Seitenrichtung hielt; hier galt es, rechtwinklig an Leib und Seele zu sein, und die Luft war sozusagen erfüllt vom kategorischen Imperativ der Pflicht. Die Person des Soldatenkönigs war fast allgegenwärtig, nicht nur in dem von Christian Rauchs Meisterhand geschaffenen Denkmal vor der alten Regierung... Unsere Heimatstadt repräsentiert die im Wildnisgebiet des nordöstlichen Ostpreußen geschaffene friedrizianische Stadt schlechthin.» Dieses hatte, räumt der Autor, ein Dr. Georg Grenz, pflichtschuldigst ein, auch seine Schattenseiten. «Die überörtlichen und städtischen Behörden mit ihrer Vielzahl von Beamten und Angestellten gaben Gumbinnen, indem sie das Prinzip der Pflichterfüllung vorlebten, wo das Dienen über dem Verdienen stand, nicht nur das Fluidum eines bürgerlichen Geistes im guten Sinne; hier und da machte sich auch eine gewisse Einseitigkeit bemerkbar. Man kann nicht behaupten, daß es hier den Schwung, den Elan gab, wie ihn das wirtschaftliche Leben mit sich bringt und z.B. schon mehr im benachbarten Insterburg oder gar in Tilsit zu spüren war. In Gumbinnen ging es eher nach des Dienstes gleichgestellter Uhr. Man merkte es in den Straßen, wenn die Beamten zum Dienste schritten, um dann unsichtbar von ihren

Schreibtischen den Ablauf des öffentlichen Lebens zu regeln, letztlich bewahrend und fördernd.»

Gumbinnen war Beamten- und zum zweiten Soldatenstadt. Es stellte sich daher gern an die Seite des königlichen Potsdam. Der Vergleich, in seiner provinzlerischen Ambition, macht allerdings eher auf den Kontrast aufmerksam. Die Havelresidenz im märkischen Sand war eine Bastion auch des Schönen, sie war ein Kunstwerk, eben die Stadt Friedrichs des Großen. Das fehlte an der Pissa vollständig. Die Musen, das Malerische, die das Strenge auflösende Milde, davon war hier kein Hauch zu spüren. Gumbinnen war und blieb die Stadt des Soldatenkönigs, von Potsdam so weit entfernt wie der gehaßte Vater von dem so anders geratenen Sohn. Gumbinnen war quadratisch und praktisch und hatte vor der Kultur erst einmal seine Existenz einzurichten. Durch einen eifrigen Sippenforscher, Fritz Schütz, wissen wir, wer damals dort alles zusammenkam. Unter den 1728 – 1758 Zugewanderten waren: «216 Familien aus Ostpreußen, worunter also solche prußischer (nadrauischer), deutscher und litthauischer Herkunft zu verstehen sind. Dazu kommen an weiteren Familien: 67 Salzburger, 46 Nassauer, 31 aus der französischsprachigen Schweiz, 26 aus der deutschsprachigen Schweiz, 27 Brandenburger, 29 Halberstadt-Magdeburger, 22 aus Sachsen, 18 Ansbacher, 16 Hessen, 13 Franken, 12 Pommern, 7 Westpreußen, 8 aus dem seinerzeit an Polen abgetretenen Gebiet, 5 Braunschweiger, 4 Thüringer, 4 Mecklenburger, 5 Schweden, 3 Pfälzer, 3 Schlesier, 3 französische Familien, 2 Dänen, 2 Schotten, 2 aus Kurland, 2 Dessauer, 2 Württemberger und je eine Familie aus Schwarzburg-Rudolstadt, Hannover, Schleswig-Holstein und aus der Steiermark.» Eine stärkere Vielheit landsmannschaftlicher Herkunft gibt es kaum. Wie sie sich zusammenrauften, darüber ist bis heute wenig bekannt. Nur wenige Dokumente sind überliefert, die von Chaos und Konflikten zeugen. Sie betreffen hauptsächlich die Salzburger; ansonsten hat der behördliche Ordnungswillen auch das Selbstbild und die Geschichtsschreibung der Stadt weitgehend in die Regie genommen. Das Auge des Chronisten war auf die entstehende Verschmelzung und ihr Gelingen gerichtet, weniger auf deren Teile und wie sie sich biegen mußten.

Ironischerweise hat die Stadt, die im Zeichen der Geraden gegründet wurde, einen «krummen» Namen. Gumbinnen kommt von «gumbas», litauisch «die Krümmung». Gemeint war entweder der Bogen der Pissa, die sich an dieser Stelle verzweigte und vielfach wand, oder die Verwachsungen einer uralten Eiche. Ein Flurname also war die – ketzerische – Überschrift über einem Projekt, das eigentlich eher eine künstliche Bezeichnung, etwa Friedriopolis, verdient hätte. Die krumme Pissa übrigens machte den Gumbinnern immer wieder Ärger. Den Begradigungen zum Trotz, auch nach der Zuschüttung von Nebenarmen und diversen Dammbauten überschwemmte sie immer wieder und ergoß sich, unterstützt von der Rominte, über den großen Friedrich-Wilhelm-Platz, wie wenn sie sich lustig machen wollte über all die Anstrengungen. Solche Anmaßung der Natur forderte heraus, das war nicht zeitgemäß, und eines Tages wollte die Stadt sogar den Namen des Flusses loswerden. Sie richtete ein dringendes Gesuch an den König und bat darum, den peinlichen, unaussprechlichen Namen ändern zu dürfen. Friedrich Wilhelm IV. soll darunter geschrieben haben: «Genehmigt. Ich schlage vor: Urinocko.» Gumbinnens Geschichte steckt voll von Anekdoten, an denen ein Sigmund Freud, Franz Kafka oder Heinrich Mann ihr Vergnügen gehabt hätten. Es gehört zum Unglück dieser Stadt, daß sie keine solchen Liebhaber fand und die Schriftgestalt der Erinnerung bis heute im Bann des verwaltenden Denkens steht. Wer wird ihr jetzt noch die Liebe antun und systematisch und frech die Widerborstigkeiten und den Schabernack aufdecken oder die Neurosen? Eine untergegangene Stadt hat wenig Chancen, die Blicke neu auf sich zu ziehen.

Auf meiner Reise durch den Kaliningradskaja Oblast haben mir eigentlich alle Orte ein Stück preußischer Geschichte nahegebracht und mein Bücherwissen auf verschiedenste, oft überraschende Weise durcheinandergewirbelt. Nur Gussew nicht; oder vielleicht sollte ich besser sagen, sein Anblick erschreckte mich so, daß er meine Gedanken völlig blockierte. Was blieb von Gumbinnen, ist ein Grundriß – ein paar abstrakte Linien, kein Gesicht. Vereinzelt nur trifft man auf historische Bauten. Wie die Neue Regierung am zentralen Platz, die Friedrichschule, die Volksbank oder die Prang-Mühle, Wilhelmisches hauptsächlich hat überdauert. Aber von ihnen geht nichts mehr aus. Weder ihr Verfall rührt noch ihre Einsamkeit. Ihre Architektur, jene Mischung aus Großmannssucht und Zweckmäßigkeit, die mich andernorts in Rage bringt oder zum Lachen, wirkt hier nur müde. Selbst die sie umgebenden Plattenbauten, die für gewöhnlich den Wert selbst des scheußlichsten Reliktes heben, richten kaum etwas aus. Diese ihrerseits, an Zahl weit überlegen, setzen der traurigen Historie nichts entgegen als ebenfalls Traurigkeit. Ohne Ehrgeiz, altersschwach schon nach zwanzig, dreißig Jahren, stehen sie da. Sie lehnen sich an die Linien und Achsen des alten Stadtplans, wie wenn sie sich daran festhalten müßten. Dessen Form ist kein Rahmen für ein neues städtebauliches Programm, ein eigenes Gesicht, sondern nackte Geometrie. Sie ist das einzig Markante in Gussew und von Gumbinnen. Ein Sciene-fiction-Film könnte nicht böser sein.

Mir vergeht an diesem Ort fast alles, selbst die Neugier, sogar die alltägliche Routine des Fotografierens und Notizenmachens. Ich will nur raus; eine rasche Flucht – westwärts. Wäre die polnische Grenze passierbar, ich wäre die paar hundert Kilometer gefahren bis Berlin und dann weiter nach Brabant oder Paris. Ich flüchte – in Gedanken. Den Tagtraum vom 26. Mai habe ich in mein Heft eingetragen: «Assisi! Durch die Porta San Giacomo Richtung San Francesco. Drei Bars unterwegs, viele gutgelaunte Nonnen. Faul gesessen, viele Stunden. Dann schnurstracks zu den Giotto-Fresken. Von den, ich glaube 28 Motiven erinnere ich mich auswendig an elf. Lächelt Franziskus? Er tut es nicht, ich weiß es genau. Wo die Vögel schwirren, ist der farbige Putz etwas porös. Ein Braun, das in ein fast transparentes Ochsenblutrot übergeht. Mein Hirn – Gott sei Dank! – ist noch in der Lage, feine, geschwungene, sinnlich reiche Umgebungen abzutasten. Ich kann mir den Geschmack des italienischen Kaffees auf die Zunge rufen.»

An Gussew will ich mich nicht erinnern. Gumbinnen bleibt für mich, was es vor dieser Reise war: ein preußisches Relikt zwischen zwei stabilen, leinenbezogenen Pappendeckeln. Die beinahe tausendseitige Dokumentation, «zusammengestellt und erarbeitet im Auftrage der Kreisgemeinschaft Gumbinnen von Dr. phil. Rudolf Grenz», die mir zur Vorbereitung gute Dienste getan hat und nicht wenig imponiert, gewinnt, angesichts der Realitäten vor Ort, noch einmal an Gewicht und an Liebenswürdigkeit. Zwischen dem Geleitwort des Oberbürgermeisters der Patenstadt Bielefeld und dem Register enthält sie eine fast vollständige Inventarliste Gumbinnens und des Landkreises. Der Epochenabriß, beginnend mit der Steinzeit, führt jedes aufgefundene Feuersteinbeil auf, Größe, Fundort und -jahr, Beschreibung, Verzeichnisnummer etc. und mit ähnlicher Detailliertheit fort bis in unsere Tage. Jede heimische Blume wird genannt und jede Straße. Die Namen nicht nur der Oberbürgermeister, sondern auch der Meister der Fleischerzunft von 1730 bis 1945 und der anderen Handwerke und Gewerbe. Wer in der «Liedertafel» sang oder bei der Freiwilligen Feuerwehr sich einsetzte oder einen Tennispokal gewann, alles hat seinen Platz darin. Wann die Kirche eine Warmluftheizung erhielt, der Nistplatz der Schleiereule im Turm, die letzte Trauung am 16. Oktober 1944. Jedes Dorf in jedem Kirchspiel wird aufgerufen – Bürgermeister, Lehrer und Polizist, die Landwirte mit Namen einschließlich der Deputanten und Küchenmädchen. Statistisches, soweit vorhanden, wie die Höhe der Sparkassenguthaben, die Wochenmarktpreise der dreißiger Jahre und die Leistungen der Gasanstalt. Besonders ausführlich werden die Verheerungen der Kriege behandelt, an deren

Ende schließlich Flucht und Vertreibung. Ein letztes Mal werden die Einwohner gezählt, geteilt in Tote, Überlebende und Verwundete. Dann folgen ein paar kurze Berichte von Spätheimkehrern, die den letzten Blick auf Gumbinnen werfen konnten, und, von 1967, das Protokoll eines Herrn X, der bei einem heimlichen Besuch in Gussew die übriggebliebenen Gebäude festgehalten hat. Tausend Seiten knapp – das ist der abschließende Akt der Verwaltung einer Stadt, die nicht mehr zu verwalten war. 1971 erst war er beendet, in diesem Jahr erschien das Buch in Marburg, was auf die Mühen schließen läßt, die damit verbunden waren. Das Ergebnis ist nicht nur ein letztes Zeugnis des preußischen Gumbinnen, sondern auch der Organisation von Erinnerung im westlichen Deutschland. Charakteristischerweise ist es vollkommen unberührt von der im Vorfeld des Erscheinens tobenden Debatte über die deutsche Vergangenheit. Zum Beispiel enthält das bis zum Feuereifer akribische Sammelwerk dem Leser die Wahlergebnisse der Jahre 1932/33 vor und den Terror der folgenden Jahre. Hätte jemand Rudolf Grenz dieses um die Ohren gehauen, er hätte vermutlich mit einem Gegenvorwurf sehr grundsätzlicher Art geantwortet. Im Buch bleibt er meist unausgesprochen, allenfalls angedeutet: «Schon scheint es, man kenne zum Beispiel die Antarktis oder den tropischen Regenwald Amazoniens besser als das nördliche Ostpreußen.»

Kreistag Gumbinnen, Hotel «Rossija»

Gleich hinter der Pissa-Brücke, wo früher der bronzene Elch stand, hat die Stadt einem jungen Helden der Sowjetunion, der auf ostpreußischer Erde fiel, ein Denkmal gesetzt. Einem Herrn Gussew, den Vor- und den Vatersnamen hab ich vergessen, und damit er sich zu Hause fühlt, hat man das Hotel am Platze «Rossija», «Rußland» getauft. Es ist der alte «Kaiserhof», gutbürgerlich einmal und jetzt heruntergekommen, aber nicht so sehr, daß er für westliche Touristen unzumutbar wäre. Zur Zeit sind die fünfzig Fremdenzimmer belegt von der «Kreisgemeinschaft Gumbinnen», einer Abteilung der «Landsmannschaft Ostpreußen». «Unser Besuch», erklärt mir der Vorsitzende gleich bei unserer ersten Begegnung, «hat offiziellen Charakter. Wir vertreten die geflüchteten und vertriebenen Bürger der Stadt und kommen nicht als Touristen.» «Wir» – das sind alte Männer, einige von ihnen in Begleitung ihrer Ehefrauen, selten ist ein Sohn oder eine Tochter dabei. Obwohl die Stadt für sie erst seit einem Jahr zugänglich ist, sind die meisten schon zum wiederholten Mal hier. Der erste Schock liegt hinter ihnen. Sie haben ihre Elternhäuser und Familiengruften gesucht, sind die Fluchtwege nachgefahren. Sie haben geweint und gewütet, mancher ist dem Herzinfarkt nahe gewesen. Tonnenweise wurden Ziegelreste und Grabkreuze, Rosenstöcke und Erde aus der Heimat ins westdeutsche Zuhause geschleppt. Jetzt haben sich die Gumbinner gefaßt und sind wiedergekommen wegen Gussew, um die heute hier Lebenden zu unterstützen. Einige Transporte mit humanitärer Hilfe haben den diplomatischen Beziehungen den Weg bereitet, symbolische Gesten sind gefolgt. Inzwischen haben die Gumbinner und die Gussewer gemeinsam ein Stadtfest gefeiert. Und der Elch ist wieder da; aus dem Zoo von Kaliningrad, der ihm vierzig Jahre Asyl gewährt hatte, freigekauft. Er hat einige Einschußwunden, und seinen alten Stammplatz an der Pissa konnte man ihm nicht zurückgeben. Aber immerhin, und vor dem Kino «Mir» sehen ihn besonders die Kinder und Jugendlichen und reiten auf ihm verbotenerweise, wie er es von früher her gewohnt ist.

Eine ganze Woche lang sitze ich jeden Abend in der Bar des «Rossija» und warte auf die Gumbinner. Ich muß gestehen, ich erwarte sie geradezu sehnsüchtig, denn sie erlösen mich von dieser schrecklichen Stadt und entführen mich in andere Schrecken, in solche, die konkret sind und mitzudenken. Und dazu sind sie Landsleute. Niemals vorher habe ich mich im Ausland gern unter Deutsche gemischt, schon gar nicht in größere Ansammlungen, und erst recht nicht in die Gesellschaft von Funktionären des Vertriebenenverbandes begeben. In Gussew ist alles anders. Alle suchen einander Abend für Abend – wie Überlebende einer Katastrophe, die unfreiwillig, doch ohne andere Wahl, auf dem letzten noch nicht zerstörten Fleckchen Erde zusammenrücken müssen. Es gibt, wie durch ein Wunder, Wodka und Sekt, satt zu essen und zu rauchen, unwirklich billig.

Unwirklich scheint alles, was zwischen 20 und 24.00 Uhr dort geschieht. «Anpacken müssen wir Preußen. Jetzt bräuchte ich noch einmal fünfzig Jahre. Von der kleinen weißen Wolke aus ist das alles nicht zu machen.» Der das sagt, ist siebenundsiebzig. Er kommt gerade zurück von der Sitzung des Stadtsowjets, wo er mit den Deputierten über die Mängel des Elektrizitätswerkes beraten und offenbar auch Gelegenheit gefunden hat, über Stalingrad zu reden. Ein anderer erzählt tränenlachend von einem Besäufnis mit einem Kommandeur des Gussewer Bataillons in der vorgestrigen Nacht. Wie sie, nach einem ernsten Gespräch über die Möglichkeit einer Ansiedlung entlassener Offiziere im hiesigen Rayon, durch die Straßen getorkelt sind. «Fritz», hat der Russe zum Abschied gesagt, «das nächste Mal fahre ich dich mit dem Panzer spazieren.» Ein dritter hat tagsüber mit einem russischen Geschichtslehrer die elf prussischen Fliehburgen im Kreisgebiet abgeklappert und bei einem Picknick, «pottdreckig und hungrig wie ein Wolf», über die Sicherung von Bodendenkmälern beraten. Die drei Männer nennen sich scherzhaft «die Troika», wie hierzulande die sprichwörtlichen Trunkenbolde an der Straßenecke. Tatsächlich sind sie, auch ohne Wodka, in einer Art Rauschzustand. Sie stottern, fallen ins Pathetische, dann wieder familiär in ostpreußischen Dialekt, reden mal wie von Teufeln gejagt und sind dann wieder unvermittelt schweigsam, wie von einer plötzlichen Amnesie befallen.

So kenne ich die Landsmannschaft nicht, so kennt sie sich selbst nicht. Ich erlebe sie in einem Ausnahmezustand. In den Geschichten und Seelenlagen, die darin zum Vorschein kommen, fährt das 20. Jahrhundert Karussell. Der «Iwan», von dem man nicht weiß, ob er es war, der der Schwester Gewalt angetan hat, empfängt die Gäste mit Umarmungen. Unverhofft, nachdem sie die längste Zeit ihres Lebens Emigranten waren, sind sie zurück in der Heimat, und kein Triumphgefühl will sich einstellen. Statt dessen erkennen sie hier ihre Bindung an den Ort des Exils und wie sehr sie sich verwandelt haben. Jahrzehntelang haben sie «Kreistag» gespielt und die Reste aus dem Fluchtgepäck wie ein Heiligtum verwaltet, und plötzlich werden sie in einem Rayon namens Gussew ganz ernsthaft nach Dingen gefragt, für die sie unter Deutschen kein Interesse finden konnten. In Deutschland war die ostpreußische Eigenart schon fast eine fossile Größe; ironische Geister aus der Landsmannschaft selbst wollten schon die letzten Zeugen, die sich noch an Kahnpartien auf der Pissa erinnerten, unter Artenschutz stellen. Jetzt kann man den Fluß den Kindern und Enkeln zeigen und glaubhaft machen, daß die Geschichten nicht erfunden waren. Das Wasser ist verändert wie die Stadt, aber beide verbürgen doch, daß an dieser Stelle bereits zu Zeiten der Ahnen etwas war, was man stolz und gewiß mit dem in Verruf geratenen Wort «preußisch» bezeichnen kann.

Ab und zu werden einem Journalisten Geschichten zugetragen, die er nicht weitererzählen sollte. Die Intimität dieser Abende im «Rossija» mag in den vier Wänden dieser Bar bleiben. Öffentlich berichtet werden soll von ihrer politischen Seite. Ihr Thema lautet: Eine Landsmannschaft auf der Suche nach einer neuen Rolle. Aus Gründen der Diskretion, aber auch der gedanklichen Zuspitzung soll das Gehörte neu arrangiert werden – als Sitzung des «Kreistages Gumbinnen». Ein Planspiel gewissermaßen, in dem Ähnlichkeiten mit lebenden Personen nicht ganz zu vermeiden sind.

«Ruhe, meine Herren!» Der Präsident bittet energisch um

Gehör, nimmt schließlich, weil das Tohuwabohu kein Ende nimmt, das dicke Buch vor ihm von Rudolf Grenz und knallt es auf den Tisch. «Ich darf Sie begrüßen zu unserer ersten Sitzung. Gestatten Sie mir eine Vorbemerkung. Ich möchte Ihnen allen danken für Ihre Heimattreue. Wir haben recht gehabt, nicht aufzugeben. Nur einen geschichtlichen Wimpernschlag sind wir entfernt von damals und zugleich Lichtjahre, auch das ist wahr. Wir sind da, das ist die Hauptsache. Und nun Schluß mit dem Thema Vergangenheit. Heute ist der 29. Mai 1992. Unsere Tagesordnung hat einen einzigen, aber wichtigen Punkt: die Bestandsaufnahme der Situation in Gussew und im gleichnamigen Rayon. In der Tischvorlage finden Sie ein paar grundlegende Zahlen. Ich möchte die erste Seite kurz vorlesen: In der Stadt Gussew leben 27160 Menschen, davon sind 12540 Männer und 14620 Frauen. Die Nationalitäten sind wie folgt vertreten: 22780 Russen, 1570 Ukrainer, 1590 Weißrussen, 50 Litauer, 30 Letten, 60 Mordwinen, 85 Tataren, 55 Tschuwaschen, 25 Juden, 70 Zigeuner, 105 Polen, 25 Rußlanddeutsche, 260 Sonstige. Auf dem Lande leben 7530 Personen. Während also die Stadt etwa so groß ist wie zu unserer Zeit, hat die Umgebung nur einen Bruchteil der früheren Bewohnerzahl. Damit hätten wir schon das erste ernste Problem. Ich bitte nun den Kollegen...»

«Einspruch!» In der hintersten Reihe springt ein Bauunternehmer auf und verlangt, der Tagesordnung einen Punkt null voranzustellen. Er hat eine Protestadresse an die Bundesregierung Deutschland formuliert, und er will sie verabschiedet wissen, «damit vor allem anderen endlich Klarheit herrscht». Dem wird stattgegeben, Herr K. liest vor: «Unsere Heimatstadt braucht Hilfe. Und was macht unsere Bundesregierung? 1. Beinahe nichts! 2. Sie läßt uns allein! 3. Sie hat uns bei den deutsch-polnischen Verhandlungen und Verträgen ausgeschlossen, und jetzt verzichtet sie erneut auf wirklich berechtigte und fähige Verhandlungspartner! 4. Sie begreift nicht, die Stunde ist da, wo zwischen Deutschen und Russen die Zukunft des nördlichen Ostpreußen ausgehandelt werden muß. 5. Sie weiß wohl nur, wie man langjährige Wähler gründlich verprellt.» Der erste Tumult ist da. «Brandt, der Verräter!» – «Mindestens Genscher muß man mit Namen nennen.» – «Die CDU ist genauso schuldig!» Wut macht sich Luft. Sie läuft sich schnell tot, weil sie schon uralt ist und zu nichts führt. Der Versammlungsleiter will das Problem anders formuliert wissen: «Man hat uns immer als Revanchisten verteufelt. Wir sind keine, aber wie kann man andere davon überzeugen? Das ist doch die Schwierigkeit. Das Schlimmste jetzt wäre, wenn unsere Aktivitäten hier in Mißkredit gerieten. Sobald die Presse schreibt von einem revanchistischen Komplott, wird unsere Regierung erst recht nichts tun. Also leise, liebe Landsleute. Keine Resolutionen, gequasselt haben wir genug. Es ist doch ganz einfach. Wenn der Staat nichts tut, handeln wir. Als Preußen...»

Zwischenruf: «Robin Hood, das wäre doch ein Deckname.»

«Das ist preußisch. Vielleicht ist das das Beste von Preußen überhaupt: Wir haben nach den schlimmsten Niederlagen nie aufgegeben. Heute ist Taktik gefragt. Unsere Patenstadt Bielefeld hilft im Rahmen der ‹Rußlandhilfe› Nowgorod statt Gussew. Soll sie, mit solchen Absurditäten leben wir nun mal. Im übrigen ist hier im Saal ein Ministerialrat aus dem Wirtschaftsministerium. Er ist natürlich privat hier, aber er wird unsere Anliegen sicherlich an die richtigen Stellen tragen.»

Der Angesprochene meldet sich zu Wort: «Ich bin privat hier, das möchte ich ausdrücklich betonen, sozusagen inkognito. Es ist kein Geheimnis, das Auswärtige Amt will an die Sache nicht ran. Kinkel, der Neue, ist in Genschers Stall groß geworden. Von da ist keine Veränderung zu erwarten. Als Wirtschaftsmann bin ich Realist. Die eigentlichen Hindernisse liegen im Wirtschaftlichen. Wir haben die DDR, da geht es drunter und drüber. Ganz Osteuropa steht bei uns vor der Tür. Weder die Franzosen noch die Engländer kümmern sich darum. Ich sitze seit Monaten bis nachts um elf im Büro. Dann ruft zum Beispiel der Kollege vom Innenminsterium an. Also hör mal, Hans, bei mir ist der Wirtschaftsminister von Karelien, kann der bei dir nicht seine Sorgen loswerden. Er kommt dann halt vorbei, heute dieser, morgen jener. Jakutien, Bessarabien, Kamtschatka, man weiß ja kaum, wo diese Ländereien liegen. Da werden sich die Deutschen doch nicht noch Ostpreußen ans Bein binden. Ich war acht, als wir geflohen sind. Ich bin fasziniert von Ostpreußen. Die Alleen, die Dorfteiche, alles ist verwildert und noch schöner als früher. Aber helfen kann ich nur als Privatmann.»

«Ruhe!» Der Präsident, nennen wir ihn Herrn X, sieht wieder eine politische Debatte kommen, die er nicht will, und sucht einen Weg in die Tagesordnung. «So gesehen sind wir natürlich alle privat. Unsere Kreisverwaltung wurde 1945 in Oschatz/Sachsen aufgelöst. Wir vertreten die vertriebenen Gumbinner, aber wir haben als Geschäftsbereich kein Territorium, nicht im Westen, nicht hier. Unsere Freunde im Westen sagen: ‹Biste verrückt, nach Ostland willste, herrje!› Unsere neuen Freunde hier sagen: ‹Willkommen, wir brauchen euch.› Wir nehmen ihre Einladung an, so einfach ist das. Unsere Legitimation ist, daß wir Experten sind. Niemand kennt das Land so wie wir und weiß, was ihm guttut. Wir kennen zugleich den Westen, dort haben wir aus dem Nichts eine Existenz aufgebaut. Preußische Disziplin, Mut der Verzweiflung, Know-how, das kann keine Regierung der Welt bieten. Beginnen wir doch mit der Feststellung, welche Berufe allein in dieser Versammlung vertreten sind. Ich sehe drei Bauunternehmer, zwei Textiler, einen Forstmann, helfen Sie mir.»

Auf Zuruf stellt sich heraus, die meisten der Anwesenden gehören dem Mittelstand an, etwa die Hälfte ist selbständig, die anderen arbeiten als Beamte oder Angestellte zumeist in öffentlichen Einrichtungen. «Summa: wir haben fast alle Bereiche der Gesellschaft unter uns, sogar die notleidende Landwirtschaft ist zweimal vertreten.» Herr X ist jetzt da, wo er hinwollte. «Ich bitte jetzt unseren Schriftleiter nach vorne. Er wird Ihnen einen Überblick über alle bisherigen Aktivitäten und die nächsten Planungen geben.»

«Landsleute, ich fasse mich kurz, die Liste ist lang, also kein Kommentar. Erstens: Schwerpunkt waren und sind immer noch die Hilfstransporte. Der vierte ist gerade angekommen und wurde heute nacht aufgeschlitzt. Unsere Helfer haben resigniert. Die Stadt schickt keine Wachen. Wir werden zu Bittstellern degradiert. Wieder gibt es Rangeleien bei der Verteilung. Das wäre am besten zu vermeiden, indem wir zielgerichtet Wünsche aufnehmen und nicht einfach einpacken, was in Bielefeld an Spenden eingeht. Das Krankenhaus zum Beispiel hat ein Ultraschallgerät nötig. Wer günstig an ein gebrauchtes rankommen kann, möge sich nachher bei mir melden. Der Bund der Vertriebenen, Kreisverband Anklam, hat ebenfalls einen Transport geschickt: deutsche Fibeln und deutsch-russische Wörterbücher vom Verlag Volk und Wissen. Der ehemalige Kultusminister, Oswald Wutzke, hat als eine seiner letzten Amtshandlungen die Materialien bereitgestellt. Wohin damit, frage ich? Vielleicht wäre die Mittelschule 1 geeignet, da gibt es schon Deutschunterricht. Die Hilfstransporte sind auch aus einem anderen Grund wichtig. Solange die verdammten Polen die Grenze nicht öffnen, sind unsere LKWs die einzige Möglichkeit, auf dem direkten Wege einzureisen. Wir brauchen sie bis auf weiteres als Tarnkappe für den Personenverkehr unserer Kreisvertreter. Zweitens: Inzwischen sind alle wichtigen Betriebe der Stadt besichtigt worden. Es sind das Futtermittelmischwerk, das heißt die ehemaligen Prang-Mühlen, die lichttechnische Fabrik, die Mikro-Motorenfabrik und die Möbelfabrik. Dann die Druckerei, das Elektrizitätswerk und außerhalb die Mineralwasserproduktion von Maiskoje, ehemals Malwen. Besuche in den zwei Kaufhäusern, in Kindergärten und im Hospital rundeten den Eindruck über unsere unsäglich veränderte Heimat ab. Ich muß das nicht ausführen. Im Augenblick hat die Möbelproduktion die besten

Aussichten. Ein dynamischer Direktor, er hat unserem Kollegen R. gleich 50 % Beteiligung angeboten.»

Zwischenruf: «Stimmt es, daß es kein starkes Bauholz mehr gibt in Ostpreußen und alles aus Rußland kommt?»

«Richtig, aus der Taiga, und weil der Transport jetzt so teuer ist, wird das für uns ein Problem werden. Ansonsten tut sich was beim Mineralwasser. Der Absatz im Lande ist zurückgegangen, aber dieser Tage hat die polnische Firma Ger-Mess 800 Kisten gekauft gegen US-Dollar. Auch in Israel hat man Interesse geäußert. Im April wurde endlich eine Liste der Betriebe veröffentlicht, die privatisiert werden sollen, insgesamt 44 Objekte. Ich reiche sie mal herum. Wie das vonstatten gehen soll, weiß kein Mensch. Sicher ist nur, daß mehrere Betriebe bereits Entlassungen und Kurzarbeit angekündigt haben. Die erste und bisher einzige Privatfirma ist der Frisörladen ‹Madonna›. Kunden hat er genug, aber die Inflation frißt den Gewinn auf, für Investitionen bleibt nichts übrig. Damit sind wir beim Kern. Alle äußeren Bedingungen sind so schlecht oder so vage, daß man nicht weiß, was und wie man raten soll. Bei 1000 % Inflation gibt es keine rechtliche Basis für Geschäfte, keine zuverlässigen Lieferanten, keine regionale Raumplanung oder Subventionspolitik. Lassen Sie mich drittens etwas Erfreuliches sagen. Die Kultur macht große Fortschritte. Gestern fand ein Spitzengespräch zwischen dem Vorstand der Kreisgemeinschaft und dem Bürgermeister von Gussew statt, in dessen Verlauf uns der Wiederaufbau der Salzburger Kirche zugesichert wurde. Als Gegenleistung wollen die Russen Beratung für Industrie und Landwirtschaft und eine Patenstadt in Deutschland. Das läßt sich machen. Unser Etat ist klein, aber so groß, daß wir Leuten lästig fallen können. Mit dem Museum und einigen Geschichtslehrern bestehen gute Kontakte. Wir versorgen sie mit Material, ebenso die Zeitung. Das Bedürfnis nach wahrheitsgerechter Information ist, nach den Jahren der vorgeschriebenen ideologischen Betrachtung, riesengroß. Herr F. hat schon zum drittenmal im Kino

‹Mir› einen Dia-Vortrag gehalten über die Geschichte Gumbinnens. Also frischauf!, liebe Landsleute. ‹Von nuscht kommt nuscht und wird nuscht›, wie meine Mutter immer sagte.»

«Sawtra budjet heißt das hier.» Herr F., zuständig für die historische Unterweisung, stürmt nach vorne. «Sawtra budjet, morgen wird es sein, so ist doch die Devise! Das kenn ich schon aus der Kriegsgefangenschaft. Ich sage euch, wir brauchen eine asiatische Geduld! Wir sind in Rußland, nicht in Ostpreußen, das muß man sich immer wieder klarmachen! Meiner Einschätzung nach ist das so. Wir haben es mit drei Generationen zu tun. Mit denen in unserem Alter ist es leicht. Wir sind Randfiguren, wir lachen gemeinsam über Hitler und Stalin, und damit hat es sich. Die ganz Jungen sind völlig offen, sie wollen den Westen am liebsten schon gestern im Land haben. Die schwierigste ist die mittlere Generation, die an der Macht ist. Die haben noch etwas zu verlieren, da sitzen die Betonköpfe und Zauderer. An denen kommen wir leider nicht vorbei. Aber wir müssen auf die Zwanzigjährigen setzen, jetzt! Unsere Uhr läuft bald ab. Wir sind Wissensträger. Die beste Investition ist, diese Jungen in Geschichte zu unterrichten. Geschichte, die Wirtschaft lernt sich von selbst. Die stehen doch schon ganze Tage auf dem schwarzen Markt. Handeln, Sichdurchboxen, Pfiffigkeit, aber wo kommt die Moral her? Was glaubt ihr, was die Kinder für lange Ohren kriegten, als ich im Dia-Vortrag die Geschichte von Adolf Schlaphut erzählt habe. Friedrich Wilhelm I. läßt einen Beamten hinrichten, der Gelder, die für den Bau von Gumbinnen bestimmt waren, veruntreut hat. Weil das adelige Gericht sich nicht zu einer ordentlichen Strafe entschließen kann, haut der König mit dem Krückstock auf den Tisch! So, und statuiert ein Exempel vor Gott und dem Volk. Schluphut hängt, hängt so lange, bis er verwest ist. Bei den Gumbinner Schülern war das immer ein Höhepunkt im Geschichtsunterricht. Die Russen sind träge, aber sie sind ein geschichtsbewußtes Volk. Über die Geschichte kannst du sie kriegen mit der Zeit.»

Herr X mahnt zur Besonnenheit. Er kennt Landsmann F. und seinen heißen Kopf seit dem Polenfeldzug. «Wir müssen die Autonomie der Russen wahren. Denkt an die Ukraine, das ist nämlich auch unsere Geschichte. Die wollte schon nach dem Ersten Weltkrieg selbständig werden. Drei Jahre war sie es, das weiß heute nur noch der Briefmarkensammler. Die deutsche Reichsregierung war mit schuld an dem Desaster. Im Zweiten Weltkrieg hat dann unser Erich Koch da gehaust. Die Ukrainer waren deutschfreundlich bis zum geht nicht mehr. Wir selbst haben es ihnen ausgetrieben. Vorsicht mit den Vorträgen, aber im Prinzip hast du recht. Die Landsmannschaft hat hauptsächlich ideelle Werte zu geben. Den Materialismus überlassen wir anderen. Man hört jetzt Dinge von Deutschen, für die kann man sich nur schämen. Georgenburg, das ist geheim, aber warum soll man solch eine Schweinerei nicht bekanntgeben? Da hat eine deutsche Firma über ein Jointventure sich das Gestüt an Land gezogen. Über litauische Strohmänner haben sie mehr als die erlaubten 50 % ergaunert. Das ist im Insterburger Kreis; bei den Goldapern hat ein Juwelenhändler von einem Sowchosvorsitzenden in der Rominter Heide sogenannte ‹Jagdrechte› erworben. Drei Flaschen Schnaps für die Wildhüter, vom deutschen Jäger kassieren sie 8000 DM pro Hirsch. Diese Naivlinge ballern ein paar hundert Meter entfernt vom nächsten militärischen Sperrbezirk. Wenn die D-Mark allein die Herrschaft in diesem Chaos übernimmt, dann Gnade uns Gott. Unser Markenzeichen muß der Idealismus sein. Ich denke, wir sollten jetzt unser bestes Beispiel zu Wort kommen lassen – unsere Salzburger Kirche.»

Zum Bericht aufgerufen ist der Vorsitzende der «Stiftung Salzburger Anstalt Gumbinnen». Er ist der Sohn des letzten ehrenamtlichen Rendanten der Salzburger Anstalt, er trägt einen Trachtenanzug. «Der erste Schritt ist gemacht, die meisten von Ihnen waren dabei. Seit ein paar Tagen hängt an der Außenmauer des Geländes in der ehemaligen Salzburger Straße folgende Tafel: ‹Diese Kirche wurde im Jahre 1734 von

Einwanderern aus Salzburg zusammen mit einem Altenheim eingerichtet. Sie wurde 1840 erneuert, 1932 renoviert und 1945 beschädigt. Sie soll als religiöses und zeitgeschichtliches Denkmal wiederaufgebaut werden. Gumbinnen/Gussew im Mai 1992.› Wir haben aus gutem Grund mit der Salzburger Angelegenheit begonnen. Nicht nur unseretwegen; sie ist das Stück Geschichte, das die Russen hier am ehesten begreifen können. Unsere Vorfahren waren Flüchtlinge. Weil sie an ihrem Glauben festhielten, wies der Fürst sie aus. Sie wanderten 1600 Kilometer, bis sie hier eine neue Heimat fanden. Sie war tolerant, aber kalt und ganz furchtbar anders als die alte. Auch die Gussewer sind Flüchtlinge, haben lange Wanderungen hinter sich und werden zu Anfang sicherlich die allergrößten Probleme gehabt haben. Wir haben hier also eine historische Parallele. Auch insgesamt, was die Buntheit der Gesellschaft betrifft. Gussew ist eine Sowjetunion im kleinen, Gumbinnen war bevölkerungsmäßig eine Miniatur Europas. Beide Städte sind, wie man heute sagt, ‹multikulturell›. Die Geschichte der Salzburger hat noch andere versöhnliche Momente. In der Hitlerzeit war die Gemeinde eine Hochburg der Bekennenden Kirche. Wir können darauf verweisen, daß nicht alle Deutschen ‹Faschisten› waren. Wenn mein Vater predigte, waren oft Spitzel der Gestapo im Gottesdienst. Ich muß in diesen Tagen oft an ihn denken. Er ist Ende Mai 1945 gestorben in einem Internierungslager im Ural. In seiner letzten Andacht, die er im Lager hielt, soll er das Evangelium des Johannes zitiert haben: ‹In der Welt habt ihr Angst, aber seid getrost, ich habe die Welt überwunden.› Es gibt viele Verbindungen zwischen unseren Völkern, und vielleicht sind die stärksten die aus dem Leid erfahrenen. Noch ist die Salzburger Kirche eine Autoreparaturwerkstatt. Der Turm ist weg, die Fenster sind zugemauert, der Friedhof nicht mehr da. Vollständig ist nur die jetzt 200 Jahre alte Eiche im Rendantengarten. Wir hoffen auf Gelder des Bundesinnenministeriums für die Restaurierung der Kirche. Da sie den rußlanddeutschen Protestanten übergeben werden soll, müßte die Abteilung Waffenschmidt eigentlich ein offenes Ohr haben. Die Stadt Gussew würde am liebsten noch das Altenheim und das Hospital der Salzburger wiedererrichtet sehen. Dazu reichen unsere Mittel keinesfalls, wir konnten nur eine Sozialstation versprechen.»

Starker, einhelliger Applaus; es entspinnt sich eine Debatte um das Geld, das die Regierung nicht zahlen wird, und die Landsleute in Deutschland, die nicht spenden werden, weil sie in ihrer Mehrzahl von der Heimat Abstand genommen haben. Sie schimpfen, bis ihnen das Geschrei selbst auf die Nerven geht und albern vorkommt. Herr von N., der Sohn eines Gutsbesitzers, fordert auf, sich an das Machbare zu halten. «Wir werden nicht aufgeben, vor den Ministerien zu antichambrieren. Aber solange die sich taub stellen, ist es eben unsere Pflicht, Piraten zu sein. Es gibt Dinge, die kosten nicht viel. Jeder von uns hat Kontakte. Ich frage zum Beispiel in meinem Bezirk bei der Innung, wo ein Handwerker aufgibt, pleite macht oder auf Rente geht. Manchmal kannst du für 'nen Appel und 'n Ei eine ganze Bäckereiausrüstung kaufen, eine Schreinerwerkstatt, Büroeinrichtungen. Nur rüberbringen muß man sie. Der Verfall des Rubels bietet zudem großartige Möglichkeiten, hier zu kaufen. Was sollen wir gebrauchte Traktoren aus Niedersachsen einführen. Sie sind nicht robust genug, du mußt regelmäßig einen Mann schicken zum Reparieren. In Minsk bekommt man für 6000 DM einen ganzen Maschinenpark, der für 100 ha reicht. Das zahlen wir doch aus der Hosentasche! Was wollen wir denn? Wir wollen private, gesunde Existenzen fördern. Bauernhöfe mittlerer Größe, mittelständische Betriebe. Wie bei uns nach dem Krieg, als wir anfingen, uns auf die Hinterbeine zu stellen.»

Hinter Herrn von N. hat schon vor ein paar Minuten ein Mann Aufstellung genommen. Er ist aufgefallen durch sein Schweigen, deshalb hören alle zu. «Erlaubt mir, aus der Heimatgeschichte von Rudolf Grenz vorzulesen, S. 24, aus dem Kapitel Stadtgeographie: ‹Zuerst halte man die Lage Gumbinnens im Gradnetz der Erde fest: 54 Grad nördlicher Breite, 22 Grad östlicher Länge von Greenwich. Zu diesen trockenen Zahlen sei weiterhin nur registriert, daß um den Erdball herum ungefähr in gleicher Breitenlage sich befinden: Wehlau, die Südspitze der Halbinsel Hela, Stolpmünde, Hiddensee, die Halbinsel Gedser, die Halligen, ferner an der englischen Ostküste Scarborough, in der Irischen See die Insel Man und das südliche Nordirland. In der alten Welt stößt man mit unserem Breitenkreis weiterhin ungefähr auf Wilna, Tula, Uljanowsk am Kuybischewer Wolgastausee, auf die Barabasteppe, auf Barnaul am Ob, auf Minussinsk am Jenissei, auf den Baikalsee, auf Nikolajewsk nahe der Amurmündung. Schließlich auf Petropawlowsk auf Kamtschatka. In der Neuen Welt sind es die Aleuten, die Königin-Charlotte-Insel, Edmonton in Kanada, die James-Bucht der südlichen Hudson-Bai, schließlich das Eisenerzgebiet in Labrador. Der Gegenpunkt auf der nördlichen Halbkugel liegt im östlichen Teil des Aleutengrabens, der nur wenig westlich eine Tiefe von immerhin 7223 Meter erreicht.›» Allmählich entsteht Unruhe, die Hitzköpfe vermuten einen Filibuster. Ungerührt liest der Mann weiter. «‹Was all diese Örtlichkeiten an Unterschieden zu unserer Heimatstadt bieten, z. B. in klimatischer Hinsicht, und nach ihren Ursachen zu fragen, soll hier nicht erörtert werden. Verfolgt man unseren Längenkreis, so trifft man in nördlicher Richtung etwa auf Telsche in Litauen, auf die Insel Ösel, in Finnland ungefähr auf Turku und am Bottnischen Meerbusen auf Lulea. In südlicher Richtung kommt man westlich Siebenbürgen auf das Banater Gebirge, berührt fast Nisch in Serbien, durchquert die Wardaebene in Mazedonien, kommt zum Olymp, durch die Thessalische Ebene und im Peloponnes durch das Hochland von Arkadien. In Afrika läuft der Längenkreis durch das Hochland von Barka, ostwärts des Tibesti-Hochlandes, durch die TschadRepublik, durch das Kongo-Becken, die westliche Kalahari und trifft die afrikanische Südküste ostwärts des Nadelskaps.› Liebe Landsleute, begreift ihr? Herr Grenz war ein kluger Mann. Er hat uns auf dem Atlas klargemacht, wo Gumbinnen liegt. Das ist nicht nur theoretisch. Ihr tut so, als wenn es heutzutage noch Kreispolitik gäbe. Wenn man heute eine Bäckerei von A nach B bringt, muß man die Kurse der Londoner Börse kennen und den Krieg in Serbien im Auge haben. Alles hängt zusammen. Das Königsberger Gebiet ist jetzt noch wie unter einer Glasglocke. Es scheint überschaubar, so wie unser Kreis früher war. Das wird nicht mehr lange so sein. Wenn Polen und die baltischen Staaten sich auf die EG zubewegen, dann muß dieses Gebiet mit. Eure klapperige Bäckerei ist eine Liebesgabe von anno dazumal. Und nicht nur die.»

Der Redner ist Arzt und mit sechzig einer der Jüngsten in der Runde. Mit diplomatischem Geschick, nämlich unter Berufung auf einen ehrenwerten Verstorbenen, hat er ein Problem angesprochen, das jeder kennt, aber keiner wahrhaben will. Auf seinen ketzerischen Einwand gibt es keine Widerrede. Er erledigt sich durch kollektive Nichtbeachtung. Die Logik dieser Verschwörung bleibt unausgesprochen und ist selbst für Außenstehende völlig klar: Sie alle sind in einem Maße enteignet worden, das keine Steigerung mehr verträgt. Herausgerissen aus einer Region und durch die immer heftiger sich beschleunigende Zeit von ihren Ausgangspunkten weggerissen. Das letzte, was man von ihnen erwarten kann, wäre: anzuerkennen, daß der Lauf der Welt regionalem Handeln überhaupt den Boden entzogen hat. Fast fünfzig Jahre haben sie den Kreis Gumbinnen über seinen Untergang hinaus verwaltet. Gegen den herrschenden Trend, allgemein belächelt, ein Archipel, das ein Phantom war, in der vagen, phantastischen Hoffnung, es könnte eines Tages sich doch wieder mit einem wirklichen Festland verbinden. Jetzt, wo die Erdberührung, der Blickkontakt wieder da ist, muß sich etwas davon realisieren. Ort geht vor Zeit, und die Frustration der erzwungenen Tatenlosigkeit explodiert in einem Rausch. Die Kreisgemeinschaft behauptet vollkommen konsequent ihre eigene Topographie des Handelns – gegen alle Sachzwänge des Globalen, sei es Europas, der GUS oder des Planeten. Ein Kreis ist ein Kreis, und wenn die Rayongrenzen etwas anders verlaufen, dann wird man sich eben mit den Stallupönern und den Insterburgern verständigen, die ebenfalls ihre Arbeit in der alten Heimat wiederaufgenommen haben.

Herr von N., der direkt angesprochen worden ist, versucht, stellvertretend für alle zu demonstrieren, daß er seine Geschichtslektion gelernt hat. «Als Vertriebener bin ich zuallererst ein nüchterner Mann. Das Gut meiner Eltern ist passé. Man muß es sich einmal ausmalen. Gesetzt den Fall, ich bekäme es zurück. Es gibt keine Leute mehr, keine Bediensteten. Unsere 400 Hektar von damals sind heute in der EG ein Klacks, eine Mindestgröße, wenn man überleben will. Mein Cousin in Schleswig-Holstein bewirtschaftet so viel, allein mit Maschinen und nur einem Mann dazu. Das ist doch kein Gut. Ein Gut war eine Gesellschaft und eine geistige Größe. Das Extra war doch der Lebensgenuß. Die Kreise, in denen man verkehrte, wie die Leute einen grüßten. Heute kann man nicht einmal verständlich machen, daß der Status der Familie sichtbar wurde durch den Platz, wo sie in Gumbinnen die Kutsche parkte. Ein Herrenhaus! Nicht mal die Mauern könnte man heute unterhalten. Guckt euch die englischen Lords an. Die führen Touristen in ihre Schlafzimmer, damit sie von dem Eintritt die Dächer reparieren lassen können! Alles Quatsch! Ich könnte rein theoretisch das Land zurückkaufen. Aber wenn ich das täte, hätte ich Verantwortung hier. Das könnte meine ganze Existenz ruinieren, die ich nach 1945 aufgebaut habe. Und was ist Land heutzutage schon? Japan, die Schweiz, die reichsten Staaten der Welt, haben kaum kultivierbaren Boden. Ich war letzte Tage mehrmals in den zwei Sowchosen, denen heute unser Gutshof gehört. Ich habe den Vorsitzenden Fotos gezeigt aus meiner Kindheit, und sie haben mich natürlich gefragt, ob ich zurück will. Sie haben verstanden, was mich daran hindert. Russen wissen aus der eigenen Geschichte, was ein Gut ist und daß es auch in Rußland nie wieder Güter geben wird wie zu Zeiten Tolstois.

Ich habe sie gebeten, mir ein kleines Stückchen Boden zu geben und ein Zimmer, damit ich, wenn ich hier bin, nicht im Hotel wohnen muß. Ich habe sie dafür eingeladen (Herr von N. grinst), mit mir zusammen Wildschweine zu jagen im elterlichen Forst. So viel und sonst nichts, und mitnehmen werde ich bloß eine Kopeke. Die hab ich gestern in einem versumpften Vorfluter gefunden und werde sie meinem nächsten Enkel zur Taufe schenken, als Glücksbringer.»

Diese Äußerungen sind auch an die anwesende Presse gerichtet. Sie zielen effektvoll auf die Beschwichtigung der immer noch Mißtrauischen. Das Bemerkenswerte jedoch ist nicht die Verzichtserklärung, die wiederholt lediglich historische Tatsachen, an denen nicht zu rütteln ist. Die eigentliche Botschaft verbirgt sich. Sie steckt im Beiläufigen, Ironischen, in den zwei Sätzen über die Jagdeinladung oder das Taufgeschenk, und sie formuliert einen Anspruch. Die Kreisgemeinschaft möchte dem Gewaltakt im nachhinein eine ordentliche Form geben. Die Enteigneten fordern für sich die Anerkennung als legitime Erblasser. Was nicht bedeuten soll, daß damit Unrecht zu Recht würde, sondern daß sie zu historischen Akteuren werden, die ihr Recht behaupten, eine ureigenste Angelegenheit noch einmal in die Hände zu nehmen. Sie wollen in einem offiziellen testamentarischen Akt das Geraubte vererben an fremde Kinder. Das letzte, was diese 70jährigen verlangen, ist, in das wahnwitzige 20. Jahrhundert noch ein Stückchen Ordnung, Sinn, Vernunft einzufügen. Ihre Einmischung ist verständlich und hybrid zugleich. Das Projekt, das sie planen, trägt den altertümlichen Titel «Seßhaftigkeit». Den Hiesigen soll geholfen werden, sich dieses Land und seine Historie wirklich anzueignen.

«Was wird werden», fährt von N. fort, «wenn die Privatisierung scheitert? Laut derzeitigen Berechnungen wird in meinen beiden Sowchosen jede Familie etwa 9,6 Hektar bekommen. Viele können damit nichts anfangen, weil Traktoren fehlen, der Mut und die Kenntnisse. In der Königsberger Ecke hat es schon angefangen, da kauft eine Mafia von Armeniern das Land auf und verkauft es weiter gegen Devisen an Ausländer. Auf diese Weise wird die Auflösung der Kolchosen und Sowchosen die agrarischen Bezirke noch weiter entvölkern. Sobald die Grenzen sich öffnen, werden die Jungen fliehen. In Brest überqueren heute schon Tausende täglich den Übergang. Für die ist Polen schon das gelobte Land Amerika. Und die Polen stehen Spalier und befördern sie weiter mit einem Tritt – nach Deutschland. Unsere Heimat wird nur eine Chance haben, wenn wir die Völkerwanderung in den Griff bekommen. Es wäre im Interesse aller, wenn der Rayon sich entschließen könnte, möglichst viele Rußlanddeutsche aufzunehmen. Als Gleiche unter Gleichen natürlich, eine Regermanisierung des Gebiets auf kaltem Wege lehnen wir ab. Es wäre doch gelacht, wenn wir unseren Kreis nicht wieder auf Vordermann bringen würden.»

Die Debatte geht endlos weiter, wechselt vom Grundsätzlichen ins Praktisch-Kommunalpolitische. Aus Babuschkino/Großgesern und Majakowskoje/Nemmersdorf hört man Einzelheiten über die Ansiedlung von Rußlanddeutschen. Ein Forstmann trägt eine Expertise vor über den Zustand der Kreiswälder unter vergleichender Berücksichtigung kanadischer und mongolischer Wildniszonen und über die Ausbreitung des Forstschädlings Elch. Man orakelt über die Klimaveränderung. Eine Arbeitsgruppe konstituiert sich, die mit Hilfe von herumreisenden Landsleuten herausfinden soll, welche Gewässer im Winter noch zufrieren und welche nicht, was wiederum ein Teil des Projektes zur «Fortsetzung der Dorfchroniken über 1945 hinaus» ist. Ein Kurzreferat über die preußisch-russischen Beziehungen animiert einige der Anwesenden zu genealogischen Ausführungen aus der eigenen Familie. Der eine hatte einen Großonkel, der Pfarrer war in Riga. Ein anderer hat kürzlich unter seinen Ahnen ein schwarzes Schaf gefunden, das im 18. Jahrhundert an den Hof des Zaren ausrückte und es dort zu großen Ehren brachte.

Schließlich sitzen alle um einen Gutsbesitzerssohn herum. Er liest aus den Memoiren seines Vaters vor, eine heutzutage kaum glaubliche Geschichte: Der Mann hielt sich von 1926 bis 1932 als Leiter eines landwirtschaftlichen Versuchsprojekts in der Salzsteppe am Manytsch auf, zwischen Wolga und Kaspischem Meer. Sein Auftraggeber war die Firma Krupp, die einerseits aus Gründen des Eisenbahnbaus gute alte Kontakte hatte im Lande, andererseits nach dem Vertrag von Versailles genötigt war, Teile ihrer Rüstungsproduktion in zivile Unternehmungen zu konvertieren. Die Konzession in der Salzsteppe war mehr ein Experiment denn eine Investition. Im Wettlauf mit noch einem deutschen Betrieb und einem russischen namens «Gigant» wurden neue Saaten und Maschinen ausprobiert. Es sind die Jahre des großen gewaltsamen Umbruchs in der Landwirtschaft. Der deutsche Verwalter ist ein kritischer Beobachter, doch bei allem ist klar, wie nahe beieinander die Ideen liegen. Wie universell der Traum von einer industriellen Landwirtschaft, die Natur und Tradition aus den Angeln hebt. Herr von N. hält auf der Steppe eine kleine Herde Trakehner Stuten, und er bringt seiner ostpreußischen Domäne von dort Neuerungen mit …

Soweit die fiktive Sitzung. In der Bar, wo all dies tatsächlich verhandelt wird, das sei noch hervorgehoben, ist die Stimmung überwiegend heiter. Zum Teil liegt das «am Russen». Die russische Mentalität, die den Preußen auf der einen Seite Sorgen macht, übt zugleich eine starke Faszination aus. Die Kehrseite des verzweifelten Bemühens um Ordnung, könnte man sagen, ist ein seliges Ertrinken im Chaos. Alles schwärmt von der «Ursprünglichkeit» der Bevölkerung. Was sie damit meinen, ist ihnen selbst nicht ganz deutlich. Ihre diesbezüglichen Äußerungen sind eigentlich mehr Bilder: kleine, blitzschnell skizzierte Tableaus. Von einem kleinen Jungen, der schwungvoll die Angel schleudert oder verliebt die Kiebitzeier betrachtet, die er auf der Wiese aufgestöbert hat. Den fleischigen Armen und dem Gang einer alten Frau. Wie bei einer Begegnung das Brot gebrochen wird mit der Hand und plötzlich alle ein Volkslied anstimmen. Ungehemmte Küsse und Tränen beim Abschied. Mädchenzöpfe mit üppigen Schleifen, die der Sozialismus verwunderlicherweise nicht hat abschaffen können. Nicht «das Russische» berührt sie, sondern der Augenblick, der die Reisenden zurückversetzt in den Zustand noch ungezügelten Glücks, der sich Kindheit nennt.

Blaue Stunde, Uliza Pobjeda 12

Ich habe kein Zimmer im «Rossija», ich wohne wirklich in Rußland. Kurz vor Mitternacht meist verlasse ich meine Landsleute und mache mich auf zu dem modernen Wohnblock in der Uliza Pobjeda. Fünf Minuten brauche ich, um mich um die drei Ecken, über ein paar enorme querliegende Bordsteine und an den Kratern im Asphalt vorbeizutasten. Im Hausflur empfängt mich der Geruch von Urin, feuchten Wänden und Papirossy. Das Minutenlicht geht nicht, ich orientiere mich mit den Füßen und am überraschend stabilen Handlauf. Auf dem ersten Absatz stoße ich fast einen Kinderwagen um. Ich steige über ganze Heerscharen von Schuhen, scheuche drei Katzen auf und einen Schläfer, der im Suff offenbar seinen Haustürschlüssel nicht gefunden hat. Im vierten Stock fehlt plötzlich eine Stufe. Im fünften wird der Boden stumpf vom Taubendreck, der durch die Dachluke rieselt.

Da bin ich; bei Olga und Wolodja. Wir hocken noch ein, zwei Stunden zusammen in der Küche und gucken in den hellnächtlichen Himmel, auf die Silhouette der Friedrichschule und einen toten Baum. Bei moldawischem Wein, die Flasche zu 55 Rubel, und amerikanischen Zigaretten. Eine Ausländerin und zwei Russen, die über sie Zugang zu Devisen haben, weil sie für sie dolmetschen und sie durchs Land kutschieren – was für ein Luxusleben. «Ulitschka, erzähl von den Deutschen!» Zuerst bin immer ich dran. Die beiden platzen vor Neugier. Was haben sie heute wieder angestellt, diese alten Herren? Ob sie mir Komplimente gemacht haben und wie es dem Charmeur geht, der neulich in Olgas Anwesenheit beinahe vom Barhocker gefallen ist? Das Bedürfnis nach Klatsch gehört zu den Eigenarten der russischen Gesellschaft, die mich oft über die Maßen anstrengen und ermüden. In diesem Falle gehe ich gern darauf ein, denn die leichte, lästernde Form des Sprechens ermöglicht uns dreien, unsere Besorgnis und manche Unsicherheit zu überspielen. Olga und Wolodja haben Angst, die Deutschen könnten zu den ersehnten ökonomischen und kulturellen Impulsen, die sie mitbringen, Besitzansprüche geltend machen. Aus unseren Gesprächen über viele Wochen wissen sie, daß ich diese Angst nicht teile, dafür aber andere habe.

Zwischen ihnen und mir liegen Welten, die Verschiedenheit unserer Ängste ist nur ein Teil davon. Ich versuche mit Hilfe einiger Anekdoten zu vermitteln, wer diese Vertriebenen sind. Wie sie sich unterscheiden von den übrigen Deutschen und daß eines ihrer Probleme darin besteht, daß sie sich selbst kaum noch unterscheiden können und deswegen der «Kreistag Gumbinnen» im Hotel «Rossija» weniger ernst zu nehmen ist, als er sich gibt. Ich schildere den beiden Russen, so lebhaft wie es nach einem entnervenden Tag eben möglich ist, die unauffälligen, honorigen Bürger, die morgens auf dem Klo ihre Zeitung lesen, ihre Bequemlichkeit, die sie hart erarbeitet haben, über alles lieben und die zur Abwechslung gelegentlich dorthin fahren, wo der französische Käse herkommt oder der Parmaschinken. Und die nebenbei, wie jeder andere Mensch auch, zu Klassentreffen fahren, nur daß sie da «Fleck» essen und kein rheinisches «Hämchen». Ich stelle jeden Abend aufs neue die für sie aberwitzige These auf, daß die tatendurstigen alten Herren nicht nur der Vergangenheit wegen kommen, sondern ein ebenso wichtiges Motiv die Flucht aus der Gegenwart ist. Ich beschreibe das Leben im Allgemeinen und der alten Leute im

Besonderen in meinem merkwürdigen Deutschland: wo das Erleben fast immer organisiert ist, in möblierten Parks oder für die besonders Aktiven in Volkshochschulkursen über «ganzheitliches Naturverständnis», wo der Mensch durch andauernde Beschallung betäubt wird und alle Sinne schrumpfen, wo selbst in die Kirche die Sprache der Soziologie eingezogen ist, wo man nicht ohne Gebiß herumlaufen darf und täglich duschen muß, wo alles und jedes verrechtlicht ist und hochkompliziert geregelt und nichts einfach.

Mein Lamento ist zum Teil ironisch. Wo an allem Mangel herrscht, kann ich die Qualen eines Supermarktes kaum plausibel machen oder daß lebensrettende Maschinen das Sterben enteignen und ein komfortables Apartment eine Quelle tödlicher Depression sein kann. Wie soll ich erklären, daß dieser verrottete Oblast manchem Besucher reiche Erlebnisse beschert, die ihm die Augen öffnen für Verluste, die er in Friedenszeiten und durch eigenes Zutun erlitten hat? Und doch erzähle ich die Geschichten mit wachsender Lust, erörtere bis ins kleinste zum Beispiel den Fall eines alten Ostpreußen, der in Mannheim als letzte bäuerliche Gewohnheit beibehielt, im Freien zu pinkeln, und darüber im erbitterten Kampf lag mit seiner Familie, die sich der braunen Flecken auf dem Rasen schämte und der «exhibitionistischen» Entblößung. Ich zähle der entsetzten Olga vor, wie viele vergnügt pinkelnde Deutsche ich diese Woche gesehen habe an der Pissa, der Angerapp, der Rominte und der Inster. Und was der Oblast sonst noch an Vergnügen bietet: die halsbrecherische Tour im pfadlosen Gelände, ein Nachtigallenlied oder die eigene Stimme, freistehend ohne ein Nebengeräusch. Man kann in einem Dorf anhalten und einem frierenden Menschen einfach einen Mantel anziehen und aus dem Handgepäck notlindernde Dinge zaubern wie der heilige Martin oder das Christkind. Jeder Tag ist wie ein Jahr so voll – an Eindrücken existentieller Art, und es können sich blitzartig Vergangenheit und Gegenwart verdichten zu einer nie gehabten, klaren Erkenntnis.

Was ist geschehen? Wer bin ich gewesen? Solche Augenblicke, wie sie dieser Oblast hervorbringt, sind denen vor dem Sterben vermutlich nicht unähnlich. Es gehört zum Wesen dieses besonderen Tourismus, daß man sich hier mit dem Tod beschäftigt. Vieles mischt sich; man ist abgeschnitten von medizinischer Versorgung und hat sich darauf eingestellt mit Arzneien, hat vor der Abreise das Testament überarbeitet. Der eine oder andere mag überlegen, ob er wie die Großeltern «in der Heimaterde» ruhen möchte. Aber mehr als dieses ist es die Allgegenwart des Verfalls, die den Tod in gedankliche Nähe rückt. Vor einem stehen Häuser und Bäume, die man frisch und blühend kannte, gealtert durch das Wetter, zerstört durch eine Geschichte, die man mitverschuldet hat. Unter «Vergnügen» läßt sich das sicher nicht mehr führen, versichere ich Olga, die sich allmählich fürchtet. Wenngleich, schränke ich ein, es doch etwas davon hat – ähnlich der «vanitas», die dem Menschen des Barock seine Vergänglichkeit vor Augen führte zwecks Steigerung irdischer Freuden. Die Ruinenlandschaft hat viele Gesichter. Aber auch ihr traurigstes kann noch etwas Wohltuendes haben oder wenigstens Belebendes, weil es den alten Ostpreußen eine Seite ihrer Geschichte spiegelt, die im herrlichen Westen nicht mehr gelitten wird. Weil sie ein sprechendes Bild ist für etwas, was bei unszulande keine visuelle oder sprachliche Entsprechung mehr hat.

Wolodja und Olga finden mein Reden frivol, das ist offensichtlich. Wir sind in Gussew, und wahrscheinlich sind ihre Gedanken ohnehin schon wieder auf hoher See. Und hier habe ich Mühe zu folgen. Wolodja ist Seemann und Olga Seemannsfrau, beide warten sie auf ein Schiff. Wolodjas liegt irgendwo vor Südamerika, Olgas Ehemann Pawel hat sich vor Wochen aus Korea gemeldet. Die Schiffe sind schon mehr als acht Monate unterwegs, und kein Mensch weiß, wann sie den Heimathafen wieder anlaufen werden. Sie liegen fest mangels Treibstoff oder nehmen immer neue Aufträge an, damit sie wieder vorwärts kommen nach Nord, Süd, Ost oder West oder weil die Regierung, die dringend Devisen braucht, sie zwingt. Die Seeleute fragt keiner, sie geistern über den Globus und wissen nicht mal, ob sie bei ihrer Rückkehr noch das Land finden, das sie verlassen haben. Wolodjas Schiff wird ihm vermutlich die Nachricht von seiner Entlassung bringen, weil es schrottreif ist. Pawel, der Steuermann, muß ebenfalls damit rechnen, weil seine Reederei in Klaipėda liegt, das heißt litauisch ist, und neuerdings ungern Russen beschäftigt.

Fast stündlich sprechen Olga und Wolodja von der See. Die Klagen der beiden legen eine absurde Situation bloß. Bis vor kurzem war der Kaliningradskaja Oblast zu Wasser, zu Lande und auf dem Luftweg durch einen lebhaften Verkehr eingebunden. Über die vielen Seeleute von Kaliningrad hatte er immer ein Tor auch zur westlichen Welt. Da die Bewohner der russischen Exklave aus den verschiedensten Gegenden stammen, hatten sie ferne Verwandte zu besuchen, was ein leichtes war bei den billigen Flugpreisen. Die Wirtschaft war mit der des Baltikums und im Rahmen der weiträumigen sowjetischen Arbeitsteilung vernetzt bis nach Mittelasien hinein, was sich vor allem über Straße und Schiene abspielte. Dieser Verkehr ist mittlerweile fast vollständig zusammengebrochen. Die durch moderne Technik geschrumpften Entfernungen sind nun wieder auf ihre reale Größe gewachsen. Im Kaliningradskaja Oblast leben die Bewohner in Ermanglung von Möglichkeiten wie auf einer Insel. Olga wird dieses Jahr nicht zum Onkel nach Wladiwostok fliegen, es reicht kaum für eine Fahrkarte nach Vilnius. An diesem Abend kann sie nicht mal von Gussew nach Kaliningrad telefonieren, weil es seit Monaten keine 15-Kopeken-Stücke mehr gibt.

Unsere Wohnung in der Uliza Pobjeda ist mit Rußland zur Zeit nur durch ein Radio verbunden. Darin berichtet ein Sprecher schon zum zweitenmal in einer Stunde, daß am 30. Mai ein gewisser Chasbulatow in Kaliningrad gelandet ist, der Vizechef der Russischen Republik, um dem Oblast die Leviten zu lesen. Mit scharfen Worten fordert er auf, die «gefährliche, einseitige Orientierung an das eine Land» aufzugeben. Ob Freihandelszone oder nicht, man befinde sich auf dem Territorium Moskaus, das sei eine Sicherheit und ein Privileg. Chasbulatow spielt auf Deutschland an, was Olga und Wolodja maßlos erregt. Ihrem Eindruck nach hat Moskau den westlichsten Oblast längst aus seiner Fürsorge entlassen, behauptet ihn nur noch als Besitztitel und Militärbastion. Das einzig Konstruktive, Zukunftsweisende, was sich überhaupt täte, sei die Anwesenheit der Deutschen. Die, wie gesagt, sei heikel, aber wenn niemand sonst sich blicken ließe, würde man es so nehmen müssen, wie es käme. Die beiden Russen vertreten eine weitverbreitete Meinung. Ihr diesbezüglicher Horizont ist mehr oder weniger typisch. Ihr Politisieren zielt auf die Frage: Wer kommt? Es erschöpft sich mit der anderen: Wer kommt nicht? Man kann es kurz machen wie einen Kommentar zum Wetter oder lang wie die Auslegung eines Horoskops.

Am liebsten reden Olga und Wolodja von der Vergangenheit, also den späten sechziger Jahren, den Siebzigern und den frühen Achtzigern. Sie sind Kinder der Breschnew-Zeit, und wenn man ihnen zuhört, bekommt man den Eindruck, daß sie behütet und wohlversorgt waren wie Prinz und Prinzessin. Sie hatten nicht nur alles, was das Herz begehrte, sondern lebten überdies in der Gewißheit, es besser zu haben als die meisten Kinder auf der Erde. In der Dritten Welt, der die große Sowjetunion damals half, sich zu befreien. Und als die bedauernswerten Jungen und Mädchen im Kapitalismus, wo nur der Reiche Bildung und Wohlstand genießt und niemand ein hohes Ziel hat. Die in der Ära der Stagnation Großgewordenen sind geprägt von einer fast geschichtslosen Selbstgewißheit. Ohne Krieg und Not, ohne Tradition, ohne die Möglichkeit zu vergleichen und den Stachel, sich zu wehren. Olga und Wolodja schildern sich als brave und verwöhnte Kinder, die bei allem Brimborium, das seit dem Kindergarten um Lenin gemacht wurde, mehr materiell als ideologisch orientiert waren. Der Kaliningradskaja Oblast muß ein Gebiet extrem geringer Reibungen gewesen sein, zumindest in der Stadt und in den fraglichen Jahren und für diese Generation. Der kleinste und größte gemeinsame Nenner der Einwanderungsgesellschaft war ihr Pragmatismus. Seit Ende der sechziger Jahre wurde kräftig gebaut, die Kinder also sahen, wie aus den leeren Flächen und den noch immer vorhandenen Trümmergrundstükken allerorten Neues entstand. Über den Hafen gelangte ein kleiner Luxus herein, der schwarz überall zu kaufen war. Diese zum Teil westlichen Waren sprengten offenbar nicht das System, sondern wurden verstanden als Vorboten einer hausgemachten, noch besseren Zukunft. Weder die Burda-Moden noch die Beatles streuten grundsätzlichen Zweifel. Die Kunde vom Prager Frühling war allenfalls ein leises Gift. Auch von der «Solidarność», direkt vor der Haustür und durch das polnische Fernsehen zu empfangen, schwappte nichts über. «Gut war es und friedlich wie ein Schlaf», sagt Olga. Ihre Jugend kommt ihr heute wie ein Märchen vor.

Eine 34jährige redet von der guten alten Zeit. Sie weigert sich oft, zu übersetzen, was sie mit Wolodja, dem 27jährigen, darüber spricht. Eine zusammengebrochene Welt ist eine intime Angelegenheit für die, die es betrifft. Die zwei fürchten zu Recht, sich lächerlich zu machen vor mir. Ich will es nicht, aber vieles, was ich frage und tue, beleidigt notwendig ihr Selbstwertgefühl und läßt die Vergangenheit noch tiefer sinken. Ich zwinge ihnen täglich meine Sicht ihrer Heimat auf: Wolodja hält an der zerstörten Brücke, die ich sehen will. Olga übersetzt der Frau im Kiosk meine Frage, was sie im Gulag erlebt hat. Mindestens dreißigmal hat sie, allein in der Gussewer Woche, seufzend festgestellt: «Du suchst das Schreckliche und ich das Schöne.» Sie hat recht, und je länger ich im Oblast bin, desto mehr merke ich, wie sehr ich Teil bin der massiven Präsenz der Deutschen hier. Wir sind gegenüber den Hiesigen fast so etwas wie eine gerichtliche Instanz geworden. Ihre Niederlage versehen wir mit penetranten Diagnosen und setzen ein Urteil darauf, das härter nicht sein könnte. Ein Land, das sich ändern will beziehungsweise zum Wandel gezwungen ist, braucht fremde Augen und Maßstäbe. Nur in Grenzen; was hier geschieht, ist ein «overkill». Wenn es nur die Blicke wären, damit könnte man leben. Aber die Videokameras, die in den letzten Winkel dringen und das Elend, mitleidig oder mit Verachtung, als Reality-TV in alle Welt tragen, demütigen.

Während unserer blauen mitternächtlichen Stunden versucht Olga zu ergründen, worin die Unterschiede zwischen unseren Völkern bestehen. Was hauptsächlich heißt, die zwischen mir und ihr. Es beunruhigt sie, daß es für unser beider Verhältnis zueinander kein Wort gibt im Katalog der menschlichen Beziehungen. Nicht im Deutschen, nicht im Russischen, und daß die Freundschaft, die sie sich wünscht, «nicht geht». Ohne Olgas vermittelnde Klugheit und Sensibilität wäre ich meiner Neugier wegen in diesem Land längst ermordet worden. Sie setzt mir Grenzen, in der Weise wie sie dolmetscht und indem sie Distanz wahrt. Liebenswürdigerweise spricht sie dabei offen von sich, zum Beispiel über ihre Ängste. Zwei Abende lang erläutert sie mir in der Küche der Uliza Pobjeda lang und breit, wovor sie sich fürchtet. Sie fühlt sich in Gussew so fremd und unsicher wie ihre bäuerliche Großmutter, als sie mit dreißig das erste Mal ins nächste Dorf ging. Nach 20 Uhr traut sie sich selbst in Kaliningrad nicht mehr auf die Straße. Sie hat Angst, daß aus der Wasserleitung eine Schlange kommt und im Wald Ungeheuer lauern. Sie geht nicht barfuß, nicht mal im Sand, wegen der Infektionsgefahr. Wenn das Radio alle paar Tage die neuen Brotpreise verkündet, denkt sie gleich an Hungersnot. Ein Unglück kündigt sich an, wenn im Dampfbad die Birkenreiser brechen, mit denen sie mich schlägt. Sie hat Angst vor der Dunkelheit und Angst, daß, wenn es hell wird, man die Bedrohung sieht, die man im Dunkeln nicht sah. Sie hat Angst vor Mißverständnissen, vor bestimmten Hausnummern und vor Krimis und Angst, ohne Make-up zu gehen. Seit ein paar Tagen sieht sie voller Besorgnis auf ihrer Wange einen Flaum wachsen, der einer dringenden Behandlung durch eine moderne Enthaarungscreme bedarf. Olga ist keine Paranoikerin, sondern – abgesehen von ihrer außergewöhnlichen Schönheit – eine ziemlich normale Frau. Wolodja bestätigt dies; auch wenn er selbst als Mann das meiste für Humbug hält, ist ihm das Phänomen geläufig. Olga leidet an einem ganz gewöhnlichen Schwindel, wie ihn ein gesellschaftliches Erdbeben auslöst. Ihr Lieblingswort ist «koschmar», «Alptraum». Der inflationäre Gebrauch – sie sagt es zum Beispiel, wenn sie ihren Schal im Auto vergißt – läßt darauf schließen, daß sie nicht wehleidig ist.

In Gussew übrigens beginnt in einer unserer blauen Nächte eine symptomatische Geschichte. Eine kleine, harmlose Begebenheit stürzt Olga in tiefe Verzweiflung. Einer der Deutschen im Hotel, der als Missionar auftritt, gibt mir «für die kleine Dolmetscherin» eine russische Bibel. Darin versteckt in einem Kuvert findet sich eine handgeschriebene Leseanleitung mit einem Auftrag, was sie sich innerhalb der nächsten zwei Tage zu Gemüte führen solle, und dazu einen Fünfzigmarkschein «für eine weltliche Freude». Bis zur Abreise schlägt sich Olga mit Skrupeln herum. Sie fühlt sich beleidigt – «wie ein gekauftes Heidenkind» – und liebäugelt andererseits mit einem weißen Plisseerock, den sie in Kaliningrad im Devisenladen gesehen hat. Um Rat gefragt, plage ich sie mit schallendem Gelächter und dem Vorschlag, doch die Bibel zurückzugeben statt, wie sie will, die fünfzig Märker. Es siegt der Traum vom Rock, der Dank an den Missionar verunglückt ein wenig, weil sie kichern muß. Olgas Strahlen an dem Morgen, als sie uns ihr neues Stück vorführte, werde ich im Leben nicht vergessen, vor allem wegen des Dramas zweitem Teil. Bei ihrem nächsten Besuch im Devisenladen entdeckt sie nämlich, daß es noch mindestens dreißig weitere Röcke von der Sorte gibt. Schluchzend verlangt sie Aufklärung von mir. Sie hatte nämlich geglaubt, daß gute Produkte im Kapitalismus alles Unikate seien. Wie soll ich sie trösten? Olgas Leben ist ein einziger Weltuntergang.

Ich dagegen mache eine gegenläufige Erfahrung: wie beängstigend schnell der Mensch sich in unabänderliche Umstände schickt. Nach wenigen Abenden orientiere ich mich in unserem Gussewer Treppenhaus wie im Schlaf. Zwei Stufen auf einmal in der Dunkelheit, ein Satz über Schuhe, Katzen, Schläfer, meine Nase registriert kaum noch die Papirossy und den Taubendreck. Solcherart Alltäglichkeiten verdichten sich allmählich und schleifen sich ein. In Gussew, diesem für mich schrecklichsten aller Orte, habe ich angefangen, meinen Widerstand aufzugeben. Es ist das letzte Mal, daß ich an Flucht denke. Fortan lebe ich angenehmer – in wachsender Übereinstimmung mit meiner Umgebung und ihrer zermürbten, gleichmütigen Ruhe. In ein paar Wochen wird es Augenblicke geben, wo mein eigenes Land mir wie ferne Vergangenheit vorkommt und ich mich frage, ob ich jemals wieder dorthin gelangen werde.

Nemmersdorf, 21. Oktober 1944

In der Geographie dieses Ortes bin ich bewandert. Aus zwei Dutzend Berichten und einem kürzlich geführten Interview habe ich eine Skizze gefertigt. Es handelt sich schließlich nur um ein Dorf, da lassen sich Beschreibungen räumlich umsetzen. Das Gezeichnete stimmt, vorausgesetzt, man findet den richtigen Ausgangspunkt. Erst fahre ich zu weit und stelle am Ende der Hauptstraße fest, daß die neue Brücke über die Angerapp sich an einem anderen Platz befindet als die historische. Zurück also, etwa 150 Meter, wo die alte noch als Stumpf aus der Wiese ragt. Die Brücke eröffnet den Schauplatz: Über sie rollten die Trecks und später die Panzer. Von hier aus ist die Orientierung leicht. Das Aschmoneitsche Haus, das «Kaufhaus Vogel», der «Rote Krug», das Gutshaus Meyer, der Feuerlöschteich, nur die Straße ist breiter als erwartet, hat nichts Dörfliches, sondern scheint eher auf einen Durchgangsverkehr angelegt. Ein ziemlich banaler Platz; er fügt dem, was ich weiß, nichts Erregendes hinzu. Hätte Wolodja, unser Fahrer, nicht den orangefarbenen Bulli entdeckt, wäre der Ortstermin nach einer Stunde beendet gewesen.

Im Junistaub, in dem schäbigen Hinterhof wirkt der westdeutsche Wagen wie ein Knallbonbon. Auf der Seite wirbt eine Reklame «Rheinhessen. Die neue Wein- und Winzergeneration. Weingut...» Das Auto gehört Franz K., dem Mann, an den ich gerade gedacht habe. In dem Augenblick stürzt er aus dem Haus, umarmt mich, daß ich um meine Rippen fürchte. Wir kennen uns eigentlich nicht, außer daß wir vor ein paar Monaten über Nemmersdorf gesprochen haben. Aus dieser

Begegnung ist eine Sendung für den Deutschlandfunk entstanden mit dem Untertitel «Über das Sprechen und Schweigen und ein Gespräch darüber».

Deutschlandfunk 1992

«Über Nemmersdorf kann man nicht sprechen», sagt Franz K. Und wenn ich nicht eine Empfehlung von einem Landsmann mitgebracht hätte, wäre meine Bitte um ein Gespräch abgewiesen worden. Er spricht nicht gern. Ich frage vorsichtig und manches auch nicht. Wir sitzen einen ganzen Tag lang zusammen – in der guten Stube eines Weingutes in Hessen, das einen ostpreußischen Namen trägt, etwa 1200 Kilometer von Nemmersdorf entfernt und achtundvierzigeinhalb Jahre von dem Ereignis.

Franz K. hat damals nichts gesehen, er war nicht einmal in der Nähe. Es gibt überhaupt keine unmittelbaren Augenzeugen. In jener Oktobernacht des Jahres 1944 war dichter Nebel. Er schützte die zu fliehen vermochten und verdeckte die Sicht auf die Zurückbleibenden, und von denen kam niemand lebend davon. Überliefert wurde das Geschehen von Menschen, die Stunden oder Tage später den Ort betraten. Der bekannteste Bericht ist der des Volkssturmmannes Karl P. aus Königsberg, aus dem Gedächtnis aufgezeichnet am 14. Januar 1953: «Meine Volkssturmkompanie erhielt ... den Befehl, in Nemmersdorf aufzuräumen. Schon kurz vor Nemmersdorf fanden wir zerstörtes Flüchtlingsgepäck und umgeworfene Wagen. In Nemmersdorf fanden wir den geschlossenen Flüchtlingstreck und umgeworfene Wagen. Alle Wagen waren durch die Panzer vollständig zerstört und lagen am Straßenrand oder im Graben ... Am Dorfrand in Richtung Sodehnen-Nemmersdorf steht auf der linken Seite ein großes Gasthaus ‹Weißer Krug›, rechts davon geht eine Straße ab, die zu den umliegenden Gehöften führt. Auf dem ersten Gehöft, links von der Straße, stand ein Leiterwagen. Auf diesem waren vier nackte Frauen in gekreuzigter Stellung durch die Hände genagelt. Hinter dem ‹Weißen Krug› Richtung Gumbinnen ist ein freier Platz mit dem Denkmal des Unbekannten Soldaten. Hinter diesem freien Platz steht wiederum ein großes Gasthaus, der ‹Rote Krug›. An diesem Gasthaus stand längs der Straße eine Scheune. An beiden Scheunentoren war je eine Frau, nackt in gekreuzigter Stellung, durch die Hände genagelt. Weiter fanden wir dann in den Wohnungen insgesamt 72 Frauen einschließlich Kinder und einen alten Mann von 74 Jahren, die sämtlich tot waren, fast ausschließlich bestialisch ermordet, bis auf wenige, die Genickschüsse aufwiesen. Unter den Toten befanden sich auch Kinder im Windelalter, denen mit einem harten Gegenstand der Schädel eingeschlagen war. In einer Stube fanden wir auf einem Sofa in sitzender Stellung eine alte Frau von 84 Jahren vor, die vollkommen erblindet (gewesen) und bereits tot war. Dieser Toten fehlte der halbe Kopf, der anscheinend mit einer Axt oder einem Spaten von oben nach dem Halse weggespalten war. Diese Leichen mußten wir auf den Dorffriedhof tragen, wo sie dann liegenblieben, weil eine ausländische Ärztekommission sich zur Besichtigung der Leichen angemeldet hatte. So lagen diese Leichen dann drei Tage ... Am vierten wurden ... (sie) in zwei Gräbern beigesetzt. Erst am nächsten Tage erschien die Ärztekommission und die Gräber mußten noch einmal geöffnet werden. Es wurden Scheunentore und Böcke herbeigeschafft, um die Leichen aufzubahren, damit die Kommission sie untersuchen konnte. Einstimmig wurde dann festgestellt, daß sämtliche Frauen wie Mädchen von 8–12 Jahren vergewaltigt worden waren, auch die blinde Frau von 84 Jahren. Nach der Besichtigung durch die Kommission wurden die Leichen endgültig beigesetzt.»

«Nemmersdorf», beharrt Franz K., «war schon *vorher* bekannt, nicht erst durch 1944. Ein ganz altes Kirchdorf; schon in den ältesten Karten, wo die Gebiete von Insterburg nach Osten noch als Wildnis bezeichnet werden, ist Nemmersdorf aufgeführt. Mittelpunkt eines Kirchspiels! Zwei Krüge! Amtsgemeindesitz! Hengststation! 500 Einwohner immerhin! Eine Volksschule von drei Klassen statt der üblichen zwei!» Der gebürtige Nemmersdorfer behauptet für sich das ganz normale Recht des Menschen auf Lokalpatriotismus. Seine Ahnen sind im 18. Jahrhundert aus der Schweiz und aus Salzburg zugewandert. Seiner Familie gehörten zwei Güter von 400 und 800 Morgen (1 Morgen = 2500 qm). Als Ältester wäre er der Erbe gewesen.

Franz K. ist der Sohn des Mannes, der die Opfer identifizierte. In seiner Eigenschaft als Kreisbauernführer war der Vater in diesen Tagen unterwegs, um die Evakuierung in die Wege zu leiten. Er hatte bereits Panzer der Roten Armee gesehen und war daraufhin auf dem schnellsten Wege nach Gumbinnen zum Regierungspräsidenten gefahren, die Erlaubnis zum Aufbruch zu erwirken. Abmarsch am 21. Oktober, früh um sechs war die neue Parole. Noch während Fritz K. die Ortsbauernführer instruierte, hörte er, daß sowjetische Panzerspitzen noch vor Morgengrauen Nemmersdorf erreicht hatten. Erst am nächsten Tag konnte er in sein Heimatdorf zurück. Später, sehr viel später hat er seinem Sohn davon erzählt. Franz kannte zwei der Opfer persönlich: den Bürgermeister Grimm und den «alten Hobeck», den «Chausseekratzer», dem er auf dem Schulweg oft begegnet war, wenn er die Löcher in den Kiesstraßen ausbesserte.

In diesem Oktober 1944 saß Franz in einem Internat in Thüringen und sorgte sich um seine Versetzung und um zu Hause. In den Sommerferien war er das letzte Mal dort gewesen, hatte wie üblich bei der Ernte geholfen. Bis zum August war es in Ostpreußen ruhig geblieben – eine Friedensinsel, weitab von den Fronten. Allmählich hatten sich die Nachrichten vom Krieg verdichtet, die Meldungen von den gefallenen Söhnen der Deputatarbeiter, die Erzählungen von den ausgebombten westlichen Verwandten, die auf dem Hof untergekrochen waren. Im August nun mehrten sich die Anzeichen, daß er ins Land kommen könnte. Der Gauleiter und Reichsverteidigungskommissar Erich Koch hatte Jugendliche und Greise zum Ostwallbau abkommandiert. Auf der Chaussee rollten die Wagen der geflüchteten Memelländer vorbei, die schon den Kanonendonner gehört hatten. Einige Frauen des Gutsbezirks waren bei der Feldarbeit von Tieffliegern beschossen worden. Und Franz hatte zusammen mit einigen Kumpels im Gebüsch einen toten russischen Piloten gefunden. Dennoch war der Sommer schön, waren die Wiesen, die Himmel, die Gerüche von besonderer Intensität.

Mitte Oktober brach die Rote Armee zwischen Ebenrode und der Rominter Heide durch und drang binnen weniger Tage tief nach Ostpreußen ein. Der äußerste Punkt ihres Vorstoßes war Nemmersdorf an der Angerapp. 48 Stunden später wurde der Ort durch einen Gegenangriff der Vierten Armee zurückerobert. Kurz darauf war «Nemmersdorf» im ganzen Deutschen Reich und im Ausland bekannt. In der Kriegsberichterstattung der Nationalsozialisten waren bis dahin Schilderungen des Leidens und Sterbens bewußt vermieden worden. Presse und Wochenschau gestalteten das Frontgeschehen kühn und heroisch, technisch faszinierend und planvoll geordnet. Die Zivilbevölkerung kam darin nicht vor. Als die Front sich auf die deutsche Ostgrenze zubewegte, beschwichtigte man sie, beschwor sie zum Durchhalten. Jede Vorbereitung zum Aufbruch war unter Androhung von Todesstrafe verboten. Nun war geschehen, was als undenkbar erachtet worden war, und die Propaganda trat die Flucht nach vorn an. «Nemmersdorf» wurde zu ihrer letzten Waffe. Berichterstatter, Ärzte, Prominente wurden herbeigeschafft zur Beweisaufnahme. Jedes Kind, jede Greisin wurde genauestens beschrieben und abfotografiert – Fundort, Körperhaltung, Gesichtsausdruck, Wunden, die Geschlechtsorgane.

Aus der Tagespresse vom 27. 10. 1944: «Die fahle Oktobersonne leuchtet bleich und anklagend über den grauen Blutterror an der Angerapp. Grau und verarbeitet sind die Hände der von den Sowjets hingemordeten Männer und Frauen... Tränenlos stehen die deutschen Soldaten vor ihnen... Aus ihrem Blick spricht der Wille, nun noch härter und schonungsloser gegen die Sowjets zu kämpfen... Das sind nicht einzelne Taten einer sadistischen Horde – das ist systematischer Massenmord, wie ihn nur die Sowjets kennen... Der Krieg ist in sein gnadenlosestes Stadium getreten. Hier endet alles, was man bisher in Begriffe fassen konnte. Die bestialische Bluttat von Nemmersdorf wird den Bolschewisten teuer zu stehen kommen.» Die Toten wurden ins Feld geführt: die letzten Reserven zu mobilisieren für den «totalen Krieg». «Rache für Nemmersdorf!» war der letzte Schlachtruf. Vierzehnjährige, die zum Volkssturm eingezogen waren, schrieben ihn an Haus- und Stallwände. Flugblätter trugen ihn zu den abgekämpften, todmüden Landsern. «Nemmersdorf» steht auch für die Obszönität der deutschen Propaganda. Nichts ist bezeichnender als das in den Berichten durchgängig fehlende Detail: wie nämlich die Toten zur letzten Ruhe gebettet wurden. War ein Pfarrer dabei? Wer ging im Leichenzug? Was wurde gesprochen am offenen Grab? Andererseits hat das Publikwerden der Greuel dazu beigetragen, daß der Schutz der Zivilbevölkerung endlich ernst genommen wurde. Hunderttausende flohen in Panik. Die zurückgehaltenen Räumungsbefehle wurden erteilt, Kapazitäten und Logistik des Militärs zum Teil in den Dienst der Flüchtenden gestellt. Zu spät vielerorts, Panzerkolonnen und Trecks verknäulten sich zu einem heillosen Durcheinander.

Wie viele Millionen andere erfuhr Franz K. von «Nemmersdorf» durch den Volksempfänger. Damals, sagt er, habe er nur wenig davon begriffen, zumal sich keiner der Lehrer dazu äußerte. Gerührt hatte ihn der Tod seines Großvaters, der kurz vorher, Ende September noch, mit allen Ehren auf dem Nemmersdorfer Friedhof beigesetzt worden war. Das bewegte ihn persönlich, die Toten vom 21. Oktober nicht. Vor allem bedauerte der Internatsschüler, daß er bei der Flucht nicht mitdurfte und «so etwas Abenteuerliches» versäumte. Von frühester Kindheit an hatte er die Erwachsenen vom Ersten Weltkrieg erzählen hören, von der Flucht im August 1914 – von romantischen Lagerfeuern im Waldversteck ... den Kostümen der vorbeisprengenden Kosaken ... Pferden, die aus der Mütze gefüttert wurden. Die Phantasien eines Kindes?

Die Erfahrungen von 1914 waren für das Jahr 1944 von nicht zu unterschätzender Bedeutung. Besonders die ältere Generation, die den Ersten Weltkrieg schon mit wachem Bewußtsein erlebt hatte und in ihrem Denken noch vom Kaiserreich geprägt war, bezog ihre Erwartungen von damals: Man flieht, kehrt zurück und repariert die Schäden. Auch seinerzeit, dreißig Jahre zuvor, waren mehrere hunderttausend Menschen geflohen, planlos und zu Tode geängstigt, hatten sich in unwegsamen Mooren und Wäldern versteckt oder in den westlichen Kreisen Unterschlupf gefunden. Der Schock saß tief, doch letztlich waren damals die Gerüchte über den Feind schlimmer als die Wirklichkeit. Die «Russennot», wie man sie später nannte, hielt sich weitgehend in den Grenzen von Völkerrecht und Sitte. Die Besatzungsmacht requirierte, achtete aber das private Eigentum. Die Bevölkerung mußte Waffen und Fahrräder abgeben und sich ruhig verhalten. In Zusammenarbeit mit einer deutschen Bürgerwehr sorgten die russischen Kommandanturen für Ordnung. «Im Falle eines friedlichen und korrekten Benehmens von eurer Seite», versprachen die offiziellen Anschläge, «werden wir mit der uns Russen eigenen Gutmütigkeit handeln.»

Diese Sommerwochen gehören zu den bestdokumentierten der Kriegsgeschichte. Verschiedene Kommissionen haben später minutiös und Ort für Ort Untersuchungen angestellt, sind jedem Vorfall, der gemeldet wurde, nachgegangen. Ostpreußische Lehrer, Pfarrer und Bürgermeister haben Chroniken und Erlebnisberichte angefertigt. «Ein Pferd büßte sein Leben ein», wird da vermerkt, «und ein Reiter wurde am

Handgelenk verletzt.» Die geringste Einwirkung von Gewalt wurde notiert, selbst «Ehrverletzungen» oder «Taktlosigkeiten» von Offizieren. Ein Soldat hängte ein Kaiserbildnis auf dem Abort auf, ein anderer richtete mit Kameraden in einer Räucherkammer ein Dampfbad ein. Gewiß, es gab Willkürakte. Doch das Töten von Zivilisten, wurde von deutscher Seite festgestellt, geschah meistens im Zusammenhang mit konkreten Verdachtsmomenten und nervöser Angst vor Hekkenschützen, Spionen und Sabotage. Plünderungen, offiziell verboten, fanden durchaus statt. Aber fast nie in blinder Wut und nicht selten gemütlich und genüßlich, voll naiver Freude über besonders Feines und Exotisches – ein süßes Kompott, eine Taschenlampe, eine Jagdtrophäe, Sprungfedermatratzen oder Maggiwürze. «Spitzbübeleien» solcher Art konnten zuweilen sogar durch energisches Brüllen verhindert werden. Durch «herrisches Auftreten» ließ sich der «Mushik» in die Flucht schlagen. Vergewaltigungen, damals noch als «Sittlichkeitsverbrechen» oder «Verstöße gegen die Manneszucht» bezeichnet, kamen kaum vor.

Die Zusammenfassung der Experten: «Im großen ganzen ist also die Ansicht, das russische Heer sei wie eine Horde wilder Barbaren in Ostpreußen eingefallen und habe dort nur geplündert, gesengt und gemordet, durchaus falsch. Es gab unter den Feinden warmherzige und liebenswürdige Menschen, anständige und gut disziplinierte Truppen und viel aufrichtiges Bemühen, die Zivilbevölkerung die Schrecken des Krieges möglichst wenig fühlen zu lassen. Mit ehrlicher Entrüstung wiesen die meisten Russen die Behauptung, daß sie plünderten und Greueltaten verübten, zurück. Das täten die Deutschen, aber sie, die Russen, seien doch keine Räuber... Die Sorge um ihren guten Ruf trieb sie bisweilen so weit, daß sie sich von ihren Quartierswirten Bescheinigungen über ihr Wohlverhalten ausstellen ließen.» Unter den deutschen Zivilisten waren insgesamt etwa 1500 Tote zu beklagen, von den 13900 nach Rußland Verschleppten kamen 8274 wieder heim.

Aus Nemmersdorf sind zwei Vorfälle überliefert. Der eine unter der Rubrik «Greueltaten»: Die örtliche Bürgerwehr, ausgewiesen durch blau-weiße Armbinden, hatte einen betrunkenen Unteroffizier entwaffnet, ihn über Nacht in den Schulkeller gesperrt und am Morgen den Ausgenüchterten einer Patrouille übergeben. Gemäß einer Vereinbarung, daß auch die deutsche Bürgerwehr über die Einhaltung des Alkoholverbots in der Truppe wachen sollte. Doch die Russen legten dieses Vorgehen als «Franctireurkrieg» aus. Zur Vergeltung beschossen sie die Schule und brannten sie ab. Der Gemeindevorsteher und der Schmied, der des Russen Gewehr verwahrt hatte, wurden nach Darkehmen zum Verhör gebracht. In einem Anfall von Wut wollte sie der diensthabende Offizier gleich erschießen lassen. Deutschsprechende Kameraden, vermutlich aus dem Baltikum, besänftigten ihn, und so kamen die Verdächtigten mit einer Prügelstrafe davon.

Das andere Ereignis, das Eingang in die Akten fand, passierte vor der Nemmersdorfer Kirche. Dort hatte ein Soldat, gleich beim ersten Eindringen ins Dorf, in russischer Sprache ans Hauptportal geschrieben: «Dieses Heiligtum darf nicht zerstört werden!» Der Pfarrer hat dann diese Inschrift zum Schutz gegen das Wetter unter Glas setzen lassen.

Die Kirche blieb stehen, die «Russenzeit» war schnell zu Ende. In den Erinnerungen der Zeitgenossen verflüchtigte sich der Schrecken. Haften blieb der Sieg Hindenburgs bei Tannenberg und der allgemeine Jubel darüber, blieben Anekdoten von einem gefährlichen, aber glimpflich überstandenen Abenteuer, die sich über die Jahre zu Legenden formten. Und wenn man der Opfer gedachte, dann selbstverständlich auch der Toten des Feindes, so wie es auch auf den Gedenksteinen stand.

Dreißig Jahre waren seit dem August 1914 vergangen. Eine ganze Generation, und doch zuwenig, um wirklich zu begreifen, daß dieses Mal das Szenario so völlig anders sein könnte. Man wußte, daß die Schrecken dieses Krieges – technisch wie moralisch – den vergangenen um ein Vielfaches übertrafen und daß die zu «Untermenschen» deklarierten Ostvölker sich nicht wie Nachbarn benehmen würden. Dennoch trübte die historische Erfahrung den Wirklichkeitssinn und nährte noch kurz vor dem Ende ein wenig Hoffnung. Erst die Ereignisse von Nemmersdorf im Oktober 1944 machten jäh und endgültig klar: Zwischen damals und jetzt lagen Lichtjahre.

Franz K. hörte Näheres davon, als er in den Weihnachtsferien 1944 seine Familie besuchte, die im südostpreußischen Kreis Osterode untergekommen war. Der Vater sprach, allerdings ohne Einzelheiten zu nennen, von der rettenden Möglichkeit, «Nemmersdorf» werde dem Krieg eine Wende geben, Soldaten und Generalität beflügeln, ein «zweites Wunder von Tannenberg» zu erkämpfen. Die Entscheidung kam bald. Im Januar 1945, während der Leichnam Hindenburgs evakuiert und seine Tannenberger Gruft von deutschen Truppen in die Luft gesprengt wurde, floh die Familie K. wiederum in allerletzter Minute. «Wegen Nemmersdorf» hatte der Vater zunächst Mutter und Schwestern zur Bahnstation gebracht. Auf dem Weg zurück, zu Franz und den Großeltern und dem Treck des Gutsbezirks, blieb er im Gewühl stecken. Die anderen fuhren ohne ihn, der Großvater lenkte den Kutschwagen, Franz den Landauer, beide bespannt mit tragenden Stuten. Von russischen Panzern abgedrängt, beim Wenden im hohen Schnee, stürzte der alte Mann und blieb zurück. Der zwölfjährige Franz schlug sich allein durch. Die Stuten verfohlten, er bekam es mit der Angst zu tun, ließ seinen Wagen stehen und kletterte auf den des Landarbeiters Julius S. In der Obhut des vertrauten Instmannes erlebte er die letzten Wochen des Krieges. Damals begriff er, was im Oktober 1944 in seinem Heimatort Nemmersdorf geschehen war.

Im Mai, nach der Kapitulation, fand Franz seine Großeltern wieder. Es drängte sie nach Hause. Denn dort vermuteten sie den Rest der Familie. Heute würde Franz K. sagen, sie machten sich auf, in der Heimat zu sterben. Mit einem Handwagen, in der Gesellschaft einiger Landsleute wanderten sie ostwärts, über Seeburg, Guttstadt, Gerdauen, Nordenburg, vier Wochen lang, durch eine kriegszerstörte sommerblühende Landschaft, über der ein atemberaubender Gestank lag – von verwesenden Menschen und Tieren. Heute erscheint der Gedanke einer Rückkehr absurd, damals war er naheliegend. Wer konnte sich vorstellen, daß die Entfernung von der Heimat eine Trennung auf Dauer sein würde, daß Millionen von Menschen ihre seit Jahrhunderten angestammten Wohnsitze verlieren könnten? Wer wußte schon von den Beschlüssen von Jalta, von den Ansprüchen Polens und der UdSSR auf ostpreußisches Land? Ein eiserner Vorhang, mitten durch Europa, wer konnte so etwas denken? «Nemmersdorf» als Auftakt eines gigantischen, von den Siegermächten beschlossenen «Bevölkerungstransfers»? Hunderttausende von Menschen kehrten kurz vor oder kurz nach Kriegsende an ihre Orte zurück. Nach den Monaten des Kampfes ums Überleben, um Nahrung, ein Dach über dem Kopf, sehnten sie sich nach ihrem Zuhause und hofften, die Not dort leichter überstehen zu können als in der Fremde. Im nördlichen Ostpreußen lebten am Ende dieses Jahres etwa 250 000 – 300 000 Deutsche.

Als Franz mit seinen Großeltern in Nemmersdorf ankam, fanden sie dort vier- bis fünfhundert Rückwanderer, hauptsächlich Frauen, Kinder und alte Leute. Die einen waren von den sowjetischen Kommandanturen aufgefordert worden, nach Haus zu gehen. Andere folgten ganz einfach ihrem bäuerlichen Sinn, wollten Kartoffeln setzen und säen, das verlorene Frühjahr einholen. Die Großmutter, daran erinnert sich Franz noch genau, hat gleich am Tag ihrer Ankunft, am 15. Juli, Kartoffeln gesetzt. Sie wurden verwunderlicherweise noch groß, linderten den Hunger des Winters. Doch das bäuerliche Jahr war aus dem Tritt. Das Dorf wurde zum Lager, die Arbeit Zwangsarbeit. Ab September 1945, als die in Potsdam besiegelte Demarkationslinie zwischen dem polnischen und dem sowjetischen Ostpreußen errichtet wurde, gab es kein Entrinnen mehr. Etwa zur selben Zeit brach unter den Eingeschlossenen eine Typhusepidemie aus. Franz phantasierte im Fieber, die Amerikaner stünden vor der Tür und befreiten Nemmersdorf. Im Dezember starben die Großeltern. Zuerst an einer Lungenentzündung die Großmutter; zwei Tage vor Heiligabend der Großvater, körperlich gebrochen von den Verhören und Schlägen der Geheimpolizei. Der dreizehnjährige Enkel kam bei einer Nachbarin unter, verdiente aber sein Brot selbst, in der Schmiede. In den folgenden drei Jahren wuchs er nicht. Ob wegen der Mehlsuppen oder weil er sich den Zumutungen des Erwachsenseins in diesen Zeiten verweigerte?

Im April 1948 wurden die überlebenden Deutschen aus Nemmersdorf abtransportiert. Sie ließen einen Ort zurück, der nicht mehr ihre Heimat war. «Majakowskoje» hieß er jetzt und war zu großen Teilen zerstört. Zwei Drittel der Felder lagen brach. In den verwildernden, versumpfenden Wiesen und Wäldern vermehrten sich Füchse und Wölfe. Schon das dritte Jahr waren die Störche ausgeblieben. Der Abschied war eine Erlösung. Man brach auf, ohne sich noch einmal umzusehen. Erst als der Zug in westliche Richtung rollte, wußten die Entlassenen, daß sie wirklich frei waren. Einer stimmte das Lied an «Wir sehen uns wieder, Ostpreußenland». Und alle sangen mit, obwohl niemand auch nur im Traum an Rückkehr dachte.

Am 1. Mai 1948 kam Franz im Kreis Plön/Schleswig-Holstein an. Glücklich und erleichtert ließ er sich in den Schoß der Familie fallen. In ganz kurzer Zeit schoß er in die Höhe, wurde ein Mann, obwohl es oft «wie beim Iwan» nur Gerstengrütze zu essen gab. Der Vater hatte über alte Beziehungen das Unmögliche möglich gemacht und einen Hof gepachtet, der aber nach der Währungsreform nicht zu halten war. Die einzige Chance, im übervölkerten Nachkriegsdeutschland zu Land zu kommen, lag in der französischen Zone. In der Pfalz, «wo der Bauer der ärmste Mann ist», pachtete man Anfang der fünfziger Jahre ein Weingut. Während die Geschwister die Schule fortsetzten, stand Franz seinem Vater zur Seite, lernte die «Handtuchfelderwirtschaft», die Techniken des Weinbaus, einen Ackerwagen im bergigen Gelände zu kutschieren. Nemmersdorf hat er in den Jahren der Existenzgründung weitgehend verdrängt. Ab und zu sprachen Vater und Sohn über ihre Erlebnisse, meistens bei der Arbeit, wenn man einander nicht ansehen mußte und sich an einem Werkzeug festhalten konnte. In der Familie umschiffte man das Thema. Unter Fremden, also den Einheimischen, mied man es ganz. Es hieß, die Zähne zusammenbeißen, auch in dem Sinne, daß die Geschichten nicht hervorbrachen. Das Trauma kapselte sich ein, in einen kleinen, privaten Raum.

In der Öffentlichkeit der fünfziger Jahre wurde «Nemmersdorf» häufiger zitiert – als Stichwort und Überschrift im politischen Diskurs des Kalten Krieges. Die Opfer traten dabei gelegentlich selber auf, als Kronzeugen gegen den Bolschewismus, die mit ihrem Leiden die «Bestialität» des Moskauer Regimes verbürgten. Und als Entlastungszeugen in Sachen Nationalsozialismus, die Schuld der Deutschen abzuwehren oder zu vermindern mit dem Verweis auf eigene tiefe Wunden. Sie wurden benutzt, das Interesse, lautstark vorgetragen, galt kaum ihnen selbst. Das öffentliche Sprechen wiederholte in gewisser Weise die propagandistische Ausschlachtung der Nemmersdorfer Greuel durch die Nationalsozialisten, manches Mal bis in die Diktion. In den Gedenkstunden, wenn die Politik zurücktreten mußte, half man sich mit dem Begriff der «Apokalypse». Dieser Bezug zur Offenbarung des Johannes war so falsch nicht, weil die Szenen der Bibel, besser als die Betroffenen selbst es auszudrücken vermochten, das Unfaßbare trafen und weil der Kontext ein Schuldbekenntnis einschloß: Voraus ging schwere Sünde, das Weltgericht mußte also erwartet werden. So christlich ernst jedoch war dies in aller Regel nicht gemeint. Der Begriff der «Apokalypse» wurde eingesetzt zur Verneblung dessen, was konkret geschah. Das Flammenmeer des «Infernos» war auch eine Art Sperrfeuer gegen heikle und schmerzhafte Fragen.

«Weltuntergang», meint Franz K., wäre eigentlich die zutreffende Bezeichnung. Er meint damit das Versinken einer Lebenswelt, wie er es selbst empfunden hat. Nicht erst im nachhinein mit dem Wissen um die ganze Tragweite, sondern schon im Januar 1945. Die Endzeit kündigte sich an mit dem Blut im Schnee: mit den zwei tragenden Stuten, die vor Überanstrengung ihre Fohlen verloren und erbarmungslos weitergetrieben wurden. Das nächste Anzeichen war das Verhalten des Landarbeiters Julius S. Als er den Jungen ohne zu fragen auf seinen Wagen nahm, spürte Franz, daß die Fürsorge so selbstverständlich nicht war, weil in dieser Situation das Treueverhältnis, das Julius an die Gutsherrenfamilie band, nicht mehr existierte. Das dritte Signal war der Griff in den Küchenschrank eines verlassenen Hauses, als Franz mit unendlicher Scheu zum erstenmal fremdes Eigentum nahm. Alles war in Auflösung – der bäuerliche Umgang mit der Kreatur, die gesellschaftlichen Bande, die bürgerlichen Gesetze. Solcherart waren die Gedanken und Bilder, die Franz K. verfolgten, und für diese gab es kein Auditorium und keine öffentliche Sinngebung.

Es muß als erstaunlich vermerkt werden, daß bis heute einem solch epochalen Vorgang nicht ein einziges komplexes historisches Werk gewidmet wurde, auch keine Dichtung. Ein Stoff, der herausfordern könnte zu einem «Simplizissimus» des 20. Jahrhunderts, hat immer noch keinen Autor gefunden. Einzig bemerkenswert ist eine große Dokumentation. Anfang der fünfziger Jahre hatte das Bundesvertriebenenministerium eine Kommission namhafter Wissenschaftler unter Leitung von Professor Theodor Schieder beauftragt, die Ereignisse von Nemmersdorf bis zum Abschluß der organisierten Vertreibung der Deutschen Ende der vierziger Jahre zu rekonstruieren. Und da diese kaum einen schriftlichen Niederschlag gefunden hatten, denn Verwaltungsakten wurden in diesen Zeiten nicht geführt, tat man etwas Ungewöhnliches. Eine Zunft, die damals noch mit Vorliebe den Krieg vom Feldherrnhügel betrachtete, befragte das Fußvolk. Man sammelte Briefe und

Tagebücher, setzte Befragungen in Gang, forderte die Betroffenen zur Niederschrift des eigenen Schicksals auf. Heraus kamen mehr als 10 000 Berichte, die größte Massendokumentation von Erfahrungszeugnissen, die es hierzulande bis heute gibt. Sie wurden vor allem auf ihren Informationswert hin ausgesucht, nach Vertreibungsregionen geordnet und chronologisch um besonders wichtige Knotenpunkte des Geschehens gruppiert. Es gelang, in dem chaotischen Wirrwarr einen roten Faden zu finden: Fluchtwege nachzuzeichnen, Gewalttaten und Verluste zu quantifizieren, Deportationen und Ausweisungen, Enteignungen und Strafmaßnahmen gegen Deutsche zu beschreiben und einzuschätzen. Das alles geschah weitgehend sachlich und mit politischem Augenmaß für den historischen Kontext. Darin liegt zugleich die größte Schwäche der Dokumentation. Der Blick aufs Material, der nur auf Fakten aus ist, verzerrt und verharmlost. Die für glaubwürdig gehaltenen Verfasser sind besonders häufig Menschen, die das Geschehen in aktiver und verantwortlicher Position erlebten. Die nur noch die Kraft für die nächsten Schritte fanden, blieben stumm. Wer sein Leid herausschrie und seine Gefühle im Schreiben nicht abstreifte, wurde von den Historikern nicht berücksichtigt. So kommen Frauen, die ja die Hauptlast der Flucht trugen, nur wenig zu Wort. Unter den zitierten Aktiven wiederum sind vor allem die Mitglieder der Zivilverwaltungen überrepräsentiert. Diese Bürgermeister, Landräte und städtischen Angestellten galten als besonders zuverlässige Gewährsleute, weil sie im Rahmen der Evakuierung und Versorgung einen gewissen Überblick hatten. Doch sind ihre Äußerungen auch Rechenschaftsberichte in dem problematischen Sinne, daß hier, teils aus berechtigtem Stolz, teils noch mit dem Druck der Entnazifizierung im Nacken, die eigene vorbildliche Amtsführung unter Beweis gestellt werden sollte. Und da Funktionsträger der Partei weitgehend fehlen und Wehrmachtsangehörige, wenn überhaupt, nur als Kavaliere auftauchen, entsteht das beschönigende Bild einer mustergültigen preußischen Beamtenschaft, die in schwerster Stunde ihre Pflicht erfüllte. Das Erleben selbst, das Leiden und seine Folgen, interessierte die Historiker nicht.

Auch Franz K. hat seinerzeit für die Dokumentation etwas aufgeschrieben. Sein Vater hat ihn dazu angehalten, im Februar 1953. Seiner Sohnespflicht gehorchend, holte der 21jährige die beiseite geschobenen Jahre hervor und bemühte sich, das Aufgewühlte durch eine betont sachliche Sprache zu bändigen. Dann «vergaß» er es wieder. Er wollte ein Weinbauer werden, das erforderte seine ganze Kraft. 1960 endlich, als das Vertrauen in die D-Mark fester geworden war und viele einheimische Bauernsöhne in die Stadt abwanderten, stand Grund und Boden zum Verkauf. Die Familie erwarb ein Weingut als Eigentum, das heißt auf Kredit. Optimistisch und jung verheiratet mit einer Norddeutschen, machte sich Franz K. an den Bau von Haus und Scheune.

In den Jahren des Wirtschaftswunders wurde es um die Themen des Krieges allgemein stiller. Auto, Fernseher, die eigenen Wände nahmen Erfolgreiche wie nicht so Erfolgreiche in Anspruch, isolierten die Verbände der Großfamilien und Nachbarschaften zu kleineren Einheiten, und mit dem Glanz und der Sauberkeit und dem ersten Luxus wurde es noch schwerer, über Nemmersdorf zu sprechen.Wenn in der Öffentlichkeit von den Vertriebenen die Rede war, dann von ihrer Eingliederung, von ihrem Rückstand an materiellen Werten, von Lastenausgleich und Siedlungsprogrammen. Als dann später die Neubürger keiner gesonderten Fürsorge mehr bedurften, machte das Problem der Legende Platz – von der «wundersamen Integration». Der Existenzverlust schien wettgemacht, die historische Aufgabe erledigt. Aus dem sich ausbreitenden «American way of life» lugte nur noch selten eine landsmannschaftliche Farbe. Dazu rückte der Mauerbau den verlorenen Osten in noch größere, selbst gedanklich kaum noch erreichbare Ferne.

Nemmersdorf! – Ende der 60er Jahre tauchte es wieder auf.

Wurde der rebellischen Jugend entgegengeschleudert, die nach der Nazi-Vergangenheit fragte. «Warum schweigt ihr über Treblinka, Sobibor, Lidice, Babi Jar, Auschwitz?» bohrten die Jungen. Zur Verteidigung versuchten viele der Angeklagten vom eigenen Leid zu sprechen, von den Bombennächten und von Stalingrad, von den Greueln in Ostpreußen und anderswo. Das war gewiß keine Antwort, danach war nicht gefragt. Die Kinder wollten von solchen Verwundungen nichts hören, solange die Mittäterschaft ihrer Eltern und Lehrer an Auschwitz nicht aufgeklärt war. Ihr Zorn trieb die Erwachsenen noch tiefer ins Schweigen. Nemmersdorf wurde wieder nicht zum Thema.

Franz K. war noch zu jung, seine Kinder waren noch zu klein für diesen Generationskonflikt. Doch er hat die Kämpfe mitverfolgt und sich im Laufe der Jahre eine Meinung zurechtgelegt. Etwa so: Auschwitz und Nemmersdorf haben nichts miteinander zu tun. Wenn man vergleichen wolle, dann allenfalls Nemmersdorf mit «dem korrekten Verhalten der deutschen Wehrmacht gegenüber den Frauen und Mädchen der besiegten Nationen». Auschwitz und Nemmersdorf zu verknüpfen als eine Folge von Schuld und Sühne sei blanker Hohn. Selbst wenn man eine Kollektivschuld des deutschen Volkes annähme, warum solle dann ein Teil dafür besonders büßen? Jedes Verbrechen stehe für sich, sozusagen direkt zu sich selbst. – Hat Franz K. jemals versucht, sich den Weg einer jüdischen Familie vorzustellen? Den Erschießungsplatz, die Gaskammer? Jedenfalls kam ihm mit etwa vierzig Jahren Nemmersdorf ins Bewußtsein zurück, vor allem durch die neue Ostpolitik.

In dem schwierigen Prozeß der Wiederannäherung an die östlichen Nachbarn galten die Vertriebenen als Störenfriede. Und sie, das heißt ihre Verbände, waren es auch, obgleich einem Revanchismus durch die Kraft des Faktischen bereits der Boden entzogen war. Niemand dachte mehr an Heimkehr. In der Debatte ging es weniger um Besitzrechte als um das Recht auf Geschichte. Die Befürworter der Entspannungspolitik im In- und Ausland waren aber der Meinung, daß das bloße Sprechen über den historischen Verlust und die Verbrechen an den Vertriebenen die Aussöhnung behindere. Es schien notwendig, ein gesellschaftliches Tabu zu verhängen: Das Volk der Täter hat über seine eigenen Wunden zu schweigen. Als 1974 eine vom Bundesminsterium des Inneren in Auftrag gegebene neue Dokumentation zu den Vertreibungsverbrechen fertig wurde, geriet sie gleich ins Kreuzfeuer. «Revanchistische Fälschungen aus Bonn», urteilte das Neue Deutschland. Radio Prag sprach von einer «Rehabilitierung der nazistischen Vergangenheit». Radio Moskau noch schärfer: «Weshalb wird dieser ganze dreckige Plunder, mit dessen Erzeugung bereits in den fünfziger Jahren begonnen wurde und dessen dokumentarischen Wert Fachleute längst für null und nichtig erklärt haben, ausgerechnet in einem Augenblick ans Tageslicht gezerrt, wo sich die gesamte fortschrittliche Menschheit darauf vorbereitet, den 30. Jahrestag der Beendigung des blutigsten aller Kriege in der Geschichte der Völker zu begehen?» Am Ende einer heftigen Debatte beschloß die SPD/FDP-Regierung, die Veröffentlichung der Dokumentation zu unterdrücken. Der «Raubdruck», der wenig später erschien, wurde kaum mehr beachtet. Mit Willy Brandts Kniefall in Warschau war die Vertreibung endgültig zu einem friedensgefährdenden Unthema geworden.

In den siebziger Jahren, sagt Franz K., sei er endlich darauf zugegangen. Provoziert durch die neue Ostpolitik, fühlte er sich immer mehr als Ostpreuße. Ihm wurde plötzlich klar, wieviel Demut und Anpassung von ihm und seinen Landsleuten gefordert worden waren. Jetzt war die Grenze des Zumutbaren überschritten. Da 1969 sein Vater gestorben und er in die Position des Familienoberhauptes nachgerückt war, stand er vor der Entscheidung, ob er mit dem Erbe auch die geistige Hinterlassenschaft übernehmen sollte. Er besuchte die Versammlungen der schrumpfenden Landsmannschaft, arbeitete mit Hilfe älterer Nemmersdorfer seine Lücken in Heimatkunde auf. Er bemerkte dabei und gestand sich ein, daß er seine Kindheit und auch den Schrecken nie losgeworden war. Als die Bilder vom Afghanistankrieg durch die Medien gingen, träumte er von Ostpreußen 1945 und wachte auf vom Gestank der Verwesung. Unter Landsleuten konnte er darüber sprechen. Oft genügten Andeutungen oder einfach die Gewißheit, daß sein Gegenüber ähnliches mit sich herumtrug. Die Landsmannschaft war – auch – ein schützender Raum, wo einer vom Leid des anderen wußte und wo man seine Verletzungen nicht verbergen mußte. Dennoch oder gerade wegen der Alpträume waren die Treffen vor allem fröhlicher Geselligkeit gewidmet. Plachandern im ostpreußischen Dialekt, Wippchen und Anekdoten austauschen aus einer Welt, die es einmal gab und die ja, solange man darüber lachte, noch nicht völlig gestorben sein konnte. Franz K. fühlte sich «gesünder» seitdem, heiterer, und er konnte, vielleicht zum erstenmal, Trauer empfinden. «Der Verstand wohnt hier im Westen, aber das Herz in Ostpreußen», befand er. Wenn er nach solchen Abenden mit den Landsleuten nach Hause fuhr auf sein Weingut, sang und pfiff er: «Puppchen, du bist mein Augenstern» oder Arien von Franz Lehár aus dem «Zarewitsch» oder dem «Land des Lächelns» oder, bekannt aus den Wunschkonzerten für Frontsoldaten, «Heimat, deine Sterne, die strahlen mir auch am fremden Ort».

Ein wenig Erleichterung verschafften den Ostpreußen die Bücher sowjetischer Dissidenten, besonders Lew Kopelews «Aufbewahren für alle Zeit». Wie kein anderer hat er Worte gefunden. Die verstörte Mutter am Weg, die ihre blutende dreizehnjährige Tochter im Arm hält, die geschändete Greisin, die Herden schwarzbunter Kühe, die brüllend vor Hunger und Schmerz durch die Landschaft ziehen. Solche Bilder bedeuteten auch für den damals jungen Major der Roten Armee und überzeugten Kommunisten das Ende einer Welt. «Was geschah in Ostpreußen? War eine derartige Verrohung unserer Leute wirklich nötig und unvermeidlich – Vergewaltigung und

Raub, mußte das sein? Warum müssen Polen und wir uns Ostpreußen, Pommern und Schlesien nehmen? Lenin hatte seinerzeit schon den Vertrag von Versailles abgelehnt, aber dies war schlimmer als Versailles. In den Zeitungen riefen sie auf zur heiligen Rache. Aber was für Rächer waren das, und an wem haben sie sich gerächt? Warum entpuppten sich viele unserer Soldaten als gemeine Banditen, die rudelweise Frauen und Mädchen vergewaltigten – am Straßenrand im Schnee, in Hauseingängen; die Unbewaffnete totschlugen, alles, was sie schleppen konnten, kaputtmachten, verhunzten, verbrannten.» Kopelew wurde wegen «Mitleids mit dem Feind» und der «Propagierung eines bürgerlichen Humanismus» aus der Partei ausgeschlossen und später zu Gefängnis und Straflager verurteilt. Sein autobiographischer Bericht führt vor Augen, unter welchen Umständen Nemmersdorf geschah, seine unmittelbare und die weitere Vorgeschichte: den Haß der Rotarmisten, die Hunderte von Kilometern durch verbrannte Erde marschiert waren, die Tote zu beklagen hatten in jeder Familie. Die provozierende Wirkung des Wohlstandes im Feindesland und die Alkoholexzesse. Die Propaganda eines Ilja Ehrenburg «Zittern soll das Mörderland!» In einer großen Abrechnung reißt Kopelew den Horizont weit auf und sucht die Ursachen in der Geschichte der Sowjetunion. In der Entwurzelung und Entmündigung von Millionen von Menschen. In einer Ideologie, die für ein Endziel alle Mittel heiligt. In der Verherrlichung von Gewalt und im staatlich verkündeten Völkerhaß. Er erinnert sich seiner eigenen Erziehung, wie er an der Vernichtung der Kulaken teilnahm und wie ihm beim Anblick der verhungerten Frauen und Kinder weder Scham noch Einsicht kam. Erst in Ostpreußen 1944 fiel es ihm wie Schuppen von den Augen. Zur Umkehr bewegte ihn damals nicht so sehr das Mitleid mit den Deutschen, sondern das Erschrecken über den Zustand seines eigenen Vaterlandes: «Was wird später mit den Soldaten, die zu Dutzenden über eine Frau herfielen? Sie kommen zurück in unsere Städte, zu unseren Mädchen...

Nach dem Krieg wird die ethische Erziehung das Allerwichtigste sein.» Für deutsche Leser mögen solche Gedankengänge entlastend gewirkt haben, als Minderung und Relativierung deutscher Schuld. Andererseits führten sie die, die nur auf die eigenen Wunden starrten, in die komplizierte Leidensgeschichte und Tragik der anderen Seite ein.

«Humane Bücher», urteilt Franz K. und gesteht im selben Atemzug, daß er sie nicht zu Ende gelesen hat, weil sie ihn zu sehr quälten. Mit der Perestroika und den vielen Reportagen aus der Sowjetunion sind ihm diese Jahre noch näher gerückt. Seine persönlichen Lebensumstände trugen dazu bei, daß sich seine Gedanken immer öfter aus Südhessen entfernten und nach Ostpreußen wanderten. Das Alter, das nun kommt, und vor allem der Niedergang der Landwirtschaft ließen ihn Abstand nehmen, und durch die Öffnung der Grenzen konnte er sich plötzlich auf die Menschen zubewegen, die heute drüben, also in Majakowskoje wohnen.

Franz K., der Gutsbesitzerssohn, hat gelernt, sein Schicksal in einen neuen, größeren Zusammenhang zu stellen. Im Verhältnis zur Katastrophe, die das Zerbrechen der Sowjetunion offenbart, zu den zig Millionen Toten, ist Nemmersdorf 1944 ein winziger Punkt im All. Im Vergleich zu den Siegern des «Großen Vaterländischen Krieges», die heute in seiner alten Heimat leben, hat der Verlierer Franz K. ein komfortables, ausgefülltes Leben gehabt. Die gewaltsame Vertreibung vom elterlichen Gutshof muß heute in Beziehung gesetzt werden zum bevorstehenden Verlust seines Weingutes, das der Agrarpolitik der EG zum Opfer fällt, und zum Ende des Bauerseins überhaupt. Nichts führt mehr zurück zu dem Nemmersdorf, das der halbwüchsige Franz K. 1948 verließ. Was davon übrigblieb, Erfahrung und Erinnerung, wird mit seiner Generation aussterben. Aber auch die neue Heimat im Westen wird fremder. Viele Anbauflächen wurden in den letzten Jahren stillgelegt, von den Bergen kommt die Wildnis herunter und wuchert die verlassene Weinkultur zu. Manchmal, wenn Franz K.

durch die Felder geht, verschwimmen die Orte und Zeiten. Er sieht den Distelsamen fliegen – wie 1945, 46, 47 – und denkt, wie unglaublich schnell die Verwandlung eines Landes vor sich geht.

Franz K. hat die erste sich bietende Gelegenheit genutzt, nach Majakowskoje zu fahren. Als der Lastwagen mit Hilfsgütern, an dessen Steuer er saß, die polnisch-russische Grenze überquerte und magere Ziegen und Kühe die löchrige Straße kreuzten, kam er sich vor «wie in Afrika». Die ersten Kontakte im Kolchos Majakowskoje gerieten freundlich. Nach dem offenen Empfang nahm er sich vor, «Entwicklungshilfe» zu leisten. Zusammen mit dem «Bauernverband der Vertriebenen» will er den Kolchos beraten, mit landwirtschaftlichen Geräten und Saatgut unterstützen, «damit endlich alle satt werden und genügend Vitamine bekommen». Und wenn Einigkeit darüber erzielt werden sollte, dann wird am 21. Oktober 1994 ein Denkmal für die Opfer von Nemmersdorf aufgestellt werden, schräg gegenüber dem sowjetischen Ehrenmal für die gefallenen Rotarmisten.

Majakowskoje, Postskriptum

Zum Zeitpunkt unseres Wiedersehens ist Franz K. in Majakowskoje schon fast Dauergast. An diesem Spätnachmittag im Juni gehen wir zusammen das Gelände ab. Die Erinnerung am Ort selbst ist bekanntlich eine andere als die aus der Ferne. Wie wird sich unser Gespräch entwickeln, das mit einer Umarmung begann, die in Rheinhessen nie stattgefunden hätte? Es ist merkwürdig, aber weder ihn noch mich holt der Schrecken ein. Wir stiefeln über die zwei Friedhöfe im Angerappbogen wie Kinder, die ein neues Lindenbüschchen erobern. Knüppel in der Hand, mit der anderen klatschen wir fluchend nach den Mücken. Wer findet zuerst den Rest eines Grabsteins? Oder:

«Ich sehe was, was du nicht siehst.» Auf dem neuen Dorffriedhof, wo auch die Toten des 21. Oktober 1944 begraben sind und die Frau Hofer, die Franz K. nach dem Tod seiner Großeltern aufnahm, ist noch weniger zu sehen als auf dem alten. Eine Wildnis, die Zivilisation fängt nebendran an – eine Kläranlage, die nach einem einfachen Prinzip gut zu funktionieren scheint. Unterwegs sammeln sich Kinder um uns. Sie begleiten uns im Triumphzug in die Schule, wo Franz K. gelernt hat. Er probiert mit ihnen sein Russisch aus der Lagerzeit, was ganz gut geht. Die Schule ist eine Ruine; abgebrannt im Winter 1990 nach einem Spiel mit Streichhölzchen, dient sie heute noch weiter der Jugend als Kletterdorado und Scheißhaus. Auf die Tafeln dürfen jetzt ungestraft erotische Graffiti gekritzelt werden. Franz K. lacht. Wir untersuchen, ob der Schiefer noch aus seiner Zeit stammt, aber es ist kein Schiefer, sondern auf Putz aufgetragene schwarze Farbe. Fachsimpeln ist vielleicht das richtige Wort für das, was wir tun.

Es geht um Details, wie sie Kundige, die aus verschiedenen Disziplinen kommen, gern austauschen. Ob der Feuerlöschteich früher auch so verkrautet war. Wie man die Namen der beiden französischen Kriegsgefangenen herausfinden könnte, die darin tot aufgefunden wurden. Ob unter den namentlich aufgeführten Rotarmisten auf dem Ehrenmal vor der turmlosen Kirche Beteiligte des Verbrechens sein könnten. Kissetow, M. C., 21. X. 1944, Melnikow, P. O., 21. X. 1944 zum Beispiel, wie sind sie gefallen und was hat man ihren Eltern und Bräuten davon erzählt. Franz K. und ich sind uns einig, daß eine weitere Klärung der Vorgänge zu nichts führen wird. Wenn demnächst die Berichte der Politverwaltung der 3. Belorussischen Front im Zentralarchiv des Ministeriums für Verteidigung der UdSSR in Podolsk freigegeben werden sollten, sind von ihnen keine Sensationen zu erwarten. Sollte es wirklich einen Tagesbefehl vom 21. Oktober geben, ein Protokoll von diesem Kampfabschnitt, vielleicht sogar einen geheimen Bericht über Soldaten, die sich widersetzten, wird dies hauptsächlich interessant sein für die Hiesigen, damit sie, aus eigenen Quellen informiert, gewissen Tatsachen des Krieges ins Auge sehen können. In Majakowskoje wissen übrigens die Bewohner, wenn auch vage, was seinerzeit in Nemmersdorf geschehen ist. Es handelt sich um einen der seltenen Fälle, wo über die Jahrzehnte ein Wissen weitergegeben wurde. Die deutschen Insassen des Lagers haben es übermittelt an die damals eintreffenden russischen Siedler, und es hat sich, entgegen der offiziellen Propagandalüge, die Deutschen selbst hätten das Massaker verübt, gehalten.

Wissen und Wahrheit sind, von heute und von hier aus gesehen, nur der kleinere Teil der Bewältigung der Vergangenheit. Die Hauptanstrengung ist der Umgang mit den Schichten, die sich darüber lagern und das Sichverknäulen mit je neuen Lebenssituationen. Franz K. ist darin erfahren. Diesmal ist die Veränderung ganz rasch geschehen. Zwanzig Jahre lang war die Erinnerung an die alte Heimat immer intensiver geworden, hatte sie an Macht gewonnen über ihn, auch im beängstigenden Sinne. Jetzt tritt sie, mit den neuen Sinneseindrücken, zurück beziehungsweise nimmt einen anderen Aggregatzustand an. Es ist, wie wenn ein Eingefrorenes beweglich wird oder ein Feuer an ein Wasser gelangt. «Es geht mir gut hier, ich fühle mich leicht», sagt Franz K. immer wieder und schaut mich dabei an, wie wenn er dächte, ich könnte dies nicht glauben. Die Gründe dafür liegen «in der Luft», meint er, er fühlt sich in dem Klima körperlich wohl und in diesem elementaren Sinne heimisch. Zum anderen und noch wichtiger «in der Bewegung». Wenn er durch den Ort geht, sieht er immer weniger die toten Nemmersdorfer vor sich, die sind ihm fast näher, wenn er zu Hause in Rheinhessen ist. Er nimmt die fremden Lebenden wahr und was zu tun ist.

Wir gucken durch die Fenster der ehemaligen Milchsammelstelle, wo die Kacheln noch an der Wand kleben, aber sonst nichts mehr ist. Franz K. erregt sich darüber, daß die Milchhygiene im Sowchos nicht stimmt, und überlegt, wie man das alte

Kühlhaus wieder in Ordnung bringen kann. Der Weinbauer außer Dienst kommt wieder auf seine Kenntnisse zurück, die er als Sohn eines Gutsbesitzers erwarb. Vom Fleisch her seien die Herden hier gut. «Nur laufen sie zuviel. Sie zertrampeln sich das Futter.» Franz K. klagt über den Mangel an Kunstdünger und die schlechte Ausnutzung des Fäkaliendungs, über die Rattenplage und die nichtvorhandenen Garagen für den Maschinenpark. Wenn ich ihn so sehe, stelle ich mir Herkules im Augiasstall als einen lustigen Menschen vor. In den Gutsbezirk, der sein Zuhause war, gehen wir nicht. «Da ist nuscht.»

Ein geglückter Tag, an den sich ein langer Abend anschließt. Wir trinken rheinhessischen Wein mit ostpreußischem Namen in einer Familie von Rußlanddeutschen, die gerade aus Kirgisien angekommen sind. Es geht um die Wintersaat, die Stimmung wird beherrscht von der Lust, neu zu beginnen. Franz K. sitzt am Kopfende des langen Tisches und redet vom «Land-unter-die-Füße-Kriegen», nicht für sich, für die Hiesigen, aus der Sowjetherrschaft Entlassenen. Eine zerrissene Biographie neigt sich an den Enden wieder zusammen. Er hat einen Notruf empfangen aus einem Teil der Welt, der ihm aus einem früheren Leben vertraut ist. Was kann einem heutzutage Herrlicheres widerfahren?

Postskriptum: Der Sowchos, das ist heute schon fast vergessen, hat seinen Namen von einem Dichter. Er wurde 1893 in einem Winzerdorf im westlichen Georgien geboren und war der wortgewaltige Poet der Revolution und des sowjetischen Traums. «Ich warf mich in den Kommunismus der Dichtung, / weils für mich ohne ihn keine Liebe gibt ... / Ich betrachte mich als eine Sowjetfabrik, / erbaut, um Glück zu produzieren.» Wladimir Majakowskis Stimme hat einmal den Geist und das Lebensgefühl einer Zeit ausgedrückt. Viele Poeme nehmen Bezug auf die Rückständigkeit des Bauernlandes und fordern dazu auf, die gesellschaftliche Umwälzung ins Dorf zu tragen. «Neue Kultur, sei gegrüßt, die uns ziert. / Geh auf in den Herzen und Köpfen: / unseren sowjetischen Staat regiert / die

Bäuerin und die Köchin.» Das ist 1928 geschrieben, an der Schwelle der mörderischen Ausrottung des Bauerntums. Dieses 1929 unter dem Titel «Wir!»: «Einzig in der Welt / werden sein / unsere Rinder- und Pferderassen, / die Rübenpflanzung, / die Obst- und Gemüsezucht / lenken wir in gigantische Bahnen. / Wir – / Fleisch vom Fleische und Blut vom Blute / der Massen, / wir – des Sowjetdorfs Marconi-Titanen.» Ein Jahr später nahm Wladimir Majakowski sich das Leben. Bis heute sind die Motive und genaueren Umstände ungeklärt. Lilja, seine große Liebe, hat erklärt, er habe sich aus Selbsterhaltungstrieb umgebracht.

Nach Trakehnen

«Das Mehl isch noch von anno Kasachstan. Es war nicht schlecht do. Wir han alles gehabt, da kann man nicht klage. Wir sein schon so viel gezoge. Warum? Ja nisnaju, ich weiß nicht. Die erste gehe mit Freud, die nächste mit Leid, die letzte werde mit dem Knüppel nausgejagt – so heißt es. Wenn die Zeit kommt, mußt fort.» Sie kann nicht reden im Stillsitzen. Der Strudelteig wartet, er klebt. Ob das Wasser von hier mit dem kasachischen Mehl nicht zusammengeht? Katharina Häfner bemüht sich, mir zu erklären, warum sie die 6000 Kilometer «gezoge» ist – von dem Dorf Assa im Dshambuler Oblast in das Dorf Jasnaja Poljana im Kaliningradskaja Oblast. Sie tut sich schwer damit, denn sie ist nur mitgegangen in der Gruppe. Und was der Entscheidung zugrunde lag, weiß in diesen Zeiten, «wo der Mensch sich kann drehe und wende, wie er will», so richtig niemand, zumal sie auch schon wieder zwei Jahre zurückliegt. Daß Jasnaja Poljana einmal Trakehnen hieß, spielte dabei eine – gewisse – Rolle.

Man muß weit zurückgehen, um das Verworrene annähernd zu begreifen. Katharina Häfners Biographie ist Teil davon. «Im siebenundzwanzigsten Jahr» wurde sie in einem Dorf am Don geboren, in der Nähe von Rostow. Ihre Familie lebte dort in der sechsten Generation, sie war um 1760 aus dem Schwäbischen zugewandert auf Einladung der «großen Katharina». In der Kindheit des gleichnamigen deutschen Mädchens ging die bäuerliche Siedlungsgeschichte der Rußlanddeutschen zu Ende. Im Zuge der Enteignung der «Kulaken» verloren die Eltern Haus und Hof. Mit sieben Jahren schon arbeitete

Katharina auf den Feldern des Kolchos. Im Sommer 1941, sie war gerade vierzehn, wurden auf «Erlaß des Präsidiums des Obersten Sowjets der UdSSR» (unterschrieben von Michail Kalinin) die Rußlanddeutschen nach Mittelasien deportiert. Der Vater wurde abkommandiert zur «Trudarmee» und starb in Sibirien beim Bäumefällen. Die Mutter und die jüngere Schwester verhungerten in Taschkent. Katharina als letzte Überlebende flüchtete sich zu einem Onkel in den Dshambuler Oblast, nach Kasachstan. Und dort fand dann ihr weiteres Leben statt, genau 50 Jahre. In Assa, mit einem Deutschen von der Wolga, drei Töchtern und einem Sohn. Sie arbeiteten im Sowchos und unterhielten eine eigene Wirtschaft, gewöhnten sich an die Hitze und die schneidende Kälte, an den Steppenwind und an die Kasachen. Katharina, die nicht lesen und schreiben kann, spricht fließend Kasachisch und Russisch. Seit Chruschtschow wich der politische Druck, 1964 wurden die Deutschen rehabilitiert. Damals begannen die großen Neulandprojekte in Kasachstan und Sibirien, da wollte man die Tüchtigsten nicht entbehren. Aber obwohl der Oberste Sowjet eingestand, daß man sie zu Unrecht der Kollaboration mit den Faschisten verdächtigt hatte, durften sie nicht in ihre alten Siedlungsgebiete zurück. So blieben sie und schufen an den Orten der Deportation eine neue Existenz. Manche, wie die Familie Katharina Häfners, brachten es zu beachtlichem Wohlstand. Sie besaßen ein wohleingerichtetes Haus, zehn Kühe, drei Pferde, zahlreiche Schafe, Geflügel und eigenes Akkergerät. Assa hätte für die heranwachsende Generation und die kommenden zur Heimat werden können.

Seit den siebziger Jahren erweiterten sich die Möglichkeiten, Sprache und Kultur zu pflegen, mit Gorbatschow kündigte sich die Freiheit an. Aber ausgerechnet die setzte eine Entwicklung in Gang, die alles zunichte machte. «Gorbatschow ist schuld», betont Katharina Häfner. Er hat den Fanatismus der Kasachen freigelassen und noch geschürt. Die sich abnabelnde Nation, die einen eigenen muslimischen Staat anstrebte, stieß ihrerseits die im Lande lebenden Minderheiten ab, nicht nur die Russen. Es gab keinen Krawall in Assa, die Nachbarschaft aus fünfzig Jahren hielt, und trotzdem fanden die Deutschen dort die neue Situation so bedrohlich, daß sie glaubten, fortzumüssen. Ihre Phantasien nahmen die Verfolgung vorweg, selbst Toleranzerklärungen der späteren kasachischen Regierung konnten sie nicht beschwichtigen. In anderen Republiken war zwischen verschiedenen Nationalitäten bereits Blut geflossen. In das Gefühl der Bedrohung mischten sich die Erfahrungen der Geschichte. Der Terror der Stalinzeit, Deportation und Hunger, alles, worüber so lange nicht gesprochen werden durfte, tauchte wieder auf, wie wenn es erst gestern gewesen wäre. Der Neubeginn in der Steppe erschien plötzlich als nichtig: die fünfzig Jahre als historisches Zwischenspiel nur, das letztendlich bewies, daß unter Fremden zu siedeln nicht geht. «Ein jeder muß bei seinem Volk sein», sagt Katharina Häfner. «Die Armenier bei den Armeniern, die Kasachen bei den Kasachen, die Litauer bei den Litauern, die Moldauer bei den Rumänen und eben die Deutschen bei den Deutschen.» Was ist Assa? Ein friedliches Dorf allein, selbst ein Rayon oder Oblast kann gegen einen weltgeschichtlichen Trend nichts ausrichten. Der Exodus, «daß alle fahre, isch da obe beschlosse». Die meisten Deutschen aus dem Dshambuler Oblast sind nach Deutschland ausgereist oder auf dem Wege dorthin – «ins Reich», wie man unter Rußlanddeutschen sagt.

Aber nicht alle; eine Minderheit der Minderheit sträubte sich. Bei den Häfners und anderen war in den zwei jüngsten Generationen die Assimilation rasch vorangeschritten. Der eine heiratete eine Russin, der andere ließ sich mit den Kommunisten ein. Fast alle lehnten die Religion ab und wollten die Sprache der Vorfahren nicht lernen. Auch die Deutschen waren junge Pioniere, Bestarbeiter und Afghanistankämpfer gewesen. Viele waren schon mehr geprägt vom sowjetischen Alltag als von der Tradition ihrer Volksgruppe. Geblieben war das Band einer Familie, die aber eben in sich äußerst heterogen war. Unter den drei Generationen ließ sich keine einstimmige Entscheidung für Deutschland treffen. Wenn man also zusammenbleiben wollte, mußte ein dritter Weg gefunden werden. Im Jahre 1990 schickten die interessierten Familien von Assa einen «Vorläufer» aus. Der guckte sich in verschiedenen Gegenden der Sowjetunion um, wo es für eine größere Gruppe von Deutschen Platz geben könnte. Unter anderem in der Ukraine und an der Wolga, wo die Bundesregierung im Verein mit dem rußlanddeutschen Verband «Wiedergeburt» die ersten Anstalten für die Schaffung deutscher Rayons traf. Was sich da tat, überzeugte ihn nicht. Der Widerstand der Russen und Ukrainer ließ auch dort Konflikte befürchten. Schließlich ging der Kundschafter einer Spur nach, die damals als Geheimtip die Runde machte: Im Kaliningradskaja Oblast würden Leute gesucht. Er fragte sich durch, fand im Gebietskomitee des Nesterowski Rayon ein offenes Ohr. Von dort schickte man ihn nach Jasnaja Poljana weiter, wo der Sowchosvorsitzende einige leerstehende Neubauten als Quartiere anbot und sich sehr interessiert an «guten Arbeitshänden» zeigte. In Assa wurde diese Möglichkeit genauestens besprochen. In sozialer Hinsicht, das war eindeutig, würde die Umsiedlung ein Abstieg sein, faktisch ein völliger Neubeginn.

Doch immerhin war, anders als überall sonst, ein Raum dafür. Der Oblast repräsentierte den verflossenen sowjetischen Vielvölkerstaat und stellte Frieden in Aussicht. Und seine vorsowjetische Geschichte weckte bei den Älteren gute Gefühle. Ostpreußen und insbesondere Trakehnen kannten sie aus ihren alten Lesebüchern. Das war vage, mehr ein Omen denn ein konkreter Bezug. Doch hinzu kam der Vorteil der geopolitischen Lage, die Nähe zu den baltischen Staaten, die immer als attraktiv galten, und zur polnischen Grenze. Im allerschlimmsten Falle würde der Fluchtweg nach Westen kurz sein.

Aus der Sicht der Katharina Häfner und der anderen Leute von Assa war der Kaliningradskaja Oblast eine Nische. Keine

Lösung, keine Verheißung, aber eine allerletzte Chance, der Politik ein Schnippchen zu schlagen. In einer ländlichen Welt zu bleiben, in Nachbarschaft mit Russen, wie gewohnt, und so ein Stück der historischen Identität zu bewahren. Katharina Häfner kam im Dezember 1990. Schon im nächsten Sommer war die Familie vollzählig versammelt, 19 Köpfe unter insgesamt 30 Familien. «Alles dreckig, alles zusammegeschlage. Ich hab geweint, geweint.» Für Katharina Häfner war die Ankunft in Jasnaja Poljana ein Schock. Auf meine Frage, ob ihr denn wenigstens die schöne, fruchtbare Landschaft gefallen habe, antwortet sie: «Sie muß gefalle. Was soll man mache? In Kasachstan war schöner. So viel Land isch do, das Häusle, Melonen. Ein Firmament! O herrje, Sterne faustgroß. Wenn wir fünfzig Jahr hier sein werde, wird die Landschaft auch gefalle.» Zum Nachtisch, nach dem schwäbischen Strudel, essen wir salzig eingelegte Melonen und Tomaten aus Kasachstan.

Das Paradies der Pferde

«Pferde und weiße Zäune», mehr kann Katharina Häfner über Trakehnen nicht sagen. Doch die zwei Worte haben Gewicht, sie sind das entfernte Echo eines Weltrufs. Er reichte in ihrer Jugend bis an die Wolga und den Don, und noch mehr als vierzig Jahre nach dem Untergang des Gestüts mischt er sich ein in eine Entscheidung, die in Kasachstan getroffen wurde. «Trakehnen» ist einer der ostpreußischen Namen, die heute noch in der Welt genannt werden. In der Bundesrepublik ist er nicht nur unter Pferdenarren bekannt. Ihn umgibt ein besonderer Nimbus, er hat in dem von Ostpreußen überlieferten Bild einen Ehrenplatz.

«Wie soll man einem jungen Menschen, der nie in Trakehnen war und vielleicht Ostpreußen überhaupt nicht kennt, wie soll man ihm das Drum und Dran vermitteln, das alles erst lebendig macht? Man müßte ihn mitnehmen können an so einem Herbstmorgen gegen Ende September, wenn die Sonne noch tief steht und in den langen Schatten die letzten Spuren vom Reif der Nacht zu erkennen sind. Man würde ihm Sattel und Trense in die Hand drücken und eins der traumhaften Pferde aus dem Stall holen, die man heute, nach fünfzig Jahren, noch unter sich fühlt, wie sie einen durch die Weite getragen haben. Er würde es selber satteln dürfen und mit hinausreiten in den immer goldener werdenden Tag... Alles drängt zu festlichem Tun. Mitten in der Gruppe der Ausreitenden ist man selbst ein Stück dieser feiernden Welt. In der breiten Allee zu vieren nebeneinander trabend, schnauben die Pferde vor Eifer. Ganz vorn vor dem Zug bewegt sich die Meute der zwanzig braunweißen Hunde, umschlossen von ihren drei Begleitern mit den langen Peitschen. Dort angekommen, wo die Jagd beginnen soll, bildet sich aus den Haltenden ein Halbkreis. Alle sehen zu, wie die Schleppe gelegt wird, wie die beiden begleitenden Reiter die ersten Hindernisse überwinden... Den Pferden klopft das Herz schneller. Man spürt es... Über die ersten Hindernisse gehen die Pferde noch etwas steif und ungeschickt. Dann wird die Bewegung immer flüssiger, Reiter und Pferd wachsen zusammen, geben sich dem Freudentaumel des Vorwärtsstrebens hin.» So schreibt Hans Graf Lehndorff in seinen Erinnerungen. Er ist der Sohn des vorletzten Landstallmeisters. Seine Cousine von Schloß Friedrichstein, Marion Gräfin Dönhoff, drückt ihre Begeisterung ähnlich aus: «Trakehnen war unglaublich eindrucksvoll: eine herrliche Landschaft, alte Alleen, weiß gestrichene Koppelzäune, grüne Weiden und edle Pferde, so weit das Auge schweifte. Wer einmal eine Reitjagd dort erlebt hat, wer mitangesehen hat, wie passioniert und mit welchem Schwung die Pferde über die vielen Hindernisse gingen, der wird diesen Anblick nicht vergessen.»

Trakehnen, das ist das Eigentümliche, ist überliefert worden hauptsächlich in der Perspektive des ostpreußischen Adels. Natürlich auch durch hippologische Fachschriften, aber die sind längst nicht so verbreitet und prägend wie die zitierte Memoirenliteratur. Es ist kein einzigartiger, aber doch ein ungewöhnlicher Fall: daß ein Ort so intensiv und zugleich einseitig in der Öffentlichkeit einer Gesellschaft fortlebt. Eine untergegangene Klasse hat noch einmal eine untergegangene Welt aufgerufen und deren Feiertagsgesicht gezeigt, bezaubernd und enthusiastisch. Man muß die Schwäche teilen, irgendwie eingeweiht sein, sonst wird selbst der geneigte Leser irgendwann rebellieren. Er wird sich wünschen, ein Egon Erwin Kisch oder Joris Ivens, ein August Sander oder Max Weber hätte uns ein Porträt dieses «Paradieses» übermittelt, dokumentarisch und kritisch. Andererseits kommt er nicht umhin, zur Kenntnis zu nehmen, daß eben diese Einseitigkeit auch eine gesellschaftliche Tatsache ist. Was treibt, wäre zu fragen, in einem westlichen Industrieland Hunderttausende dazu, sich an den Schleppjagderlebnissen eines jungen Grafen und einer Komteß zu erfreuen?

Trakehnen war ein sehr besonderer Ort, und trotzdem verkörperte er im umfassenden Sinne Typisches. Er war ein Exempel und Symbol für die Geschichte von Preußens Osten. Die Pferde begleiteten die Entwicklung des Menschen, Schritt für Schritt, angefangen mit den noch halbwilden kleinen Reittieren der alten Prussen, die dann der Ritterorden mit teils schweren, teils eleganten Streitrössern kreuzte, bis zu den Treckpferden, die 1944/45 die Flüchtenden über das Eis des Frischen Haffs zogen. Trakehnen selbst, 1732 gegründet, steht an der historischen Stelle, wo diese Region ihre charakteristische Gestalt annahm. Es war das Paradestück des «Großen Retablissements». Mit der staatlich gelenkten Siedlung, die schließlich den «Ostpreußen» ergab, ging eine systematische Pferdezuchtpolitik einher, die aus einheimischen und vom Auslande eigens eingeführten Rassen den «Trakehner» schuf. Das Gestüt vereinte drei Aufgaben: Es sollte erstens den Bedarf des königlichen Marstalles befriedigen und die Einkünfte der königlichen Schatulle mehren. Seine besten Pferde dienten der

Repräsentation vieler Herrscherhäuser Europas. Zweitausend Dukaten allein zahlte um 1790 Fürst Potemkin im Auftrag der Zarin für einen Paradezug von neun porzellanscheckigen Hengsten. Zweitens lieferte Trakehnen Pferde für den Bedarf der Armee. In zahlreichen Kriegen erwarb der Trakehner den Ruf «des besten Soldatenpferdes der Welt». Zum dritten leitete und überwachte das Gestüt die gesamte Pferdezucht der Provinz. Es kontrollierte die Vererbungslinien der bäuerlichen Zucht und wirkte so in erheblichem Maße auf die Entwicklung der Landwirtschaft ein. Die Schwerpunkte der Arbeit wechselten mit der Zeit, die Gestalt des Trakehners änderte sich. Parade-, Kriegs- und Bauernpferd gingen Verbindungen miteinander ein, das sportliche Interesse fügte neue Eigenschaften hinzu.

Aus dem ursprünglich königlichen Besitz wurde später eine staatliche Domäne. Bei allem Wandel blieb Trakehnen, selbst noch im 20. Jahrhundert, eine Art Staat im Staate. Dieses Areal von sechstausend Hektar war eine Welt für sich. Unter der Leitung eines adeligen Landstallmeisters organisierte sich hier ein fast autonomer Betrieb – Aufzucht, Futterproduktion, medizinische Versorgung, Training und Prüfung. Ein Mustergut (gewiß nicht zu allen Zeiten), das tonangebend war in Sachen Modernität und gesellschaftlich stilbildend. Sei es die stolze Bescheidenheit, die den ostpreußischen Adel auszeichnete, sei es die Verquickung ziviler und militärischer Lebensform oder der allgemein hohe Rang, der dem Pferd in der Provinz zukam, Trakehnen trug maßgeblich dazu bei. Die reiterliche Schule war Vorbild, und mancher Kutscher, der mal seine Herrschaften zum Querfeldeinrennen gefahren hatte, guckte sich die Haltung seines livrierten Trakehner Kollegen ab.

Trakehnen hatte seine eigene Zeitrechnung. Einen besonderen jahreszeitlichen Rhythmus, der sich vom rein bäuerlichen unterschied und genauestens das Aufwachsen der Pferde regelte. Und eine gesellschaftliche Zeit, die von der allgemeinen mehr oder weniger abwich. In seinem ersten Jahrhundert war es geistig und praktisch Preußens Entwicklung eher voraus. In seinem zweiten und spätestens seit der letzten Jahrhundertwende steht Trakehnen für das Zurückbleiben von Preußens Osten im Zeitalter der Industrialisierung. Nach dem Ersten Weltkrieg ist es schon fast ein Fossil. Die abnehmende Bedeutung des Pferdes, parallel dazu die der erlauchten Kreise, die sich dort trafen, rückten den Ort ins Abseits. Er war populär, vielleicht mehr denn je, aber seine Attraktivität zog er zum größeren Teil aus dem Charme des Überlebten. Den letzten und dauerhaftesten Ruhm erwarb er als Gegenwelt zur Moderne.

In den dreißiger Jahren wurde Trakehnen «heilig»gesprochen. Der Schriftsteller Rudolf G. Binding hat 1935 dem Zeitgeist Ausdruck verliehen: «Hier ist Trakehnen. Hier, im Osten des Reichs, sind die vielen Gestüte, und Trakehnen ist das vornehmste. Aber nicht die Menschen haben den Pferden diese Scholle geweiht – wenn sie auch Ställe bauten und Weiden einfriedeten –: die Natur selbst hat ihren Geschöpfen das Land als Heiligtum geschenkt und die Pferde haben es sich als ihnen geweihten Bezirk erobert. Das Pferd ist das Zeichen des Landes, ist das markanteste, das zeugnishafteste Lebewesen der Scholle. Das ostpreußische Pferd ist das preußischste Erzeugnis des Landes, das festete Bild seines Wesens, der untrüglichste Ausdruck seiner Eigenart und seines Geheimnisses geworden. Es übertrifft an Rassenhaftigkeit in allem den Bewohner des Landes und ist ihm sicher ebenbürtig in allen Tugenden ... Das *Land* also ist das Heiligtum des Pferdes – nicht das Gestüt, das vielleicht als sein Tempel, seine Wiege, die Stätte seiner Aufzucht, seine Pflegestatt gelten mag ... Jetzt ... ist Sommer und der gewaltige Hengst schreit über das Land... Es faßt ihn die Lust des Daseins. Er ist nackt. Er ist groß. Er ist schwer in der Fülle seiner Muskeln, aber seine Bewegungen sind leicht in der Unermeßlichkeit seines Hengsttums. In seiner Erregung, in seiner Erhabenheit, in der gewaltigen Kraft seiner Herrschaft über die Herden schwebt er dahin im Zweitakt des weit ausgreifenden, höchsten, gespannten Hochtrabs. Er spürt das Leben seiner Lenden und seiner Fruchtbarkeit, er kennt die

Wucht und das Recht der Begattung, die Wollust der Liebkosung wie die Gewalt der Unterwerfung. Das Beben des Gewiehers, das ihn durchlief, als er mit starren, auf dem erzitternden Boden vibrierenden Hufen aufschrie, ist einem erhabenen Schwung schwebender Tritte gewichen, die den gewaltigen Leib fortreißen. Die Berührung des Bodens scheint aufgehoben. Die Erde ist vergessen. Das Leben des Tiers schwebt über sie dahin.»

Trakehnen wurde in Anspruch genommen für «Blut und Boden» und «Herrenrasse». Schon 1932, zum zweihundertsten Geburtstag des Gestüts, hatte die weihevolle Inszenierung begonnen. Vor dem Landstallmeisterhaus wurde in Bronze der «Tempelhüter» aufgestellt, der berühmteste aller Hauptbeschäler. Dieser Deckhengst wurde zur Symbolfigur des späten Trakehnen. Unter der Landbevölkerung kursierte darüber eine nette, gar nicht heilige Anekdote: Ein Mann, der zum erstenmal nach Ostpreußen reiste, soll sich erkundigt haben, was man denn wissen müsse, um sich in dieser merkwürdigen Provinz unterhalten zu können. Daraufhin antwortete man ihm: «Sie müssen wissen, wer Tempelhüter ist, und dann noch ein bißchen von dem Königsberger Philosophen Kant. Aber wenn Sie auch über den Bullen Anton noch etwas sagen können, brauchen Sie von Kant nichts zu wissen.»

Bis heute ist unklar, inwieweit Trakehnen über die ihm aufgenötigte Phraseologie hinaus kompromittiert ist durch die braunen Jahre. Das Gestüt war, nach der durch Versailles erzwungenen Unterbrechung, wieder ein «Rüstungsbetrieb» geworden. Es schickte 1939 zum letztenmal Pferde in einen Krieg, und es wurde belehrt, daß die Zeiten der Kavallerie endgültig vorbei sind. Dieser Krieg hat im Grunde das Zeitalter des Pferdes in Europa beendet. Nur noch einmal, für einen kurzen historischen Augenblick, waren die Trakehner begehrt. Im Winter der Trecks, als sie die Flüchtenden in den rettenden Westen trugen. Gauleiter Koch hat seinerzeit die Situation auf den Begriff gebracht. Als Landstallmeister Ehlert ihn im Sommer 1944 um Erlaubnis bat, das Gestüt evakuieren zu dürfen, begründete Koch seine Ablehnung zynisch wie folgt: «Falls die Russen vorübergehend vorstoßen sollten, könnten ja die Trakehner im Wettlauf mit sowjetischen Panzern ihre Leistungsfähigkeit unter Beweis stellen.» So etwa war es dann auch. Während die Lastwagen für die kriegführenden Militärs reserviert blieben oder zerstört auf den Schlachtfeldern herumlagen, waren die Zivilisten mit Pferden unterwegs. Die deutsche Wochenschau hat die armseligen Karawanen abgelichtet und noch mit heroischen Kommentaren versehen, die unter anderem der Hochleistung der Pferde galten.

Der Gewaltmarsch dauerte Wochen, manchmal Monate. Durch Schneesturm und das Feuer aus den Bordkanonen sowjetischer Kampfflugzeuge, oft vierundzwanzig Stunden ohne Pause, ohne Wasser und Futter; die Stuten waren tragend. Der Kutscher, der sie lenkte, war meistens eine Frau. Von den 26264 Stuten und 852 Hengsten, die 1944 im «Stutbuch für Warmblut Trakehner Abstammung» eingetragen waren, blieben etwa 700 Stuten und 60 Hengste übrig. Die Verluste wurden erst einige Jahre nach dem Krieg gezählt, was ähnlich aufwendig war wie die Erfassung der in alle Winde verstreuten Menschen der ostpreußischen Kreise. Viele Trakehner waren von ihren Besitzern noch in den Notquartieren im Westen mit größter Mühe aufgepäppelt worden. Sie ließen die Stuten nicht decken, weil sie auf einen Treck zurück hofften. Von den überlebenden Pferden dürfte der überwiegende Teil in der Hungerzeit aufgegessen worden sein. Das beste Los war noch, auf einem niedersächsischen oder schleswig-holsteinischen Hof unterzukommen als Akkerpferd. Mit einem Pferd konnte ein ostpreußischer Bauer leichter Arbeit finden als Knecht.

In einer Broschüre der Landsmannschaft Ostpreußen heißt es, der Exodus sei «die härteste Leistungsprüfung gewesen, die das Schicksal dem Trakehner Warmblut auferlegt hat». Das «Ruhmesblatt in den Annalen der Geschichte des ostpreußischen Pferdes» war jedenfalls das letzte. Aus den Restbeständen entwickelte sich in der Bundesrepublik eine kleine Zucht, die sich auf Sportpferde orientierte. Das war der einzige Bereich, in dem der Trakehner noch zu etwas nütze war. Die Züchter waren in der Regel Ostpreußen, zum Teil Adelige, und sie waren Idealisten. Sie legten sich krumm für den Erhalt der Vererbungslinien und den Erfolg ihrer Pferde. Ein Sieg in einem Münsteraner Dressurparcours oder im olympischen Military war für sie mehr als nur ein sportliches Ereignis. Auch für viele Zuschauer am Rande und später vor den Fernsehern bedeutete der Anblick dieser Trakehner viel. Um das Pferd konzentriert sich bei vielen Ostpreußen die Erinnerung an Vergangenes. Es verknüpft die traumatische Erfahrung, die Flucht, mit einer der glücklichsten. Fast sämtliche Landkinder, Jungen wie Mädchen, sind mit Pferden groß geworden, sind geritten zum Vergnügen und haben die Pferde geführt bei der Heuernte, sie getränkt und gestriegelt. Der Trakehner war das stolzeste Stück der bäuerlichen Ökonomie, und mit ihm verbunden war das intensivste Erlebnis der Landschaft. In der Bewegung des Reitens war Ostpreußen sicherlich am schönsten. Dieser Verlust ist von allen wohl einer der schmerzhaftesten. Will man die Anpassungsprobleme der bäuerlichen Ostpreußen im Westen ermessen, muß man sich vorstellen: daß sie ein Volk von Reitern waren.

Noch im zerstörten westlichen Nachkriegsdeutschland wimmelt es von «Pferdegeschichten» – von ehemaligen Gutsbesitzern, die einen Trakehner in einem Mülheimer Schrebergarten halten, von früheren Bauern, die sich scharenweise beim Duisburger städtischen Fuhrpark bewerben, weil dort noch Pferde im Einsatz sind, und von solchen, die nach Feierabend, wenn sie vom Stahlkochen nach Hause kommen, in der Fachzeitung die Preise internationaler Pferdeauktionen studieren. Noch heute suchen viele Rentner ihre Urlaubsorte danach aus, «wo es Weite gibt und Pferde». In dieser Hinsicht sind ihnen die schreibenden Grafen und Komtessen heute nah. In einer Gesellschaft, wo weder der Bauer noch der Graf etwas gilt, ist die soziale Distanz von damals eher ein faszinierendes Exotikum als etwas Trennendes. Sie beide eint das Erlebnis des Pferdesprungs über den Graben. Das ist in diesem Jahrhundert zweifellos etwas sehr Verbindendes.

Musée sentimental

Trakehnen öffnet sich dem Reisenden leicht, es ist wie ein aufgeschlagenes Buch. «Vom ‹Hotel Elch› wenden wir uns rechts über die Schleuse, sehen von dort rechts in den Park hinein und treten durch einen uralten Torbogen, der die Jahreszahl 1732 und das Trakehner Brandzeichen (die Elchschaufel) trägt, in den neuen Hof ein. Rechts liegt das Schloß, die Wohnung des Landstallmeisters mit dem Park. Davor ein freier Rasenplatz mit einer uralten Eiche in der Mitte.» Alles ist so, wie es der Guide von 1939 beschreibt. Verfremdet nur durch ein ohrenbetäubendes Geschrei Tausender Krähen. Der Zerfall und die hellblauen Umrandungen der Fenster und Türen verleihen den preußischen Gebäuden einen südländischen Charme. Die wichtigsten wurden mit neuen Ehren belegt. Im «Hotel Elch» residiert die Leitung des Sowchos, im Landstallmeisterhaus die Schule. Der Hengst vor der Frontseite allerdings fehlt. Den «Tempelhüter» hat die Rote Armee noch im Frühjahr 1945 nach Moskau verfrachtet. Der symbolische Akt der Inbesitznahme des Ortes wurde später ergänzt durch ein neues Monument. Auf dem alten Sockel steht heute ein weißer Ziegelblock mit der Aufschrift «1941–1945».

Bei der Verteilung der Namen hat Trakehnen Glück gehabt. Ihm fiel 1946 das poetische «Jasnaja Poljana» zu, das heißt «helle Lichtung». Die Benennung bezieht sich auf einen kleinen Ort südlich von Moskau. Dort war Lew Tolstoi zu Hause, der Dichter und Reformer, der sein bäuerliches Rußland auf den Weg der europäischen Aufklärung führen wollte. In seinem Jasnaja Poljana hat er ein Mustergut eingerichtet, den rückständigen Landsleuten zu beweisen, daß ein befreiter Bauer besser arbeitet und Kinder, die lesen und schreiben lernen, glücklicher sind. Wenn die Sowchose Nr. 16 diesen berühmten Namen bekam oder vielleicht sogar wählte, könnte dies auf einen Ehrgeiz schließen lassen. Wollte sie Trakehnen ein Experiment von ebensolchem Format entgegenstellen? Zufällig und merkwürdigerweise ist der neue Name dem alten sinnverwandt. «Trakis» ist im Altpreußischen die lichte Stelle, wo der Wald gerodet wurde.

Die Bewohner von Jasnaja Poljana wissen, daß ihr Ort ein besonderer ist. Die Älteren unter ihnen erzählen mit Vergnügen von ihrer ersten Begegnung, wie sie 1945, 46 oder 48 hier ankamen. Am meisten erstaunten sie die Paddocks, die luxuriösen Pavillons für die besten Hengste, dann erst das «Schloß». Fremdartig wirkten auch die weißgestrichenen Koppelzäune. Fast alle sollen bezaubert gewesen sein, sofern die Zeiten solche Gefühle überhaupt zuließen. Im Vergleich zum russischen Dorf und zu dem, was Stalin davon übrigließ, war dies ein Platz mit Atmosphäre und ungewöhnlichem Komfort. Man sprang mit einem Satz in einen neuen, besseren Lebensstandard.

Eines der wenigen noch vorhandenen Dokumente sagt, daß am 16. März 1946, dem Tag, als die zivile Verwaltung die militärische ablöste, auf dem Territorium noch 57 Deutsche lebten. Ihnen standen damals erst 43 Neuankömmlinge gegenüber (39 Arbeiter, 2 Buchhalter, 1 Schlosser, 1 Fahrer). Die Beziehungen unter den nicht mal hundert Leuten, behaupten übereinstimmend die russischen Zeitzeugen, sollen «harmonisch» gewesen sein. Die Deutschen seien nicht aus Trakehnen gewesen, sondern von anderswoher, gewissermaßen auch Fremde. Man wohnte in getrennten Quartieren, doch gearbeitet und gefeiert wurde zusammen. Das größte Vergnügen seinerzeit waren die Pferderennen. Es gab nämlich noch einige Trakehner. An Wochenenden jagten deutsche und russische Reiter um die Wette durch die preußischen Alleen. An die Namen der Sieger erinnert man sich noch heute. Ein Johann soll dabeigewesen sein, ein Sascha mit roten Haaren und ein Tatarenmädchen mit dem Spitznamen «Wolke». Es mag für deutsche Ohren verletzend klingen, wenn die alten Leute von Jasnaja Poljana die ersten Nachkriegsjahre als «die glücklichsten» bezeichnen. Wie immer das gemeint sein könnte, lassen wir es so stehen. In der hiesigen Zeitrechnung endete die «glückliche» Periode mit dem Abtransport der letzten Deutschen Ende der vierziger Jahre. Kurz danach kam der Befehl, die noch übriggebliebenen Trakehner in die Fleischfabrik zu bringen. Ein verspäteter Racheakt? In Jasnaja Poljana jedenfalls war man traurig darüber. Es soll sogar den Versuch gegeben haben, Pferde zu verstekken. Daß die von oben kommende Verordnung nicht ernährungspolitische Gründe hatte, war eindeutig. Sie leitete eine neue Zeit ein, in der das Pferd im allgemeinen und der Trakehner im besonderen keinen Platz hatte.

Der Einschnitt betraf anscheinend auch das Sprechen über die Geschichte. Die Deutschen hatten den Neuankömmlingen allerhand über Ostpreußen erzählt. Bestimmte Namen hatten sich festgesetzt, zum Beispiel der Vorwerke. Auch die Russen redeten vom «Schloß», auch für sie war der Fluß die «Pissa». Informationen über die Wirtschafts- und Lebensweise waren weitergegeben worden, ebenso Witze und Anekdoten. Dieses war fortan tabu. Zwar spukte das Wissen, das aufgrund der kurzen Überschneidung der Siedlungsgeschichte sich verbreitet hatte, noch weiter herum, aber aus der Öffentlichkeit war es verbannt. Offiziell galt nun 1945 als die Stunde Null der Geschichte. Was vor der Sowjetmacht war, hatte niemanden etwas anzugehen. Jasnaja Poljana war eine Sowchose für Rinderzucht und Milchwirtschaft, eine von vielen und im Maßstab des Oblast eine ziemlich durchschnittliche. Dennoch hielt sich irgendwie das Bewußtsein, daß der Ort etwas Außergewöhnliches darstelle.

Die Sowchose war die erste, die sich ein Museum zulegte. Es ist das vermutlich kleinste und – in meinen Augen – verrückteste der Welt. Wie es zustande kam, ist schwer zu rekonstruieren, nicht zuletzt deshalb, weil sich heute viele Leute diese Tat als Erfolg an den Hut stecken und manche Spur verwischen wollen. Wahrscheinlich gehen die Anfänge auf die späten fünfziger Jahre zurück. Der Impuls war spontan, gewissermaßen «natürlich». Wie überall im Kaliningradskaja Oblast suchte man nach Schätzen. Jedes Kind wußte, es war manches versteckt – Geschirr, Schmuck oder Waffen. Immer wieder wurde jemand fündig, beim Abriß eines Kachelofens oder beim Pflügen. Zufälle, die sich häuften, und immer wieder auftauchende Gerüchte führten periodisch zu einem allgemeinen Jagdfieber. Alte wie Junge pflegten diesen Sport und er beeinflußte sie – irgendwie. Die Schatzsucher hatten sicherlich nicht im Sinn, die Funde auszustellen. Sie benutzten oder verkauften sie. Dennoch dürfte sie die Fremdartigkeit der Gegenstände über deren Gebrauchs- oder Tauschwert hinaus beschäftigt haben.

In den sechziger Jahren ergriff dann ein Lehrer die Initiative und forderte die Schüler von Jasnaja Poljana auf, systematisch zu sammeln. Und zwar zur Geschichte der großen Winterschlacht 1944/45, genauer: zum Schicksal des 30. Irkutsk-Pinkser Regiments der Roten Armee, dessen Soldaten in dieser Gegend gefallen sind. Der Auftrag entsprach der offiziellen Linie der «militärisch-patriotischen Erziehung» und stieß angeblich auf große Begeisterung. Nach Angaben von Veteranen und alten Stabskarten durchforsteten ganze Schulklassen die Kampfstätten. Dabei kam einiges zusammen: Gewehre und Munition, Granaten, Helme, Feldflaschen, Orden. Meistens waren sie so verrostet, daß man kaum noch ausmachen konnte, ob sie den eigenen Leuten oder dem Feind gehört hatten. Hauptanliegen war, aus dem Gefundenen Anhaltspunkte über die gefallenen Rotarmisten zu gewinnen. Die vorhandenen Listen wurden ergänzt, manchen Angehörigen konnte neuer Aufschluß über den Verbleib des Sohnes gegeben oder ein Stück aus dessen letztem Besitz zugestellt werden. Tausende von Briefen gingen zwischen Jasnaja Poljana und den verschiedensten Orten der Sowjetunion hin und her. Die Hinterbliebenen wurden alle Jahre eingeladen zum 9. Mai, und sie wurden gebeten, Gegenstände mitzubringen, die über die Persönlichkeit des Toten etwas aussagen. Zu den vor Ort gesammelten Waffen gesellten sich gestickte kaukasische Hemden, lederne Zigarettenetuis aus Odessa, wollene Mützen, Gürtel, Kettchen und zahlreiche Fotos von jungen, ernsten Gesichtern. Auf diese Weise kam Jasnaja Poljana zu einer eigenen Geschichte und zu Gründervätern, die den Sowchos mit den Völkern und Republiken des großen Landes ganz konkret verknüpften.

Anläßlich des 25. Jahrestages der Befreiuung vom Faschismus, im Frühjahr 1970, wurden die Ergebnisse der Nachforschungen der Öffentlichkeit übergeben, zunächst in einem Raum im ehemaligen Landstallmeisterhaus. Unter dem Sammelsurium befanden sich auch einige Dinge aus dem zivilen Leben der Bewohner von Trakehnen. Zum Beispiel ein Eierbecher, ein emalliertes Schild von einer Bushaltestelle, eine Scherbe mit einem Preußenadler. Solche Stücke rangierten unter der Überschrift «Kriegsbeute» und wurden im Gegensatz zu den sowjetischen nicht eigens erläutert. Sie standen bloß da, zusammenhanglos. Man könnte sie vergleichen mit Trouvaillen, wie die Surrealisten es verstanden: ein Rest von irgendwoher, dessen Bedeutung völlig offen ist, uneingebunden in einen Sinn. Die Umstände verboten, das Ausgestellte zu erklären, und außerdem wurde mit den Jahren immer unklarer, was man hätte erklären können. In Jasnaja Poljana kursierten die wildesten Geschichten über die Zeit vor 1945. Iwan M., der pensionierte Schulleiter, erzählt von verschiedenen Versionen, die ihm die Kinder in den sechziger und siebziger Jahren zugetragen haben. Dieses sei alter litauischer Volksboden, sagten die einen, und Litauen gehöre eben zur Sowjetunion.

Ein deutscher Friedrich habe das Land vor Urzeiten der russischen Katharina geschenkt, lautete die zweite und populärste Fassung. Die dritte: Russen und Prussen seien, wie schon der Name sagt, praktisch ein Volk gewesen. Diese Phantasien standen natürlich im krassen Widerspruch zu den gefeierten heroischen Tatsachen, denen zufolge der Boden von Jasnaja Poljana besiegtes Feindesland war. Sie konstruierten über den Zeitenbruch und die rot-braune Gegnerschaft hinweg ein historisches Kontinuum. Zwischen den verordneten Tabus, Wissensbrocken und Vermutungen, die sich an die materiellen Überreste knüpften, wucherten merkwürdige Bedürfnisse. Mochte man nicht in den Häusern von «Faschisten» leben? Färbte die Eingewöhnung darin und in die landschaftliche Umgebung die Gefühle für die, die sie einst gestalteten, freundlicher, ziviler? In der Verwirrung über die frühere Identität des Ortes und seiner Bewohner spielten anscheinend die Dinge eine treibende, eigenständige und wohl subversive Rolle. Die Ziegel und Scherben drängten Fragen auf quer zum Offiziellen, forderten, anstelle von Worten, die verboten waren, zur geistigen Zwiesprache auf.

In den siebziger Jahren kam neue Bewegung in die Sache. Mit den Ostverträgen, behauptet Iwan M., der heutige Museumsleiter, sei es möglich geworden, sich der historischen Wahrheit zu nähern. In dem Augenblick, da die Bundesrepublik die bestehenden Grenzen anerkannte, konnten sich die Sowjetbürger der Geschichte Trakehnens öffnen. Unter Berufung auf Willy Brandt und Leonid Breschnew propagierte Iwan M. einen regionalen Brückenschlag zwischen deutscher Vergangenheit und russischer Gegenwart. Der Kommunist arbeitete dabei auch seine eigene Geschichte auf. Er ist nämlich an der Wolga aufgewachsen, mit deutschen Nachbarn. Wieder wurden Suchtrupps von Schulkindern ausgeschickt, dieses Mal mit dem Auftrag, sich für «alle Altertümer» zu interessieren. Der Bestand der alltäglichen Dinge im Museum wuchs. Die Hindenburgtasse erhielt Gesellschaft von zwei Pferdeminiaturen aus Messing, neben dem Namensschild einer Straße nahm eine emaillierte Tafel Platz, «Hier spricht die NSDAP». Ein Brief von der «Ostpreußischen Blinden-Unterrichtsanstalt» von 1935 wurde hinter Glas gebracht, daneben eine geschäftliche Offerte der «Deutsch-Amerikanischen Petroleumsgesellschaft» von 1922.

Die Sammler überließen sich nun einfach ihrer Neugier und der Kuriosität ihrer Funde und stellten diese fast ungeordnet aus. Ihre vermehrte Zahl ergab jedoch immer noch keine Kontur einer gesellschaftlichen Wirklichkeit. Wie das Gestüt Trakehnen war oder das alte Ostpreußen, geht daraus nicht hervor. An einzelnen Punkten wurde versucht, den Relikten ein Stückchen Sinn zu entlocken. Zum Beispiel ergänzte ein Schüler einen einsamen Pickel mit Hilfe von Gips und gelb-rosa Farbe liebevoll und nach eigenem Gutdünken zu einer Pickelhaube. An anderer Stelle wurden Zeitungsausschnitte zu einer Gruppe zusammengefaßt. Unter den Überschrift «Jedem das Seine» präsentieren sich Zeitungsfotos von verstümmelten Toten, von Auschwitz und von Nemmersdorf, neben Modezeichnungen der zwanziger Jahre. Die Deutungsversuche sind teils makaber, teils rührend hilflos.

Und meistens eben unterbleiben sie, und da entfaltet das Museum seine größte Faszination. Diese Gegenstände, vereinzelt und ohne Begleitung von Sprache, haben etwas Magisches. Ihre nackte Präsenz verweist auf einen anderen, unsichtbaren Sinn. Sie verleihen ihren Besitzern, den Mitgliedern des Sowchos, Macht über verflossene Zusammenhänge. Die Trense des Trakehnerpferdes, die Münze mit den lateinischen Buchstaben stellt nicht ein Stück Erkenntnis dar, sondern einen unausgesprochenen Wunsch. Wie ein Talisman drückt sie Furcht aus und Hoffnung. Das Museum, zu zwei Dritteln der Kriegsgeschichte gewidmet, ist auch ein sakraler Platz – der Kontaktaufnahme zu den Geistern der Vorzeit.

Ende der achtziger Jahre ist die Sammlung in einen Neubau umgezogen. Er ist nicht viel größer als eine Schachtel und Teil der Anlage, die zu Ehren der gefallenen Rotarmisten errichtet wurde. Damals kam das vermutlich letzte Gerücht der sowjetischen Zeit auf. Iwan M. verkündete es als wissenschaftliche These in der Nesterower Zeitung: Trakehnen habe dem Generalfeldmarschall Paulus gehört. Der Ururgroßvater des Stalingradkämpfers habe es erworben und weitervererbt, und so sei das Ende von Trakehnen mit dem Ausgang der großen Schlacht an der Wolga verbunden. Diese Auffassung wurde 1992 korrigiert – mit der Ankunft der ersten Touristen in Jasnaja Poljana. Iwan M. sträubte sich zuerst und schämte sich ein bißchen, sattelte dann jedoch schnell um. Er lud die Mitglieder der Landsmannschaft und des Trakehnerverbandes ein, die «Wahrheit» in das Museum zu bringen. Dessen Mittelpunkt ist seitdem ein Büchertisch mit einschlägigen deutschen Schriften und eine Serie großaufgezogener Fotos. Mit einem Schlag veränderte sich der Charakter des Ortes. Er wurde zum ersten Devisenbringer (und zum bevorzugten Objekt von Dieben). Man erzählt den zahlenden Gästen aus Deutschland, was sie hören wollen: das Museum sei gegründet worden als Reverenz der Bürger von Jasnaja Poljana an das berühmte Trakehnen.

Der letzte Sommer des Sowchos

In diesem Jahr herrscht Dürre, die größte seit Menschengedenken. Vom 10. Mai 1992 bis weit in den August fällt nicht ein Tropfen Regen. Die Hitze verbrennt die Wiesen, trocknet die ältesten und dicksten Baumriesen bis ins Mark aus. Beim leisesten Wind stürzen sie um. Die Weidenallee zum Beispiel, die zum früheren Vorwerk Gurdszen führt, heute Chutorskoje, bricht innerhalb weniger Wochen fast vollständig weg. Es ist gefährlich, solche Wege zu nehmen. Ein kurzes Ächzen oder nicht einmal das, und so ein Monstrum kracht in unmittelbarer Nähe nieder. Die Naturereignisse sind Tagesgespräch in diesem Sommer. Eigentlich seit dem Frühjahr schon; da haben die Krähen den gesamten Nachwuchs der Hühner, Enten und Gänse gefressen. So etwas ist noch niemals zuvor geschehen. Unter den Kälbern grassiert außerdem eine neue Seuche, eine Blutkrankheit, und eine Häufung von Mißgeburten. Die Tierärztin führt dies auf Tschernobyl zurück. Und seit langem zum erstenmal ist der Kartoffelkäfer wieder da, angeblich hat ihn ein feindliches Schiff aus Amerika ausgesetzt.

Nikolaj Dimitrijewitsch, der Vorsitzende des Sowchos, ist ratlos darüber und mehr oder weniger über alles, was derzeit geschieht. Er ist gerade für ein paar Tage in seiner Heimat gewesen, am Don, und schwärmt von den wunderbaren Veränderungen dort. In seinem Dorf haben sich die Kosaken organisiert und ihr altes Regiment wiedereingeführt. Mit leuchtenden Augen berichtet er von der Strafjustiz: Die Bevölkerung selbst richte die Delinquenten, dann setze es Peitschenhiebe auf dem Dorfplatz, und die Sache sei vergessen. Gegen ein sowjetisches Gefängnis und Zwangsarbeit im Gulag müsse man diese archaische Sitte als außerordentlich fortschrittlich ansehen. Die Kosaken hätten die Autorität der Eltern in den Familien neu hergestellt und auf regionaler Ebene eigene Milizen gebildet. In Rostow habe der Ataman (der gewählte oberste Heerführer) das Gebäude des Exekutivkomitees besetzt. Die Kämpfer hätten Jelzin einen Handel vorgeschlagen. Für den Fall, daß er ihr Anliegen unterstütze, würden sie in seine Dienste treten und wie einst die Vorfahren unter den Zaren die Grenzwacht übernehmen. Notfalls auch auf den Kurilen die russische Staatlichkeit verteidigen. Am liebsten, seufzt Nikolaj Dimitrijewitsch, wäre er dabei. In Jasnaja Poljana sei alles so kompliziert, so zäh und diffus. Nur weil er sich in zwölf Jahren mit der Familie eine Position geschaffen habe, gewisse Vorteile verbunden mit einer Verantwortung, müsse er seine Zukunft wohl hier suchen.

Im Vergleich zu den meisten seiner Amtskollegen im Oblast hat der Vorsitzende von Jasnaja Poljana frühzeitig die Weichen gestellt. Schon 1990 hat er die asylsuchenden Rußlanddeutschen willkommen geheißen und ihre Ansiedlung tatkräftig gefördert. Das trug ihm Konflikte ein im Sowchos und war politisch nicht ganz ungefährlich. Zwar hatte er Rückendeckung vom Rayonchef in Nesterow, doch im Falle eines Machtwechsels hätte ihn seine Sympathie teuer zu stehen kommen können. Der Donkosak ist kein Held, eher ein schüchterner, schwankender Mann, der in der vielfach ungewissen Periode des Übergangs sich durchlaviert zwischen den Fronten und mit Bedacht auf den eigenen Vorteil die möglichen Szenarios durchdenkt. Er hat, dem Zeitgeist vorauseilend, mit dem Mut der Verzweiflung auf ein vielversprechendes, aber äußerst unsicheres Pferd gesetzt. Die Rußlanddeutschen, so wünschte er, sollten nicht nur die Lücken füllen, die die anhaltende Landflucht gerissen hatte, sondern auch eine Verbindung schaffen zum nahen Westen und beschleunigen, was irgendwie in der Luft lag. Vielleicht war es die Reitertradition seines Volkes, die seinen Instinkt in die damals noch undenkbare Richtung lenkte: der Ort könne irgendwie noch einmal von seiner großen Vergangenheit eingeholt werden. In diesem Sommer 1992 geht seine Rechnung auf – so unerwartet rasch und dynamisch, daß ihn dies fast seinen Kopf kostet.

Mit der Öffnung des Kaliningrader Gebiets wird Jasnaja Poljana zum Wallfahrtsort für Heimwehtouristen. Fast alle, die reisen, wollen Trakehnen wiedersehen. Täglich halten mehrere Busse vor dem Landstallmeisterhaus. Steigen alte Leute aus, denen die Traurigkeit und Enttäuschung anzumerken ist und die vielleicht deswegen ununterbrochen Bonbons, Kugelschreiber, Kaffee und Seife verteilen. In einer Woche kommen etwa so viele Gäste, wie Jasnaja Poljana Einwohner hat, circa tausend, und sie bringen mit ihren Gaben den Sowchos mehr durcheinander als ein Heuschreckenschwarm, der alles ratzekahl frißt. Seit das Fernsehen die Bilder in ganz Deutschland verbreitet hat, wird «Trakehnen» zum bevorzugten Adressaten der humanitären Hilfe. Ob das Rote Kreuz, die Arbeiterwohlfahrt oder die Landsmannschaft, der Lionsclub von X., die Landfrauenvereinigung von Y. oder der Kegelclub von Z., alle halten mit ihren Lastwagen hier. Und zwar nicht im Zentrum oder vor dem Haus des Sowchosvorsitzenden in der Uliza Zentralnaja, sondern in der Siedlung der Rußlanddeutschen. Dort fragen sie nach dem «Obersten» oder dem «Führer», und dann wird ausgeladen – Autoreifen, Werkzeuge, Tütensuppen und Puddingpulver, Hautcremes, Windeln und Damenbinden. Manchmal sind es auch einfach Privatleute, die ihre Kofferräume vollgepackt haben und Gutes tun wollen. Heftig und ungeschickt erklären sie: «Wir sind Ostpreußen. Wir haben früher Trakehner gezüchtet. Wir wollen helfen. Deutsche und Russki, Frieden und Freundschaft. Bitte die Hilfsgüter unter allen im Dorf teilen!» Solche Appelle fruchten kaum. Es gibt in diesem Sommer keine Instanz mehr im Sowchos, die dem gewachsen wäre. Die alte sowjetische Macht hat keine Autorität mehr, eine neue hat sich noch nicht gebildet. Jeder ist sich selbst der Nächste, und das Prinzip der Verteilung ist das Chaos. Wer sich nicht schämt, rafft, was er tragen kann, unter wüsten Beschimpfungen und manchmal auch Schlägen derer, die leer ausgehen. Und da die Rußlanddeutschen von den ausländischen Besuchern den überwiegenden Teil aufgenötigt bekommen, entsteht Haß in Jasnaja Poljana. Überall, wo ich hinkomme, wird über die himmelschreiende Ungerechtigkeit geklagt.

«Der Fisch stinkt vom Kopf zuerst», heißt es im Dorf. Die «Natschalniks», die Bonzen, also sind schuld. Der Sowchosvorsitzende weicht den Angriffen aus. Er hält sich bedeckt und verbirgt sein eigenes Entsetzen. Wenn die deutschen Besucher ihn um seine Meinung fragen, was selten geschieht, erläutert er ihnen, daß mit Maschinen und Saatgut dem Dorf besser geholfen wäre. Mehr oder weniger heimlich empfängt er Geschäftsleute aus Deutschland. Ein Baulöwe will das ehemalige Gestüt kaufen, um die Pferdezucht wiederaufzunehmen, ein anderer möchte am Rande eines idyllischen Vorwerks eine Feriensiedlung bauen. Der Interessenten sind viele. Nikolai Dimitrijewitsch kann sie nicht einschätzen, begreift nur, daß «Trakehnen» eine begehrte Immobilie ist, und merkt sich, was sie ihm als Anteil versprochen haben. Vorerst scheitern alle Pläne an den nicht vorhandenen rechtlichen Rahmenbedingungen.

Zum Zuge aber kommen vor den Investoren, noch in diesem Sommer, entschlossene politische Idealisten. Sie kommen aus der rechtsradikalen Szene und nennen ihre Aktion «Deutsches Königsberg». Und was in ihren Schriften steht, ist hier niemandem bekannt. «Auf Dauer kann Rußland sich diese etwa 500 km vom russischen Mutterland entfernt liegende Exklave wirtschaftlich nicht erlauben. In Politik und Geschichte gibt es aber kein Machtvakuum. Man hört daher bereits litauische und vor allem polnische Stimmen, die dieses Gebiet ihren Staaten einverleiben wollen. Von seiten des offiziellen Bonn sind keinerlei Aktivitäten zugunsten Deutschlands zu erwarten. Wir haben deshalb 1991 eine private Initiative gestartet, durch Ansiedlung Rußlanddeutscher in Nordostpreußen neue Fakten für eine deutsche Perspektive unserer Ostprovinz zu schaffen... Der einzige sinnvolle, perspektivische Schritt (ist) nämlich ein Bevölkerungsaustausch zwischen Rußlanddeutschen aus den mittelasiatischen ehemaligen Sowjetrepubliken nach Nord-Ostpreußen und der jetzigen russischen Bevölkerung Nord-Ostpreußens nach Rußland.»

Ziel ist die Regermanisierung, und Jasnaja Poljana ist der erste Schwerpunkt dieser Aktion. Wobei zunächst einmal die Rußlanddeutschen selbst für das Deutschtum wiedergewonnen werden sollen. Mit Einverständnis des Sowchosdirektors wurden zwei Lehrer aus Deutschland eingeflogen; der eine hat einschlägige Erfahrungen in «Deutsch-Südwestafrika». Ferner werden die Neusiedler bei der Errichtung von Behausungen unterstützt. Da sie «recht eigenwillige architektonische Vorstellungen mit nach Ostpreußen bringen, die natürlich aus asiatischer Tradition und Ästhetik gespeist sind», haben die Helfer aus Deutschland einen Reihenhaustyp entworfen, der «nach Trakehnen paßt», und sich an dem der früheren Insthäuser orientiert. Für nur 2500 DM können Paten im Westen «ihrer Familie» das Baumaterial für so ein Häuschen kaufen und durch persönlichen Kontakt auf die gute Entwicklung einwirken. Der rasant sinkende Rubelkurs gibt Devisenbesitzern Machtmittel in die Hand, die Privatleute praktisch in den Status Regierender versetzt. Das strategische Hauptanliegen der Aktion «Deutsches Königsberg» ist, in der kommenden Privatisierung des Bodens den Rußlanddeutschen die besten Positionen zu verschaffen durch Anlieferung von Traktoren, Saatgut und Dünger. Eine Ziegelei ist versprochen, Mittel für einen Gartenbaubetrieb, für eine Molkerei und für den Ankauf von Trakehnerpferden.

Niemand in Jasnaja Poljana kann die Aktivitäten der Fremden einschätzen, am wenigsten vielleicht sogar die mit Aufmerksamkeit überschütteten Rußlanddeutschen. Der Sommer ist drückend heiß, und die von außen kommende Dynamik steht in krassem Gegensatz zur hiesigen Lähmung. Mehr schlecht als recht geht der Betrieb des Sowchos weiter. Nikolaij Dimitrijewitschs Kampf gegen den Schlendrian wird müder. Die Kühe auf den Weiden geben kaum noch Milch, Combicorn ist nicht mehr zu kriegen und das Brot, das man früher zufütterte, ist heute schon für den eigenen Tisch zu teuer. Alle warten auf die Privatisierung, die Jelzin auf den Oktober angesetzt hat. Wer kann, nutzt noch einmal seine alten Privilegien und «privatisiert» auf eigene Faust Futtermittel, Baumaterial oder Wodka; Nikolaij Dimitrijewitsch übernimmt für eine symbolische Summe vom Staat seinen Dienstwagen der Marke «Wolga» und beginnt mit der Zucht von Polarfüchsen. Was wird werden? Wie soll man sich das nie Dagewesene vorstellen? Wird der Traktorist das Gefährt des Sowchos als eigenes behalten? Was wird mit dem Reiterhirten, wenn es keine kollektiven Herden mehr gibt? Wer bezahlt die Tierärztin, wenn sie ihre private Praxis eröffnet? Was geschieht mit den Bienen des Sowchos und der leidenschaftlichen Imkerin, die ihre Arbeit nicht aufgeben will? Gala Bichterewa, so heißt sie, würde am liebsten das neue Gemeinwesen wie den Bienenstaat organisiert sehen.

In diesem Sommer brüten die Phantasien und Ängste. Von Moskau hört man fast nichts mehr. Den «Televisor» beherrscht neben westlicher Reklame ein brasilianisches Melodram aus den siebziger Jahren «Auch Reiche weinen». Die Story von Liebe, Geld und Intrigen ist das Medienereignis zwischen Kaliningrad und Wladiwostok, es gliedert den langen Tag in den zehn Zeitzonen des ehemaligen Reiches, das sonst kaum mehr Gemeinsames hat. Die ersten vierzig Folgen wurden am Mittag ausgestrahlt und brachten die Arbeit vor allem auf dem Lande für mehr als eine Stunde zu völligem Stillstand. Jetzt bringt Moskau die nächsten 120 in zwei Portionen, morgens und abends, jeweils nach dem Melken.

Was wird? Was bleibt? Das einzige, was klar zu sein scheint, ist der Grundtatbestand: daß mit der Privatisierung das Dasein im Kaliningradskaja Oblast zur unwiderruflichen Tatsache wird. Nur hier hat der Sowchosarbeiter einen Anspruch auf die Zuteilung von Besitz. In den Heimaten der Vergangenheit, aus denen sie nach 1945 ausgewandert sind, können die Hiesigen unter den neuen Bedingungen keine Existenz gründen.

In diesem Sommer kommen, gerade rechtzeitig, zwei Agrarsoziologen nach Jasnaja Poljana. Sie sind Mitglieder eines britisch-russischen Forschungsprojekts, das in insgesamt sechzig Dörfern der ehemaligen Sowjetunion die Geschichte der Landwirtschaft erforscht von der Zwangskollektivierung bis zur gegenwärtigen Entkollektivierung. Es hat die Tradition des Alexander Tschajanow wiederaufgenommen, dessen Wissenschaftlergruppe in den zwanziger Jahren für ihre exakte und kritische Feldarbeit international berühmt war. Über acht Monate leben die jungen Forscher in Jasnaja Poljana. Sie sind dabei, als im Spätherbst jedem Sowchosangehörigen über siebzehn Jahre 9,5 Hektar Land übereignet werden, und beobachten, wie es weitergeht. Am Jahresende 1992 gibt es 14 privat wirtschaftende deutsche Bauernfamilien, weitere stehen kurz vor der Selbständigkeit. Die anderen Sowchosniki sind als GmbH unter einem Dach geblieben und wirtschaften unter Nikolaij Dimitrijewitschs Leitung weiter. Mit der Spaltung der Ökonomien hat sich der Graben im Dorf vertieft. Zwischen den Deutschen auf der einen und den Russen, Ukrainern, Weißrussen und Litauern auf der anderen Seite ist eine krasse Ungleichheit entstanden. Das wird von der Mehrheit als ungeheurer Skandal empfunden. Denn die «Gleichheit» war ein Gesetz und ein Faktum seit Urzeiten. Nicht erst die unter Stalin blutig erzwungene, auch die Dorfgemeinschaft des russischen «Mir» kannte unter den Bauern nur geringe soziale Unterschiede. Auch andernorts in Rußland vollzieht sich mit der Landaufteilung eine mehr oder weniger rasche soziale Differenzierung. Aber dieser Fall ist einzigartig, daß eine neu zugezogene Gruppe gleichsam im Raketenstart die Eingesessenen abhängt.

Fasziniert analysieren die Wissenschaftler die Ursachen der Überlegenheit. Verschiedene Faktoren kommen zusammen: Erstens eine demographisch günstigere Struktur. Die Deutschen haben mehr Kinder und diese gehen, da der Zusammenhalt der Familie mehr zählt als Bildung und die Attraktionen der Stadt, weniger fort. Sie haben zweitens im asiatischen Kasachstan ein erhebliches Talent entwickelt, auf informellem Wege Dinge zu beschaffen und zu verkaufen, und sind so auf die anbrechende wilde Phase der Marktwirtschaft besser vorbereitet. Vor allem aber haben sie einen Kern von Bäuerlichkeit bewahrt – Wissen und Arbeitsmoral, Selbstvertrauen und eine patriarchalische Familienstruktur. Als Volksgruppe sind sie schon viel zu sehr gemischt, als daß man sie als «Deutsche» bezeichnen könnte. Das tun sie selbst auch höchst selten. Sie sprechen von «Wir», und das meint eine mehr soziale Charakteristik, eine Prägung eigener Art. Mit Akribie erfassen die Agrarsoziologen, welche Strömungen darin eingegangen sind.

Allein vier verschiedene deutsche Dialektgruppen stellen sie fest und vier Religionszugehörigkeiten (Lutheraner, Mennoniten, Baptisten und Katholiken). Die Vorfahren sind demnach aus den verschiedensten deutschen Landen ausgewandert, und sie haben vor 1941 in elf verschiedenen rußlanddeutschen Siedlungsgebieten gelebt, in Nachbarschaft mit Russen, Ukrainern, Kirgisen, Tataren, Kalmücken, Bulgaren und noch anderen. Diese je besonderen deutschen Regionalgruppen, die sich bis dahin von ihrer Umwelt abgeschlossen haben, lösten sich nach der Deportation auf. Das Dorf Assa versammelte die ganze Vielfalt des Rußlanddeutschtums, und dieses verband sich mit Teilen anderer versprengter europäischer Völker. Etwa die Hälfte der Familien ist heute gemischt. Die Angeheirateten sind Russen, Ukrainer und Polen, ein Grieche ist darunter und etliche, die schon in der vorigen Generation keine klare Volkszugehörigkeit mehr angeben können. Das «Wir» dieser Gruppe leitet sich aus der fünfzigjährigen Exilgeschichte ab. Das «Deutsche» ist darin nur ein Teil, der zudem schwer zu definieren ist. Daß sie von Bewohnern von Jasnaja Poljana als «Njemzy» (Deutsche) beschimpft werden und von den westlichen Besuchern als rechtmäßige Erben Trakehnens und Ostpreußens angesprochen, ist den meisten kaum begreiflich. Es trifft weder ihr Selbstverständnis noch ihre Wünsche. Das «Deutschtum» ist gewissermaßen über sie hereingebrochen, und jetzt sind sie darin verstrickt, auf höchst gefährliche Weise. Die massive materielle Unterstützung aus Deutschland läßt sie zum Spielball werden. Zum erstenmal in der Geschichte des Kaliningradskaja Oblast scheint eine Bedrohung auf, die es im Prinzip nie gab: die eines «nationalen» Konfliktes. Die Zahl der Rußlanddeutschen nimmt rasch zu, zum Jahresende 1992 sind es in Jasnaja Poljana etwa 300, im Nesterowski Rayon 5000, im gesamten Oblast schätzungsweise 10 000.

Die russischen Forscher beschreiben in vorsichtigen Andeutungen die sich formierenden Fronten. Das «restliche» Jasnaja Poljana zerfällt seit dem Sommer in rivalisierende Gruppen. Unter ihnen machen zwei aktiv Stimmung gegen die Deutschen. Die früher stärksten, die qualifizierten Facharbeiter, die selbst gern Farmer wären und nicht an eigene Ackergeräte kommen können. Und die schwächsten, die «Ljompenjani», die «Lumpen», deren Bevölkerungsanteil in Jasnaja Poljana immerhin 15 % betragen soll. Trinker und Tagediebe, die nun nicht mehr vom Sowchos mitgeschleppt werden und demnächst auf der Straße liegen. Die GmbH der vom Staate abgenabelten Landbevölkerung ist bis auf weiteres eine Notgemeinschaft aus Verlegenheit. Ein loser Halt, ohne Konzept und ohne Kapital, nicht viel mehr als ein sinkendes Schiff. Auch wenn es nicht zu Ausbrüchen von Gewalt kommen sollte, meinen die russischen Agrarexperten, stehen die Chancen für die Herausbildung eines Gemeinwesens schlecht. Denn darum geht es ihres Erachtens am dringlichsten. Nicht nur um Produktivität und einen Wettkampf der Stärksten um die Eroberung der Märkte, sondern daß das geprügelte Bauernland als eine eigene Welt neu entsteht.

Das Pfingsten der Katharina Häfner

Für die älteren Flüchtlinge aus Kasachstan bringt schon der Sommer 1992 eine abschließende Einsicht. Katharina Häfner nimmt mich mit zum Pfingstgottesdienst. Unterwegs horcht sie mich über Deutschland aus. «Wächst dort Pfeffer und Kaffee?» fragt sie. «Die schicken so viel davon.» Ihr Bild von dem Land hat sie sich gemacht aufgrund der Waren, die so reichlich ankommen und «die Junge so verrückt machen. Die springe naus auf die Gass, wenn die Maschine von Germania komme, wie im Zirkus.»

Ein überheizter Raum im ersten Stock eines Neubaus ist der Versammlungsort. Sechs Frauen sind da, eine nur unter sechzig. Die drei oder vier, die sonst noch teilnehmen, sind heute beim Rübenhacken «auf de Stepp». Zwei alte Männer treten ein, der eine ist der Prediger. In gebrochenem, schwäbisch gefärbtem Deutsch verliest er die Pfingstbotschaft. Aus einem Buch von der Wolga: «Gnade um Gnade. Evangelienpredigten für das ganze Kalenderjahr von C. Blum, weiland Pastor zu Krasnojar bei Saratov, Prifchib, Gouvernement Taurien». Fest und langsam spricht er die Apostelgeschichte des Lukas. «Und es geschah plötzlich wie ein Brausen vom Himmel wie eines gewaltigen Windes und erfüllte das ganze Haus, da sie saßen. Und es erschienen ihnen Zungen, zerteilt, wie von Feuer; und er setzte sich auf einen jeglichen unter ihnen, und sie wurden alle voll des heiligen Geistes und fingen an zu predigen in anderen Zungen, wie der Geist ihnen gab auszusprechen.» Der Mann zelebriert den Text – silbenweise, zwischendurch spricht er frei und erzählt mit eigenen Worten, was am Pfingsttag Erstaunliches geschah. Mit keinem Satz erwähnt er das Heute, doch jeder scheint voll davon. Menschen verschiedener Zungen können einander verstehen, tröstet er. Eine neue Gemeinde wird sein von 3000 Seelen, und die Ermatteten wird der Heilige Geist stärken.

Die Pfingstlieder klingen ernst. Die Frauen schließen beim Singen die Augen. Eigentlich braucht niemand die alten Bücher mit den gotischen Lettern und die von Hand geschriebenen Liederhefte. Katharina Häfner kniet auf einem Buch, das sie nicht lesen kann, aber fast auswendig weiß. Der Prediger gibt bekannt, daß Pastor Beyer aus Kaliningrad erst morgen kommt. Der Dresdner, den der lutherische Bischof von Riga den Rußlanddeutschen gesandt hat, wird an diesem Tag zum Propst geweiht. Beyer war schon ein paarmal in Jasnaja Poljana. Die Gläubigen haben ihn willkommen geheißen, nur verstehen können sie ihn nicht. Seine Sprache, der Ritus ist ganz anders, und die Tatsache, daß er meistens deutsche Touristen dazulädt, verändert das Beten und alles. Es ist daher nicht schlimm, an Pfingsten unter sich zu sein, in der gewohnten Andacht.

Sie dauert mindestens zwei Stunden, und ihre Stimmung erinnert mich an die Berichte, die ich über die preußisch-litauische «Surinkimas» gelesen habe. Abwechselnd tragen die Versammelten Gebete vor. Der Ablauf scheint sich einfach so zu ergeben und ist offenbar in Jahrzehnten eingespielt. Nach Katharina kommt Anna, dann Johann. Jeder kennt den Rhythmus und die Farbe der Stimmen und was dabei mitschwingt an Lebens- und Familiengeschichten. Die Betenden versinken zeitweilig in Trance, dann wiederum steigert sich ihre Inbrunst, getrieben vom wortgewaltigen Prediger, zur Ekstase. «So hat Joel, der Prophet gesagt, und Petrus hat es an Pfingsten erneuert: Und ich will Wunder tun oben am Himmel und Zeichen unten auf der Erden, Blut und Feuer und Rauchdampf.» Am Ende fallen sie auf die Knie, verbergen das Gesicht in den Händen und in großen Taschentüchern. Sie klagen Gott ihr Leid. Eine bittet um Vergebung für ihre Familie, die sich vom Glauben abgewandt hat. Eine andere weint über die hartherzige Tochter. Beichten wechseln mit Fürbitten. Sie umkreisen die kleine Gemeinschaft der nach Jasnaja Poljana Geflüchteten, und sie münden in der Welt der Offenbarung des Johannes.

«Du bischt der Herr», spricht Katharina Häfner, «Du schickst uns die Plage. Die schwarze Vögel sind gekomme, breche tut der Baum, auf de Stepp muß verdurste das Gras. So ist es geschriebe in die große, dicke Bibele, die noch von Jahre her, nicht in die neue. So wird es komme. In der Stadt sind zehn Mensche, im Dorf kaum drei. Keine Leit sind mehr. Sie gehe von Land zu Land und suche, nicht nach Brot, sondern nach Gottes Wort. Rußland wird jetzt so klein, daß sie sich setze könne unter einen Feigenbaum und zu Mittag esse. Das hat schon vor fünfzig Jahr die Schwiegermama gesagt. Das ischt die letzte Zeit. Do tut sich erhebe die siebte Posaune.» Irma, ihre Nachbarin, setzt die Rede fort. «Ich, ich, das sage heut alle. Ich tue, ich will! Du bischt gar nichts! Wo solle wir hin? In Kasachstan ist kein Zuhause, nicht hier, auch in Deutschland nicht. Erbarme dich, Herr.» Der Prediger weint nicht. «Wir werden nirgends nicht zur Ruhe komme, nur in Gott. Amen.» Wie immer stimmt er das Vaterunser an.

Der Sommer endet im Kaliningradskaja Oblast mit Waldbränden.

Wüste am Meer
Das Eigenleben der Kurischen Nehrung

«Die Natur geht vor!» Resolut erklärt mir der zuständige Mann im Stadtsowjet von Selenogradsk, seine Antwort laute «Njet!» Kein Passierschein für die Kurische Nehrung, für niemanden und auch für ausländische Journalisten nicht! Nach zweimonatiger Trockenheit reiche ein Sonnenstrahl, der in einem bestimmten Winkel auf meine Brille falle, um den Wald zu entzünden. Ich nicke – zum erstenmal, daß mir ein Verbot einleuchtet und mir nicht augenzwinkernd signalisiert wird, ich könne es gegen Dollar übertreten. Trotzdem rebelliere ich, denn ich habe eine Verabredung in Morskoje, und nach zwei Stunden ernsthaftester ökologischer Debatte und vorauseilender Reue meinerseits bekomme ich den Stempel für das Naturschutzgebiet.

Selenogradsk ist Cranz, das älteste ostpreußische Seebad. Cranz ist Selenogradsk, die beiden Orte sind so nah beieinander wie sonst nur Rauschen und Swedlogorsk, das nächste Kurstädtchen an der Samlandküste. Nirgends im ganzen Oblast ist die Welt so intakt. Die Hotels und Pensionen, die Ferienheime und Villen, ihr ländlicher Charme mit dem kleinen Hauch des Mondänen haben anscheinend gefallen. Besonders vielleicht die heiteren Pastellfarben, die sich vom sonstigen Ziegelrot wohltuend unterscheiden? Auch der Komfort, die herrliche Lage, deren Ruf russische Sommergäste schon zu deutschen Zeiten im Osten verbreitet hatten? Daran war wenig zu revolutionieren und ideologisch umzudeuten. Ganz sicher hat der wohlwollende Umgang mit der entspannenden Funktion der Orte zu tun. Der Mensch muß sich erholen und vergnügen, ob auf Sotschi oder Sylt, die Bedürfnisse in Ferienparadiesen sind dieselben, ähnlicher zumindest als die der Arbeit oder des Studiums. Selenogradsk sieht man an, daß es geschätzt wird, selbst die abscheuliche Betonpromenade am Strand läßt sich angesichts der allgemein zartfühlenden Behandlung der Vergangenheit noch als verunglückte Liebeserklärung auffassen. Obwohl die Feriensaison längst begonnen hat, ist es still. Das russische und internationale Publikum, das sonst von weit her zu kommen pflegte, ist der hohen Reisekosten wegen ausgeblieben. Auch die Wochenendausflügler von Kaliningrad halten sich fern. Die Schrebergärten gehen vor, und das Pilzesammeln, das Sonnen und Baden einträglich begleiten könnte, ist bei der Trockenheit sinnlos.

Wir sind die einzigen, die an diesem Tag von Selenogradsk die Nehrung anfahren. Stirnrunzelnd öffnet der Wachhabende die Barriere zum Sperrgebiet, verweist noch einmal dringend auf das Rauchverbot. Er entläßt uns ohne Gruß auf die seltsame Landzunge, die auch die heutigen Hiesigen als Kleinod betrachten. Wie ihre Vorgänger, von denen ein Weltreisender des frühen 19. Jahrhunderts namens Wilhelm von Humboldt schrieb, daß «man sie eigentlich ebensogut wie Spanien und Italien gesehen haben muß, wenn einem nicht ein wunderbares Bild in der Seele fehlen soll». Unser Moskwitsch rauscht auf einer bestens ausgebauten Straße durch den Wald. Sonst ist nichts zu sehen, nicht das Haff rechter Hand, nicht die See links, kein Wasser und keine Düne – über zehn, fünfzehn, zwanzig Kilometer unerwartete Eintönigkeit. Der Wald ist hell, trotz seiner Dichte ungewöhnlich licht. Der Boden, das Moos und das Gras, die Stämme der Birken und Kiefern, alles wirkt durchsonnt, doch nicht verbrannt, sondern frisch und zart. Das Lila der Lupinen, die statt einer festen Bankette die Straße einrahmen, changiert in ein luftiges Blauweiß.

Historische Reisebilder

Die Nehrung ist ein vorwiegend aus Sand gebildeter Naturdamm, der in sichelförmigem Bogen über bald hundert Kilometer von Cranz bis zum Memeler Tief verläuft. Ein geologisches Wunderwerk, das seit Jahrhunderten immer wieder Reisende in Staunen versetzt hat. «Es ist ein merkwürdiger Eindruck, den der empfindet, der zum ersten Male jene schmale Landzunge betritt, die in einer Länge von 14 Meilen das kurische Haff von der Ostsee scheidet. Man glaubt sich in ein Sandmeer Arabiens versetzt; denn ringsum gewahrt das Auge nichts, als dürren Flugsand, spärlich mit borstigem Sandhaargrase benarbt oder vom Spiele der Winde zu hohen Bergen aufgethürmt. Nur einzelne kleine Flecken grünen, angebauten Landes, nur wenige, hier und da zerstreute elende Fischerhütten, von Netzen behangen, oder unbedeutende Strecken halbversandeter Kiefernwaldung und angepflanzten Erlengebüsches schimmern stellenweise gleich Oasen aus der weiten Sandsteppe heraus; dennoch aber bietet diese traurige Einöde eine großartige Eigenthümlichkeit dar, deren überraschender Eindruck unvergeßlich bleibt. Wir befinden uns nämlich inmitten zweier mächtiger Gewässer und genießen die ergreifende Aussicht einerseits auf des schäumenden Bernsteinmeeres brausendes Wogengefilde, das ungestüm mit ausgebreiteten Armen sich auf das nackte Ufer der Nehrung stürzt, und andererseits schweift der Blick hinüber über den von romantischen Ufern gegenüber begrenzten Spiegel des Haffes, dessen hüpfende Wellen, vom Flammenkusse der Sonne durchglüht, in lichten Goldfunken brennen.»

So schrieb um 1867 Max Rosenheyn, einer von vielen, die beeindruckt waren. Die Aufmerksamkeit, die ihr zuteil wurde, verdankt die Landzunge weniger ihrer Schönheit als dem Umstand, daß auf ihr ein Weg verlief. Dieser elend lange Appendix des nordmitteleuropäischen Festlandes schleuste von alters her einen Durchgangsverkehr. Auf ihr bewegten sich die

Heere des Ordens in Richtung Livland und später die Postkutsche zwischen Königsberg und Sankt Petersburg. Wenn der Zar auf dem Landwege westwärts wollte, benutzte er die Nehrung. Ebenso ein Diderot, in umgekehrter Richtung, unterwegs nach Rußland. Hier fuhr mit dem Schlitten die Königin Luise auf der Flucht vor Napoleon nach Memel. Die schmale Passage zwischen den Wassern war beschwerlich und gefahrvoll, vor allem bei stürmischer Witterung und des Triebsandes wegen, der nicht selten ganze Fuhrwerke verschlang. Erst im Laufe des 19. Jahrhunderts, als die Wegeverhältnisse ein wenig besser wurden und das wissenschaftliche Zeitalter Furcht in Neugier verwandelte, richteten die Reisenden ihre Blicke auf Land und Leute, wurde die Nehrung zum eigenen Thema.

Vor allem Ludwig Passarges «Wanderung auf der kurischen Nehrung» (1868) hat das Bild von ihr geformt, und nicht nur der Zeitgenossen. Er prägte durch seine Beschreibungen den Begriff und die Phänomenologie der «Wüste am Meer». Ihre Faszination besteht, ähnlich einer Expedition in das Innere Afrikas, in der Exotik der Landschaft wie des Reisens selbst. Das «pfadlose Weiterkommen», die «unermeßliche Einsamkeit», das «Fehlen jeden Maßstabes» bringt Passarge in eine Situation, wo Ort und Zeit außer Kraft gesetzt scheinen. «In der Erinnerung des Wanderers versinkt sehr bald das Verlassene, die Kultur, der Mensch mit seinem erwärmenden Wirken.» Es ist die endlose Dünenkette, die in Verbindung mit den bewegten weiten Wasserhorizonten, die den Wanderer oder Reiter selbst versinken lassen in einem Wirbel von Sand, Wellen und Licht «wie in ein Traumleben, das mit der Bewußtlosigkeit verwandt ist». Die Nehrung erzeugt einen Seelenzustand, der dem des zivilisierten Lebens gerade entgegengesetzt ist. Jubelnd wie ein Verdurstender die Oase begrüßt der Ankömmling das vereinzelte Dorf am Haffufer. Aber mehr noch und mit fast nekrophilem Vergnügen beschäftigen ihn die verschütteten Reste menschlicher Tätigkeit. «An dieser Stelle soll das mythische Stangenwalde gestanden haben; jetzt ruht es... tief unter der hohen Düne und harrt seiner Auferstehung auf der anderen Seite des Dünenwalls, wenn er weiter gewandert sein wird, bis das begrabene Dorf wieder bloß daliegt und der Wind mit den Trümmern sein Spiel treibt... Jedes Ding scheint uns hier gemahnen zu wollen, daß wir uns hier im Gebiete des Todes befinden. Alles, was der Mensch hineinpflanzt in diese Welt des Sandes, verkommt, löst sich in kurzer Zeit in die Atome auf. Wie das Leben das Leben verzehrt, so duldet der Tod selbst das Tote nicht.» Im Zentrum des Erlebens steht die Wanderdüne. Das unverhoffte Auftauchen menschlicher Knochen, von Hausrat und gemauerten Feuerstellen, die der Wind zu- und dann wieder freiwehte. Ein Bild der Vergänglichkeit, das selbst Weitgereisten mehr Eindruck machte als die Ruinen Palmyras oder das vom Vesuv heimgesuchte Pompeji.

Ein Nehrunger, der in Karwaiten geborene Ludwig Rhesa, hat in einem Gedicht 1797 den Untergang seines eigenen Ortes betrauert.

«Weil', o Wanderer, hier und schaue die Hand der Zerstörung!
Wenig Jahre zuvor sah man hier blühende Gärten,
Und ein friedliches Dorf mit sel'gen Wohnern und Hütten
Lief vom Wald herab bis zu des Meeres Gestade.
Aber anjetzt, was siehst du? Nur bloßen Boden und Sand. Wo
Ist das friedliche Dorf, wo sind die blühenden Gärten? ...
Sieh, dort ragt eine Spitz' hervor, gerötet vom Spätlicht!
Hier versank die Kapelle. Doch rettete man die Geräte
Und den heil'gen Altar. Die frommen Bewohner des Eilands
Flohn zu den anderen Dörfern mit den armseligen Resten,
Die sie dem Berg entzogen, zu bauen dort ihre Hütten.
Traurig erzählt der Sohn dem Enkel, was hier geschehen,
Weist die Stätt' ihm nach, wo seine Väter gewandelt.

Tief versank ihr Gebein und droben grünet kein Frühling…
Wer wird deine Spur auch nach Jahrhunderten kennen,
Blühend Vaterland, wo meine Lieder erklangen?»

Rhesa war Zeuge, wie sein Geburtsort versandete. Und das war das Besondere, daß im aufgeklärten, technischen Zeitalter die Natur mit so einer Unbeirrbarkeit ihren Lauf nahm. Nicht so dramatisch wie etwa das Erdbeben von Lissabon, aber auf melancholische Weise schrecklich und ähnlich lehrreich. In die rapide sich beschleunigende menschliche Geschichte griff temperamentvoll die Erdgeschichte ein. Sie hatte vor 7000 Jahren erst begonnen, die Nehrung zu schaffen, und war noch im vollen Gange der schöpferischen Gestaltung. «Ist es eine bereits untergehende oder eine erst entstehende Welt? Wird sie eine Beute des Meeres werden oder umgekehrt nebst dem Haff verlanden?» räsonierte in den 1860er Jahren der Journalist Otto Glagau.

Um diese Zeit etwa setzte sich eine zweite, eine tätige Perspektive durch. Schon des längeren hatte der preußische Staat Anstrengungen unternommen, durch künstliche Bepflanzung die Landzunge im Zaum zu halten, und jetzt, nach einem Warnruf des Geologen Berendt, wurden durchgreifende Maßnahmen getroffen. Man erinnerte sich daran, daß bis ins Mittelalter die Nehrung völlig bewaldet war. Der Orden hatte mit dem Abholzen angefangen, vollendet wurde der Raub von den Russen während des Siebenjährigen Krieges. Die Entblößung der Nehrung war Menschenwerk gewesen, und nun vollzog der Mensch eine Kehrtwendung – eines der ersten Beispiele in Deutschland für eine geglückte Renaturierung. Innerhalb von fünfzig Jahren wurden von 79 Kilometern Wanderdüne mehr als die Hälfte durch Pflanzungen festgelegt. Unter großen gesellschaftlichen Kosten und zahlreichen Fehlschlägen, begleitet von einer allmählichen Erschließung des Küstenstreifens für den Tourismus.

Noch immer wußte man wenig von den Bewohnern, den

Kuren. In den Reiseberichten tauchen sie auf als «Wilde» oder «Halbwilde», als «Fischfresser» und «rohe Naturkinder». Sie wurden bewundert ob ihrer naiven Unschuld oder mit Verachtung auf die «unterste Stufe der Menschheit» verwiesen. Die Muster der Wahrnehmung waren ganz ähnlich denen im polynesischen oder südamerikanischen Forschungsfeld, wenngleich es auf der Nehrung keine ordentliche Ethnographie gab. Die gründlichsten Kenner waren die vom Staat geschickten Pfarrer und Lehrer, gelegentlich verirrte sich ein Sprachforscher von der Universität Königsberg hierher. Die Kuren waren die kleinste und wohl altertümlichste aller ethnischen Minderheiten im preußischen und deutschen Raum. Ihre dem Lettischen nahestehende Sprache brachten sie im 12. und 13. Jahrhundert von ihren Stammsitzen in Kurland in die Haffregion. Mit der Abholzung des Nehrungswaldes wurde ihre Lebensgrundlage auf den Fischfang beschränkt. In der Abgeschiedenheit des Daseins regierte die Natur den Alltag, dann kam der liebe Gott, die Politik war bis ins 20. Jahrhundert fern.

Erste Anzeichen für eine gesellschaftliche Veränderung tauchten im Jahre 1916 auf. Selten läßt sich ein Einschnitt so genau datieren und dann noch durch etwas so Kurioses: Die Oberste Heeresleitung verschleppte einige hundert französische Kriegsgefangene in den Dünensand, um die Verbannung deutscher Soldaten in die marokkanische Wüste zu rächen. Damals geriet die «ostpreußische Sahara» erstmals in die Schlagzeilen, und die Nehrunger wußten seitdem, daß die Welt ihre Gegend für einen gottverlassenen, unwirtlichen Ort hielt. Kurz darauf, im Versailler Vertrag, wurde die Landzunge in der Mitte durchgeteilt und gehörte dann zu zwei Ländern. Den Fischern war dies unverständlich, aber anders als etwa im bäuerlichen Memeldelta berührten die Konflikte zwischen Deutschen und Litauern das Leben kaum. Am einschneidendsten war, auf beiden Seiten der Grenze, die rasche Zunahme des Fremdenverkehrs. In den zwanziger und dreißiger Jahren wurde die Kurische Nehrung zu einem der beliebtesten Ferienparadiese der deutschen Großstädter. Segelflieger, Ornithologen, Botaniker, Jäger und Angler, Maler und Fotografen und Tausende von Luft- und Sonnenhungrigen quartierten sich bei den Kuren ein oder in kleinen Pensionen und genossen die Reste der «Wüste am Meer». Manche bauten sich ein Häuschen im hiesigen Stil, zum Beispiel der Dichter Thomas Mann. Drei Sommer verlebte er mit seiner Familie in Nidden, auf litauischer Seite – die letzten vor der Emigration.

Im nachhinein könnte man sagen, die kurischen Fischer lernten über ihre Feriengäste ein wenig von der Welt und den Zeitläuften kennen, in die es sie später verschlug. Das mag die Eingliederung dieses Völkchens im Westen erleichtert haben. Erst nach 1945 übrigens, nach der Vertreibung und dem Ableben der Bevölkerungsgruppe, wurde ihre bis dahin mündliche Rede zur Schriftsprache. Ein Zufall – in seiner Art durchaus nehrungstypisch – hatte daran mitgewirkt: Gegen Ende des Ersten Weltkriegs war ein kleiner Junge in Nidden rücklings vom Tisch gefallen. Ein Arzt war nicht in Reichweite, der Arm blieb unbehandelt und lahm für immer. Und da das Kind von nun an als untauglich galt für ein Fischerleben und schon bei den Kinderspielen zuschauen mußte, lernte es, gut zu beobachten, und verfolgte das Geschehen in seiner Umwelt mit großer Wißbegier. Dieser heimatkundlich bewanderte Außenseiter namens Richard Pietsch hat aus vorhandenen Bruchstücken und aufgezeichneten Interviews Syntax, Rechtschreibung und Phonetik zu einer festen Form entwickelt. Er hat das Kurische unter die Tausende gestorbener Sprachen eingereiht. Heute, Anfang der neunziger Jahre, sind noch etwa zwanzig Menschen seiner mächtig.

Morskoje

In sowjetischer Zeit hat der Wald auf der Nehrung mächtig dazugewonnen, was auf dem sandigen Grund kaum von selbst vor sich gegangen sein kann, sondern nur durch systematische Anstrengung. Nach gut fünfzig Kilometern Fahrt durch den Plantagenforst kommen hohe, nackte Dünen in Sicht. Wir sind fast am Ziel, Pillkoppen hieß das Dorf früher. Es war schon das dritte dieses Namens. Zwei waren zugeschüttet worden, und das letzte schließlich verdankte seine Fortexistenz einem energischen Dünenbauexperten, Franz Epha. Pillkoppen war, mit nur 300 Einwohnern und zwei Gasthäusern, das verschlafenste der Nehrungsdörfer. Ein Geheimtip freilich für Touristen, denen es in Nidden schon zu turbulent wurde und die mit Recht den hiesigen Platz als noch malerischer vorzogen. Abseits, zwischen zwei riesigen Sandformationen, die mit dem Haff eine halbrunde Arena bildeten, hockten, eingerahmt von Kiefern und wehenden Netzen, in bunten Gärtchen die Holzhäuser der Fischer. So idyllisch, wie wenn diese vor den Augen der Fremden oder auch vor sich selbst verheimlichen wollten, wie gefahrvoll die Lage und mühsam das Leben war.

Morskoje ist das gealterte Pillkoppen. Ich muß an mich halten, daß die Begeisterung nicht mit mir durchgeht. Nach bald zwei Monaten, die mich alle Varianten der Zerstörung kennen lehrten, bin ich geradezu süchtig nach einer heilen Welt. Die Kontinuität in der Erscheinung ist tatsächlich verblüffend. Mancher Zaun ist windschief, die Kartoffelbeete sind nicht immer ordentlich gehackt. Ein ehemaliger Pillkopper würde über den Zustand der Schule mäkeln, die heute ein Laden ist, und gleich das russische Badehaus bemerken. Aber eigentlich ist alles an seinem Platz. Der geschnitzte Giebel – Stabornamente, Anker und Turteltauben. Der Windfang, das Boot vor der Tür, der Donnerbalken, die Räucherkiste, der Fisch auf der Leine. Alles ist in Gebrauch wie vorgesehen, und die neuen Bewohner teilen die Vorliebe der Kuren für Blau. Reparaturen und neue Anbauten, selbst wenn sie mit modernen Materialien ausgeführt wurden, schmiegen sich ins Übernommene. Es gibt Strom – seit 1961, sagt man uns – und ein paar Fernseher, doch kein fließendes Wasser und keine Kanalisation. Die Brunnen sind nach wie vor in Betrieb, ebenso die großen Kachelöfen, die von der Mitte des Hauses die Stuben heizen.

Ich wohne für drei Tage in einem Kurenhaus, das einem Schriftsteller gehört und ein lebendiges Museum ist. So kann ich ungeniert die dicken Balken betasten und die Räumlichkeiten studieren. Am meisten wundert mich die Dauerhaftigkeit der Bauteile aus Kiefernholz, wie sie in Verbindung mit Moos und Lehm dem extrem rauhen Klima standhalten. In der Mittagshitze des Juni ist es drinnen kühl. Am Abend, als nach wochenlanger Trockenheit die ersten Regentropfen fallen, leider sehr wenige nur, teilt sich die Nässe sofort im Wohnzimmer mit, als frischer harziger Duft. Ich schlafe in einem kurischen Bett – mit Behagen, ohne die üblichen Phantasien, welch schreckliche Dinge sich in der Kammer zugetragen haben könnten.

Von der Frau, die am Morgen die Eier bringt, erfahre ich einiges über Morskoje. Jewdokija N. ist seit 1947 hier. Sie kam vom Ilmensee (nahe Nowgorod) wie etwa die Hälfte der Neusiedler am Ort. Die andere ist aus der Gegend von Pskow. Viele kannten einander im früheren Leben, und der größere Teil hatte Erfahrung in der Fischerei. «Natürlich, und ich war ja in Deutschland schon gewesen.» Diese Geschichte will sie vor allen anderen erzählen. 1942, mit sechzehn Jahren, wurde sie zusammen mit den Eltern und dem Bruder verschleppt in die Gegend von Neuruppin. Ihr Vater starb dort an einer Magenkrankheit. «Nicht durch die Schuld der Deutschen», versichert sie, und sie wolle nicht lügen, «es war nicht schlecht in der Verbannung.» Die Arbeit im brandenburgischen Gutsbezirk hat sich von der im Kolchos am Ilmensee kaum unterschieden. Und es war, wie sie später feststellte, die bessere Situation zum Überleben. Denn dort war es ruhig, während zu Hause der Krieg wütete. Sie verliebte sich in einen Bauernburschen vom Ladogasee, noch vor der Heimkehr 1945 versprachen die beiden einander, fortzugehen an einen «besseren Platz als zu Hause». Dann lasen sie die Werbung für die Kurische Nehrung, und weil sie eben von den deutschen Lebensumständen beeindruckt gewesen waren, folgten sie ihr. Im Herbst 1947 waren sie die sechste Familie, die zuzog. Die Häuser waren meistens intakt, nur ohne Möbel, und «ein bißchen so wie am Ilmensee». Jewdokija war damals hochschwanger. Kein Arzt und keine Hebamme waren in der Nähe, und als sie glücklich mit Hilfe einiger alter Frauen den Sohn auf die Welt gebracht hatte, fühlte sie sich beinahe heimisch. Die Neuen lebten vom Fischen, wovon sonst. Die Pskower waren darin etwas geschickter als die Ilmenseer. Ein kleiner Wettbewerb der Brigaden, der offenbar in witziger Weise die fundamentale Unkenntnis aller überspielen sollte. 1948 verunglückten fünf junge Leute auf einem Kurenkahn. Die ersten Toten in Morskoje; die bislang letzten, die auf dem Haff blieben, ertranken 1982 beim Eisfischen. Ein Sturm brachte Tauwetter, und drei Männer trieben auf Schollen ins Nirgendwo.

Jewdokija hat oft auf der Düne gestanden und nach den Booten Ausschau gehalten, wie die Kurenfrauen. Auch ihr Alltag dürfte nicht sehr viel anders ausgesehen haben als zu Zeiten Pillkoppens. «Von Sonnenaufgang bis Sonnenuntergang Arbeit»: die Kinder, vier insgesamt, die kleine Landwirtschaft im Sand, das Einkochen der Fische, ein Zubrot von Pilzen und Beeren aus dem Nehrungswald. Wie früher segelte man mit dem Boot auf die Festlandseite zum Heumachen, deckte einer des anderen Raubfischerei. Suchten die Kinder im Busch verirrte Kühe, wurden Krankheiten mit Kaddick (Wacholder) ausgeräuchert. Und wenn der Bernsteinwind den Meeresboden aufwühlte, rannten alle an den Strand zum Suchen. Einiges von dem, was sie taten und wußten, haben sie wahrscheinlich von einem alten Kuren gelernt, der noch da war und Anfang der fünfziger Jahre «verschwand». Aber das meiste ergab sich wie von selbst, schliff sich durch die Gewohnheit ein, die die Natur verlangte. Auch unter den neuen Fischern wurde Nachbarschaft großgeschrieben und Politik ziemlich klein. Über Stalins Tod, beteuert Jewdikija N., sei nie geredet worden. Niemals in Morskoje habe es eine Parteiversammlung gegeben, auch keine Deportationen. Und selbst ein Denkmal für Lenin habe sich wohl «nicht gelohnt».

Jewdokija N. fühlt sich in Morskoje zu Hause. Anders als ihre Mutter, die zum Sterben an den Ilmensee zurückkehrte, hat sie ihre Grabstätte in den Dünen ausgewählt. «Neben euren Fischern», sagt sie. Die ersten Jahre hätten sie ihre Toten an einen anderen Platz gelegt, aus Furcht oder weil er schöner war. Aber der, stellte sich heraus, war Teil einer Wanderdüne. So hat sich dann der alte Friedhof am Wald wieder eingebürgert. «So war das, und alles ist nun Vergangenheit.» Mit einem kleinen Seufzer legt sie die stämmigen Arme auf den Tisch, und für einen Moment lang sehe ich sie als Kurin. In ihrer Lebenszeit erst, scheint es, hat sich der Bruch ereignet, hat die eigenartige Lebenswelt der Nehrung sich verabschiedet. Jewdokija N. verortet den Einschnitt in den sechziger Jahren. Erst kam der Strom, ein paar Jahre später die Asphaltstraße. Dann wurden die Fischereibrigaden zentralisiert nach Nida und Rybatschi. Keines der Kinder konnte eine Arbeit im Dorf finden. Heute wohnen noch 104 Menschen in Morskoje, davon sind achtzig Rentner. Beschäftigung ist nur noch saisonal zu finden und auch nur für Frauen, also Strandhafer anpflanzen oder in der kleinen Bude am Strand Pilzkonserven kochen. Seit die Litauer vor kurzem die Grenze dichtgemacht haben, fällt auch das Tellerwaschen und Putzen im Urlaubsgeschäft von Nida weg.

«Das ist das eine, und das andere ist: der Nehrung wird etwas geschehen.» Woher sie das weiß, frage ich. «Geschichten», antwortet sie. Ob sie diese gehört hat von irgendwem oder geträumt oder ob die in Morskoje einer erdacht hat, daran kann sie sich nicht mehr erinnern. Glaubhaft wurden sie durch das, was sie beobachten konnte. Die Düne hat seit dem Krieg mehr als hundert Meter Kartoffelland gefressen und sie wandert weiter auf das Haff zu, und von vorn hat sich das Wasser dem Dorf genähert. Die Elche, die immer im Haff gebadet haben, meiden es seit längerem. Sie trinken noch daraus, aber mögen nicht mehr darin schwimmen. Warum? Vielleicht, meint Jewdokija, weil sie spüren, daß die Ostsee durchbrechen könnte und sie dann abdriften würden nach Skandinavien? 1980 hat die See sich schon einmal an der schmalsten Stelle der Nehrung (bei Sarkau) mit dem Haff vereinigt. «Es wird geschehen, nur der Zeitpunkt ist offen. Wird es bald sein oder in einer Million Jahren?»

Morskoje ist ein Postskriptum zu Pillkoppen. Eine neue Generation aus Rußland ist hineingeschlüpft in das Nehrungsdorf und nach einer kurzen Phase der Modernisierung wieder abgehängt worden und heute auf das Niveau der Subsistenzwirtschaft zurückverwiesen. Das macht die «Idylle» aus. Die aus der Zeit Gefallenen sind nun allein im Kampf mit der Erdgeschichte. Wer um das Dorf herumwandert, kann ihr bei der Arbeit zusehen. Die Wanderdüne sitzt der Siedlung schon im Nacken. Ihr erstes Opfer wird die Kaserne sein. Sie schüttet die Kartoffeln und Tomaten der Soldaten zu, häufelt weiße Kragen an die hellblauen Mannschaftsunterkünfte und überzuckert die Lastwagen und Schießstände. Die Bewohner, überwiegend Kaukasier, betrachten es gelassen. Sie haben nichts zu tun und räkeln sich in der Sonne. Fischen, leichte Gartenarbeit und Kartenspiel, einen militärischen Tagesablauf scheint es nicht zu geben für die etwa drei Dutzend Männer. Der diensthabende Offizier liegt im Mittagsschlaf und darf trotz des seltenen Besuches aus dem Westen nicht geweckt werden. Die Ordonnanz oder wer immer das sein mag, läßt uns das Gelände inspizieren und macht uns auf die Überreste deutscher «Blindashs» (Bunker) in den Dünen aufmerksam. Seit einigen Jahren ist dieser Punkt auf der Mitte der Nehrung nicht mehr strategisch wichtig. Kaum jemand flüchtet noch mit dem Gummiboot nach Skandinavien und muß von hier aus durch Schüsse aufgehalten werden. Und die Linie, die die Litauer kürzlich zur Ländergrenze erklärt haben, erklärt ein junger Usbeke mit hellblauen Augen, sei zwar nah, jedoch «deren Problem». Einen friedlicheren Ort für den Wehrdienst gebe es auf der ganzen Welt nicht, hier könne man sogar den Mangel an Mädchen verschmerzen.

Von der wieder wandernden «Ephahöhe» schlagen wir uns nordostwärts durch den verwilderten Pflanzwald auf die nächste Düne und von dort weiter in die «Wüste». Der Rausch, den frühere Wanderer empfunden haben, stellt sich nicht ein. Nur Müdigkeit vom Stapfen und Versinken. Mich fasziniert weniger die Weite als das Nahe. Der Sand unter den nackten Füßen, seine Temperatur, Körnigkeit und Farbe und die spärliche Pflanzenwelt. Nach meinem botanischen Führer von Privatdozent Dr. H. Ziegenspeck befinden wir uns im sogenannten «Kupstengelände» – «Schauplatz eines siegreichen Kampfes der Vegetation und eines Zerstörens der Dünenbildung durch die Gewalt des Windes». Elymus arenarius, die Strandgerste, schreibt er, erkennt man leicht an der bläulichen Bereifung der Blätter. Sie gehört wie der Strandhafer, das Landreitgras und der Meersenf (Cakile maritima) zur Gruppe der «Sandfänger»; mit ihrer Hilfe kommt es zur Bildung von Zungendünchen aus deren Verschmelzung von Psammadünen, die ihrerseits neue Begleiter hereinholen. Das doldige Habichtskraut, den flockigen Bockbart, die filzige Pestwurzel, den orange überlaufenen Wundklee. Alle sind sie da, auch die mehr oberflächlich wurzelnden «Sandbinder», vor allem die Thymianheiden und vereinzelt ein zerzaustes Gemeines Veilchen.

In der Wüste geht es lebendig zu, das Haff unten ist fast tot. Mit größter Überwindung gehe ich am Ufer entlang. Ein Hindernislauf über Kadaver – Tausende von Fischen liegen da in den verschiedensten Stadien der Verwesung. Darüber gestorbene Bäume und Sträucher, die das Wasser entwurzelt hat und mit stinkendem Algenbelag überzogen. Die Verschmutzung ist Folge der industriellen Fischerei und der Abwässer, die die

Memel hereinträgt. Aber warum erhöht sich zugleich der Wasserstand des Haffs? Gegen Abend steuert ein Fischerboot auf Morskoje zu. Es ankert bald dreihundert Meter draußen, ein Mann steigt aus und spaziert, scheint es, über das Wasser wie der Herr Jesus auf dem See Genezareth. Über die ganze lange Strecke, die er so schwebt, reicht ihm das Haff nur bis zum Knöchel. Kein Wunder, er marschiert auf festem, nur eben überspültem Grund. Wo sein Boot liegt, vermute ich, war früher das Ufer des Dorfes Pillkoppen.

«Morskoje» bedeutet: «das dem Meer gehört».

Liebe und Gewalt
Aus der Familiengeschichte des 20. Jahrhunderts

Der alte Lehrer lacht mich an. Ich habe ein Gespräch über den Krieg anfangen wollen, und der Russe verweigert es. «Nikogda, das ist nichts für Frauen», und er fügt hinzu: «Die deutschen Frauen sind schön.» Zwar habe er so richtig nur eine gekannt, ein Mädchen noch, mit ihr, Charlotte, sei er im Sommer 1945 jeden Abend in einem Wasserloch geschwommen. «Ein Bombentrichter, schön warm und kaum größer als eine Badewanne.» Nach dieser überraschenden Mitteilung wechselt er das Thema. Die Andeutung einer deutsch-russischen Liebesgeschichte ist eine von Dutzenden, die mir im Laufe der Reise zugetragen wurden. Ungefragt und meistens von Männern, aber nicht ausschließlich. Ganz deutlich sind sie selten, die Umstände und Fakten bleiben verschwommen. Wie eben aufgetaucht, aus jahrzehntelanger Versenkung, wie wenn sie die Zone des Verbotenen noch nicht ganz verlassen hätten. Anfangs habe ich die Geschichten als eine Koketterie genommen, aufgefaßt als charmantes Geständnis über die Absurdität früherer Feindschaften. Die darin anklingende Überlegung, so wie mit mir hätte man auch mit meiner Mutter zusammensitzen können, habe ich übersetzt als Wunschvorstellung und in die Sprache meiner Generation: «Make love not war.»

Weißrussische Fremdarbeiterin liebt ostpreußischen Bauernsohn – Rotarmist aus Kiew verliert den Kopf in Tilsit, was damals schon Sowjetsk heißt – russischer Kriegsgefangener zeugt ein Kind mit der Tochter eines Insterburger Fleischers und begleitet sie auf der Flucht westwärts – eine Köchin aus Wolokolamsk rettet einen Kriegsgefangenen aus Celle vor dem

Hungertod – deutsch-russische Jugendclique plant 1947 Gruppenhochzeit in einer ausgebrannten protestantischen Kirche – würde ich alle mir erwähnten Feindeslieben aufzählen, die Liste wäre nicht weniger als drei Seiten lang. Unter den sehr verschiedenen Begebenheiten ragt eine hervor, die besonders häufig und fast stereotyp geschildert wird. Sie spielt vor allem auf dem Lande: die Szene vom Abschied der Deutschen 1947/48. Es habe Tränen gegeben auf beiden Seiten und am Vorabend herzzerreißende letzte Treffen zwischen verliebten jungen Leuten. «Wenn die Deutschen dageblieben wären», das ist meistens der Schlußsatz, «dann hätten wir alle geheiratet.» Diese wiederholte Behauptung geht mir nach. Nicht nur, weil sie dem, was die nach Deutschland abtransportierten überlebenden Ostpreußen erzählten, so diametral entgegengesetzt ist.

Nachkriegsbrüder

Normalerweise wird über den Krieg gesprochen: unter Männern und auf eine ganz bestimmte, ritualisierte Weise. Seit ein paar Jahren verabreden sich die Veteranen der Deutschen Wehrmacht und der Roten Armee auf den Schlachtfeldern der Vergangenheit zu einer «Versöhnung über den Gräbern». In Leningrad, Stalingrad, am Kursker Bogen – und im Juni 1992 erstmals in Dobrowolsk, damals Schloßberg, bis 1938 Pillkallen. Dort haben im Oktober 1944 die schwersten Kämpfe seit Stalingrad stattgefunden. Es war der erste verlustreiche Durchbruch der Roten Armee auf deutsches Gebiet, der sich fortsetzte im folgenden Januar in einem ununterbrochenen Siegeszug. In der Sowjetunion gilt er als Ouvertüre des Triumphes von Berlin, in Deutschland als Beginn einer heldenmütigen Abwehr, in der es nur noch um den Schutz des Vaterlandes und der Zivilbevölkerung ging.

Initiator des Treffens ist die Traditionsgemeinschaft des 22. Gumbinner Füsilierregiments, Gastgeber die Veteranen am Ort und die benachbart stationierte Division. Auf beiden Seiten sind Soldaten, die unmittelbar an den Gefechten zwischen Oktober 1944 und Januar 1945 beteiligt waren. Platz der Zeremonie ist der Mittelpunkt der ehemaligen ostpreußischen Kreisstadt und des auf ihrem fast völlig ausgebrannten Terrain neu errichteten sowjetischen Dorfes. Da wo früher die Kirche die Pillkaller zusammenläutete, ist in Dobrowolsk ein bald ebenso hohes betongegossenes Memorial für die gefallenen Sieger aufgepflanzt. Pompös und heroisch beherrscht es einen der trostlosesten Orte im Oblast. Eine Kapelle spielt russische und deutsche Märsche, und als es offiziell wird, zur Einleitung der Reden, die Nationalhymnen.

«Der Krieg bringt keine Freude», beginnt der Vertreter der russischen Seite, «weder den Besiegten noch den Siegern. Jeder hatte seinen Kummer, der war ihm der nächste. Heute reichen wir uns die Hände und sehen uns in die Augen. Uns verbinden die Toten und die Zukunft. Nie wieder Krieg!» Der Deutsche antwortet: «Das Leid hat keine Nationalität. Wir Soldaten sind tragische Gestalten. Wir schießen auf Menschen, die wir nicht kennen. Politiker kennen einander und hassen sich, und sie lassen schießen. Sorgen wir dafür, daß unsere toten Kameraden nicht zu Waisen der Geschichte werden.» Das gleiche Programm findet ein zweites Mal statt, nur mit umgekehrter Reihenfolge der Hymnen und der Redner, im Wäldchen nebenan, am Obelisken für die Toten des Krieges von 1870/71. Der russische Bürgermeister entschuldigt sich für den schlechten Zustand des Denkmals und verspricht eine baldige Sanierung. Vor allem die Adler sind stark beschädigt. Die Inschrift aber ist noch deutlich zu lesen: «Den im Kampfe für Deutschlands Einheit und Ehre gefallenen Kriegern. Die Stadt und der Kreis Pillkallen.»

Dann, über anderthalb Tage, besichtigen Gäste und Gastgeber die Kampfstätten. Einige Ehefrauen sind dabei, die Lokalpresse, sporadisch schließen sich kleine Jungen an. Die Männer vertiefen sich in die alten Militärkarten. Also da habt ihr im Januar gelegen, stellt der Russe aus Woronesh fest, und der Insterburger läßt ihn den Punkt zeigen, wo der andere im Graben saß. Wer von euch weiß denn, wie schwer die Bombe war, die auf die Pillkaller Kirche fiel? Das läßt sich nicht klären, aber der Gefragte kann Auskunft geben über die in diesem Abschnitt eingesetzten Kapazitäten beider Seiten. Er verliest aus einer Studie der Militärakademie von Frunse die genaue Waffenstärke, die ein russischer Spähtrupp beim Gegner ausfindig gemacht hat: 16 Maschinengewehre, 4–5 Artilleriebatterien, 16 Granatwerfer. Stimmt ungefähr, erinnern sich die Deutschen. Und sie lachen schockiert, als sie die Zahlen über die vielfache Übermacht der anderen hören. Die Russen ihrerseits sind voller Hochachtung. Nur dreihundert Mann wart ihr im Januar? Ihr habt uns die Sache ganz schön schwergemacht! Der damals verantwortliche Offizier der Wehrmacht klärt die Staunenden über das allabendliche verzweifelte Täuschungsmanöver auf, wie sie, um Stärke zu demonstrieren, im Schweinsgalopp die wenigen MGs an immer andere Stellen schleppten für ein paar Schüsse. Und er zeigt auf das dritte Fenster von links der ehemaligen Friedrich-Wilhelm-Schule, wo er zuletzt verschanzt saß. Was ist eigentlich mit dem Betonbunker im Belitzschen Haus, habt ihr den nach dem Krieg rausgekratzt? Man informiert sich, fachsimpelt über technische und taktische Details. Für die Außenstehenden wird deutlich, es war ein Stellungskampf auf nächste Entfernung, wo der eine den anderen schon mal an der Körperhaltung wiedererkennen konnte und man nicht nur Salven auf feindliche Linien feuerte, sondern in der Entscheidung lebte «Du oder ich?»

Die Unterhaltung wird lebhafter mit der Busfahrt in den militärischen Sperrbezirk. Das Schlachtfeld ist heute Manövergelände – eine Mondlandschaft aus Kratern und verkrüppeltem Buschwerk, wo nach 1945 immer weiter die Panzer gefahren sind und jede Spur des zivilen Lebens getilgt haben.

Gegliedert nach den Bedürfnissen der Militärs, durch Kommandostände, Bunker, Sperren und Schützengräben. Der Ort fordert die Experten zu Ausführungen über die Gesamtanlage des Schlachtenpanoramas heraus. Auf der «Kreuzhöhe» hält einer der Deutschen einen Vortrag über Logistik, Versorgungsprobleme und Hoffnungen des letzten Kriegswinters.

Die Feinde von gestern nennen sich «Kamerad», tauschen ihre Abzeichen und ganz familiär Bulletins über ihre Verwundungen aus. Die umstehenden Zuschauer trauen ihren Augen und Ohren nicht. Sie sehen und hören richtig: Der Krieg, das Sprechen über ihn, vereint die Männer mehr, als er sie trennt. In diesen anderthalb Tagen sind sie fast wie Verschworene – gegen den Rest der Welt. Sie waren in ihren Gesellschaften einsam mit ihrer Erfahrung, das hat sie einander nahegebracht. Ob als Helden geehrt wie in der Sowjetunion oder als Handlanger Hitlers diskreditiert wie in Deutschland, der Unterschied schrumpft zusammen angesichts eines ähnlichen biographischen Problems. Beide, Deutsche wie Russen, verteidigen einen Abschnitt in ihrem Leben, der prägend, überwältigend, wenn nicht überhaupt zentral war. Nicht schuldig, plädiert der eine für den anderen, und jenseits der hochpolitischen Ziele der Herren und des von ihnen beschlossenen Terrors, versichert man sich gegenseitig, habe es Menschlichkeit und soldatische Tugend gegeben. Überdies ist das Soldatsein eine eigene Welt des Körpers wie der Seele, und mit wachsendem zeitlichem Abstand von ihr wird klarer, daß niemand anders sie konkret versteht als der Soldat. Weder die Öffentlichkeit noch die Frauen und am wenigsten die eigenen Kinder.

Mein Befremden und das der meisten anwesenden Ehefrauen gibt ihnen recht. Wir sind ausgeschlossen in Dobrowolsk, auch in dem Augenblick, als Herr K. in Tränen ausbricht und über die letzten Stunden seiner Einheit erzählt, von den fünfzehn Mann, die im Januar 1945 noch übrig waren, ohne Funkverbindung, mit noch je zehn Schuß Munition, und auf eigene Faust das «Hasenpanier» ergriffen. Und wie er den am

Kopf verwundeten Kameraden E. über die zugefrorenen Rieselfelder trug. E. steht neben ihm, er weint, auch die Russen weinen. Einmal ist der Jargon des Militärischen entgleist, im gegenseitigen Einverständnis.

Danach ist es um die Geduld der Frauen geschehen. Wie auf ein unsichtbares Kommando klagen sie über dicke Füße, wollen sich «frisch machen» im Hotel. Eine Rebellion ist nicht nötig. Vereintes Nörgeln und ein Mienenspiel, das Bündnis der Frauen wirkt rasch. Für einen Moment erscheint der Ehekonflikt auf dem Schlachtfeld. «Sie reden und heulen», sagt eine achselzuckend. In der Luft liegt die Frage: Und wer hat über unseren Krieg gesprochen? Die Angst an der Heimatfront, den Bombenalarm, die Flucht mit den Kindern und die Gewalt des Siegers gegen die Frau?

Der Krieg ist ein Feld der fortwährenden Animosität zwischen den Geschlechtern und in der Generation der Teilnehmer sicherlich eine der größten aller möglichen Klüfte zwischen Mann und Frau, wo die Fremdheit immer stärker sein wird als die Möglichkeit, einander zu trösten. Schuld daran ist nicht allein die ungeheure Verschiedenheit des Kriegserlebnisses, auch ein gesellschaftliches Ungleichgewicht. Während die Männer noch einen gewissen Raum hatten für «Traditionspflege» und einen Rückhalt in öffentlichen Trauerriten, waren die Frauen allein gelassen. Von ihnen erwartete man Schweigen, vor allem über die *eine* Erfahrung. Diese tiefste aller Demütigungen, die den geschlagenen Feind treffen sollte – ins Blut, bis in die Generation der Kinder und Kindeskinder. Anders als heute in Bosnien-Herzegowina durften die Frauen damals nicht auf Verständnis rechnen. Die Gesellschaft bot ihnen als einzigen Trost: Propaganda – das Feindbild des «Iwan» mit Mongolenfratze, dessen drastischste Darstellung auch sexuelle Anspielungen enthielt.

Die Vergewaltigung war – als Tatsache und als Tabu – *das* Bild für die Niederlage Deutschlands. Geschehen ist sie vor allem in Ostpreußen, dort war sie eine massenhafte Erfahrung.

Das Unwohlsein der Ehefrauen, die bei der «Versöhnung über den Gräbern» zugegen sind, verweist auf das Gespenstische des Vorgangs. Daß die Nachkriegsbrüderschaft der Männer sich nur auf einen winzigen Teil des Krieges bezieht und wie groß die Zone des Unausgesprochenen, nicht Sagbaren ist. «Reden ist Silber, Schweigen ist Gold!» plädiert unter Beifall eine der Frauen. Ein Fazit aus den Jahrzehnten des Schweigens?

Feindesliebe

Ein Annäherungsversuch an den Krieg über die Liebesgeschichte ist so abwegig nicht. Sie war ein Randphänomen, gewiß, und ist als Quelle kaum greifbar. Deren Zeugen und Beteiligte müssen in höchstem Maße als befangen gelten, ihre Aussagen sind eingezwängt von dem gesellschaftlichen Verbot der Feindesliebe. Und die Geschichten stehen zu Recht im Verdacht, die verbrecherische Normalität zu beschönigen. Dennoch, und das ist ihr Vorzug, eröffnen sie einen Korridor, einen schmalen und verwinkelten, in bislang kaum dokumentierte Bereiche des Krieges. In Zeiten und zu Orten, wo die Gewalt momentan oder etwas länger zurücktrat und der Mensch wieder zur Person wurde. Gewaltfrei waren solche Episoden niemals und aus dem blutigen Kontext nicht zu lösen. Ebenso bleibt der Grundtatbestand, daß der Mann meistens zur siegreichen Seite gehörte und die Frau zur besiegten und damit potentiell Beute war. Bei allem jedoch sind Begegnungen vorstellbar, in denen die Neugier überwog und der prickelnde Reiz des Fremden sich entfalten konnte. Wo die Rigidität der militärischen Disziplin oder die Entbehrungen des Alltags im Hinterland die Lust am Abenteuer nährten und die tödliche Bedrohung Scham und Moral außer Kraft setzte.

In Rußland wird seit einigen Jahren offenbar über solche

Lieben gesprochen. Glasnost hat die Erinnerungen wieder zugelassen, Forscher und Literaten sind ihr auf der Spur. Zum Beispiel der Rußlanddeutsche Woldemar Weber, der Leningrader Schriftsteller Vachtin oder die Moskauer Historikerin Irina Scherbakowa; sie suchen in den Berührungen des Krieges Muster der Wahrnehmung der Deutschen, quer zu den feindlichen, die neuen Aufschluß geben über die Identitäten des Sowjetmenschen. War die Weißrussin, die mit dem Wehrmachtsoffizier schlief, eine Kollaborateurin oder eher eine Dissidentin, Prostituierte oder unglücklich Verliebte? Welche Erfahrungen machte der Rotarmist aus dem dörflichen Zentralrußland, der mit dem Panjewagen in Berlin einzog und später im ostpreußischen Tapiau ein Verhältnis mit einem deutschen Bauernmädchen hatte? Je mehr Gefühl im Spiel war, desto intensiver war die Auseinandersetzung mit der Welt des anderen und die Nachwirkung.

Rein zahlenmäßig war der Umfang der Begegnungen nicht gering. Wehrmachtsschätzungen zufolge sollen etwa drei Millionen Soldaten sexuelle Kontakte zu Frauen in den besetzten Teilen der Sowjetunion gehabt haben. Man rechnete mit 750000 «Deutschenkindern», russischerseits mit noch mehr. Über den Charakter der Beziehungen läßt sich bislang wenig sagen, nur daß der Raum für eine Freiwilligkeit beiderseits wohl größer war als angenommen und zweifellos viel größer als gegen Ende des Krieges, als die Rote Armee deutsches Gebiet erreichte. Zwischen Mitte Oktober 1944 und Anfang Mai 1945 herrschten nur Wut und Rache. Der Statistiker Gerhard Reichling schätzt die Zahl der beim Vormarsch vergewaltigten deutschen Frauen auf 1,9 Millionen, davon 1,4 Millionen in den ehemaligen Ostgebieten. Was allerdings danach geschah, läßt sich nicht mehr ausschließlich unter dem Begriff der «Vergewaltigung» fassen. Doch darüber liegt in Deutschland bis heute allertiefstes Schweigen.

Im nördlichen Ostpreußen, wo die Gewalt größer war als irgendwo sonst, enthüllen nun heute seine neuen Bewohner, soll es Liebesverhältnisse gegeben haben, vor und vor allem nach Kriegsende, nicht nur als Einzelfall. Die Betreffenden sind als Paare nicht mehr auffindbar, weil sie getrennt wurden. Die Frauen wurden nach Deutschland abtransportiert, die Männer nicht selten zur Strafe verbannt. Manchmal gelang es zwei Menschen, irgendwo in der Sowjetunion unterzutauchen. Nichts ist unmöglich, und vielleicht wird man eines Tages aus dieser gewaltsamen Periode Stimmen hören, die Menschliches zu berichten haben. So ganz scheint die Zeit noch nicht reif dafür. Noch ist das, was davon preisgegeben wird, zu wirr und zu dünn. Außerdem vermute ich die Botschaft des Angedeuteten in einer anderen Dimension, weniger in einer realen als einer symbolischen.

Darauf gebracht hat mich eine Geschichte, die Max Frisch Ende der sechziger Jahre bei einem Besuch in Deutschland aufgelesen hat. Sie ist ein kleiner Lichtkegel auf eine – zugegeben – sehr besondere Situation. Das Tagebuch des Dichters notiert sie in filmischer Kürze: «Mai 1945, Berliner Westen, Keller eines schönen und wenig zerstörten Hauses, oben die Russen, Lärm, Tanz, Gelächter, Siegesfeier, im Keller verstekken sich die Frau und ihr Mann, Offizier der Wehrmacht, der aus der Gefangenschaft entwichen ist, keinen anderen Anzug hat und keinesfalls erblickt werden darf. Eines Tages kommt einer herunter, Wein suchend, sprengt die Waschküchentür. Die Frau muß öffnen. Ihr Mann versteckt sich. Ein ziemlich betrunkener Bursche, Ordonnanz, natürlich soll sie hinaufgehen. Ob der Kommandant Deutsch verstehe? Der Bursche bejaht. Ihre Hoffnung, sich durch Sprechen retten zu können. Sein Gestammel über die vielen feinen Bücher. Sie erbittet sich eine Frist von einer halben Stunde. Ihr Mann will sie nicht gehen lassen; aber wenn die Russen herunterkommen und ihn sehen? Sie zieht ihr bestes Kleid an, ein Abendkleid; sie versprechen sich, gemeinsam aus dem Leben zu gehen, wenn es nicht gelingt. Oben trifft sie eine Gruppe von ziemlich betrunkenen Offizieren. Sie als große Dame. Nach etlicher Anrempelung, die sie mit einer Ohrfeige erfolgreich abwehrt, gelingt es immerhin, den Oberst allein zu sprechen. Ihr Anliegen, ihre Bitte um menschliche Behandlung und so weiter. Er schweigt. Getrieben von seinem Schweigen, das sie nur für grimmiges Mißtrauen halten kann, geht sie so weit, die Geschichte ihres Mannes preiszugeben: um sein Vertrauen zu erzwingen. Als sie endlich begreift, daß der Oberst kein deutsches Wort versteht, bricht sie zusammen. Sie sieht sich in einer Falle. Der Oberst holt den Burschen, er solle übersetzen; in diesem Augenblick kommt sie in den Besitz einer Waffe, die sie unter ihrem Kleid versteckt, hoffend, daß sie geladen ist. Denn ihr verzweifeltes Angebot: Wenn er alle anderen aus dem Hause schickt, und zwar für immer, wird sie ihm zu Willen sein, sagte sie etwas verborgen, jeden Tag zu einer bestimmten Stunde. Damit gewinnt sie mindestens Zeit; im übrigen ist sie entschlossen zu schießen, sobald er sich vergreift. (Auf ihn oder auf sich?) Es geschieht aber nichts. Eine Woche lang geht sie jeden Abend hinauf, um dem Oberst sozusagen Gesellschaft zu leisten, immer im Abendkleid; unten im Keller tut sie, als spreche er wirklich Deutsch, erfindet Gespräche, die sie mit dem Russen geführt habe, Gespräche über Rußland und so. Ihr Mann ist einigermaßen beruhigt, spürt aber, daß sie nicht ungerne hinaufgeht, daß sie ihm selten in die Augen blickt, daß sie sich wirklich kämmt, um wirklich schön zu sein, und so weiter. Mit der Zeit (der Bericht ist sehr sprunghaft) hat sich offenbar eine Liebe ergeben, die auch gelebt wird. Ohne Sprache. Es endet damit, daß der Oberst sie auf dienstlichen Befehl plötzlich verlassen muß, weg von Berlin; beide hoffen auf ein Wiedersehen. Er ist nicht wiedergekommen. Der Mann, der gerettete, spricht von dem Russen stets mit kameradschaftlicher Achtung; die russischen Verhältnisse und Einrichtungen, wie seine Frau sie damals im Keller erzählt hat, scheinen ihn nicht wenig überzeugt zu haben. Woher sie ihre Wissenschaft hatte, da der Oberst doch nur Russisch konnte und sie nur Deutsch? Vom russischen

Sender in deutscher Sprache, den sie abzuhören pflegte, als ihr Mann im Osten gefangen war.»

Soweit das Protokoll; Max Frisch fügt ihm folgende Interpretation an: «Die Geschichte mit dem russischen Oberst und der deutschen Frau: das Ganze hat drei Wochen gedauert. Die Frau ist ohne jeden Zweifel, daß es auch von seiner Seite eine wirkliche Liebe gewesen ist; für sie ist es die Liebe ihres Lebens – Was mich an dem Fall fesselt: Daß er eine Ausnahme darstellt, ein Besonderes, einen lebendigen Widerspruch gegen die Regel, gegen das Vorurteil. Alles Menschliche erscheint als ein Besonderes. Überwindung des Vorurteils; die einzig mögliche Überwindung in der Liebe, die sich kein Bildnis macht. In diesem besonderen Fall: erleichtert durch das Fehlen einer Sprache. Es wäre kaum möglich gewesen, wenn sie sich sprachlich hätten begegnen können und müssen. Sprache als Gefäß des Vorurteils! Sie, die uns verbinden könnte, ist zum Gegenteil geworden, zur tödlichen Trennung durch Vorurteil. Sprache und Lüge! Das ungeheure Paradoxon, daß man sich ohne Sprache näherkommt.»

Die Story aus Berlin läßt vielerlei Deutungen zu. Dem Dichter Max Frisch ist sie ein Stoff für sein altes Thema und Ideal. «Die Liebe befreit aus jedem Bildnis.» In diesem Sinne ließe sie sich einfügen in die Reihe der Klassiker und einer vieltausendjährigen Tradition von Hafis und Salomo bis zu Kleist und Novalis: über den Augenblick des Erkennens von Mann und Frau. Sie wäre die direkte Fortsetzung des Raubs der Sabinerinnen, die – so Frisch – jauchzten in den Armen der Stärkeren, der Tugend ledig und des festgelegten Bildes, das ihnen ihre rechtmäßigen Ehemänner aufgedrückt haben. Frisch hebt auf die zeitlose, die poetische Wahrheit ab. Als Historikerin lese ich die Episode eher als eine zeittypische und als solche von ihren besonderen Rahmenbedingungen her. Was konkret müssen die beiden überwinden, um als Liebende zueinanderzufinden? Daß sie, nachdem sie überlebt haben, in den ersten Friedenstagen ihre Existenz aufs Spiel setzen? In einer Stadt, die geteilt ist zwischen Siegern und Besiegten und wo die Gewalt noch weitertobt als sexuelle? Warum wird aus der Konfrontation eine Einladung und das Zimmer zum exterritorialen Ort? Vielleicht ist der Schritt, den sie tun, gar nicht so groß? Weil in ihrem wie in seinem Leben nichts von dem, was sie einmal hielt, mehr gilt. Weil nicht Sieg oder Niederlage das Charakteristische dieser Stunde ist, sondern der Zusammenbruch *aller* Werte und Gewißheiten. Er und sie befinden sich in einem Vakuum, praktisch jenseits der Geschichte. Alle Gründe sind entfallen für eine Wahl, es reicht die zufällige Kreuzung zweier Linien, um einen Mann und eine Frau zueinanderzuführen. Dort – ist der Mittelpunkt des Universums. Diese Liebe hat sich nicht befreit aus den Fängen der Gesellschaft und ihrer «Bildnisse», sie entsteht, weil deren Wirkungsmacht tot ist. Das «Erkennen», und das ist das Nichtzufällige und individuell Besondere daran, wird ermöglicht durch den Grad und die Geschwindigkeit, wie beiderseits das Herausfallen aus den Bindungen empfunden wird. Dabei ersetzt die Art der Verluste oder des Traumas, was sich früher über die Anziehungskraft von Interessen und Seelenverwandtschaften abspielte. *So* gesehen ist die von Max Frisch aufgelesene Episode eine des 20. Jahrhunderts und des Knalls in dessen Mitte. Ihre Fortsetzung findet sie in Geschichten wie Marguerite Duras' «Hiroshima mon amour». Diese vielleicht berühmteste (über eine Französin und einen Japaner) handelt davon, wie im Schatten dieses Krieges und der Atombombe das individuelle Glück ganz grundsätzlich anders wird. Und «romantische Liebe», das historisch noch sehr junge Phänomen, jene Lösung des Gefühls aus den traditionalen Bindungen, schon ein Fossil geworden ist angesichts eines Begehrens, das vom Erlebnis der Zerstörung selbst entzündet wird.

Die Berliner Begebenheit vom Mai 45 mag Situationen treffen, wie es sie auch in Ostpreußen hier und da gab. Sie öffnet die Phantasie für die mir sehr vage berichteten hiesigen. Aber noch mehr für ein gänzlich anderes Verständnis des Erzählten.

Mir scheint, daß in den Liebesgeschichten ein gesellschaftliches Selbstverständnis verschlüsselt ist. Die Gemeinsamkeit der Bewohner des Kaliningradskaja Oblast ist die Entwurzelung. Man könnte von einer kollektiven Biographie sprechen, die durch diesen Grundtatbestand gestiftet und zusammengehalten wird. Könnte es nicht sein, daß diese extreme Kalamität sich am angemessensten im Genre einer modernen Liebesgeschichte ausdrücken läßt? Was Besseres böte sich an für die gedankliche Aufarbeitung des Schicksals? Mit den verlorenen Heimaten waren auch die alten Deutungen endgültig entkräftet – Sagen, familiäre Muster, das kollektive Gedächtnis des Dorfes oder der Schicht, in die sich das Leid, der Wandel und die denkbaren Zukünfte betten ließen. Was die kommunistische Ideologie an Sinn und Trost zu bieten hatte, war dürftig. Der war das Historische ein überflüssiger Plunder und der Anfang im erbeuteten Ostpreußen ein Beweis, daß der Mensch überall die neue Gesellschaft aufbauen könne. Die Liebesgeschichte dagegen reicht an die existentiellen Fragen heran, die die Bewohner plagten. Sie beschreibt deren Lage, das Aus-der-Geschichte-katapultiert-Sein, in seiner ganzen Dramatik. Der Plot variiert die verwirrenden, gefährlichen Begegnungen mit dem fremden Land. Das große Gefühl verwandelt Ausweglosigkeit in Hoffnung. Zu berücksichtigen ist, daß im Kaliningradskaja Oblast die Liebe tatsächlich einen ungewöhnlichen Stellenwert hatte. Denn wo die ganze Bevölkerung neu und untereinander fremd war, bildete die Zweierbeziehung anfangs das wichtigste Band des Gemeinwesens. Die Heiraten verknüpften die allerverschiedensten Horizonte.

Inwieweit dabei auch die Feindesliebe Realität war, ist schwer zu sagen. Natürlich stecken im Erzählten Elemente von Erfahrung, Gerüchte etc. Ihre Wahrheit aber ist wohl auf einer übertragenen Ebene zu suchen. In dieser äußersten Variante der Fremdheit zwischen Mann und Frau spiegelt sich eine gesellschaftliche Verstrickung, der nicht zu entkommen war – mit den Vorgängern im Lande. Unter den allerorten über sie vagabundierenden Phantasien ist die erotische sicherlich die kühnste. Psychoanalytisch könnte man sie interpretieren als einen unbewußten Versuch, der Anwesenheit in Ostpreußen eine emotionale Grundlage zu schaffen und über den Akt der Zeugung eine echte Legitimität zu verleihen. Der «Bastard», das deutsch-russische Kind, wäre die Identifikationsfigur, die das historisch nicht zu Überbrückende auf natürliche und zugleich geheimnisvolle Weise aufhebt. Märchenhaft – könnte man auch sagen. Vielleicht haben wir es in diesen Erzählungen mit Vorformen eines neuen regionalen Volksmärchens zu tun?

«...und dann hätten wir alle geheiratet», so lautet der übliche Schlußsatz über einen alternativen Verlauf der Historie. Darin steckt auch ein Körnchen bestechender Logik. Drei Jahre, zwischen 1945–48, hat sich die Siedlungsgeschichte der einen und der anderen überschnitten. Anders als die Rote Armee, anders als die sowjetische Obrigkeit nahmen viele der ankommenden Zivilisten die Ostpreußen nicht als Feinde wahr. Denn sie erlebten diese nicht mehr als Kämpfende und auch nicht als Besitzer, sondern schon als Habenichtse. Sie trafen sie höchst selten noch in ihren Häusern an, oft nicht einmal an ihrem Heimatort, sondern als Herumirrende, die eingewiesen wurden – wie sie selbst. Der normale Sieger fühlte selten Beutestolz, hatte wenig Gelegenheit zum Jubilieren. Die meisten steckten in eigenen Nöten. Ein Deutscher, das war in ihren Augen der elendeste aller Zeitgenossen. Die Barriere zu ihm war eher sozialer denn prinzipieller Art. Warum hätten unter dem «wilden Volk», so eine häufige Argumentation, nicht auch die Deutschen ihren Platz haben können? Unter den «Kosapy» (den Ziegenböcken, der Spitzname der Russen), den «Bulbaschi» (Kartoffelfressern, den Weißrussen), den «Chochli» (Haarbüschel, von der traditionellen Frisur der Ukrainer), den «Tschurki» (Stück Holz ohne Kopf und Füße, gebräuchlich für alle Asiaten), den «Tschukschi» (ein Stamm, der für alle Bewohner des hohen Nordens am Eismeer steht), den «Labusi» (Litauern, abgeleitet von der Wendung «Labas»; «Labas vakaras» zum Beispiel heißt «guten Abend») und den «Jidi» (Juden) – ein Tupfer mehr in dem buntgemischten Haufen hätte nicht geschadet!

Johanna Franzowna

Für beide war es Liebe auf den ersten Blick. Aus der wurde eine glückliche, bald vierzigjährige Ehe. Aus der Sicht des Paares, der Johanna K. aus Tilsit-Weinoten und des Ukrainers Dima L., ist die Geschichte nicht so abenteuerlich, wie sie von außen erscheint, sondern hatte eine durchaus solide Basis. Er nämlich hatte schon lange vorher eine Schwäche für die Deutschen, sie eine gute Meinung von den Ostvölkern und vor allem von den Russen. Er war ein Bauernsohn, sie eine Bauerntochter. Dann die Umstände der Partnerwahl 1947, man hätte sich damals nicht besser entscheiden können.

Johanna K., geboren 1927 als Jüngste von sechs Kindern, stammt aus einer ostpreußischen Sippe, die bald zweihundert Jahre an der Memel ansässig war und in der sich salzburgische, litauische und polnische Ahnen finden lassen. Nach etlichen agrarischen Krisen, deren letzte mit der Abschnürung Ostpreußens durch Versailles und der großen Inflation der frühen zwanziger Jahre eingeleitet wurde, waren der Familie noch 24 Morgen Land geblieben. Wenn der Vater auf dem benachbarten Flugplatz nicht die Piste hätte planieren dürfen und ein regelmäßiges Zubrot verdient hätte, wäre die bäuerliche Tradition schon vor der Vertreibung, auf dem Wege der Pleite, abgerissen. Johanna K. mußte schon als Kind mitarbeiten, sie war eine fleißige, wißbegierige Marjell. Nach der Einsegnung bot sich die Gelegenheit, im Warthegau eine Lehrerausbildung anzutreten. Dort, im Sommer 1942, nahm sie zum erstenmal das Unrecht der Nazis wahr. Das Unglück der verjagten Polen und das der neuangesiedelten Deutschen ging der Fünfzehnjährigen so zu Herzen, daß sie nach Hause wollte. Sie nutzte eine Ruhrerkrankung, um sich davonzumachen, zurück ins heimatliche Weinoten und in eine verlängerte Jugendzeit auf der privaten Handelsschule Tilsit.

In diesen Monaten geriet ihr späterer Mann Dima in deutsche Kriegsgefangenschaft und wurde nach Neustrelitz in Mecklenburg gebracht. Auch er ist gebürtig aus einer der Völkermischzonen Mitteleuropas. Geboren 1919, in einem Dorf unweit von Berditschew, der alten wolhynischen Hauptstadt, wo Polen, Ruthenen, Russen und Juden eng beieinander lebten. Da sein Vater im Bürgerkrieg auf der falschen Seite gekämpft hatte, war die Familie nach dem Sieg von Budjonnys roter Reiterarmee ständig in Gefahr. Als Sohn eines «Weißen» und eines «Kulaken» gehörte er zu den Außenseitern des sich etablierenden Sowjetsystems. 1937 verschwand der Vater auf immer im Gulag. Dima durfte sich «bewähren» und ein Medizinstudium in Schitomir beginnen. Neben der Wisssenschaft lernte er dort die Welt des Schtetls kennen. Wenige Jahre bevor SS-Einsatzgruppen sie vernichtete, entdeckte er das Jiddische und darin das Deutsche, und die Faszination ließ ihn seitdem nicht mehr los. In der Gefangenschaft, beim Verlegen von Eisenbahnschienen, das ihn ein wenig herumkommen ließ, packte er jede Gelegenheit beim Schopfe, sich die Sprache anzueignen und die zivilen Leistungen des Feindes zu studieren.

Johanna K.s Hochachtung vor den Russen war eine Familienangelegenheit, die von einem Großonkel herrührte, der vor 1914 Grenzpolizist war an der Szeszuppe, und den Großeltern, die während des Ersten Weltkrieges auf dem Hof vier russische Kriegsgefangene beschäftigten. Das Russische war neben dem Litauischen und Deutschen die dritte Sprache; diese Generation konnte sich darin leidlich verständigen, und sie gab an die nächste und übernächste ein positives Urteil weiter. Der Russe, hieß es, ist ein gutmütiger, frommer und sangesfroher Mensch. Deswegen war es für Johannas Mutter 1945 ganz selbstverständlich, daß sie auch unter russischer Besatzung ihr

Zuhause würde halten wollen. Vom Magdeburgischen aus, wo die Familie im letzten Kriegswinter mit dem großen Flüchtlingsstrom gelandet war, schickte sie im Juni 1945 die zwei Töchter nach Weinoten zurück. Als Vorhut und um dem Vater, der nach seiner Entlassung aus dem Volkssturm bereits dort vermutet wurde, bei der Roggenernte zu helfen. Möglicherweise fuhren die beiden jungen Frauen in demselben Zug ostwärts, in dem seinerzeit Dima L. unter militärischer Bewachung nach Tilsit verfrachtet wurde. Noch ahnten sie voneinander nichts, aber von da an, haben sie später festgestellt, liefen ihre Lebenslinien aufeinander zu.

Mit dem Tag der Ankunft war klar, daß Weinoten Vergangenheit war. Aus Sicherheitsgründen flohen Johanna K. und ihre ältere Schwester vom verwüsteten Land und vor den dort herumstreunenden Banden in die Stadt zu einer Tante und ließen sich von der Kommandantur Arbeit in einer Schneiderei zuweisen. Unterdessen ging Dima L. durch endlose Verhöre des NKWD, wo man ihm nachzuweisen versuchte, daß er, der «Sohn eines Weißen», sich freiwillig den Deutschen ergeben habe. Als er den Kopf schließlich aus der Schlinge hatte, schien ihm der Rückweg in die Ukraine zu gefährlich. Man hatte Gerüchte über die Erschießung von «Kollaborateuren» gehört, ganze Waggonladungen von Kriegsgefangenen und Zwangsarbeitern sollen bei ihrer Heimkehr mit Gewehrsalven empfangen worden sein. Also entschied er sich für Tilsit und bekam auf Antrag die nötigen Papiere, Ärzte waren willkommen während der großen Typhuswelle. Schnell freundete er sich mit der deutschen Stadt an. Bewundernd spazierte er durch die Hohe Straße, freute sich an Löwenköpfen und Jugendstilgiebeln, während Johanna K. dies alles immer fremder wurde. Wenn sie den Reiter sah, der morgens mit einer Glocke durch die «Hohe» sprengte und die Bevölkerung zur Arbeit rief, fühlte sie sich schon halb wie in Rußland. Das Getto der Deutschen bot Schutz, nicht viel mehr. Jeder kämpfte für sich und die Seinen um Essen und Wärme, und im Winter beteiligten sich alle an der weiteren Zerstörung Tilsits, indem sie Fußböden, Türen und Möbel zu Brennholz zerhackten. «Sowjetsk» – der neue Name der Stadt brachte auch für die Ostpreußin Johanna K. eine Realität zum Ausdruck.

Das Kennenlernen war unkompliziert und hatte etwas vom Charme eines ganz normalen samstäglichen Zusammentreffens. Im Kino lief «Der große Walzer», eine amerikanische Schnulze, und ein Bekannter namens Alfred brachte einen gutaussehenden Ukrainer mit, in der freundschaftlichen Absicht, ihn zu verkuppeln. Es klappte wie im Bilderbuch, an diesem 13. November 1947 sprang gleich der Funke über. Nicht nur Johanna K. war begeistert von dem blonden, höflichen Mann, auch die Schwester und die Tante. Er hatte «so etwas Deutsches» an sich, wirkte als Mensch wie als Arzt vertrauenerweckend. Umgekehrt verkörperte sie für ihn wohl die Welt, die er sich als Wahlheimat erträumt hatte. «Bleib da», bat er, drängte, denn die Ausweisung der Deutschen hatte schon begonnen. Sie zögerte nicht lange. Er schrieb an Minister und einflußreiche Persönlichkeiten in Moskau um eine Genehmigung, denn Heiraten mit deutschen Frauen waren verboten. Schließlich hatte ein Sowjetsker Verwaltungsmensch den Einfall, Johanna K.s Geburtsort nach jenseits der Memel zu verlegen. Damit war sie eine Litauerin und fiel nicht unter die Vorschrift über den Abtransport. Der sowjetische Paß mit der Eintragung «Litowka» wurde erst 1949 gewährt.

Unter den Hochzeitsgästen war Eduard, der erste der beiden Söhne, schon dabei. Kurz darauf kam der jungen Ehefrau noch einmal – schockartig – die ganze Tragweite ihres Jaworts zu Bewußtsein. Ihre Schwester wurde, bevor sie ausreisen konnte nach Deutschland, eines unbedachten Wortes wegen nach Sibirien verschleppt. Mit der Sorge um sie war die Sowjetbürgerin nun auch eingebunden in die sowjetischen Zeitläufte, fester auch in die Familie ihres Mannes. Sie hielten sich aneinander in den letzten gefährlichen Stalinjahren. Wirtschaftlich kam man über die Runden. Er arbeitete als Amtsarzt und später in der

Hygieneüberwachung, sie wechselte von der Armeeschneiderei in das Modeatelier «Silhouette», Abteilung Mäntel. Dieser Kreis von Kolleginnen war das Milieu ihrer allmählichen Eingewöhnung. Von den ständig plaudernden Frauen lernte «Johanna Franzowna» Russisch und sehr viel über deren Heimatorte. Bis weit in die fünfziger Jahre war der Krieg das beherrschende Thema. Meistens entschuldigten sich die Schneiderinnen bei der Deutschen, wenn sie über die «Fritzi» und «Faschisti» fluchten. Aber nicht immer; ihr Mann tröstete sie dann und entschuldigte sich für die Landsleute mit den Worten: «Wenn man einen Hasen drei Jahre mit der Mandoline auf den Kopf schlägt, dann wird er zum Komponisten.» Das sollte heißen, er hielt sie für indoktriniert. Wie seine Frau tat er sich anfangs schwer, die Verbrechen der Deutschen zu glauben.

Größere Schwierigkeiten mit Nachbarn oder Behörden scheint es für die «Feindesehe» nicht gegeben zu haben. Nach Stalins Tod wurde es ruhiger, die Politik trat wie überall in der Sowjetunion zurück. Bis Ende der sechziger Jahre stieg der Lebensstandard stetig an, und über die Moden, die mit Verspätung und auf dem Umweg über Moskau aus Paris kamen, war die Schneiderin ein klein wenig mit dem Westen verbunden. Gepolsterte Schultern und schmale Hüftlinien, Petticoats, der Mini – im Atelier «Silhouette» ging man mit der Zeit. Irgendwann fingen die Kolleginnen an, Johanna Franzowna über das alte Tilsit auszuhorchen. Warum zum Beispiel eine Stadt, mit nur so wenigen Bewohnern, so «städtisch» sei, so kompakt alles und praktisch nah beieinander. Erklären konnte sie das nicht, aber seitdem sie mit ihrem Mann und den Söhnen mehrfach in russischen Städten zu Besuch war, wußte sie, was gemeint war. Gegenüber der Weitläufigkeit von Wladimir oder Iwanowo, den Städten Zentralrußlands, war Tilsit ein wohldurchdachtes kleines Wohnzimmer. Die Einheimische faßte das Interesse der Zugereisten als Kompliment auf und freute sich, wenn diese die bequemen Troittoirs lobten. Von Weinoten hielt sie sich fern. Obwohl das Elternhaus nicht mal zehn Kilometer entfernt war, hat sie es seit 1945 nie wiedergesehen. Manchmal traf sie sich mit einer Cousine, die auf dem litauischen Memelufer wohnte, und mit zwei Ostpreußinnen, die aus Litauen auf die hiesige Seite übergewechselt waren.

Am schlechtesten ging es Johanna Franzowna, wenn der Briefträger Post aus Deutschland brachte, von der Mutter und dem Vater, dem Bruder oder der Schwester, die 1956 aus Sibirien freigekommen war. An diesen Tagen schloß sie sich ein und weinte. Zweimal hat sie die Eltern besuchen können, 1971 und noch einmal 1974 zusammen mit ihrem Mann. Sie bemühte sich, die Familie zu überzeugen, daß sie glücklich sei mit ihrer Wahl, was ihr nur zum Teil gelang. Der ukrainische Ehemann und die gemeinsamen Söhne eroberten die Herzen der westlichen Verwandten, aber daß sie wieder «heimwollten» an die Memel, war nicht verständlich zu machen. Eduard, der Älteste, war damals schon verheiratet mit einer Russin und lebte als Ingenieur in Iwanowo. Der jüngere Viktor lernte in Taschkent die Fischzucht und zog ein paar Jahre später mit einer Frau aus Astrachan auf eine Forschungsstation am Aralsee.

Man kann gegen den Strom der Geschichte leben, behauptet Johanna, geborene K., wenn man es zu zweit tut. Nicht ungestraft, aber doch; die Annahme der Familienmehrheit, die im Niedersächsischen und Bayerischen Fuß faßte, es könne in einem Unrechtssystem und ohne Wohlstand kein gutes Leben geben, kränkt sie und vergrößert den Abstand zu den schmerzlich Vermißten. Heute ist sie Witwe, der zweite Sohn wohnt mit der Familie bei ihr. Die Perestroika hat sie noch einmal in Entscheidungsfragen gestürzt. Besucher aus Deutschland gaben sich die Klinke in die Hand, brachten Kaffee und D-Mark mit und warben für Deutschland. Viktor und dem Enkel Dima zuliebe bestellte die Weinoterin in Leningrad beim deutschen Konsulat die Papiere für die Ausreise. Dann, als die Konsequenzen konkreter wurden, kippte die Stimmung um. Im Herbst 1992 standen die Zeichen auf Bleiben. Alle hoffen auf eine rasche Entwicklung des Kaliningradskaja Oblast und der Memelstadt und auf deren Rückkehr nach Europa.

Johanna Franzowna ist in Sowjetsk bekannt und beliebt. An den Vormittagen, die wir zusammen durch die Stadt schlendern, winken und rufen alle zwanzig, dreißig Meter Bekannte ihr etwas zu. Alle naselang bleiben wir stehen für einen Plausch, meine Anwesenheit wird neugierig und beifällig kommentiert. Etwa so: Sie bringt uns die Deutschen in die Stadt, soll sie doch ruhig. Hier ist manches im argen, doch auf unsere Johanna Franzowna haben wir gut achtgegeben.

Mitten in Europa

Als ich im Sommer 1992 nach zweimonatigem Aufenthalt aus dem Westen Rußlands heimkehrte, war gerade sein äußerster Osten in den Schlagzeilen. Ein Staatsbesuch Jelzins in Tokio stand bevor, und die Japaner trumpften im Vorfeld noch einmal mächtig auf: Kein Hundertmilliardenkredit, hieß es, ohne die Rückgabe der Kurilen. «Bravo, Nippon!» jubelte in Deutschland die rechtsradikale Presse. «Seht her, die Revision von Jalta ist möglich!» Und sie beschwor die Bundesregierung, die «Königsberger Frage» auf ähnliche Weise zu regeln. Unter den denkbaren Horrorszenarien wäre dies eines der schlimmsten. Tatsächlich ist der Streit um die dünnbesiedelten Eilande vor Hokkaido in keinem einzigen Punkt vergleichbar. Dennoch ist er lehrreich, vor allem weil er die Empfindlichkeit der russischen Seite zeigt: Jelzin fuhr nicht nach Tokio, wohl wissend, daß selbst das geringste Einlenken ihn seine Position gekostet hätte. Die Zeiten, als Gorbatschow bereit war, zwei der vier Inseln preiszugeben, und dieses für ein gutes Geschäft befunden wurde, sind vorbei. Gegen die Macht des Geldes hat sich im gedemütigten Rußland eine nationale Position aufgebaut. Ein territorialer «Ausverkauf russischer Interessen» ist nicht mehrheitsfähig.

Die Ordnung von Jalta ist zusammengebrochen, ebenso gewiß ist, daß man hinter sie nicht zurück kann. Was also sollte, könnte mit dem Kaliningradskaja Oblast geschehen? Für mögliche Lösungen existiert weder ein historisches Vorbild noch eine zeitgenössische Parallele. Meinungen gibt es dazu jede Menge, und die erste Verblüffung der journalistischen Recherche ist, wie sehr sie einander gleichen und doch aus der Übereinstimmung keine wegweisende Klarheit resultiert.

Nachbarschaften

J. Kwizinski, der ehemalige russische Botschafter in Bonn und heutiger Vizepräsident der Moskauer Außenpolitischen Assoziation, hat in der «Literaturnaja Gaseta» vom 12. August 1992 unter dem Titel «Quo vadis, Kaliningrad?» die russische Position formuliert: «Nach dem Zerfall der UdSSR gewinnt das Gebiet Kaliningrad für Rußland eine größere Bedeutung als früher. Es besitzt eisfreie Häfen und Tiefwasserstraßen zur Ostsee, die künftig unsere Verluste an Handels- und Kriegsflotten-Basen in Estland, Lettland und Litauen kompensieren könnten. Feste russische Positionen in diesem Raum würden einen essentiellen Einfluß auf die Entwicklung im Baltikum ausüben, sie würden die direkten Kontakte Rußlands mit den westlichen Staaten unter Umgehung Weißrußlands und der baltischen Staaten sichern. Dabei sollte die Bedeutung des Gebietes Kaliningrad für die Verteidigung Rußlands in nordwestlicher und westlicher Hinsicht nicht vergessen werden. Die Region könnte auch ein vorzügliches Erholungsgebiet des Gesamtstaates werden, das in der Lage wäre, die verlorengegangenen Erholungsmöglichkeiten in Litauen und an der Rigaer Küste zu kompensieren.» Geopolitische Argumente einer Großmacht, die nicht weiter zurückweichen will. Sie trägt ein breiter Konsens, kein neuer Machthaber an der Spitze Rußlands wird an dieser prinzipiellen Position rütteln. Auch international ist sie unbestritten. Mögen die völker*rechtliche*n Auffassungen divergieren, faktisch stellt niemand ernsthaft Rußlands Besitzstand in Frage. Deutschland hat in den «Zwei-plus-vier»-Verhandlungen noch einmal ausdrücklich die ehemaligen Provinzen jenseits von

Oder und Neiße von der Wiedervereinigung ausgeschlossen. In Artikel 1 des Vertrages vom 12. 9. 1990 heißt es: «Das vereinigte Deutschland wird die Gebiete der Bundesrepublik, der Deutschen Demokratischen Republik und ganz Berlin umfassen. Seine Außengrenzen werden die Grenzen der Bundesrepublik Deutschland und der Deutschen Demokratischen Republik sein und werden am Tag des Inkrafttretens dieses Vertrages endgültig sein. Die Bestätigung des endgültigen Charakters ist ein wesentlicher Bestandteil der Friedensordnung in Europa.»

Für die unmittelbaren Nachbarn, Polen und Litauen, gilt dieses im Grunde auch. Zwar erheben in beiden Ländern nationale Ultras «historische Ansprüche» auf das Gebiet oder Teile davon. Aber sowohl die polnische Berufung auf ein mittelalterliches Lehnsverhältnis wie die litauische, die auf die ethnische Zusammensetzung «Klein-Litauens» verweist, sind geschichtlich gesehen außerordentlich schwach. Und unter Gesichtspunkten der Gegenwart ist solche Begehrlichkeit völlig wahnwitzig. Die Einverleibung des heruntergekommenen Landstrichs mit einer fremden Bevölkerung von knapp einer Million würde, selbst wenn dieses gewaltlos geschehen könnte, die gerade befreiten Nationalstaaten völlig ruinieren. In der Phase nationaler Überhitzung mochte einem solchen Planspiel noch eine gewisse symbolische Bedeutung zukommen. In Polen artikulierte sich über dieses Thema zum Teil die Angst vor den Deutschen. Aktivitäten von Vertriebenenpolitikern in Oberschlesien, Animositäten an der Oder-Neiße-Grenze oder deutsche Großinvestitionen im Gebiet Szczecin wurden einige Male zum Anlaß genommen für Spekulationen über einen «sanften Revisionismus» Deutschlands, der schlimmstenfalls auch Gelüste auf Königsberg einschließen könnte und die Wiederentstehung eines «polnischen Korridors». Um dem zuvorzukommen, gewissermaßen aus Sicherheitsgründen, argumentierten verwegene Strategen, müsse man eine Arrondierung des eigenen Territoriums in Erwägung ziehen. In Absprache mit den Litauern oder gegen sie, wobei praktischerweise gleichzeitig Zugeständnisse für die polnische Minderheit im Wilna-Gebiet abfallen würden.

In Litauen wurde der Kaliningradskaja Oblast ebenfalls als Manövriermasse in der schwelenden Auseinandersetzung mit Polen gehandelt. In erster Linie jedoch zielte man auf die Russen, ging es um die Vergrößerung des Handlungsspielraums gegenüber einer Macht, von der man sich immer noch existentiell bedroht fühlt. Treibende Kraft waren die litauischen Emigranten in den USA und Kanada, die die nationale Rechte im Lande stark beeinflussen und wohl federführend waren, als im März 1992 Stasys Lozoraitis, der litauische Botschafter in New York, verkündete, in nicht allzuweit entfernter Zukunft werde das russische Ostpreußen mit dem «Mutterland Litauen» vereint sein. Er wurde von der Regierung Landsbergis sofort zurückgepfiffen. Nachrichten dieser Art wurden häufig hochgespielt, noch immer brodelt die Gerüchteküche über Annexionsabsichten. Sie wurden überbewertet und sind von den Realitäten längst überholt worden. In Warschau hat sich ein realistisches und – notgedrungen – vorwiegend wirtschaftliches Denken durchgesetzt. In Vilnius ist Stasys Lozoraitis als Präsidentschaftskandidat dem Reformkommunisten Brasauskas haushoch unterlegen, haben sich die Beziehungen zu Moskau, nicht zuletzt aus ökonomischen Gründen, normalisiert.

Es gibt keinen Stoff für einen Territorialkonflikt, sondern einen starken Konsens. Professor Artur Hajnicz vom Zentrum für Internationale Studien beim Polnischen Senat hat ihn zutreffend beschrieben: Der Kaliningradskaja Oblast werde «von niemandem gewollt. Nicht gewollt in dem Sinne, daß es außerordentlich negative Reaktionen der anderen Partner auslösen könnte, wenn irgend jemand danach ‹greifen› wollte... Dies bedeutet unter anderem auch, daß wir keinerlei Ansprüche auf das Gebiet von Königsberg erheben, denn selbst eine Verschiebung der Grenzen um nur einen Kilometer würde eine ganze Reihe von Konsequenzen und Ansprüchen von anderer Seite nach sich ziehen. Das aber könnten wir am wenigsten gebrauchen.» Ein Mitglied der Regierung ergänzte: «Da könnten wir ja gleich die Mongolei fordern.»

Das Band, das die Nachbarn und die gesamte Region eint, ist die Angst. Solange der Kaliningradskaja Oblast ein Heerlager und Waffendepot ist, besteht Explosionsgefahr. Hier ist ein Gewaltpotential abrufbar, und sein Einsatz ist nicht undenkbar. Sei es, daß in Moskau eine Regierung des nationalen Notstandes die Neutralität der Armee brechen und Teile von ihr in Marsch setzen kann, abgefallene Republiken und Regionen wiederzugewinnen. Oder wahrscheinlicher, daß die Auseinandersetzung mit der russischen Minderheit in den baltischen Staaten eskaliert und Moskau zum Schutz der Landsleute Eingreiftruppen sendet. Oder daß im Falle des völligen Zusammenbruchs der GUS sich die versprengten Teile zu Bürgerkriegsparteien formieren. Mehrfach hat Rußlands Außenminister Kosyrew vor «jugoslawischen Zuständen im Baltikum» gewarnt. Dieses war mehr als nur eine platte Drohung an die Adresse der dortigen Regierungen. Es sollte heißen, daß hier ein Konflikt entstehen könnte, der die heutigen Fronten verwirft und alle Beteiligten in den Untergang reißt. «Jugoslawische Zustände» – dieser Begriff steht für ein Phänomen, das sich – neu und unbegreiflich – auszubreiten scheint in der Welt, eine böse, außer Kontrolle geratene Dynamik, in der ein Funke eine unabsehbare Reihe von Verwicklungen zündet und jegliche Rationalität entgleist. Bosnien-Herzegowina hat die Sensorien geschärft: Es gibt einen Krieg, gegen den weder Argumente noch Blauhelme etwas ausrichten können, weil die Aggression nicht nur auf den Gegner zielt, sondern sich fortsetzt in der Selbstzerstörung. Am Schwarzen Meer bahnt sich so ein Szenario an, und selbst Schewardnadse, Gorbatschows besonnener Außenminister, heute Staatschef Georgiens, ist dem Irrsinn erlegen. Ein Menetekel – auch für den Ostseeraum? Für eine Hysterie besteht gegenwärtig kein Grund, sie wäre im Gegenteil ungut, könnte selbst zum Motor einer Eskalation werden. Nichtsdestoweniger hat Kosyrew zu Recht auf die eigentliche Dimension der Gefährdung in dieser Region verwiesen: die prekäre Konstellation von extremen militärischen Ungleichgewichten und allerseits unberechenbaren Seelenlagen. Die bisherige Erfahrung spricht jedoch auch für ein hohes Bewußtsein von der Gefahr, einer großen Besonnenheit auf seiten des Militärs wie der Bevölkerung des Kaliningradskaja Oblast. Während des Putsches im August 1991 war es ruhig, im Oktober 1993 ebenso.

Die russische Exklave Kaliningrad ist eher ein gemeinsames Sorgenkind denn ein Zankapfel. Entsprechend bemühen sich die Nachbarn um Mäßigung und um eine behutsame Einbindung durch gemeinsame Interessen. Das zwischen Litauen und Rußland geschlossene Abkommen hat die Nabelschnur zum Mutterland gesichert. Verkehr, Strom und Erdgas fließen zollfrei durch einen vertraglich garantierten Korridor. Dafür erkannte Moskau Litauens Unabhängigkeit an und verpflichtete sich, die Energieversorgung des Agrarlandes zu gewährleisten. Der Putsch im August 1991 stellte die Übereinkunft in Frage, doch nur vorübergehend. Inzwischen sind weitere Vereinbarungen getroffen worden, z. B. über den gemeinsamen Bau von Kläranlagen am Grenzfluß Memel und die Fischfangzonen im Kurischen Haff. Sogar auf militärischer Ebene nahm man sich gegenseitig Sorgen ab; die russische Kriegsmarine übergab Litauen zwei Torpedoboote und zwei U-Jagdboote nebst Ausrüstung als Grundstock für eine eigene Flotte. Im Gegenzug bauen litauische Firmen im Kaliningrader Gebiet Wohnungen für ein paar tausend heimatlose russische Offiziere.

Für Polen ist Kaliningrad oder «Krolewiecz», wie sie es nennen, zur Zeit hauptsächlich ein Ort des Tausches, des schwarzen wie des legalen. Es ist der Hauptpartner im beginnenden Außenhandel des Oblast, es hat als erstes ein Konsulat in der Stadt eröffnet und, da das Gebiet kirchenrechtlich zum Erzbistum Warschau gehört, die Vorreiterrolle in der katholischen Mission übernommen. Größtes Interesse aneinander nehmen die beiderseits unterentwickelten Grenzregionen. Zwischen der Wojewodschaft Suwalki und den Rayons Gussew und Nesterow ist bereits eine wirtschaftliche Kooperation beschlossen. Unternehmer aus Gdansk und Kaliningrad haben eine gemeinsame «Wirtschaftskammer» gegründet. Von Olsztyn aus pendeln täglich Busse in den russischen Oblast. Im Bezirk Goldap hofft man auf einen Tourismus in der zwischen Polen und Rußland geteilten Rominter Heide und auf die belebende Wirkung des kleinen Grenzverkehrs. Zudem verbinden die Gewässer die Nachbarn – Schiffahrt, Fischerei und die Umweltprobleme des Frischen und Kurischen Haffs und der Ostsee. Elblag und die polnische Schiffahrt warten sehnsüchtig auf die Wiederöffnung der Pillauer Meerenge.

Mittlerweile ist der Kaliningradskaja Oblast von Westen aus auf dem Land-, Wasser- und Luftwege zu erreichen. Einige Fäden ins europäische Verkehrsnetz sind wiederangeknüpft. Braucht auch der Zug auf der alten Strecke Berlin–Königsberg heute vierzehn Stunden, der Bahnhof der Pregelstadt ist wieder an die westliche Gleisnorm angekoppelt. Der im Zweiten Weltkrieg unterbrochene Bau der «Reichsautobahn» wird nun fortgesetzt, auf dem Todesstreifen zwischen Braniewo und Mamowo arbeiten deutsche Baumaschinen. Aber noch dürfen, von Ausnahmen abgesehen, nur Autofahrer aus Polen die Grenzübergänge passieren. Noch blockiert die polnische Regierung den Zutritt für Landesfremde, genauer gesagt: für die Deutschen. Das mag irrational sein, führt aber zu der zentralen Frage. Wie nämlich verhält sich Deutschland, welche Rolle kann und sollte es in diesem Raum spielen?

Das offizielle Bonn, darüber besteht kein Zweifel, hält sich zurück. Die Bundesregierung und das Auswärtige Amt achten peinlich darauf, daß der deutsche Ruf in Europa, Amerika und Israel nicht durch den leisesten Verdacht hegemonialer Anwandlungen getrübt wird. Seit dem Golfkrieg steht eine erweiterte Verantwortung des Landes in der Welt zur Debatte, die Besatzungsmächte drängen darauf, daß Deutschland endlich aus dem Schatten des Zweiten Weltkrieges heraustritt und sich an den Schauplätzen künftiger Unordnung und Feindseligkeit einmischt. Ein Engagement in «Königsberg» könnte in dieser Situation des außenpolitischen Vorwärtsstrebens mißverstanden werden. Gestützt wird die Zurückhaltung auch hier durch die Furcht vor neuen ökonomischen Lasten. Hinter den Kulissen werden seufzend Stoßgebete ausgesprochen, der Himmel möge das wiedervereinigte Deutschland von dieser Frage verschonen, was im übrigen auch der Meinung der überwältigenden Mehrheit der Bevölkerung entsprechen dürfte. Für das nördliche Ostpreußen gilt im Prinzip keine andere Generallinie als gegenüber allen aus Osteuropa anstürmenden Problemen, und die lautet auf Abwehr und Besitzstandswahrung. Die Sicherung des nach 1945 Geschaffenen rangiert vor den Herausforderungen, die aus früheren Zeiten hochgespült werden. Östliche Interessen beziehen sich auf das Heute, kreisen um Flüchtlingsströme und politische Krisen der Gegenwart und Zukunft.

«Kein Thema» heißt die Orientierung der deutschen Regierung, das Bundesministerium für Verteidigung verweigert sogar jede öffentliche Stellungnahme zum Kaliningrader Gebiet. Auf Anfrage interessierter Bürger äußert sich das Kanzleramt allgemein, doch im Grundsätzlichen klar: Priorität habe die störungsfreie Entwicklung der Beziehungen zu Rußland, und wenn es Probleme gebe in dem fraglichen Teil der russischen Republik mit Namen «Kaliningradskaja Oblast», dann werde man mit Moskau darüber reden. Überdies lehne man bilaterale Beziehungen zwischen Deutschland und der ehemaligen preußischen Provinz ab und wolle, falls überhaupt und wenn nötig, nur im europäischen Rahmen handeln. Darüber sind sich Regierung und Opposition mehr oder weniger einig, wobei der diesbezügliche Konsens aller Parteien sich paart mit Unkenntnis und Desinteresse. Nur eine Handvoll Parlamentarier ist einigermaßen sachkundig und aufmerksam. Anders als in der Oder-Neiße-Frage scheint es weder einen Konflikt zu geben noch den Zwang, Farbe zu bekennen. Selbst die Funktionäre der Vertriebenen sind merkwürdig still. Herbert Czaja, der Vorsitzende ihres Bundesverbandes, wie auch die Vertreter der «Landsmannschaft Ostpreußen» sprechen nur vage von einer «Wahrung des *individuellen* Heimatrechtes» und respektieren die russische Souveränität. Fast große Koalition – der Vorsicht, unausgesprochener Ängste, ratloser Untätigkeit?

Einzig und ausgerechnet das Bundesministerium des Inneren hat sich zu Amtshandlungen hinreißen lassen. Der energische Horst Waffenschmidt, zuständig für Rußlanddeutsche, unterstützt seit 1991 die in den Kaliningradskaja Oblast einsickernden Siedler. Gegen den Widerstand des Auswärtigen Amtes, das jeden direkten Kontakt zur Gebietsverwaltung untersagte, hat er sich durchgesetzt mit der Argumentation: Wenn sich die Rußlanddeutschen im Rahmen der Freizügigkeit innerhalb der GUS an diesen Platz bewegen und nicht in die von uns vorgesehenen Dörfer an der Wolga, im Altai oder bei Odessa, dann muß ich mit meinen Hilfsmaßnahmen notgedrungen folgen. Wir handeln lediglich reaktiv und wollen keineswegs einen Anreiz für eine weitere Zusiedlung schaffen. «Erweiterte humanitäre Hilfe» lautet die diplomatische Formel, unter der außer Lebensmitteln und Medikamenten Traktoren, Dünger und Saatgut in den Kaliningradskaja Oblast geliefert werden. Zur Beruhigung skeptischer Politiker geschieht dies so heimlich wie möglich, unter der Tarnkappe meist der

«Landwirtschaftlichen Erwachsenenbildung Hannover». Ein Vabanquespiel ohne öffentliche Kontrolle mit durchaus abenteuerlichen Aspekten; als Heinrich Groth, der Vorsitzende des Verbandes der Rußlanddeutschen, 1992, enttäuscht von den Rückschlägen an der Wolga, die «Variante Kaliningrad» ins Spiel brachte und seinen eigenen Wohnsitz dorthin verlegte, mit der provozierenden Anmerkung, daß es hier «noch nach Deutschland rieche», gerieten die Verantwortlichen nicht nur im Bundesinnenministerium ins Schwitzen. Es gelang, Groth umzustimmen, bevor größere Gruppen seiner Anhängerschaft sich in Marsch setzten Richtung Memel, doch das Unternehmen bleibt heikel. Inzwischen hat das Auswärtige Amt, nicht zuletzt wegen solcher Erfahrungen, die Flucht nach vorn angetreten. Im Laufe des Jahres 1994 soll – zur gleichen Zeit wie in Wolgograd und Nowosibirsk – in Kaliningrad ein Konsulat eingerichtet werden. Damit würde die Bundesregierung aus der Grauzone heraustreten, ein Schritt zur sichtbaren Präsenz und gleichzeitig eine Anerkennung russischer Tatsachen.

Im Vergleich zur Politik hat die Wirtschaft einen gewissen Vorsprung. Es steht zu vermuten, daß der Vorsitzende des Aufsichtsrats der Deutschen Bank, F. Wilhelm Christians, bereits seit 1988 in die Geschicke des Gebietes eingegriffen hat. Er war es, der in Moskau bei Gorbatschow für die Einrichtung einer Freihandelszone warb und um Vertrauen in die Lauterkeit westdeutscher Absichten. Seine Diplomatie war erfolgreich. Hilfreich dabei waren persönliche Motive; der Westfale hat als junger Mann an der Schlacht um Königsberg teilgenommen und vermochte das Geschäftliche in den Kontext der Versöhnung zu stellen. Doch aus der Einmischung ist bislang keine Investition geworden. Die Deutsche Bank und etliche große Firmen wurden zwar im Kaliningradskaja Oblast gesichtet, wirklich eingelassen am Ort aber hat sich kaum jemand. Das Risiko ist zu groß und von der Politik der eigenen Regierung eben noch nicht gedeckt. Die Sicherheiten reichen bestenfalls für Glücksritter. Im Ostausschuß der Deutschen Wirtschaft herrscht größte Skepsis. Die meisten der seriösen Geschäftsleute warten ab und geben bei Instituten und Consultings Expertisen in Auftrag, z. B. über die Möglichkeiten eines Hafenausbaus in Kaliningrad und Baltisk (Pillau). Das «Hansekolleg», ins Leben gerufen von der «Deutschen Gesellschaft für Auswärtige Politik» und dem «Handelsblatt», dient bislang eher der Entwicklungshilfe in Sachen Marktwirtschaft als der Erschließung eines potentiell lukrativen Standorts. Lediglich auf dem Sektor Tourismus, wo es bereits zahlungskräftige westdeutsche Kunden gibt, sind deutsche Unternehmer schnell bei der Hand oder im Bereich der Infrastruktur und Telekommunikation, wo meist öffentliche Gelder und gesamteuropäische Strategien den Einsatz decken. Die bislang spektakulärsten Coups: ein Dreißigmillionenprojekt der Vermögensverwaltung Holderer und Partner/Düsseldorf, die den alten Königsberger Nordbahnhof zu einem «International Kaliningrad Trade Center» umbauen wollen, und der Kauf Trakehnens. Rund um das ehemalige Landstallmeisterhaus will ein hessischer Kaufmann ein Ferienzentrum für Nostalgiereisende und Pferdenarren errichten.

So bleibt vorläufig die dritte Dimension der Außenpolitik, die Kultur, die Schrittmacherin. Kontakte zwischen Dichtern werden gepflegt. Ins Kaliningrader Stadtmuseum wandern Leihgaben, Fotos vom alten Königsberg oder Gemälde des Tapiauers Ernst Mollenhauer. Justus Frantz gastiert, Siegfried Matthus und die «Elmshorner Dittchenbühne». Eine deutschrussische Arbeitsgruppe bereitet das 450jährige Jubiläum der Albertina vor, ein «Dombauverein» in Berlin sammelt für die einsame Ruine auf der Kneiphofinsel. Meistens geht es um den Reimport deutschen oder Königsberger Geisteslebens, wobei die Themen mit Geschick auf ihre Verträglichkeit mit russischen Bedürfnissen geprüft werden. Höhepunkt war die Aufstellung des Kant-Denkmals im Juni 1992, eine Initiative des Wirtschaftsmannes Christians und der Publizistin Marion

Gräfin Dönhoff, die fast wie ein Staatsakt gefeiert wurde und symbolisch das schwierige Feld der Beziehungen vorbereitet hat – vollendet höflich, versöhnlich, vernünftig.

Jenseits offizieller Vorsicht jedoch sind Deutsche heftig präsent und aktiv. Ohne die Zustimmung ihrer Regierenden haben sich die Ostpreußen auf den Weg gemacht, 60 000 gleich im ersten Jahr, und sie überschütten den Oblast mit ihrer Traurigkeit und energischen Hilfeleistungen, wie wenn sie einen verlorenen Sohn wiedergefunden hätten und mit Macht zur Umkehr bewegen wollten. Sie bringen Kaffee und Saatgut, Kleider und Fibeln in fast jeden Sowchos und Kolchos. Pensionierte Pfarrer und Zahnärzte, Handwerker und Kleinunternehmer verbringen Wochen und Monate dort, ihre Botschaft und ihr Know-how zu verbreiten. Uneigennützig meistens und barmherzig, doch befangen durch ihre Biographie. Ihre Taten sind ichbezogen, weil unlösbar vom Trauma des Verlustes und den Frustrationen der Anpassung im westlichen Deutschland. Sosehr sie sich um Verständnis mühen, es mangelt an Selbstdistanz. Ihr Bild von Ostpreußen ist zu leuchtend und quälend, als daß die sowjetischen Umstände, die es veränderten, in ihren Kopf gehen könnten. Die Geschichte überwältigt noch immer, und die Adressaten der Hilfe empfinden dies ebenso. Bei den ersten Begegnungen steht die Frage im Raum: Wollt ihr bleiben, werden wir verjagt werden? Dieser Verdacht läßt sich entkräften. Dennoch bleibt der Abstand, ein Herrschaftsverhältnis besonderer Art, das zwar anders, jedoch nicht weniger schroff ist als das zwischen Kolonialherren und Kolonisierten.

Auch echte Revanchisten haben ihre Hände im Spiel. Zwar ist die extreme Rechte in dieser Frage vor allem verbal-radikal. Sowohl die «Republikaner» wie Gerhard Freys «Deutsche Volksunion» scheuen im Interesse ihrer sozial schwachen Klientel die Kosten außenpolitischer Kraftmeierei. Aber einige Stoßtrupps gibt es doch, z. B. um den ehemaligen NPD-Aktivisten und Verleger Dietmar Munier und seine «Aktion deutsches Königsberg» oder den schlesienerprobten Torsten Paproth und seinen «Verein zur Förderung deutschsprachiger Minderheiten in Osteuropa». Deren erklärtes Ziel ist, möglichst viele Rußlanddeutsche im Kaliningradskaja Oblast zusammenzuziehen und so allmählich die Bevölkerungsverhältnisse zu verändern bis zu dem Punkt, daß von innen heraus der Ruf erschallt, das Gebiet als 17. Bundesland anzugliedern. An Zahl sind diese Kräfte vor Ort nicht stark, doch der Wechselkurs verschafft ihnen eine gefährliche Potenz. Mit nur 20000–30000 DM kann man einigen Familien zu einer Existenz verhelfen, lassen sich etliche private Höfe mit allem Notwendigen ausstaffieren. Die Strategie einer Regermanisierung des Gebietes schließt Maßnahmen zur Regermanisierung der Deutschen selbst ein. Bedingung nämlich für die Hilfe ist die Bereitschaft, sich den Vorstellungen der Geldgeber ins Sachen «Volkstum» zu unterwerfen. Eine ohnehin heikle Situation wird von außen politisiert. Schon zeichnen sich Konflikte ab zwischen den Rußlanddeutschen und den schon länger eingesessenen anderen Nationalitäten – das erste Mal, daß sich in dieser gemischten Region «ethnische» Spannungen anbahnen.

Wie immer man die Lage beurteilen mag, die vielen zehntausend westöstlichen Begegnungen, die seit 1991 im Kaliningradskaja Oblast stattgefunden haben, machen eines klar: Deutschland wird die Geschichte nicht loswerden, und es wird, ob es will oder nicht, um «Königsberg» nicht herumkommen. Daß in Kaliningrad breite Kreise ihre Hoffnung auf die Deutschen setzen und sich ihnen schicksalshaft verbunden fühlen, macht eine Antwort nicht leichter, aber unausweichlich. In der Stadt kursiert seit dem August-Putsch ein Witz über die möglichen Varianten der Zukunft: «Die Pessimisten lernen Polnisch, die Optimisten Deutsch. Die Realisten üben, eine Kalaschnikow zu bedienen.» In dieses Spannungsfeld der Wünsche, Ängste und Gefahren wird das deutsche Engagement unweigerlich geraten. Nicht ob, sondern wie geartet es sein sollte, ist die schwierige Frage. Wie kann man, so lautet das Thema des Drahtseilaktes, Preußens Osten die letzte Ehre erweisen und Rußlands Westen zu einem menschenwürdigen Dasein verhelfen?

Das Volk ist der Souverän

«South Carolina ist zu klein für eine Republik und zu groß für ein Irrenhaus.»
Kommentar eines konföderierten Politikers zur Abspaltung des ersten Staates von der Union, 1861

Mit der Einrichtung der Sonderwirtschaftszone «Jantar» hat Moskau seine Bereitschaft bekundet, die russische Exklave ein klein wenig loszulassen. Aus der Not heraus bahnt sich möglicherweise die Tugend einen schmalen Pfad. Das Gebiet ist eine Insel, an ihre Ufer werden Waren, Menschen und Gedanken gespült, die sie von Rußland natürlicherweise weiter entfernen werden. Überall im einstigen zentral gelenkten Imperium schreitet die Regionalisierung voran, das Geschehen an der westlichen Peripherie liegt durchaus im Trend und könnte die Sympathien anderer sich emanzipierender Oblaste gewinnen. Ob daraus am Ende ein Zwergstaat, eine «vierte baltische Republik» hervorgeht, wie ein Teil der Bewohner es sich wünscht, steht in den Sternen. Der Kaliningradskaja Oblast ist nicht Tatarstan und nicht Jakutien. Weder besitzt er Erdöl in größeren Mengen noch Gold und Diamanten, die solch einen kühnen Traum finanzieren könnten, noch eine tragende Ideologie, die solch einen befreienden Entschluß rechtfertigen würde. Die Frage des Augenblicks und der näheren Zukunft ist, wie die Bewohner dieses Gebildes sich definieren wollen. Vor dem Staat kommt das Volk und vor der Verfassung die Frage des Selbst. Wer ist das Wir, das einem sinnvollen Weg vorausgesetzt ist? Normalerweise beruhen Sezessionen auf dem ethnischen Prinzip und jahrhundertealter kultureller Gemeinschaft. Dieses ist bei fast hundert Nationalitäten, die gerade erst zusammengekommen sind, nicht gegeben. Auch die russische Mehrheit zerfällt in Tausende von Herkunftsregionen und geriert sich, weitab von Mütterchen Rußland, kaum national. Die Situation ist das extreme Gegenteil der unglücklichen jugoslawischen, die gemischte Bevölkerung lebt friedlich zusammen – eine Einwanderergesellschaft von höchst pragmatischer Gesinnung. Das ist ihre Stärke und Chance, das gibt ihr Luft für zivile Herausforderungen, und zugleich ist es ihre charakteristische Schwäche. Ihre seltsame Konturlosigkeit ist ein schweres Erbe.

Dieses Gebiet ist eine Ausgeburt der Schrecken des 20. Jahrhunderts, gerade erst dem gescheiterten sowjetischen Experiment mehr tot als lebendig entkommen. Die Menschen vereint, daß sie Teilnehmer waren, Insassen eines Raumes, in den sie verfrachtet wurden oder umständehalber hineingestrudelt und auf dessen Architektur und Hausordnung sie nur sehr bedingt Einfluß hatten. Das ist ihre wesentliche gemeinsame Erfahrung, über mehr als 45 Jahre, was heutzutage allerdings keine ganz kurze Zeit ist. In diese Geschichte hinein mischt sich die Auseinandersetzung mit der deutschen Vor-Geschichte, die auch in den Zeiten des Verbots immer stattfand und die nun, mit ihrer offiziellen Zulassung, in ein neues Stadium tritt. Aus dem spontanen, zersplitterten, verrückten Vorgang der Aneignung ist ein Kampf um die historische «Wahrheit» geworden. Informationen von außen besetzen allmählich die weißen Flecken. Das ist notwendig, doch wegen der übergroßen Autorität besserwissender Lehrer und weil der Unterrichtsstoff durch Devisen vergoldet ist, nicht ohne Ambivalenz. Ein Kulturkreis, der unterbrochen ist, so viel ist gewiß, läßt sich nicht wieder schließen. Er muß sich neu finden, eine eigene Evolution durchmachen.

Ein Stückchen davon ist heute erkennbar: Unter den hier Geborenen ist ein Prozeß der Selbstethnisierung im Gange, der sich um das Deutsche und mehr noch um das Ostpreußische wickelt. Das aber bedeutet beileibe nicht den Sprung in die Welt der Vorgänger. Wenn junge Leute 1997 den tausendsten Geburtstag des heiligen Adalbert feiern und ihm an der samländischen Küste ein neues Denkmal setzen wollen, ist das ein Akt der Ortsverbundenheit und des Lokalpatriotismus. Mit Geistesverwandtschaft muß das nicht unbedingt zu tun haben, weder mit Frömmigkeit noch mit einem Verständnis der Geschichte der hiesigen Christianisierung. Die das Interesse nährenden Phantasien wären eher im Russischen zu suchen, in den Legenden vielleicht um Alexander Newski oder in den Satiren Bulgakows, der im Moskau der dreißiger Jahre den Evangelisten Matthäus auf eine Dachterrasse treten läßt, um dem Teufel Gottes Willen zu übermitteln, oder woanders – jedenfalls wächst hier etwas sehr Eigenes, vielleicht Einmaliges. Am Ende des 20. Jahrhunderts macht sich ein entwurzelter Haufen auf den Weg in einen Raum. Ein Ort, von historischen Bedeutungen entleert, füllt sich mit anderen. Seine Bewohner finden sich neu und binden sich an die Region. Das gilt übrigens auch für die zuletzt Gekommenen, die Rußlanddeutschen. Ebenso wie alle anderen haben sie bei ihrer Ankunft keinerlei Beziehung zu Ostpreußen. Sie müssen sich eingewöhnen in die Fremde. Vertraut sind ihnen nicht die Ziegelbauten aus deutscher Zeit, sondern – wenn überhaupt – das Russische und verflossene Sowjetische. Und ob ihr Wunsch, hier zu siedeln, gleichbedeutend ist mit der Sehnsucht nach Rückkehr in eine fast vergessene Sprache und Kultur, ist die Frage. Womöglich würden sie sich lieber unauffällig einfädeln in den Prozeß einer Vergesellschaftung, in dem noch vieles so herrlich offen ist.

Das Volk ist der Souverän, so lautet der erste Satz der Demokratie. Doch der Souverän im Kaliningradskaja Oblast ist im europäischen Vergleich unendlich schwach. Er hat keinen wirklichen Bürgerfrühling erlebt. Er schlitterte in die postkommunistische Ära – unverhofft, kaum von eigenem Freiheitsdurst beflügelt. Fast ohne oppositionelle Denker, die – kampferprobt – nun als regionale Elite die Verantwortung übernehmen könnten für die kommende Gesellschaft. Zwar hat sich eine Öffentlichkeit gebildet, in der heftig geschimpft wird über die Obrigkeit und furchtlos Kritik geübt an Mängeln, aber die Stunde der Wahrheit im Sinne der Selbsterkenntnis scheint noch nicht angebrochen. Die Debatte über die Abgründe der eigenen Schuld steht noch bevor. Nirgends vermutlich in ganz Ost-Mitteleuropa ist die Weigerung, selbst auf der Anklagebank Platz zu nehmen, so hartnäckig. Im Verharren in der Opferrolle ist die Schwäche am deutlichsten. Ohnmacht als Erfahrung hat sich fest- und fortgesetzt als Philosophie, lappt hinüber in die Zeit, wo die menschliche Stimme sich tatsächlich Gehör verschaffen kann. Aus den so gründlich zum Schweigen Gebrachten werden so schnell keine Bürger.

«Das gemordete Echo» – lautet ein Titel von Wladimir Wyssotzki. In diesem schrecklichsten all seiner Lieder beschreibt der Sänger eine Situation, die – übertragen – dem Kaliningradskaja Oblast sehr nahe kommt: Irgendwo in den Bergen wohnte ein lustiges Echo, das erwiderte die Schreie der Menschen. Nur das Echo, nichts und niemand sonst, antwortete auf ihre Hilferufe, warf sie lautstark und zuverlässig zurück. Eines Nachts brachten unbekannte Täter das Echo zu Tode, quälten es, zerstampften es – betrunken vermutlich. Am Morgen haben sie das bereits verstummte Echo noch erstochen. Der Kaliningradskaja Oblast ein Ort ohne Echo – und er ist bis heute verständlicherweise einem Irrenhaus näher als einer Republik.

Der kleinste gemeinsame Nenner auf eine Zukunft hin heißt derzeit: Auf nach Europa! Was bedeuten soll: Wir winden uns aus der Schlinge nationaler Ansprüche und sind für alle offen, die Geld und Ideen mitbringen. Diese Option wird unterstützt von außen – zum Beispiel dem soeben gegründeten Rat der Ostseestaaten, dem Europaparlament in Straßburg oder der

Londoner Osteuropabank. Die ersten Pläne für eine «Euroregion», ausgestattet mit dem Segen und Finanzen aus Brüssel, werden in den Gremien lanciert, der Kaliningradskaja Oblast ist vorsichtig einbezogen in das Timing für die allmähliche Annäherung Polens und des Baltikums an die EG-Wirtschaft. Dem kann man nur zustimmen. Je vielfältiger das Engagement ist, desto freier dürfte die Atmosphäre sein im geschichtsbeschwerten Oblast. Es kann nur nützlich sein, wenn Unbefangenere darauf ein Auge haben und historisch ältere Kontexte wie die Hanse zitiert werden oder die große Völkerkreuzung an der Brücke von Tilsit. Auch Rußland als Ganzes könnte daraus Vorteile ziehen, nicht nur materielle. Seine europäisch orientierten Reformer könnten sich auf einen Vorposten stützen, der ihnen innige Verbindungen und Erfahrungen mit dem Westen beschert.

Doch «Europa» ist nur das Allgemeine, der Rahmen, das Dach. Mit der Orientierung dorthin, westwärts, verbindet sich die gefährliche Illusion, es könne das Besondere ersetzen, eine Identität schaffen von oben. Der Wunsch nach Anlehnung an einen großen Bruder oder Auflösung gar im Schoß einer erfolgreichen großen Ordnung ist stark. Und fatal, auch deswegen, weil sie die kulturellen Bindungen nach Osten, die ein gewisses Rückgrat bilden, schwächt. Eine «Euroregion», die nicht weiß, wer sie ist und sich nicht selbst am eigenen Schopfe zieht, wäre nichts als ein ferngesteuerter Investitionsraum. Der vorsätzlichen sowjetischen Entmündigung würde nur die des Konsums folgen. Nach dem Zusammenbruch des sozialistischen Experiments könnte das Kaliningrader Gebiet, oder wie immer es künftig heißen mag, sehr schnell zu einem gescheiterten Exempel der kapitalistischen Welt werden. Bevor überhaupt die Skizze eines Gemeinwesens sich abzeichnet, bliebe der Souverän auf der Strecke. Wer als Fremder längere Zeit durch den geplagten Westen Rußlands reist, wird mehr Gründe zur Besorgnis finden als der Zuversicht. Es gibt Anzeichen dafür, daß der internationale Waffen-, Drogen- und

Autoschmuggel hier ideale Bedingungen findet und das Verbrechen die Gesetze des Handelns entscheidend mitbestimmt. Es geht sogar das Gerücht, daß Serbien im Kaliningradskaja Oblast ein Rekrutierungsfeld für Desperados entdeckt hat, die sich gegen Dollars als Söldner anwerben lassen. Erschreckend ist vor allem das Ausmaß der Liebedienerei gegenüber den Deutschen. «Prostitution» – dieses Wort beherrscht die dunkelsten Phantasien meiner Reisen, der Gedanke, die Region könnte sich auf der Suche nach einer eigenen Rolle zur Hure emanzipieren.

Das Drama der Entsowjetisierung, das ganz Rußland durcheinanderwirbelt, die rasante soziale Differenzierung und der Zusammenbruch aller Selbstverständlichkeiten können in seinem westlichsten Oblast einen bösartigen Verlauf nehmen. Wenn Not und Verzweiflung nicht durch einen Common sense aufgefangen werden, wird er zu einem Slum werden. Geistig und moralisch, daran werden Entwicklungshilfe und eine Verbesserung des Lebensstandards allein kaum etwas ändern. Zur Zeit geht es ums Überleben, um Brot und Wurst und Arznei. In diesem Kampf wird sich auch die Frage der Würde entscheiden.

Nachwort

Dieses Buch ist aus den verschiedensten Gründen geschrieben worden. Das Vergnügen war nicht der geringste: zu erzählen von den Monaten des Aufbruchs, dem letzten in Europa, von seiner Andersartigkeit und wie die Deutschen darin verwickelt sind. Ich hatte das Glück, Augenzeugin zu sein, und wollte die flüchtigen, allzu schnell vergessenen Momente dokumentieren. Ausschlaggebend jedoch war die Besorgnis, daß mitten in Europa ein neuer Krisenherd sich auftut. Unbemerkt – kaum jemand hat bislang das Gesicht dieser Region wahrgenommen.

Ich bin in den Jahren 1990 bis 1993 insgesamt fünf Monate durch den Kaliningradskaja Oblast gereist, im Auftrag des Westdeutschen Fernsehens und auf eigene Faust. Der Kontakt zu den heutigen Bewohnern war dabei ebenso wichtig wie der zu den alten Ostpreußen. Beim Aufschreiben habe ich die Namen meiner Gewährsleute verändert, manchmal auch einige Umstände und Details. Der Diskretion halber und bei den dort Lebenden auch der Sicherheit wegen, damit ihnen keine Nachteile entstehen und um sie – für den schlimmsten Fall – vor Verfolgung zu schützen.

Vielen habe ich zu danken. Ganz besonders denen, die mir ihre Geschichte anvertraut haben und deren Offenheit und Wohlwollen ich vielleicht, sollten sich schwerwiegende Mißverständnisse eingeschlichen haben, noch ein zweites Mal in Anspruch nehmen muß.

Für die gedankliche Verarbeitung waren einige Orte besonders wichtig, die zugleich Perspektiven sind: die Arbeitsgruppe «Gedächtnis» am Kulturwissenschaftlichen Institut in

Essen und das Europäische Bürgerforum «Longo Mai» in der Haute Provence, die Versammlungen der ostpreußischen Vertriebenen und die Küche der preußischen Litauerin Lena Kondratavičiene in Bitenai an der Memel, die klimatisierten Räume im WDR Köln und der Garten von Charles Schüddekopf, meinem Lektor. Daß die verschiedenen Betrachtungsweisen sich zu Verdichtungen fügten, verdanke ich zu einem Gutteil den Gesprächen mit Lutz Niethammer.

Herzlichen Dank schulde ich allen, die mich auf meinen Reisen begleitet haben, im Kaliningradskaja Oblast und in den langen Jahren der Forschung in Deutschland – mit Klugheit und Geduld, Ermutigungen wie ganz praktischen Dingen. Ich nenne die Namen der Freunde, Verwandten und Bekannten in alphabetischer Folge: Alexej Antonow, Tatjana Antonowa, Nadeschda Balzewitsch, Marek Baranski, Jörg Bernhard Bilke, Johanna Bobrowski, Tamara und Hans Caspary, Justus Cobet, Marianne und Karl Demes, Barbara Duden, Erdmute Gerolis, Michael Giefer, Jutta und Wolfgang Gukelberger, Dietrich Goldbeck, Arthur Hermann, Ivan Illich, Juri Iwanow, Karl-Heinz Janßen, Erhard Klöss, Heinz Klunker, Johanna und Alfred Lachauer, Rüdiger Laske, Viola Laske, Hubertus Lemke, Betty Ljadenko, Horst Mertineit-Tilsit, Richard Pietsch, Isaac Rutmann, Marina Schakinian, Teodor Shanin, Olga Slawjanskowa, Anatoli Snisarenko, Ursula Starlinger, Erika Stegmann, Sergej Trifonow und Zita Vaišvilaite.

Ich danke Winfried Lachauer.

Zeittafel

1255	Der Deutsche Orden beginnt mit dem Bau der Burg Königsberg und benennt sie nach dem Böhmenkönig Ottokar II.
1273	Die Unterwerfung der prussischen Urbevölkerung ist vollendet.
1309	Die Königsburg wird Sitz des Ordensmarschalls.
1330–80	Bau des Doms auf der Pregelinsel Kneiphof
1410	Niederlage des Deutschen Ordens in der Schlacht bei Tannenberg gegen König Wladislaw II. von Polen und Litauen
1457	Der Hochmeister des Deutschen Ordens verlegt seine Residenz von der Marienburg nach Königsberg.
1466	Seit dem Zweiten Thorner Frieden ist der polnische König der oberste Lehnsherr Preußens.
1525	Friede von Krakau. Herzog Albrecht von Brandenburg-Ansbach macht Königsberg zur Hauptstadt des Herzogtums Preußen und führt die Reformation ein.
1544	Herzog Albrecht gründet die Universität, die spätere Albertina.
1552	Der Marktflecken Tilsit erhält das Stadtrecht.
1618	Preußen wird mit Brandenburg in Personalunion vereinigt.
1663	Die Stände huldigen dem Großen Kurfürsten.
1701	Friedrich I. krönt sich in Königsberg zum König in Preußen.

1709–11	Die Pest im nordöstlichen Preußen. Mehr als ein Viertel der Bevölkerung stirbt daran. Danach beginnt Friedrich Wilhelm I. mit seinem «Großen Retablissement».
1714	Der Pfarrer und Dichter Christian Donalitius wird in Lasdinehlen geboren (gestorben 1780).
1724	Vereinigung der drei Städte Kneiphof, Altstadt und Löbenicht zu Königsberg. In diesem Jahr wird Immanuel Kant geboren (gestorben 1804).
1732	Salzburger Emigranten kommen als Siedler ins nordöstliche Preußen. Das Gestüt Trakehnen wird gegründet.
1758–62	Russische Besetzung während des Siebenjährigen Krieges
1807	Französische Okkupation durch napoleonische Truppen. In Tilsit treffen sich Napoleon, der russische Zar Alexander I. und der Preußenkönig Friedrich Wilhelm III.
1808/09	Die preußischen Reformgesetze werden in Königsberg erlassen.
1813	Nach dem Alleingang General Yorcks von Wartenburg in Tauroggen geht von Ostpreußen der Befreiungskampf gegen Napoleon aus.
1815	Königberg wird Sitz des Regierungspräsidenten.
1853	Die Ostbahn wird eröffnet.
1861	Königskrönung Wilhelms I. in Königsberg
1878	Teilung Preußens in die Provinzen Ost- und Westpreußen
1914	Die Armeen des Zaren besetzen für einige Wochen Teile Ostpreußens. Ende August schlagen bei Tannenberg die Deutschen unter Paul von Hindenburg die russischen Truppen zurück.
1919	Ostpreußen wird durch den Versailler Vertrag vom Reich abgeschnitten. Der Streifen jenseits der Memel («Memelgebiet») wird von Deutsch-

land abgetrennt und unter alliierte Verwaltung gestellt.

1923 Der junge Nationalstaat Litauen annektiert das «Memelgebiet».

1933 Der Nationalsozialist Erich Koch wird Oberpräsident der Provinz Ostpreußen.

1939 Hitler holt das «Memelgebiet» «heim ins Reich».

1941 Auf ostpreußischem Boden wird seit Frühjahr die «Aktion Barbarossa», der Überfall auf die Sowjetunion, vorbereitet. Der Krieg beginnt im Juni mit Massakern an der jüdischen Bevökerung im ostpreußisch-litauischen Grenzgebiet.

1944 Im Laufe des Sommers Fliegerangriffe auf verschiedene ostpreußische Städte. Im Oktober bricht die Rote Armee das erste Mal durch – bis nach Nemmersdorf. Eine große Fluchtbewegung setzt ein, auf dem Landweg und über das Frische Haff.

1945 Am 26. Januar beginnt der Kampf um die Festung Königsberg. Am 10. April kapituliert General Lasch. Etwa 110 000 Zivilisten sind noch in der Stadt. In den Konferenzen von Jalta und Potsdam wird das Schicksal Ostpreußens besiegelt. Der südliche Teil fällt an Polen, der nördliche an die UdSSR.

1946 Das ehemalige «Memelgebiet» wird der Litauischen Sowjetrepublik zugeschlagen, das Land diesseits der Memel der RSFSR angeschlossen. Umbenennung des «Kenigsbergskaja Oblast» in Kaliningradskaja Oblast. Sämtliche deutschen Orte werden im Laufe des Jahres umgetauft.

1947/48 Die letzten überlebenden Ostpreußen (etwa 100 000) werden aus dem Kaliningrader Gebiet in die vier Besatzungszonen Deutschlands ausgesiedelt.

1951/52 Die Stadt Duisburg übernimmt die Patenschaft für Königsberg. Auch andere Städte stellen Beziehungen zu bestimmten Vertriebenengruppen her. Kiel kümmert sich um die Tilsiter, Bielefeld um die Gumbinner, Mannheim um die Memeler etc.

1969 In Kaliningrad wird die Ruine des Schlosses abgerissen.

1972 Ein Stadtentwicklungsplan sieht für Kaliningrad ein Neubauprogramm vor. Auch in anderen Städten des Oblast werden die Maßnahmen zur Beseitigung und Umgestaltung der historischen Reste aus deutscher Zeit ergriffen.

1974 Ein Kant-Museum wird in Kaliningrad eingerichtet. Beginn einer Reihe von innersowjetischen Symposien über den Philosophen.

1986/87 In Kaliningrad entsteht eine politische Opposition, die sich positiv auf die deutsche Geschichte bezieht.

1992 Der «Kaliningradskaja Oblast» wird offiziell für Reisende aus dem Westen geöffnet. Im ersten Jahr besuchen etwa 60000 Ostpreußen ihre alte Heimat.

Landkarten

Stockholm
Reval
SCHWEDEN
Riga
Dwina
Ostsee
Memel
RUSSISCHES
Memel
Tilsit
Königsberg
Wilna
Danzig
REICH
Minsk
Allenstein
DEUTSCHES
REICH
Posen
Weichsel
Oder
Warschau
Brest-Litowsk
1914
Stockholm
Reval
ESTLAND
SCHWEDEN
Riga
LETTLAND
Dwina
Ostsee
Memel
LITAUEN
Memel
Tilsit
Freistadt
Danzig
Königsberg
Wilna
RUSS-
LAND
REICH
DEUT-
SCHES
Allenstein
Minsk
POLEN
Posen
Weichsel
Oder
Warschau
Brest-Litowsk
1919

Stockholm
Tallinn
ESTNISCHE SSR
SCHWEDEN
Riga
LETTISCHE SSR
Dwina
Ostsee
Klaipeda
LITAUISCHE SSR
Memel
Sowjetsk
UdSSR
Kaliningrad
Vilnius
Gdansk
Olsztyn
Minsk
POLEN
WEISSRUSSISCHE SSR
Poznań
Weichsel
Oder
Warszawa
Brest
1945
Stockholm
Tallinn
ESTLAND
SCHWEDEN
RUSS-LAND
Riga
LETTLAND
Dwina
Ostsee
Klaipeda
LITAUEN
Memel
Sowjetsk
Kaliningrad
RUSSLAND
Vilnius
Gdansk
Olsztyn
Minsk
POLEN
WEISSRUSSLAND
Poznań
Weichsel
Oder
Warszawa
Brest
1993

Bestseller

rororo **Bestseller** aus dem Belletristik- und Sachbuchprogramm auch **großer Druckschrift.**

Rita Mae Brown /
Sneaky Pie Brown
Mord in Monticello Ein Fall für Mrs. Murphy. Roman
(rororo Großdruck 33148)

Friedrich Christian Delius
Die Birnen von Ribbeck
Erzählung
(rororo Großdruck 33132)

Friedrich Dönhoff /
Jasper Barenberg
Ich war bestimmt kein Held *Die Lebensgeschichte von Tönnies Hellmann, Hafenarbeiter in Hamburg*
(rororo Großdruck 33151)

Elke Heidenreich
Kolonien der Liebe
Erzählungen
(rororo Großdruck 33119)

Martha Grimes
Inspektor Jury besucht alte Damen *Roman*
(rororo Großsdruck 33125)

Peter Lauster
Die Liebe *Psychologie eines Phänomens*
(rororo Großdruck 33104)

Harper Lee
Wer die Nachtigall stört...
Roman
(rororo Großdruck 33140)

Rosamunde Pilcher
Ende eines Sommers *Roman*
(rororo Großdruck 33134)
Wilder Thymian *Roman*
(rororo Großdruck 33150)
Sommer am Meer *Roman*
(rororo Großdruck 33102)

rororo Großdruck

Oliver Sacks
Der Mann, der seine Frau mit einem Hut verwechselte
(rororo Großdruck 33121)

Carola Stern
Der Text meines Herzens
Das Leben der Rahel Varnhagen
(rororo Großdruck 33136)
"Ich möchte mir Flügel wünschen" *Das Leben der Dorothea Schlegel*
(rororo Großdruck 33123)

Elizabeth Marshall Thomas
Das geheime Leben der Hunde
(rororo Großdruck 33147)

Ein Gesamtverzeichnis der Reihe *rororo Großdruck* sowie aller lieferbaren Titel der *Rowohlt Verlage* finden Sie in der **Rowohlt Revue.** Vierteljährlich neu. Kostenlos in Ihrer Buchhandlung.
Rowohlt im Internet: www.rowohlt.de

3455/7

Lebensgeschichten

In loser Folge erscheint eine Reihe ganz besonderer Biographien bei rororo: Lebensgeschichten aus dem Alltag, in denen sich das Zeitgeschehen auf eindrucksvolle Weise widerspiegelt.

Helen Colijn
Paradise Road *Eine Geschichte vom Überleben*
(rororo 22146)

Friedrich Dönhoff / Jasper Barenberg
Ich war bestimmt kein Held *Die Lebensgeschichte von Tönnies Hellmann, Hafenarbeiter in Hamburg Mit einer Einleitung von Marion Gräfin Dönhoff*
(rororo 22245)
Seit Jahren korrespondieren Gräfin Dönhoff und Tönnies Hellmann miteinander. Denn so kraß der Klassenunterschied zwischen ihnen, so verbindend ist die Erfahrung des Widerstands gegen den Nationalsozialismus. Hellmann war Kommunist, Mitglied der Bästlein-Gruppe, wurde von der Gestapo verfolgt, war als Kriegsgefangener in Sibirien.

Anne Dorn
Geschichten aus tausendundzwei Jahren *Erinnerungen*
(rororo 13963)

Jean Egen
Die Linden von Lautenbach *Eine deutsch-französische Lebensgeschichte*
(rororo 15767)

Melissa Green
Glasherz *Eine Kindheit*
(rororo 22362)

rororo Biographien

Eva Jantzen / Merith Niehuss (Hg.)
Das Klassenbuch *Geschichte einer Frauengeneration*
(rororo 13967)
Fünfzehn Frauen aus Erfurt führten seit ihrem Abitur im Jahre 1932 ein Tagebuch, in das reihum jede von ihnen Erlebnisse und Gedanken über ihr Leben schrieb. Dieses «Klassenbuch» führt aus zeitgenössischer Perspektive durch die Kriegs- und die Nachkriegszeit des geteilten Deutschlands bis ins Jahr 1976 und schildert die sehr privaten, aber gleichzeitig auch typischen Frauenschicksale.

Tracy Thompson
Die Bestie *Überwindung einer Depression*
(rororo 22396)

3655/1